BOLSILLO
7ETA

1.ª edición: mayo 2008
1.ª reimpresión: septiembre 2008

© Joaquín M. Barrero, 2007
© Ediciones B, S. A., 2008
   para el sello Zeta Bolsillo
   Bailén, 84 - 08009 Barcelona (España)
   www.edicionesb.com

Printed in Spain
ISBN: 978-84-9872-004-4
Depósito legal: B. 40.062-2008

Impreso por LIBERDÚPLEX, S.L.U.
Ctra. BV 2249 Km 7,4 Polígono Torrentfondo
08791 - Sant Llorenç d'Hortons (Barcelona)

LA NIEBLA HERIDA

JOAQUÍN M. BARRERO

A aquellos niños...

A mis hermanos, Conchita y Manuel,
testigos de la edad primera.

A mi mujer, Marisa,
compañera en los gozos y en las ausencias.

Miró en el charco y vio su reflejo, allá abajo.

Se agachó y con un dedo rozó apenas el agua, que se agitó como una piel acariciada. Estuvo mirando mucho tiempo. Pero su imagen ya no regresó.

J. M. B.

Dios creó al hombre para vengarse de sí mismo por su soberbia.

C. R.

PARTE PRIMERA

Junio 1946

Día primero

Luis nunca había visto a un muerto tan reciente; un muerto que pocos instantes antes no lo era, sino un ser vivo y gesticulante. Los muertos que había visto eran como muñecos irreales, gente metida en cajones oscuros, con cirios luciendo en cada esquina; cuerpos escondidos en sudarios salvo el rostro agudo y desconocido, como el de don Pedro, el del cuarto izquierda, y el de la señora Eloísa, del primero A. Todavía se les podía reconocer cuando su madre le llevó a darles el último adiós. «Debes ir a saludarles porque te quieren mucho; es un respeto a las personas que se van; te acercas y en voz baja les dices lo que quieras decirles.» Y él se acercaba, imaginando sus cuerpos invisibles, hundidos en el colchón como si algo tirara de ellos hacia el suelo, y veía sus ojos implorantes despegarse de unas cuencas profundas, como queriendo aferrarse a él. Y luego besaba sus rostros de cartón, fríos como las noches de invierno y amarillos como limones viejos. Y días después acudía a los velatorios, donde, en habitaciones en penumbra, mujeres vestidas de negro y sentadas a lo largo de las paredes exhibían rezos, llantos y suspiros con gestos contenidos. Miraba entonces a esas figuras inmóviles que él había conocido erguidas y animadas y ahora se habían transfigurado en cosas irreconocibles, y él contenía las preguntas que ya no era posible hacer. En silencio retrocedía a otra sala donde alguien le daba un vaso de leche, a veces dos, con galletas. Llegó a asociar la muerte con el reparto de esas meriendas y, en las frecuentes ocasiones en que el estómago clamaba, deseaba que algún vecino se muriera para zamparse una de esas conmovedoras manducas.

También recordaba a su madre cuando la enfermedad se la llevó, dejándoles solos al Julián y a él. Pero ella tenía el rostro bello y suave y parecía que se despertaría de un momento a otro. Nunca había entendido por qué no volvía, con lo que ellos la querían y necesitaban.

Pero el muerto de ahora era diferente. Arrojado al suelo como los muchos perros que se veían por las calles, el hombre tenía el mismo aspecto que cuando le viera vivo, con el rostro lleno de color, como si estuviera descansando. Un tiempo antes, él, su hermano Julián y sus amigos, el Gege y el Piojo, habían entrado en el Matadero Municipal para esquilar a las ovejas. Terminado el trabajo habían metido la lana en talegos, procediendo con el mayor silencio para no despertar al vigilante del ganadero. Al salir del establo vieron a un guarda jurado rondando. Esperaron un tiempo hasta que se marchó. Luego, para no ser interceptados, se deslizaron hacia una de las cuadras donde se estabulaba el ganado vacuno, no ocupadas desde hacía semanas. Al oír ruido de alguien acercándose habían subido al piso superior, donde se guardaba la yerba. Se asomaron con precaución por un lado del hueco central, por donde se echaba el forraje abajo. A la luz lunar que entraba por la amplia puerta distinguieron a tres hombres. Uno, alto y fuerte, llevaba camisa de manga corta y corbata, como si hubiera olvidado ponerse la chaqueta. Los otros dos llevaban también camisas de manga corta, pero sin corbata, y su aspecto no tenía la elegancia del primero. De ellos, uno era alto también, aunque delgado, mientras que el tercero ofrecía estatura media y cuerpo tirando a grueso. Empezaron a discutir en voz baja. El rumor que llegaba a los chicos era ininteligible. Luego, los hombres se pusieron a gesticular de forma crispada. El más grueso hizo un movimiento con su brazo derecho y golpeó varias veces en el abdomen al de la corbata, que gritó ahogadamente y se encogió, apartándose vacilante con las manos sujetándose el vientre. Asustados, los chicos vieron que el hombre grueso tenía un cuchillo en la mano.

—¿Qué has hecho? ¿Estás loco? —dijo el alto.

—Calla, coño ¿Qué podía hacer? ¿Quieres ir a la cárcel? El herido cayó de espaldas al suelo y su cuerpo sonó como el de una vaca sacrificada. Sus brazos se escurrieron hacia los lados y luego quedó quieto. El grueso se agachó y registró al caído. Estuvieron un momento hablando en voz baja y después salieron dejando el cuerpo inanimado. Fue entonces cuando Julián se incorporó y bajó las escaleras, con los otros pegados a sus talones. Y ahora estaban allí, junto al hombre tendido, que tenía los ojos abiertos y sin luz y la boca entreabierta como si estuviera iniciando un bostezo. Y Luis recordó súbitamente los vasos de leche que en el pasado les ofrecían. De repente hubo una fluctuación en la luz. Se volvieron a mirar. Allí estaban otra vez los dos hombres, con bultos de tela en las manos. Julián gritó y echó a correr hacia la salida lateral, seguido por los otros y por los dos hombres. Salieron al patio auxiliar, soltando los talegos, y corrieron entre la fachada pétrea de las cuadras y el muro exterior, situado en el lado este del complejo. Los hombres corrían con decisión. Julián era el más rápido del barrio y Luis, aunque dos años menor, no le iba a la zaga. Pronto ampliaron la distancia. Luis se volvió a mirar. El Gege se mantenía cerca pero el Piojo se retrasaba. Salieron a la explanada norte y Julián corrió a toda velocidad hacia la parte que daba al río. Llegó al muro oeste, más accesible que el del paseo de la Chopera, y de un salto subió al tejadillo. Le dio la mano a su hermano, que se la agarró desesperadamente. Se volvieron a mirar a sus amigos. El Gege llegó y lo alzaron entre los dos. A la luz de la inmensa luna distinguieron a los hombres avanzando velozmente y a uno de ellos que agarraba al Piojo. Los chicos saltaron al campo y corrieron hacia la margen izquierda del río. Alcanzaron el murete longitudinal que protegía la zona fluvial y echaron a correr en dirección al puente de Toledo. El más alto de los hombres les seguía sin desmayo y notaron su potencia, superior a la de sus pequeños cuerpos. Llegaron al puentecillo de madera, situado a la izquierda, al comienzo del parque de la Arganzuela, y cruzaron el río, haciendo retemblar los desiguales tablones. Julián dirigió sus pasos hacia la derecha y corrió por el desértico campo a lo largo del lado derecho del Manzanares. Luis pensó que no deberían haber cruzado el puentecito sino haber seguido hacia el parque, donde por San Isidro ponían la verbena y entre cuyos abundantes árboles podían haber despistado a su perseguidor, pero la fe en su hermano era total. Jadeantes llegaron al gran puente barroco y cruzaron bajo uno de sus arcos. Se pararon un momento y miraron. No se veía al perseguidor y sólo se oían los ladridos de los perros de las casuchas situadas al final del puente, hacia la calle de Antonio López. Se sentaron para tomar aliento, resguardados por los bloques graníticos del puente.

—¿Qué harán con el Piojo? —preguntó el Gege. Sus rojizos cabellos, inundados de sudor, parecían arder con la luz de la luna.

—No sé —contestó Julián.

—¿Cómo volveremos? Esos tíos estarán esperándonos.

—No saben quiénes somos. Han visto a unos niños. Somos muchos, iguales.

—¿Estás seguro?

—Sí —mintió Julián.

—Qué mal huele aquí —observó Luis.

El Gege abatió la cabeza.

—Soy yo. Me' jiñao en el pantalón.

—Límpiate con yerba.

El chico procedió. De las centenarias piedras, el hombre apareció de repente. Había corrido por debajo del murete que delimitaba el canal por donde se escurría el río, para sorprenderles por detrás del puente.

—¡Cuidado! —gritó Julián y los tres saltaron como liebres cuando ya el hombre se les echaba encima. Los dos hermanos lograron distanciarse pero el Gege tropezó en el desigual terreno y cayó al suelo. El perseguidor se dirigió hacia él. Tropezó también y cayó pesadamente, lanzando imprecaciones. El chico aprovechó para alzarse y aterrorizado siguió en pos de sus amigos. El hombre tardó en levantarse y prosiguió el acoso, aunque la distancia entre ellos se había agrandado. Julián vio una alcantarilla sin tapa destacando en el alargado campo y, sin dudarlo, se introdujo en ella como una ardilla, seguido de sus amigos. Descendieron ágilmente por la escalerilla de hierro y, ya en el fondo, se metieron por el angosto túnel de conducción, avanzando a cuatro patas, y salieron a un conducto más alto oyendo gritar al hombre y vislumbrando el resplandor de una linterna. Ellos conocían las cloacas, laberintos llenos de arañas, ratas y suciedad, porque jugaban allí desde hacía años. La oscuridad lóbrega no les atemorizó. Para no tropezar ni separarse caminaron velozmente en fila sobre el enfangado piso agarrados por una mano mientras que con la otra tanteaban la pared. Corrían sin pausa, cruzando conductos que bajaban hacia la izquierda, hacia el río, hasta que dejaron de vislumbrar la luz de la linterna. Julián, jadeante, reptó por un conducto bajo, como el que habían utilizado al entrar, siguiendo la claridad que entraba por el fondo, y los tres llegaron hasta una boca de alcantarilla. Tampoco tenía tapadera, y algunas estrellas más potentes que la luz de la luna les miraron. Esperaron, agazapados, temiendo ver asomar la cara de los perseguidores. Pero el tiempo fue pasando y nada interceptó el brillo de las parpadeantes estrellas. Subieron las escalerillas y salieron al exterior. Habían sobrepasado el Instituto Ibys, donde se fabricaban productos farmacológicos. Sin decir palabra subieron la cuesta hasta la calle de Antonio López, caminaron hacia el sur y cruzaron el río por el puente de la Princesa, bajo las mortecinas luces de gas de los faroles. En la plaza de Legazpi se iniciaba la actividad en el mercado de frutas y verduras. Un hormiguero de hombres y mujeres comenzaba el trajín por entre los vagones de tren y los camiones, portando seras y banastas en carritos de mano y sobre sus espaldas. Los niños se sacudieron las telarañas y el polvo unos a otros y tomaron asiento en unas cajas vacías, bajo un gigantesco plátano de indias. Después de un rato de descanso vigilante, el Gege dijo:

—¿Qué nos harán si nos cogen?

—Matarnos —dijo Julián, y los otros se miraron temblorosos—. Hemos visto que mataban al otro hombre y no querrán que nos chivemos.

La gente pasaba a su alrededor, faenando, mientras las primeras claridades se insinuaban. El movimiento de tantas personas producía una mezcolanza de voces, ruidos y chirridos, atosigando la enorme área de descarga.

—Entonces, al Piojo... —habló el Gege.

Julián miró a su amigo, pelirrojo y lleno de pecas. El más raro del barrio. Luego miró a su hermano, larguirucho, patilargo, rubio como él. Sus azules ojos le miraban a su vez.

—Debemos estar vigilantes. Intentarán cogernos.

—¿Qué haremos ahora?

—Nos iremos a casa. Y tú —le dijo, dirigiéndose al Gege—, no digas nada a nadie. Ni a tu madre. Te meterías en un lío gordo. Procura quitar el susto de tu cara.

—¿Ni al Bestia?

—Ni al Bestia. Iré a verle esta tarde y se lo diré yo. Ahora cojamos algo de fruta para llevar a casa.

Deambularon entre la gente acuciada. Fueron hacia los vagones, donde multitud de chicos, desharrapados en su mayoría, se movían en el trajín, intentando ayudar en las descargas o mangar en los descuidos. Todos eran rechazados contundentemente a patadas y correazos, salvo excepciones, por lo que conseguir alimentos era cuestión de ingenio. Apalear a la chiquillería no atraía el interés ni la compasión de nadie. Era un hecho cotidiano y aceptado por todos. Los tres amigos consiguieron unos pocos melocotones y albaricoques a cambio de una mínima cuota de golpes. Guardaron la fruta entre sus camisas y partieron hacia sus casas.

Los dos hermanos vieron a su amigo correr hacia la plaza del Reloj, de la que salía la calle de Jaime el Conquistador, donde vivía. Luego se dirigieron a su casa en la calle de José Miguel Gordoa.

—Tengo miedo de padre —dijo Luis.

—No es nuestro padre. No le llames así.

Llegaron a la casa y subieron al primer piso. Llamaron. Les abrió una mujer de unos treinta años, que abrazó a Luis mientras miraba a Julián. Sabía que a él no le gustaban las efusiones.

—¿Por qué habéis tardao tanto? Estaba muy preocupada. ¿Por qué venís tan sucios?

Un hombre de aspecto rudo, cojitranco y algo mayor que la mujer, salió del interior.

—¿Y la lana?

—No hay lana —dijo Julián.

—¿Qué dices? Toa la noche vagueando y aparecéis con las manos vacías y com'unos serdos. ¿C'a'pasao, cabrones?

—Había mucha vigilancia. No hemos podido. Otro día será.

—¿Cómo c'otro día será? Lleváis munchos sin trajer ni una puta brizna.

—El Bestia dijo que no fuéramos si no nos avisaba.

—¡El Bestia no mand'aquí! Soy yo quien dice lo c'ai jacer. ¿Quién os pone el pienso tos los días? Aquí hay que currar, naide puede estar de gorra. A los seis años ya'staba yo ayudando a mi padre a jacer tejas, con el espinazo doblao. Ahora tengo qu'ir al tajo. Y si n'ago mi trabajo me largan a la puta calle. Y a mí naide me dará cobijo, como yo hago con vusotros. Asín que no me vengas con hostias.

—Déjales —dijo la mujer intentando enfrentar su mirada extraviada—. Siempre dices lo mismo. Si no consiguieron lana es que habrán tenido dificultades. Pero han traído fruta.

—Eso s'una mierda. Necesitamos panoja y la lana nos la da, no la fruta.

—No deberías obligarles a coger lana.

—¿Ah, no? ¿Por qué?

—Es peligroso. Además son todavía unos niños.

—¿Unos niños? A su edá he visto a munchos en el frente, durante la guerra, echándole cojones.

—¿No habéis dormido nada? —preguntó ella.

—No.

—Entonces lavaros, desayunar y echaros a dormir. Iréis al cole por la tarde.

—¿A dormir? —exclamó el hombre—. ¡Ni hablar! A desasnarse ara mismo. Y sin desayunar. Y a ver qué notas trajéis este año. Si no son güenas, os meto de peones en la obra.

—¿No ves que están agotaos?

—Que n'ubieran estao golfeando por ahín.

—¿Por qué eres tan duro con ellos?

—¿Duro? ¿Sabes cuántos niños hay ahora currando en los mercaos y en el mataero? Éstos van al cole, tienen cama y manduca segura. Lo único que pío es que cumplan con su'bligación, como tos. Y hoy han fracasao. Si no espabilan serán unos inútiles. No se sale adelante estando en la piltra.

—El colegio es gratis. No le cuesta nada —señaló Julián.

—¿Gratis, maricón? S'os hubiera metío en un taller, algún dinero sacaría por vusotros. Asín que no me jodas con lo de gratis. Esta noche golvéis y ya podéis venir con lana. ¿Dónde están los talegos y las tijeras?

Julián y Luis se miraron.

—Los perdimos.

—¿Cómo que los perdisteis? ¿Dos tijeras y dos talegos? ¿Sois gilipoyas o qué? Venga, dime la verdá o t'arreo una hostia.

—Tuvimos que dejarlos a medio llenar porque llegó un vigilante. Casi nos cogen.

—¿Sabes lo que valen esas cosas?

Julián no respondió.

—Os lo descontaré. Estaréis varias semanas sin ver un jodío chavo.

Los hermanos se lavaron las manos y la cara en el grifo de la pila. Luego entraron en el cuarto y compusieron su aspecto, limpiándose la ropa con trapos y tratando de que sus alpargatas no parecieran tan castigadas. Después trataron de organizar sus deberes, sin conseguirlo por la mezcla de sueño y temor derivada de la experiencia sufrida. Cerca de las nueve salieron de casa acompañados por la cariñosa mirada de la mujer.

El Colegio Público Cervantes estaba muy cerca y hacía esquina entre la calle de Guillermo de Osma y la glorieta de la Beata María Ana de Jesús. Dos salas grandes, una para chicas, que llevaban como uniforme una bata rayada con cuello blanco, y otra para chicos, que vestían de cualquier manera. Sólo se impartía primaria y los críos estaban separados por grupos en bancos corridos, según edades, aunque debido al bajo nivel general muchos chicos repetían curso, por lo que en los asientos se mezclaban todos los niveles. La mayoría de los niños llevaban el pelo al rape, porque de vez en cuando alguien de Sanidad se presentaba a ver si había piojos, y el mejor remedio era el pelado al cero. En el barullo de entrada Luis buscó a Pili con la mirada. La vio venir hacia él.

—Hola.

—Hola.

Pili le llenó los ojos con su mundo amoroso y sin complicaciones. Él había tenido la misma mirada simple hasta esa noche. Ahora estaba mediatizada por el terror.

—¿Qué te pasa? —dijo ella.

—Nada. Quiero verte luego. Donde siempre.

—Bueno.

Los chicos entraron con algarabía, que fue silenciada de inmediato. Luis se sentó en su sitio junto al Rana, un año mayor que él y hermano de Pili, su mejor amigo después de Chus.

—¿Qué os pasó ayer? —preguntó el Rana en voz baja—. El Piojo no aparece y sus padres andan muy alborotados. Han estado en casa del Gege, que llegó esta mañana. ¿Y vosotros?

—También llegamos esta mañana. ¿Y el Gege?

—Su madre no le ha dejado venir. Está asustada.

—¡Silencio! —gritó el profesor, mirándoles con enfado. Ellos enmudecieron.

La clase dio comienzo y, poco después, vencido por el cansancio, Luis abatió su cabeza sobre el pupitre y se durmió. El profesor se acercó a él y descargó sobre su cabeza la regla que llevaba en la mano.

—¡Aquí no se viene a dormir!

Julián se puso en pie desde su banco y gritó:

—¡No pegue a mi hermano!

El profesor, a la vez que director, era de mediana estatura, bigotito racial, delgado, y lucía un traje impecable. Tenía ademanes de militar en la batalla y su gesto era de alerta, como el centinela ante el combate barruntado. Al oír a Julián se volvió, iracundo.

—¡Ven aquí!

Julián salió de su sitio y se colocó delante. Era más alto que el profesor, que le dio un tremendo bofetón y lo lanzó contra uno de los bancos, tirando los cuadernos y tinteros.

—¡Golfo de mierda! No tienes respeto. Ya te enseñaré aunque tenga que deslomarte. ¡Al patio ahora mismo los dos! Ya veré qué hago con vosotros.

Salieron al patio y buscaron acomodo en el suelo. La mañana había despertado agobiante de calor y de sol. Desde el patio se veía parte de la glorieta, sombreada de árboles. De repente, Julián vio algo fuera. Hizo una seña a su hermano, se acercó cuidadosamente a una esquina y miró. Apartados y deseando pasar desapercibidos vieron a los dos hombres que les habían perseguido horas antes. Julián retrocedió.

—Sígueme.

Entraron en el aula a todo correr ante el estupor de los profesores y se dirigieron hacia el interior, cruzando el pasillo que separaba las clases. Buscaron la puerta trasera que daba a un callejón sin nombre y con una única salida a la calle de Embajadores. El otro lado era un muro de separación con las casas de la Colonia. Saltaron el muro de ladrillo y cayeron en un pequeño huerto. La Colonia ocupaba una sola calle sin denominación desde la de Embajadores a la de Jaime el Conquistador. Una doble fila de casas bajas, algo mejor que chabolas, custodiaba la vía. Era un barrio peligroso, con los chicos más duros de todos los barrios de la Arganzuela, la mayoría de ellos sin escolarizar y acostumbrados desde pequeños a la violencia. Al ver surgir a los dos hermanos desde el muro trasero, reaccionaron con la brutalidad habitual, golpeándolos mientras ellos intentaban escapar sin presentar batalla. Finalmente lograron salir mientras oían los insultos y los gritos de sus agresores. Corrieron hacia la plaza del Reloj.

—¿Cómo sabían esos hombres dónde encontrarnos? —jadeó Luis.

—El Piojo. Le habrán hecho cantar.

Un grupo de personas gesticulantes les interceptó. Entre ellas estaban los padres del Piojo, la madre del Rana, el Gege con su madre y la tía del Bestia. El padre del Piojo, sobre la treintena y con mono de trabajo, se adelantó, con los ojos llenos de preocupación.

—¿De dónde venís tan golpeaos?

—Hemos tenido que cruzar la Colonia.

—¿Dónde está el Eliseo?

—No lo sé —dijo Julián—. No lo hemos visto desde anoche.

—¿Por qué no está con vosotros?

—Un hombre lo cogió y se lo llevó.

—¿Qué dices? ¿Qué hombre? —exclamó, volviéndose a mirar al Gege, lo que significaba que el niño no les había dicho nada.

Un estremecimiento recorrió el grupo, que se llenó de murmullos. «Sacamantecas», «El hombre del saco». Todo el mundo hablaba de que desaparecían niños y les sacaban la sangre para dársela a los tuberculosos ricos.

—¿Dónd'asío? ¿Cómo'currió? —gritó la madre del Piojo.

—En el Matadero, en la nave de las vacas.

—Ven conmigo a la comisaría —dijo el padre del desaparecido—. Le diremos to' eso a la poli.

—No —negó Julián, echándose para atrás y cogiendo a su hermano de la mano—. Hágalo usted. No quiero ir a la poli.

—Vendrás, quieras o no —porfió el hombre, agarrándolo de un brazo. Julián se desasió y echó a correr con su hermano, distanciándose del grupo. Corrieron por entre las Casas

Baratas hasta tener la seguridad de que no les seguían. Luego se dirigieron a la taberna Central y entraron. Allí estaba el Bestia jugando a las cartas. El local estaba lleno de humo y de gente vociferante, la mayoría matarifes con los cuchillos colgando de sus cinturones y sus delantales ensangrentados. El Bestia se levantó al verlos. Era un muchachote alto, corpulento, de manos grandes y ojos saltones, con barba que nacía impetuosa. Vestía una camisa de manga corta, nueva, y llevaba pantalones largos y zapatos, como los mayores. Con once años parecía un adulto y era su «maestro». Él les había enseñado a robar bellotas de entre los cerdos, cortar lana de las ovejas y hacerse con chivines y cochinillos, burlando a la Brigadilla. Él se encargaba de hacer desaparecer lo robado y luego repartía con ellos generosamente algunas pesetas, que, en el caso de Julián y su hermano, iban al bolsillo del señor Felipe, su tutor. El Bestia era su único consuelo en esa situación increíble en que se encontraban. Se dejaron llevar a una mesa del fondo, entre barriles de cerveza y cubas de vino. El ruido que había en la taberna impedía que se escucharan sus palabras. El Bestia los miró y Julián vio que tenía grandes ojeras como de no haber dormido en toda la noche, igual que ellos.

—¿Cos'a'pasao, esa sangre?

—Los de la Colonia.

—¡'Sos cabrones! Se creen los amos. Un día vamos a ir y prenderemos fuego a ese pozo. —Luego añadió—: ¿Queréis algo? Llevo toa la puta noche perdiendo. Estoy cabreao, así c'al grano.

Julián le explicó todo lo ocurrido. Los ojos del Bestia se hincharon como globos y luego se puso a jurar.

—¿Por qué fuisteis ayer?

—Nuestro…, bueno, el señor Felipe…

—¿Qué coño quiere'se mamón?, ¿cos'cojan? Hay casi luna llena y os podría jipiar alguien. Por eso no os mandé ir.

—¿Crees que debemos ir a la poli?

—No es el momento. No os creerían y seguramente os acusarían de chorizos. Dejarme que averigüe. Buscarme aquí cuando anochezca.

Los hermanos, sin descuidar su vigilancia, caminaron hasta su casa. La señora María los recibió con el cariño de siempre, pero sorprendida.

—¿Por qué no estáis en el colegio? ¿Qué ha ocurrido?

—Don Casimiro nos pegó. Siempre pega a los chicos. No volveremos más.

—Tendréis que ir. Si no, vuestro padre os dará una paliza. Ya le conocéis.

—No es nuestro padre.

—Os ha dao un hogar.

—Pero nos obliga a hacer cosas que no queremos.

—Los tiempos son malos. Él es como es —añadió la mujer, moviendo la cabeza.

—Y nos pega —siguió el niño—. Y a usted también ¿Por qué permite que la trate así? Mi madre dijo que mi padre nunca le pegó.

—Tu padre era un hombre bueno. La mayoría no es así.

—Cuando me case nunca pegaré a mi mujer.

Ella le pasó una mano por la cara en un gesto que él no rechazó. Luego dijo:

—Sentaos. Os daré de comer.

Los niños se colocaron frente a dos enormes tazones de leche con pan migado. Al terminar fueron a su cuarto, cuyo mobiliario consistía en una cama turca y dos sillas. Al fondo y sobre un taburete había una maleta de madera que servía como mesa. Julián miró por la ventana, que daba a un patio interior. Era un primer piso y la luz entraba a raudales.

—¿Qué vamos a hacer, Julián?

—Creo que deberíamos irnos de aquí.

—¿Por qué? La señora María es buena y nos quiere.

—Sí, pero él es malo, nos maltrata y seguirá obligándonos a robar. Ya lo has visto. Quiere que volvamos esta noche. Además, aquí corremos peligro.

—El Bestia nos ayudará.

—Sí, pero no estará con nosotros todo el día.

—¿Y adónde iremos?

—Trataremos de ver al señor Jesús, si todavía no marcharon a América.

—Él no quiso quedarse con nosotros.

—No podía tenernos. No tenía sitio.

Guardaron silencio. Julián se sentó en la cama y Luis se colocó a su lado. Estuvieron un rato sin hablar.

—Vámonos a Auxilio Social a comer, antes de que vuelva el señor Felipe —determinó Julián—. Si se entera de que nos fuimos del colegio lo pasaremos mal.

Al comisario José Ocaña Mediano no le sobraba el trabajo. Los casos específicos de su cargo apenas surgían y, cuando había alguno interesante en el que podía ejercer su jurisdicción, normalmente quedaba mediatizado por las disposiciones militares o por la activa presencia de la Brigada Social. Había que esperar a que esos estamentos consideraran si era de su incumbencia o de la de ellos. Por tanto, sus casos se reducían a denuncias por hurtos, faltas y peleas. Era un hombre joven, recién rebasados los cuarenta, pero un veterano en su profesión. Había entrado en el servicio al final del reinado de Alfonso XIII como agente de primera en la Escala Técnica, y había sabido conservar con aprovechamiento su empleo de policía durante la República. La guerra le tocó en Madrid y durante los días del conflicto desempeñó su trabajo de forma apolítica, lo que supuso una dura prueba. Melchor Rodríguez, director general de Prisiones, dio siempre buenos informes de su conducta y profesionalidad por los testimonios de los que ingresaban en prisión y que habían sido detenidos por él. Cuando la victoria se decidió del lado de los insurgentes, inmediatamente todos los policías que habían servido en la República fueron depurados. Muchos fueron fusilados, otros pasaron a prisión y los menos fueron cesados y despedidos. Ocaña fue encarcelado por el hecho de haber sido comisario de primera clase, cargo del que fue destituido. Había que crear una policía nueva y afecta al Régimen naciente. Pero partir de cero era muy difícil y los profesionales de la policía adictos no eran suficientes para cubrir las necesidades del territorio español. Se echaban en falta personas con verdadero oficio mientras se reclutaban las nuevas promociones. Tuvieron que recurrir a los vencidos, como en muchos otros campos, buscando a aquellos que no habían tenido delitos de sangre. Las referencias de Ocaña atestiguaban que por encima de todo era un buen policía y que no había estado vinculado políticamente al régimen rojo. Quedó en libertad y, tras un curso acelerado de actualización a los propósitos del nuevo orden, le designaron inspector para, al quedarse vacante el puesto, ocupar el cargo de comisario de segunda clase en la comisaría del barrio de la Arganzuela.

Alto, membrudo, delgado, de poblado cabello castaño y sin bigote, su porte natural le granjeaba el respeto de sus subordinados. Vestía traje negro y llevaba corbata del mismo color, como si fuera de luto. Contempló los retratos de Franco y de José Antonio que, sumariamente enmarcados, imponían desde la pared la observancia a un modo de vida nuevo para el país. Miró la hora. Las once y media. En ese momento entró su ayudante, el inspector Pablo Mir, con una hoja en la mano.

—Mire esto, jefe.

El comisario leyó el documento redactado a máquina y lleno de faltas y tachaduras.

—Joder, a ver cuándo traen a alguien que sepa escribir. Estos informes son auténticos galimatías.

Se concentró en la lectura mientras Pablo le contemplaba en silencio.

—¿Los ha retenido? —dijo, levantando la mirada.

—Sí, están en la salita.

—Hágalos pasar.

Los padres del Piojo, el Gege y su madre aparecieron con timidez y miraron con aprensión. El despacho no era grande, pero la gran mesa tras la que el comisario les miraba, la bandera española situada en su astil en un ángulo, los retratos omnipresentes de los líderes del Movimiento vence-

dor y el entorno general ofrecían una atmósfera amedrenta-
dora para cualquiera ajeno al mundo policial.

—¿Te llamas Eliseo Muñoz García?

—Sí, digo presente —balbuceó el hombre, levantando
torpemente el brazo derecho para hacer el saludo fascista.

—Baja el brazo. Eso aquí no es necesario.

Contempló al hombre. Un pantalón remendado, una
camisa gastada con las mangas remangadas y el cuello abierto por el que escapaba un pecho hirsuto. Alpargatas camina-
das y, surgiendo de todo ello, un rostro joven con arrugas
grabadas en la frente y los pómulos pronunciados. Una pe-
lambrera indómita le daba un aire juvenil.

—¿A qué te dedicas, Eliseo?

—Estoy d'albañil en lo que puedo. Era labriego en
Montijo, un pueblo de la vega del Guadiana.

—¿Cómo se llama tu hijo?

—Eliseo Muñoz González.

—Cuéntame qué ocurre.

—No le vemos desd'anoche, señor.

—¿A qué hora de anoche?

—A las doce salió con sus amigos al mataero.

—¿A las doce de la noche? Es hora de que los niños estén en casa. ¿Qué hacían a esas horas en el Matadero? Aquí
dices que estaban jugando. Eso no puede ser verdad.

El hombre se mostró inquieto y movió sus manos hacia
atrás y hacia delante.

—Venga, la verdad.

—Iban a por lana.

—¿Lana? ¿Qué lana?

—Entran en las cuadras de los corderos y los esquilan.
No hacen daño, sólo quitan lana. Tienen que ir a esas horas
porque es cuando la Brigadilla no vigila tanto y se les puede
despistar.

—Eso es un delito. Esa lana tiene dueño.

—Es una ayuda. La vida es difícil, señor.

El comisario se volvió al Gege. Miró sus descarnadas
piernas, forradas de moratones y costras. Más abajo, los pies

se escondían en alpargatas gastadas, con las uñas de los dedos gordos asomando con ímpetu por las rotas punteras. El arrapiezo estaba muy asustado y lo evidenciaba agarrándose a su madre. Ambos destacaban por sus rostros pecosos y sus cabellos encendidos.

—¿Cómo te llamas?

—Gege, bueno, Gerardo Herrero Albizu.

—¿Cuántos años tienes?

—Nueve.

—Vives con tu madre. —Miró a la mujer, joven y agraciada—. ¿Y tu padre?

—Fusilao después de la guerra —dijo ella.

—Le interrogo a él. Guarda silencio. —Volvió sus ojos al chico—. ¿Quiénes estaban contigo cuando viste lo que viste?

—El Largo, el Patas, que son hermanos; el Piojo y yo.

—Dime los nombres, no los motes.

—El Julián, el Luis y el Eliseo.

—¿Sois una banda?

—No, señor, sólo amigos.

—Siempre hay uno que manda. ¿Quién de vosotros es el jefe?

—Ninguno, señor. Es el Bestia, bueno, el Mateo, el que manda.

—Si es él quien ordena, ¿por qué no estaba con vosotros?

—Él nunca viene con nosotros. Sólo nos dice cuándo debemos salir a esquilar.

—¿Ayer os lo dijo?

—No. El Julián lo decidió. Dijo que se lo ordenó el señor Felipe.

El comisario miró a la mujer, que aclaró:

—Es con quien viven. Ellos son huérfanos. El Felipe los recogió porque era un antiguo amigo de su padre, de cuando la guerra. —Señaló al padre de Eliseo—: Él puede decirle.

—¿Es amigo tuyo?

—No. No me gusta. Es un bruto. Pega a los chicos por cualquier motivo.

—Todo el mundo pega a los hijos. ¿Tú no?

—Bueno, yo…, señor…

—Os diré lo que sois: unos malos padres. El hombre del que habláis no es el padre de esos chicos. Pero Eliseo es vuestro hijo, y Gerardo, el tuyo. —Miró duramente a los adultos—. Permitís que delincan. Unos años más y serán delincuentes.

Hubo un silencio prolongado.

—¿Me permite decir algo, señor comisario? —dijo la madre del niño perdido, con los ojos llorosos. Apretaba el mono del marido, enrollado bajo el brazo.

—Puedes hablar.

—Educamos a nuestros hijos lo mejor que podemos. Tenemos otros dos, más pequeños. El coger lana no hace delincuente a mi hijo porque es muy poca cosa. Y eso nos'ayuda. Yo tengo la'spalda torcía y no puedo echar una mano. Y él… ¿Sabe lo que gana un albañil? Una miseria. Y no hay casi trabajo. No s'acen obras, no se construyen casas ni s'arreglan calles. ¿De qué vamos a vivir? —Movió la cabeza—. Nunca creímos que podría pasarle algo a nuestro hijo. ¡Encuéntrelo, se lo suplico!

La mujer se echó a llorar. El comisario dejó que una pausa tomara espacio. Luego se dirigió al niño:

—Volvamos al asunto. Ese Mateo organiza los robos de lana. Seguramente estáis robando más cosas. Ayer, sin embargo, no os avisó, pero sí Julián por indicación del tal Felipe. Bien. Y ahora dime: ¿qué fue lo que viste?

—Vimos a tres hombres discutir. Luego vimos que uno de ellos le clavaba un cuchillo a otro en la barriga.

El comisario y su ayudante se miraron.

—¿Viste eso realmente?

—Sí.

—¿Qué pasó luego?

—Los hombres salieron y entonces nosotros bajamos y nos acercamos al hombre muerto.

—¿Cómo sabes que estaba muerto?

—No respiraba. Tenía los ojos abiertos y no parpadeaba. El Julián dijo que estaba muerto.

—Continúa.

El niño explicó lo que ocurrió luego hasta que se despidieron los tres amigos después de haber estado en el mercado de frutas y verduras.

—¿Volviste a ver al Eliseo y a los dos hermanos?

—No.

—¿Dónde viven esos hermanos?

—Por Legazpi, en las Casas Baratas.

—¿Sabes sus apellidos?

—Montero de primero y Álvarez de segundo.

—Esos hombres, ¿los habías visto antes?

—No sé —dudó el niño—; estaba muy asustao.

—Le dio cagalera —terció la madre—. Vino con el pantalón cagao y to' sucio.

El comisario la observó y luego al chico. Terminó de tomar notas. Miró a la madre de Eliseo.

—Comprobaremos todos estos datos. Empezaremos a buscar a tu hijo. Eso te lo prometo. Ahora esperad todos fuera. Y tú —indicó a la madre del Gege—, cuida bien de tu chico. Que no vaya solo.

Cuando las dos familias salieron, los dos policías se miraron. Pablo dijo:

—¿No cree que puede ser cosa de niños?

—¿La desaparición?

—No, eso no. Lo de que mataran a un hombre.

—Necesitamos confirmar esa declaración. Busquen a esos hermanos y tráiganlos, a ver qué dicen. Traigan también al tal Felipe. De todas maneras tenemos que hacer nuestro trabajo. A ver si se acaba la flojera. Vaya con ese chico y que le indique el lugar exacto donde dice que ocurrieron los hechos. Llévese a Garzón y a Robles. Busquen rastros. Pregunten en Administración a ver si alguien ha faltado al trabajo. No les voy a enseñar el oficio ahora. Quiero datos concretos, algo. Diga a esa gente de ahí fuera que les informaremos y que ellos, a su vez, nos informen de cualquier novedad que tengan.

Cuando Pablo salió, el comisario miró la hora. Las doce y veinte. Se acercó a la ventana y miró hacia la calle. La Ribera de Curtidores mostraba sus tiendas de viejo, sus antigüedades, su costumbrismo mercantil. Pasaban carros tirados por mulas y algunos camiones, salvando el ajetreo de la gente. El domingo habría Rastro de nuevo y toda la calle sería una inmensa y vociferante tienda. Pensó en el caso que se les había presentado inopinadamente. Parecía un asunto serio. «A ver si, al fin, podemos hacer un trabajo sin mediaciones y justificamos lo que nos pagan», pensó.

Auxilio Social de la calle de Canarias daba comidas a niños y niñas, en mesas separadas, y sólo a quienes tenían las tarjetas correspondientes. A veces sobraban sitios porque algunos niños no se presentaban. Por eso, muchos montaban guardia en la puerta mirando hacia dentro con el desencanto pintado en sus ojos inmensos, esperando ser llamados para ocupar esos puestos, lo que se hacía a elección de las señoritas de la Sección Femenina. Había varios turnos, por lo que las comidas se despachaban con rapidez y los niños no debían demorarse. Julián y Luis exhibieron sus tarjetas al hombre con camisa azul sentado a la entrada, que se las selló. El griterío de los niños cesó de repente a una orden. Ya no se cantaba el *Cara al sol* pero era obligado el rezo de agradecimiento por recibir el alimento. Los niños tomaron el guiso de patatas con náufragos trozos de carne, el huevo duro, el amarillo pan de centeno, la raja de melón y el agua, en un obligado silencio lleno de miradas cruzándose sobre el ruido único de los cubiertos. Luego, terminado el rancho, la explosión de gritos contenidos de la chiquillería al abandonar el local. A algunos los aguardaban sus padres o familiares. Otros estaban solos y se quedaron remoloneando en la aglomeración para ver si se colaban en los siguientes turnos. Los dos hermanos bajaron por el paseo del Canal hasta la estación de mercancías de Peñuelas, notando la imposición de su cansancio. Julián condujo a su hermano entre los vagones detenidos en vías secundarias. Vigilantes, cruzaron por entre los raíles y bajo los trenes. Julián eligió un viejo vagón de viajeros destartalado. Subieron por la plataforma y entraron. El sol ponía rayas de sombras y luces al ser tamizado por las tablillas de los asientos. Eligieron un sitio en el suelo entre los bancos, para no ser vistos desde fuera, y se quedaron dormidos instantáneamente.

La noche se cernía cuando Julián abrió los ojos. Miró a su hermano, que dormía profundamente a su lado. Le dio pena despertarlo. Lo contempló con un cariño inmenso. Su hermano. Sólo se tenían a ellos en el mundo. Recordó parte de las últimas palabras de su madre, antes de sucumbir en plena juventud a la cruel enfermedad. «Cuida de tu hermano siempre y cuida de ti. Os dejo solos. Pero sé que eres fuerte. No dejes que nada os venza.» Contuvo un fragor de lágrimas y tocó a Luis, despertándolo. Se pusieron en pie y se sacudieron el polvo. Descendieron del vagón mirando que nadie les viera y luego bajaron por el paseo de la Esperanza, cruzaron el paseo del Canal cerca de la Metalúrgica Boyer y caminaron junto a las huertas y entre las escasas chabolas que, como setas, iban surgiendo en el campo. Bajaron por Jaime el Conquistador y entraron en la taberna Central, saturada de humo, de ruido de vasos y de la algarabía de la clientela. Mateo les vio, les hizo una seña y les llevó a la misma mesita de la mañana.

—¿Tomáis algo?

—Leche.

Mateo fue hacia la barra y trajo dos vasos de leche. Luego se sentó y miró a los hermanos.

—N'a'nencontrao ningún cadáver donde decís.

—Te hemos dicho la verdad.

—Sólo os digo lo que hay.

—¿Sabes algo del Piojo?

—N'aparece. M'an chotao que'l padre ha puesto una denuncia. Y que'l Gege fue de testigo.

—Entonces la poli encontrará a esos hombres.

—No creo. Un mocoso no es un testigo válido.

—Di qué hacemos. Tú organizas.

—¿Reconocerías a esos hombres?

—Sí. Los he visto antes —dijo Julián, y luego desmesuró sus ojos.

—¿Qué te pasa?

—Ahí… —Julián señaló a dos recién llegados, que miraban inquisitivamente a los clientes a través de la neblinosa atmósfera. Sus camisas azul pálido ponían un punto diferenciador con las ropas de faena de la mayoría. Mateo se volvió y los siguió con la mirada.

—¿C'ocurre con ellos?

—Son los que mataron al otro. Nos están buscando.

—¡Por la puerta trasera, rápido! —ordenó Mateo, levantando su fornida figura—. ¡Esta noche, donde las vacas!

Los dos hermanos salieron a un patio y corrieron por la calle, mirando hacia atrás. Nadie los seguía.

—El Bestia es cojonudo. Con él estamos seguros —dijo Luis.

Llegaron al portal de su casa, abierto como todos, y llamaron a su puerta. Abrió María, con el rostro preocupado.

—¿Dónde estabais? No habéis venido a comer.

Felipe apareció por la puerta de la cocina, en camiseta.

—Vienen de golfear. Más valía qu'icieran algo decente.

—¿Es decente obligarnos a robar?

El hombre se acercó renqueante a Julián. No era muy alto pero empequeñeció al chico con sus miembros abultados.

—T'estás ganando una hostia ¿Quién os obliga mangar?

—Usted. Quiere que traigamos lana.

—'So no es mangar, atontao. Lo hace to'l que puede. 'So m'ayuda a manteneros.

—Es robar —remarcó el niño.

—M'importa una mierda tu opinión.

—No lo haremos más.

El hombre le dio un tremendo bofetón, tirándolo al suelo.

—Golveréis esta noche.

—No.

—Pos ya os podéis largar a tomar por culo. Aquí n'ay sitio pa' vagos.

—Felipe... —inició María, ayudando a levantarse al chico.

—¡Tú cállate! Ya ves lo desagradecíos que son. Los recogimos porque naide los quería, y ahora...

—Mi madre dijo que mi padre le dejó en la retaguardia durante la guerra.

—¡Porque soy cojo! Pero trabajé muncho pa' él y pa' la brigada durante la guerra. Fue una ayuda mutua.

—Salvó su vida —insistió el niño.

—Eres un descarao sinvergüenza ¡Juera! Estoy de vusotros hasta los güevos. No quiero veros.

—Pero Felipe... ¿Dónde van a ir las criaturas a estas horas?

—¡Te'dicho que te calles! ¡No me repliques! —gritó el hombre, mirando con ira a la mujer.

Julián se dirigió a su habitación, seguido de su hermano. Fue a la maleta y la abrió. Álbumes de cromos, tebeos, cuadernos, lapiceros, una enciclopedia de Luis Vives, el libro *Las ruinas de Palmira* y una carpeta de cartón.

—¡La maleta es mía! —voceó Felipe desde la puerta.

Los dos hermanos se miraron.

—Déjame llevarme mi tirador y los tebeos —susurró Luis.

—¡Llevaros toa esa mierda! —bramó Felipe—. No dejaros na'.

Julián cogió todas las cosas y procedió a meterlas en un talego, dejando fuera la carpeta.

—Este libro —dijo Felipe, acercándose y arrebatándole *Las ruinas de Palmira*—. Te dije que lo rompieras. Ni puto caso m'aces. Está prohibío. Si nos lo pillan, m'encierran. No quiero golver allá.

—Démelo. Era de mi padre.

Felipe desmembró el libro, arrancándole las hojas y rompiéndolas en pedazos.

—Toma. Ya'stoy jarto d'él. Aquí lo tienes.

Julián cogió los restos como acariciándolos y no permitió que nadie viera la congoja en sus ojos al meterlos en el talego. María se acercó a los niños y se colocó delante de ambos.

—No os vais. No lo permitiré —retó a su marido.

Él se acercó y le dio un puñetazo en la cara. La mujer cayó hacia un lado y empezó a sangrar por la nariz.

—¡No le pegue! —gritó Julián.

Felipe golpeó al niño con ambas manos en la cara. Julián se cubrió y se acuclilló mientras el hombre seguía castigándole. Luis se abalanzó sobre Felipe con fuerza y lo hizo trastabillar. El hombre se volvió a él y comenzó a pegarle.

—¡Basta, basta! —sollozó la mujer.

Felipe cedió en su furia y se quedó con una mano en el aire, como si no supiera qué hacer con ella.

—¡Mecagüen l'ostia…!

María se acercó a los niños y les atendió, limpiándoles los mocos y la sangre. No vio lágrimas en sus ojos. Constataba algo increíble: nunca lloraban. Ella sí lo hacía. Luego los abrazó y trató de consolarles, consciente de que era ella quien necesitaba el consuelo. Julián compuso su figura y esperó a que su hermano hiciera lo mismo. Felipe los miraba sañudamente.

—Denos nuestras cartillas de racionamiento —pidió Julián.

—Una mierda os voy dar. Yo las saqué. Son mías. Habéis perdío los derechos.

Los niños se dirigieron hacia la salida.

—Ni sos'ocurra golver pa' suplicar cos' recojamos, golfos.

Sonaron golpes en la puerta de entrada. Julián sintió algo amenazador en esa llamada. Mientras Felipe se dirigía a la puerta, él agarró a su hermano, retrocedió hacia la habitación y entrecerró la puerta. Miró a través del hueco notando la confusión de María. Tres hombres desconocidos, sombreros calados, se enmarcaron en el umbral cuando Felipe abrió.

—Somos de la policía. Buscamos a los niños Julián y Luis.

Julián hizo una seña a su hermano, cogió la carpeta, fue a la ventana, la abrió y se descolgó por fuera. Luis no vaciló y se descolgó también. Volaron hacia la salida del patio. Un momento después corrían por el paseo de las Delicias mientras débiles faroles silueteaban las entristecidas calles.

El comisario miró la hora. Las nueve y media de la tarde. Se levantó y oteó por la ventana. A través de la arboleda y con las luces de un sol que escapaba se veía gente paseando. Permaneció apostado, mirando sin ver, hasta que la noche se adueñó del cielo. Oyó la puerta abrirse pero no se volvió.

—¡Qué, jefe!, ¿dándole a la chola, a oscuras?

—Pensaba en cuánto hacía que no estaba en el despacho hasta tan tarde —dijo, sin volverse—. Eso me hizo recordar los tiempos en que el general Mola era director general de Seguridad en la última etapa de la monarquía, ¿le hablé de ello?

—No.

—Dé la luz de la mesa —indicó, volviéndose—. Como sabrá, Mola estableció en 1930 por Real Decreto el Reglamento Orgánico de la Policía Gubernativa, que integraba el Cuerpo de Seguridad, regido por normas militares, y el Cuerpo de Vigilancia, civil, embrión de la policía que ahora somos. —Atrapó una pausa—. Todavía nos regimos por ese Reglamento dada su utilidad, ya que establece una forma de trabajo racional. Por entonces éramos en España algo más de veinte millones, y había tal volumen de trabajo que los escasos cuatro mil policías para todo el país tuvimos que hacer largas jornadas sin horarios, trabajando tardes, noches e incluso festivos, sin que los sueldos se vieran mejorados por ello. Fue una etapa muy dura. Yo tenía veinticinco años y muchas energías.

—No le faltan ahora, jefe.

—¡Qué más quisiera! Pero el caso es que estamos en la molicie, nada comparado con aquello. Claro que no fue el único periodo intenso. Cuando la República declaró una amnistía general, creo que el 20 de julio del 36, dejando en libertad a condenados por delitos comunes, se produjo el caos. Nos quedó un trabajo intenso porque tuvieron que salir a toda prisa hacia los frentes no sólo los militares sino la mayor parte de la Guardia Nacional Republicana, nombre que en la República se dio a la Guardia Civil, y el Cuerpo de Seguridad y Asalto, dejando las ciudades desprotegidas ante los maleantes. Podría decirse que sólo quedamos el Cuerpo de Investigación y Vigilancia para atender la seguridad ciudadana.

—Siempre me han sorprendido las muchas transformaciones habidas en nuestra policía —dijo Pablo—. Scotland Yard y la Sûreté llevan sin cambios una pila de años.

En la matizada oscuridad Ocaña fue a su sillón y se sentó. Pablo hizo lo mismo, frente a la mesa, intentando ver sus ojos, a los que no llegaba la luz de la lámpara.

—Porque no se ha dado con la fórmula acertada, quizá por la tendencia o el deseo de militarizarlo todo. Fíjese, sin contar la Guardia Civil, que siempre ha sido una institución policial semimilitarizada, tenemos tres policías. El Cuerpo de Seguridad de Mola pasó a Cuerpo de Seguridad y Asalto durante la República para, en diciembre del 36, fundirse con la Guardia Nacional Republicana y transformarse en Cuerpo de Seguridad Interior. Ahora se llama Cuerpo de Policía Armada y de Tráfico, ya escindida la Guardia Civil, que recobró su antiguo nombre. Ya tiene ahí una policía. Y las otras dos están en la nuestra, de carácter civil, que ha pasado de Cuerpo de Vigilancia en la monarquía a Cuerpo de Investigación y Vigilancia en la República y, ahora, a Cuerpo General de Policía. En él está la segunda policía bajo el nombre de Comisaría General de Orden Público.

—Y ¿cuál es la tercera?

—Lo sabe de sobra, inspector.

—Es que me gusta escucharle, jefe. Además, creo que también están la Criminal, la de Información…

—Que no son comisarías independientes sino que forman parte de las dos únicas Comisarías Generales, como las brigadas, negociados, gabinetes… —matizó el comisario—. Y esto no acabará aquí. Verá cómo siguen mareando con los cambios. Ambos sabemos que esa tercera policía a que me refiero es la Comisaría General Político-Social, creada para delitos políticos, es decir contra lo republicano y lo monárquico, lo no afecto al Régimen o que pueda ponerlo en peligro. Y para mí ésa es una tercera policía porque es un poder dentro del Poder, algo irracional que, en buena lógica, algún día tendrá que desaparecer porque un Estado normal no debe ser policial, vigilante de sus ciudadanos, sino tolerante y abierto.

—Dice cosas peligrosas, jefe. Está hablando de democracia. Alguien podría oírle.

—Hablo con usted, y en clave de futuro. Sé que comparte algunas de estas ideas.

—Bueno, no sé qué decirle, jefe. Aquello era un caos. Conviene mano dura. Quizá los españoles no sirvamos para vivir en democracia. Además, siempre, en todos los países, existen servicios secretos.

—Sí, en las naciones con sistemas parlamentarios y sólo para protegerles de agresiones o intromisiones externas, como el espionaje. No es éste el caso. La Político-Social sólo sirve para proteger al Régimen de movimientos internos.

—En cualquier caso, es lógico que exista esa policía. Tienen que defender el Estado por el que tantos lucharon y murieron.

—Sí, es lógico —convino Ocaña, mirándole, con pausa incluida—. ¿Por dónde iba?

—Decía que en la guerra estaban abrumados de trabajo.

—Sí, aquella situación excepcional duró toda la guerra. Tuvimos trabajo para dar y tomar, algo que no terminó con el cese de la contienda. Al final del conflicto, este Gobierno declaró otro perdón colectivo, liberando a presos comunes que se ampararon bajo el manto protector de una pretendida adhesión a los principios del Movimiento. Como cuando la amnistía republicana, pero al revés.

—No recuerdo que hubiera desórdenes.

—No los hubo porque se reincorporaron muchos agentes al no haber trincheras que cubrir y restablecerse la Dirección General de Seguridad, que anulaba todas las disposiciones republicanas. Pero el trabajo fue tan intenso como en los dos periodos que le he contado. Como en el 36, había que separar el grano de la paja, investigando a los liberados para recapturar a los criminales convictos.

Habían dejado que la noche ahuyentara los ruidos de la calle. El comisario suspiró profundamente.

—Dígame qué tiene.

—No hemos encontrado rastros donde dice el chico —dijo el inspector, dubitativamente—. La verdad es que se explicó muy bien, daba datos muy precisos para que fuera una invención. Pero la cuadra está sucia, con mucho estiércol y paja. Allí no es posible encontrar nada. Tampoco en la oficina hemos tenido éxito. No echaron en falta a nadie de forma especial. Todos los días falta gente, por motivos diversos: enfermedades, bodas, etcétera. Ausencias normales, como en todos los trabajos. Hay más de trescientos cincuenta empleados entre matarifes, guardas jurados, oficinistas, conductores, jardineros, enfermeros de la Casa de Socorro…

—¿Qué me cuenta? ¿Cuántos llevan corbata?

—Tranquilo, jefe. Sabemos pensar. Usted nos enseñó. Los que pueden vestir de esa manera están en oficinas. Hay más de cincuenta. Son doce los que han faltado. Tenemos sus datos. En Personal nos dejaron ver sus filiaciones completas, con sus fotos. Pero nadie se extrañó de esas ausencias. Son jefes de secciones, altos cargos. Tienen horario pero no lo cumplen. Salen, entran y faltan a menudo. No sólo éstos, sino todos.

—Procure abreviar.

—Garzón y Robles ya están investigándoles en sus casas. Mañana tendremos los informes.

—Sería bueno tener esas fotos.

—Son documentos internos. No pudimos sacarlas.

—¿Cómo funciona el tema de seguridad por las noches?

—Hay un servicio de guardas jurados, Brigadilla le llaman también, como dijo el padre del Piojo…, bueno, de Eliseo. Cubren las veinticuatro horas en tres turnos, con ocho hombres por turno.

—¿Qué hacen exactamente?

—Vigilan todo el perímetro, las cuadras, las naves, hacen patrullas…

—Ya veo, lo hacen de maravilla. Seguro que se ponen a dormir. ¿Quién los vigila a ellos?

—Hay un jefe que los controla. Tiene casa en el Matadero, los demás viven fuera.

—Y ¿quién controla al jefe de la Brigadilla?

—Hay un conserje, con vivienda en el recinto, que está todo el día. Es la máxima autoridad tras el delegado de Abastos, el director y el subdirector, que sólo están por las mañanas. El delegado no siempre, porque visita todos los mercados…

—Vamos a ver. El delegado de Abastos es quien manda, pero sólo cuando está. Lo mismo ocurre con el director y el subdirector. En su lugar tenemos al conserje, que sí está pero que delega en el jefe de los guardas, que tiene casa con cama y que seguramente la usa todas las noches, como el conserje. Quedan esos ocho hombres nocturnos. ¿Alguno vio algo?

—No vieron nada.

—Con todo el movimiento que produjeron esos críos y con esta luna llena, no vieron nada. ¿Qué cree que estaban haciendo?

—Dormir —convino Pablo.

—¿Y los hermanos?

Pablo puso un gesto compungido.

—Bueno, al oírnos llegar a la casa, se escaparon.

—¿Cómo que se escaparon?

—Saltaron desde la ventana de su cuarto al patio trasero. Salimos tras ellos pero no pudimos encontrarlos. Esas casas tienen un laberinto de calles estrechas, curvas y cortas.

—Entonces, ¿qué han conseguido?

—Hemos traído al Felipe, el tutor de los niños.

—Bien. Hágalo pasar.

Felipe entró cojeando con gesto titubeante. Se llenó de energía y saludó brazo en alto y el cuerpo erguido.

—Felipe Romero Díaz, presente.

El comisario le contempló con fijeza y al otro se le fueron escurriendo sus falsas ínfulas.

—Esos chicos Montero no son hijos tuyos, ¿verdad?

—No; m'ice cargo d'ellos al morir la madre. No tienen familia y naide quiso recogerlos.

—Cuéntame por qué escaparon al llegar mis hombres.

—¿Can'echo esta vez? Son unos golfos. Contrimás hago por ellos…

—¿Qué haces por ellos?

—Les he prohijao, les he dao casa, comida…

—Y palizas —interrumpió el comisario—. Y les obligas a robar.

—También pega a la mujer —apuntó Pablo—. Cuando llegamos, ella tenía la cara hinchada y sangraba.

El rostro de Felipe empezó a descomponerse.

—Yo… Son cosas que pasan en los matrimonios. Pero soy servidor de la Ley. Me tocó en Madrí durante la guerra, pero no'stuve en los frentes. Cumplí un año de cárcel.

—¿Por qué no fuiste a la guerra?

—Usté me ve. Soy cojo.

—Miles de cojos, y hasta mancos, lucharon. Eso no es un impedimento.

—Bueno… El padre d'esos golfos —vio la mirada del comisario—, bueno, d'esos chicos me tuvo en los almacenes.

—O sea, que no estabas haciendo nada del otro mundo con prohijarlos. Pagabas así el haber salvado el pellejo. Por tanto, no te las des de listo conmigo. Ahora dime: ¿qué años tienen esos chicos?

—El Julián, diez; el Luis, ocho.

—¿Sabes dónde pueden estar?

—No, señor.

—¿A qué hora crees que regresarán?

—Bueno… —dudó—. Dijeron que no golverían, que se marchaban.

—Que se marchaban ¿adónde?

—No lo sé.

—¿No lo sabes? ¿Y te quedas tan tranquilo?

—Bueno… Yo…

—¿Por qué querían marcharse si, según tú, no tienen a nadie?

—Es que…

—Los echaste.

—¡No, no! Se jueron ellos. Lo juro.

—Que los echaras o que se fueran qué más da. Un hogar violento e ingrato para cualquier chico. Adivino que estaban hartos de ti.

Felipe enrojeció pero no dijo nada.

—¿Qué sabes de las desapariciones de otros niños amigos suyos?

—¿Desapariciones d'amigos? —Puso cara de sorpresa—. No sé na'.

—¿No has oído nada raro que haya pasado anoche en el Matadero?

—¿En el mataero? No, señor. No sé a qué se refiere.

—¿Conoces a un tal Mateo?

—Sí, bueno; he oído hablar d'él.

—¿Cuál es su nombre completo?

—No lo sé, señor. Sólo sé su nombre de pila. Bueno, también le llaman el Bestia.

—Bien. Vete a casa y dale a la mollera. Mañana vienes y me dices sitios a los que esos chicos pueden haber ido. Si les pasa algo vas a tener problemas conmigo. Y si me entero de que pegas a tu mujer, también. Y ahora desaparece de mi vista.

Día segundo

Julián se desperezó cuando un rayo de sol le daba de lleno en uno de los ojos. Hacía mucho calor en el vagón, el mismo que ocuparan la tarde anterior. Había descansado durante la noche pero todavía tenía mucha fatiga. Y hambre. Contempló a su hermano, con la ternura y responsabilidad de siempre. Dormía abusado de cansancio, pleno de niñez, con la tranquilidad de saberse protegido por su hermano mayor. Pero ¿en quién podía apoyarse él? Sintió el desconsuelo de su soledad. Estaban solos en un mundo donde la bondad escaseaba. ¿Qué iba a ser de ellos? A veces de la memoria le venían chispazos, como los que hacían las cerillas al encenderse. Veía a su padre jugando con él en un verdor lleno de luz, lanzándole al aire y recogiéndole. Y él cerraba los ojos mientras descendía hacia sus fuertes manos, sintiendo que volaba como esos pájaros que trinaban y no se dejaban coger. O realmente ésos no eran sus recuerdos sino los que su madre puso en su memoria cuando le decía que en los permisos de guerra su padre gozaba llevándole a pasear y haciéndole esas cosas. Su padre, cuya fotografía miraba con frecuencia, llenándose de su sonrisa confiada. Y luego miraba la foto de su madre, integrada ya en la visión que de ella conservaba antes de irse. Recordaba sus caricias y cómo en poco tiempo fue apagándose como las velas que apenas iluminaban aquella mísera casa donde vivían. Le costaba creer que hubiera pasado ya año y medio desde que dejara de ver sus ojos, tan cercano lo tenía en su estupor. Una honda melancolía le invadió. ¿Por qué ellos se quedaron sin padres y sin abuelos? ¿Por qué no podían estar en una familia normal, como el Juan y la Pili? Y ¿por qué no podían ser como esos otros niños que había visto en el Retiro y en los barrios de más allá, que iban bien vestidos, con pantalones bombachos y zapatos, y que tenían juguetes de verdad? Le habían dicho que a esos niños no les pegaban, que tenían criadas que les cuidaban, que comían bien todos los días y que incluso merendaban; niños que reían y que jugaban felices porque no necesitaban robar lana ni fruta para comer. No entendía que unos tuvieran todo y otros, nada. Los niños de su barrio no vivían así, y el Luis y él menos que nadie. Sus juguetes fueron bolas, huesos de albaricoque, tabas y el Clavo; es decir, juguetes que no eran tales sino burdos objetos que se perdieron con la niñez robada y que ya eran sólo recuerdos, como los tebeos de Luis, abandonados en el que había sido su hogar impuesto. «Eres fuerte.» ¿Lo era? Se clavó las uñas en las manos para que el dolor fuera físico. La desolación que había empezado a embargarle fue expulsada. Volvió a mirar a su hermano. Tenía que luchar por él. Saldrían adelante. ¡Sí! Le despertó, cogió la carpeta, descendieron del vagón y se dirigieron a los Bebederos. Allí se quitaron las ropas y se metieron desnudos en los pilones, coincidiendo con otros chicos. Luego sacudieron sus ropas y se las pusieron. Las huellas de la paliza seguían en sus rostros.

—Nos hemos dormido. Teníamos que haber ido con el Bestia anoche.

—¿Qué hacemos?

—Vamos al Mercado. Le veremos luego.

Dieron un rodeo y llegaron a la plaza de Legazpi. La actividad mercantil había remitido. La mayoría de las transacciones se había hecho y la gente recogía sus cosas e iba escapando del barullo. Buscaron fruta caída y desechada. Melocotones pasados, melones reventados. Encontraron asiento en unas banastas rotas.

—No comas mucho —aconsejó Julián—. Puede darte cagalera.

Un hombre menudo, al que antes habían visto pasar doblado bajo un pesado saco casi tan grande como él, cruzó por delante de ellos en sentido contrario, sin duda en busca de otra carga. Caminaba despacio, arrastrando las alpargatas como si sus pies se negaran a participar en un nuevo sacrificio. Iba cantando con voz aguardentosa una canción que hablaba de la buena vida soñada sin obligados esfuerzos.

> *Me gusta por la mañana*
> *después del café bebío*
> *pasear por la Castellana*
> *con un ciiii... garrillo encendío.*
> *La cartera llena de billetes*
> *y liiiii... bre como un pajarillo...*

Le vieron perderse entre el laborioso gentío pintado de sudores.

—¿Te acuerdas de esa canción? —preguntó Julián.

—No.

—La cantaba el Angelillo, un artista de Vallecas que estuvo en casa muchas veces, cuando la guerra. Era amigo de papá.

—Eras muy pequeño entonces. ¿Cómo puedes acordarte?

—Me lo dijo mamá. Ella, con aquella voz tan bonita que tenía, la cantaba en casa en ocasiones.

—¿Dónde está el Angelillo? Si era amigo de papá, podemos ir a verle.

—No es posible. Cuando terminó la guerra se fue a Argentina. Le buscaban para encarcelarlo.

—¿Era malo? ¿Qué hizo?

—Cantar; sólo cantar.

—¿Y por eso querían meterlo en la cárcel?

—Iba a los frentes de combate y cantaba a las tropas para darles moral. Como hacían los poetas Miguel Hernández y Rafael Alberti, igual que los antiguos juglares. Con las canciones y poesías los soldados se volvían más valientes. Perdían el miedo, luchaban mejor. Los que ganaron no se lo perdonaron. Sus discos y libros están prohibidos. Algún día, cuando sea mayor, buscaré esos libros y los leeremos. Deben decir cosas buenas.

—¿Qué son los juglares?

—Personas de siglos pasados, cuando poca gente sabía leer y todo se transmitía oralmente. Eran narradores ambulantes de cuentos, historias, leyendas. Iban por los pueblos y la gente les daba monedas. Ya no existen.

Hicieron un silencio mientras veían entrecruzarse a la gente.

—¿Te fijas? Es cierto lo que dijo el Bestia de estas personas. Parecen hormigas, trabajando sin parar. Dice que esto es de esclavos.

—Es verdad. Nosotros no necesitaremos trabajar…

—Te equivocas —afirmó Julián—. Lo normal es trabajar para vivir, como nos enseñó mamá.

—Pero en la canción del Angelillo…

—Es un sueño. Algo deseable, como ganar a la lotería. La realidad es distinta.

—Con la lana podríamos…

—No habrá más lana. Es robar. Ya me oíste decírselo al señor Felipe. Por eso nos pegó. No podríamos estar así siempre.

—¿Qué haremos entonces?

—Nos esforzaremos en los estudios, como el Juan. Luego entraremos en la Escuela de Artes y Oficios. Escogeremos un oficio que nos guste y nos ganaremos la vida honradamente. ¿No recuerdas lo que prometimos a mamá?

—Sí, pero sin casa y sin dinero, ¿cómo vamos a estudiar?

—Ya nos arreglaremos. No te preocupes —contestó Julián, haciendo un gran esfuerzo para que no se notara su indefensión.

Al rato se levantaron y echaron a caminar. Entonces ocurrió un hecho asombroso. En el suelo, a pocos pasos, en el enorme patio central lleno de vehículos y carros de los detallistas, Julián vio un billete de veinticinco pesetas. Se dirigió rápidamente hacia él pero llegó tarde. Un hombre con un gran saco de patatas a la espalda se adelantó y puso un pie sobre el papel. Ambos quedaron mirándose, sopesando la situación. La carga del hombre era muy grande. Si la dejaba para coger el billete, podría desestabilizarse y el chico se le adelantaría. Además, luego le sería difícil volver a cargar el enorme saco, que había recogido directamente del mismo borde del vagón. Nadie le ayudaría. Cada uno iba a lo suyo. Julián notó sus dudas, que eran las suyas. Si el hombre no fallaba, cogería el billete y adiós esperanzas. El hombre sudaba copiosamente, abrumado por el peso, el calor y la incertidumbre.

—Señor —ofreció Julián—, podemos repartirnos el dinero.

—¿Cómo lo vamos a repartir? —bufó el hombre.

—Usted levanta el pie, cojo el dinero y luego le acompañamos hasta donde usted deje el saco. Allí me da la mitad.

—¿Crees que me voy a fiar de vosotros?

—Le prometo que haré lo que digo. Yo sí me fío de usted.

El hombre miró al chico a los ojos, estudió el asunto y aceptó. Julián se hizo con el billete y luego los dos hermanos acompañaron al desconfiado y eventual socio, que no apartaba los ojos de ellos, hasta un carro con ruedas de pequeño diámetro enganchado a un borrico y situado fuera del recinto, en la calle de Maestro Arbós, entre otros carros y camionetas. Descargó el saco de golpe haciendo que el animal casi se levantara del suelo. Luego puso la mano.

—Primero la mitad —dijo Julián.

—Eres un jodío negociante. Llegarás lejos.

El hombre sacó un monedero y contó. Dio a Julián la mitad y recibió de él el billete de veinticinco pesetas.

—¿Qué vamos a hacer con tanto dinero? —preguntó Luis, admirado, al alejarse.

—Lo guardaremos. Lo usaremos sólo cuando no tengamos más remedio.

Fueron a buscar a Mateo pero no lo encontraron en la

taberna ni entre el permanente caudal de gente de la zona. El tiempo había pasado rápido. Julián decidió que irían a comer a Auxilio Social.

Los niños esperaban en silencio en los grandes comedores de Auxilio Social, haciéndose guiños y tratando de contener sus risas, mientras veían cómo las señoritas, de flamantes delantales blancos, iban sirviendo en los platos el contenido de unas soperas. Ellas no se andaban por las ramas. Cuando un niño gritaba demasiado, lo expulsaban sin miramientos. Julián, siempre ojo avizor, vio a los hombres entrar en la sala. Uno se quedó en la entrada, hablando con el portero, mientras el otro había entrado y estaba examinando a los comensales, buscando. No había salida. Julián sintió una rabia inmensa. Estaban atrapados. Miró hacia el fondo y luego susurró a su hermano. Ambos se levantaron y como ardillas brincaron por entre las mesas y se metieron velozmente en las cocinas, sembrando la sorpresa y el tumulto. Se dirigieron hacia una puerta abierta y salieron a un patio, lleno de cajas y barriles junto a una pared medianera. Julián miró desesperadamente, oyendo detrás el griterío de las mujeres. De un salto subió a las cajas, seguido de su hermano. Saltaron a otro patio similar, que era el de una taberna y estaba lleno también de cajones y bultos. Entraron al local, cruzándolo como exhalaciones, salieron a la calle de Martín Soler y corrieron. Julián se llenó de esperanza. Nunca podrían alcanzarles. Bajaron por el paseo de Santa María de la Cabeza, mirando hacia atrás constantemente, y más tarde entraron en una churrería cercana a la glorieta de Embajadores. Pidieron churros, buñuelos de viento y sendos tazones de chocolate, mientras recuperaban el resuello. Pagaron, antes de ser servidos, y comieron tranquilamente. Más tarde entraron en una tienda de ultramarinos. Detrás del mostrador un cartel advertía: «Hoy no se fía, mañana sí.» Compraron chocolate *Matías López*, galletas *María* y un bote de leche condensada *El Niño*. Era un lujo. Hacía una eternidad que no comían esas cosas. Siguieron por la calle de Embajadores hacia el paseo de Los Molinos, donde la ciudad se despedía del lánguido río. Fueron más allá de la parte canalizada y luego a una zona llamada La China, donde los viveros y las huertas se apropiaban de las orillas, y llegaron a un lugar donde las aguas discurrían libres entre árboles y bordes yerbosos. Julián buscó un lugar protegido y lo encontró en un pequeño terraplén custodiado por gigantescos chopos.

—Aquí descansaremos.

Estuvieron un rato tumbados. Julián dijo:

—Vamos a bañarnos.

Se quitaron las ropas y se zambulleron desnudos, nadando y jugando en las pozas. Salieron con hambre. Se vistieron y Julián buscó una piedra afilada, con la que hizo dos agujeros en el bote de leche. Chuparon de un orificio por turno.

—¡Hum, qué rico! —se relamió Luis—. Me comería un bote entero.

Julián repartió galletas y pastillas de chocolate. Comieron y apagaron su sed con el agua del río.

—Es mejor que las algarrobas, ¿verdad? —dijo Julián.

—Sí, pero a mí también me gustan las algarrobas —respondió Luis, masticando con fruición.

—¿Sabes qué me dijeron? Que las algarrobas son comida de animales.

—¿De verdad? Pero si todo el mundo las come…

—Claro, por la gazuza. ¿Tú volverías a comerlas si tuvieras chocolate, galletas y mantequilla siempre?

—No sé… —dudó Luis, mirando el perfil de su hermano recortado sobre el fondo verde. Al rato dijo—: ¿Qué haremos, Julián?

—Estaremos aquí hasta la tarde. Luego iremos a ver al Rana y al Bestia. —Se volvió a su hermano y le sonrió—. No te preocupes. No dejaré que te ocurra nada. Te protegeré siempre.

—Contigo no tengo miedo —afirmó Luis. Tras una pausa, añadió—: Me gustaría… Querría…

—Sé lo que quieres. La verás.

Se recostaron en el talud y miraron las aguas correr, recogiendo los brillos cambiantes del día. No se veía a nadie en todo lo que alcanzaba la vista. Julián se levantó.

—A ver quién mea más lejos —invitó.

—Venga —aceptó Luis, con una sonrisa.

Orinaron, porfiando para ver quién lanzaba los cortos chorros a mayor distancia, entre risas y exclamaciones. Luego Julián cogió una rama y la arrojó al río. Luis le secundó y durante un rato se entretuvieron tirando ramas a las aguas y apostando cuáles tomarían ventaja, hasta que las risas les dominaron. Estuvieron un buen rato riendo y forcejeando felices, olvidándose de todo lo que no fuera el juego, hasta que las risas fueron apagándose como el día y se alejaron de ellos como las ramas en la corriente interminable. Julián se quedó callado mirando el agua. Su hermano se colocó a su lado y ambos guardaron un prolongado silencio subrayado por el murmullo de la corriente.

—¿Sabes, Julián? Es la primera vez que ríes desde que mamá se fue.

Julián no contestó.

—¿Qué hay allá? —inquirió Luis, señalando el horizonte donde el río se perdía.

—El mar.

—El mar… Me gustaría verlo.

—Algún día lo verás. Te lo prometo.

—Y más allá del mar ¿qué hay?

—América… Méjico… Venezuela…

—El Chus se iba a Venezuela.

—Se habrá ido ya.

El silencio les atrapó de nuevo.

—Dijiste que iríamos a su casa. A lo mejor no se ha ido. Me gustaría verle. Era mi mejor amigo.

Julián puso la mano en el hombro de su hermano.

—Cuando se haga de noche iremos a ver si todavía está.

Luis sonrió. Luego se sentaron y dieron cuenta del resto de los alimentos. Julián tapó con dos ramitas los agujeros del bote de leche vacío y luego lo tiró al río. Lo vieron flotar hasta desaparecer en la distancia.

—¿Crees que llegará a América? —preguntó Luis.

—A lo mejor. Hay gente que manda mensajes en botellas tapadas con tapones que, al cabo de los años y después de cruzar el mar, llegan a su destino.

—Y ¿cómo saben las botellas adónde ir?

—Supongo que los que las encuentran las llevarán a las señas indicadas.

—Cuántas cosas sabes, Julián.

—Sólo porque soy mayor que tú.

Estuvieron mirando en silencio hasta que las aguas, como el cielo, se tiñeron de ocre.

El atardecer quebraba las luces en un cielo límpido. Se vieron en el campo de fútbol, en el extremo del camino al río, como siempre, mientras la gente pasaba por su lado.

—Ayer no viniste. Estuve esperándote —dijo Pili.

—No pude.

—¿Qué te ha pasado en la cara?

—Nada, me caí.

—He oído que al Piojo se lo llevaron unos hombres malos.

—¿Quién te lo dijo?

—Lo sabe todo el barrio. Y dicen que os persiguen.

Luis la miró profundamente a los ojos. Se cogieron de la mano y caminaron sin prisa, el tiempo arrinconado.

—Nos hemos ido de casa.

—¿Y adónde vais a ir?

—No sé.

—Pero seguiremos viéndonos, ¿verdad?

Él intentó dominar la avasalladora congoja. «Eres fuerte.» Ella se paró. Unas lágrimas bravías pugnaban por desbordar sus ojos.

—Dime que no te irás.

—No lo sé. Pero te quiero. Siempre te querré, ¿y tú?

—Yo también. Siempre, siempre —dijo Pili, y añadió—: Podemos hacer un juramento.

—Vale.

Buscaron en el suelo y encontraron cristales de botellas. Luis cogió uno, lo limpió con su camisa y luego se hicieron un corte en un dedo, como habían visto hacer en una película de Jorge Negrete. Juntaron sus sangres apretando con fuerza. Luego buscaron sus labios levemente, como en ocasiones anteriores. Pero ahora, a pesar del emotivo pacto, el beso alado estaba lleno de dolor y tapaba la esperanza de su mirada.

El comisario descolgó el teléfono al segundo timbrazo.

—¿Quién molesta?

—Jefe —dijo Pablo—, véngase para acá.

—Hable.

—El chico que declaró ayer ha desaparecido.

Media hora más tarde el comisario estaba en su despacho frente a una llorosa mujer. No supo si confortarla o censurarla. Tuvo una visión de esos niños robando lana en las madrugadas cuando otros dormían con su inocencia intacta. Sopesó las ideas. Finalmente asumió que no era justo prejuzgar los comportamientos de quienes viven sometidos a retadoras pruebas. Vislumbró a su mujer, hermosa y sin preocupaciones. ¿Cómo reaccionaría ella ante una situación similar a la de la mujer que ahora tenía delante?

—¿No te dije que tuvieras cuidado?

—Sólo salió al colegio…

—Cuéntame —invitó, dulcificando su expresión.

Entre sollozos ella explicó que esa misma tarde, según un niño testigo, cuando caminaban por la calle al regreso del colegio, un coche paró, salió de él un hombre, cogió a su hijo y lo introdujo velozmente en el vehículo, escapando a gran velocidad.

—Busque y traiga a ese chico testigo —dijo el comisario a Pablo.

—Lo traje. Está aquí, en la sala, con sus padres.

—Buen trabajo. Que pasen.

Entró un matrimonio joven con un chiquillo, que tenía la misma pinta humilde que el ahora desaparecido y que las docenas de golfillos que pululaban por los barrios extremos, la mayoría hijos de quienes en la guerra lucharon en el bando perdedor. Mismo pantalón corto y similar camisa sencilla. Sus rodillas y espinillas hipotecadas de arañazos y moraduras, como las del chico pelirrojo. Sin embargo, sus alpargatas lucían limpias y enteras. Los rostros de los padres, por debajo de la emoción del momento, expresaban una mezcla de temor y escepticismo. En los modales de los tres había, sin embargo, cierto aire que indicaba nivel de educación diferenciado. El comisario cogió al chico del brazo y lo sentó en una de las sillas situadas frente a su mesa. Luego se situó en su sillón y le habló con gesto tranquilizador:

—¿Cómo te llamas?

—Juan Barón Díaz.

—Dime exactamente lo que pasó, lo que viste.

—El coche se detuvo. Salió un hombre, cogió al Gege y se largaron con él. Fue todo muy rápido.

—¿Qué mote tienes tú?

—Bueno… —dudó—. El Rana.

—¿Quieres que te llame así o por tu nombre?

—Por mi nombre.

—Entonces llama por su nombre a todos, ¿de acuerdo? —El chico asintió—. Y ahora dime: ¿ese hombre no intentó nada contra ti?

—Sí, pero escapé corriendo.

—¿Viste la matrícula del coche?

—Estaba tapada con algo.

—¿Qué coche era?

—Negro, un Citroën.

—¿Crees que reconocerías a ese hombre? —El comisario estaba sorprendido del desparpajo del crío.

—Creo que sí. Tenía un bigote de abuelo y pelos largos.

—¿Cómo era?

—Delgado, alto. Llevaba mono y zapatos.

—¿Cuántos hombres había en el coche?

—Otro más, el que conducía.

—¿Eres muy amigo de Gerardo?

—Sí, y del Largo, digo del Julián, del Luis y del Eliseo.

—¿Amigos de fechorías?

El niño dudó un momento.

—Somos amigos desde pequeños. Vamos al mismo cole.

—¿Estuviste la otra noche en lo de la lana con tus amigos?

—No.

—Pero sí en otras ocasiones, ¿verdad?

—Sí, hace tiempo. Mis padres me lo prohibieron. Además, no quiero ir.

—¿Por qué?

—No me gusta lo que hacíamos. No me gusta el Bestia…, el Mateo.

—¿Por qué no te gusta?

—Es mayor que nosotros, once o doce años. Un mandón. Es cruel, pega a los perros, se ríe de los viejos y de los tullidos, se ensaña con los que toma manía. Gato que ve, gato que intenta matar. Él nos engarzó con lo de la lana. Vive de cosas así. Les dije a mis amigos que lo dejaran. No me hicieron caso.

—¿Sabes sus apellidos?

El niño miró a su padre, que dijo:

—Mateo Morante Peña.

—¿Crees que a tus amigos les gusta robar lana? —El comisario preguntó a Juan.

Pensó un momento. Miró a la desconsolada madre de Gerardo.

—Les obligan a hacerlo. Necesitan el dinero en sus casas.

—¿Qué años tienes?

—Nueve.

—¿Qué te dijo Gerardo sobre lo de la otra noche?

—Dijo que vieron matar a un hombre, que se lo había dicho a ustedes.

—¿Has visto a los hermanos Montero?

—No, desde ayer por la mañana en el colegio.

El comisario estuvo pensando un rato. Intentó calmar a la madre de Gerardo, que no cesaba de llorar.

—Que un agente acompañe a estas familias —dijo a Pablo—. Protección a este chico durante las horas del día. Y usted, con Bermejo, busque a esos chicos Montero. Tráigamelos. No quiero excusas. Vuelvan al Matadero y encuentren huellas. Sí, ya sé que no hallaron nada, pero hay que insistir. Peinen la zona. Quiero resultados.

—¿A estas horas, jefe?

—Ya mismo. Las cuadras no cierran. Espabilen a los de la Brigadilla, que les ayuden, que trabajen. Ah, Pablo. —Miró a su ayudante—. Ese tío... No encajan el mono y los zapatos.

—Ni lo del bigote de abuelo, jefe; iba disfrazado.

Todos salieron. El comisario entendió que era un momento ideal para que un fumador echara un pitillo. Pero él era uno de esos tipos raros y absurdos que no fumaba, cuando todo el mundo lo hacía. Sacó un cuaderno y escribió a mano:

1. El Piojo, Eliseo Muñoz González. Ocho años. Desaparecido.
2. El Gege, Gerardo Herrero Albizu. Nueve años. Desaparecido.
3. El Largo. Julián Montero Álvarez. Diez años. Testigo en búsqueda.
4. El Patas, Luis Montero Álvarez. Ocho años. Testigo en búsqueda.
5. El Rana, Juan Barón Díaz. Nueve años. Testigo protegido.
6. El Bestia, Mateo Morante Peña. Once/doce años. Cabecilla. No parece implicado.
7. Hombre desconocido. Presunto desaparecido. Presunto asesinado. Nadie denunció su falta.

«¿Qué está pasando?» Miró hacia la calle, ahora desierta y apenas iluminada con los faroles de gas.

Julián y Luis se dirigieron a la taberna Central. Esta vez localizaron a Mateo, que les llevó a una de las mesas traseras.

—¿Por dónd'andáis? To'l mundo os busca. ¿Cos'a'pasao en las jetas?

—El señor Felipe —dijo Luis.

—A ese cabrón un día le daré jarabe. Bien. Habíamos quedao anoche. Os esperé mucho tiempo.

—Nos dormimos. Iremos luego. ¿Han cogido ya a esos hombres?

—No. No se sabe quiénes son.

—Pero tú los viste ayer y sí lo sabes, ¿verdad?

—Sí, los he filao algunas veces y es lo que m'estraña, porque son gente respetable. ¿Seguro que n'os equivocáis?

—No. Son ellos. El Gege puede confirmarlo.

—El Gege no aparece. —Movió la cabeza mientras Julián y Luis se miraban con asombro y alarma—. Salió del cole esta tarde y no ha vuelto a casa. Su madre está como loca.

—¿Qué podemos hacer, Mateo?

—Hacen falta pruebas. Pero sé la manera de desenmascararles. Nos vemos esta noche, donde las vacas, a las doce. No volváis a faltar. ¡Ah! —Los miró con gesto de complicidad—. Sobre la cita. No digáis na'nadie.

Se levantaron para irse. Mateo se desentendió de ellos. En ese momento, Luis vio a través del gentío a dos hombres que entraban. Sus sombreros los diferenciaban. Cogió el brazo de su hermano.

—¡Allí, mira!

Julián levantó la vista. Eran dos de los que habían visto en la casa del señor Felipe. Al instante se lanzó hacia la puerta trasera, seguido por Luis. Los hombres avanzaron empujando a la gente. Pero ellos ya habían salido. Era de noche y se escurrieron por entre el nudo de callejuelas, oyendo repicar los tacones de los zapatos de los perseguidores. Una vez más coronaron airosos su fuga.

A las once de la noche los dos hermanos llegaban a la calle de Ave María, en Lavapiés, donde habían nacido y donde habían vivido con sus padres unos años urgidos de brevedad. Su barrio. Los portales estaban abiertos y había gente en las aceras, sentada o tumbada en hamacas y colchones. Entraron en el número doce, un edificio de pilares y estructura de madera construido más de un siglo atrás. La casa era tipo corrala, con un pasillo rodeando un amplio patio donde durante las fiestas del Carmen y de San Lorenzo los vecinos celebraban verbenas propias y se convertía en una pista de baile con adornos de flores, ristras de papeles de colores, globos, muchas luces, y la gente danzaba y se divertía hasta altas horas trasnochadas, con música infatigable atronando la zona desde mal avenidos altavoces. Ahora estaba con el sonido de un día normal. Subieron al cuarto piso por los gastados escalones de madera, sorteando los nudos tramposos, y se dirigieron al fondo del pasillo. Una cortina tapaba el vano de una puerta. Julián golpeó con los nudillos en el cerco. Una mujer joven vestida enteramente de negro apartó la cortina y, al reconocerlos, les franqueó el paso con inusitada alegría, abrazándolos. Al oír la algarabía, un hombre de aspecto serio, en la treintena, con peto y camisa de manga corta, salió del fondo. También alegró el rostro y les abrazó. La casa era minúscula: un comedor de cinco metros con una ventana que daba al patio; dos habitaciones sin ventanas, ocupadas casi enteramente por unas camas turcas; al fondo, un hueco como cocina donde sólo cabía el desvencijado fogón de piedra, con un tragahumos en la parte alta, sin ventana ni pila ni agua corriente. Unos quince metros cuadrados de vivienda en total.

—Nos hemos acordao mucho de vosotros. Fuimos a buscaros. Pero no encontramos la casa. Todas son iguales. ¿Por qué no vinisteis a vernos?

—Nos daba vergüenza.

—¿Vergüenza? ¿Por qué? Sois hijos de unos grandes amigos, que recordamos con frecuencia. Nunca pagaremos lo mucho que hicieron por nosotros durante la guerra.

—¿Y el Chus? —preguntó Luis.

El matrimonio marcó una pausa. Ella hizo un esfuerzo para neutralizar su emoción.

—Lo atropelló un camión. Las calles vacías de coches y el único que pasa va y lo mata. Ya hace tres meses de eso. —Miró a Luis—. Te recordaba mucho. Le dolió vuestra separación.

El chico quedó anonadado. Miró a su hermano. «Los niños no lloran.» Pero tantos muertos de repente, y ahora también su amigo… Las lágrimas, las primeras desde las vertidas cuando su madre, manaron en silencio y él dejó que bajaran y mojaran su raída camisa. La mujer lo abrazó.

—No llores. No rompas más mi corazón.

—Era mi amigo, mi mejor amigo.

—Insistía en que te buscáramos. Quería dejarte sus colecciones de tebeos: *El Puma*, *Suchai*, *El Capitán Coraje*… —Hizo un esfuerzo—. Bueno, ¿habéis cenao? —Vio la mirada de Luis. Añadió—: Sentaros.

Los niños obedecieron. El hombre se fijó en la carpeta que llevaba Julián.

—¿Qué tienes ahí?

—Nuestros certificados de nacimiento y los de nuestros padres; su certificado de boda; cartas de nuestro padre durante la guerra; la colección de cromos del Real Madrid del Luis; fotografías y otros papeles que no conocemos.

—¿Por qué lo lleváis encima y no lo dejáis en casa?

—No volveremos adonde el señor Felipe.

El matrimonio cruzó una mirada.

—¿Por qué no?

—Bueno… No podemos seguir allí. Por favor… No es fácil hablar de esto ahora.

—Estáis muy delgaos. ¿No os dan bien de comer?

—Gachas —dijo Luis.

—¿Gachas? Son buenas, tienen mucho alimento.

—Todos los días —añadió Julián.

—¿Todos los días? —se sorprendió la mujer.

—El señor Felipe es muy roñoso y ahorrador. Controla todos los gastos a la señora María. Ella siempre nos da otras cosas cuando él no está.

La mujer puso un plato de sardinas fritas y un trozo de tortilla a cada chico, acompañado de un gran pedazo de pan y un vaso de leche, arrimando luego un plato con albaricoques. La visión de la comida alegró la mirada de Luis, que tocó el pan. Era blanco, de trigo. Casi había olvidado cómo era. Empezaron a comer con timidez.

—Tenéis mala pinta; vuestras ropas están sucias y parecéis cansaos. ¿Qué son esos moratones? Insisto, ¿es que no os cuidan donde estáis? ¿Por eso no queréis volver?

—Bueno… —inició Julián—. Es que… —Guardó silencio. El hombre miró a su mujer.

—Sentimos enormemente no haber podido teneros con nosotros cuando murió vuestra madre. Pero ya veis de qué sitio disponemos —dijo ella—. Sabéis que nos íbamos a Venezuela. Mi cuñao nos ha reclamao. Tenemos el dinero y los papeles preparaos. Ahora no queremos irnos. ¿Quién se ocupará de nuestro Chus?

—Pero si está muerto… —balbuceó Julián.

—¿Quién cuidará su tumba, quién le rezará? —La mujer movió la cabeza como si no hubiera oído—. Pero no habéis contestao. ¿Os tratan mal?

—Es que… —dudó Julián, renuente a hablar del tema—. Ella es buena; de él no queremos saber nada.

—¿Os pega?

—Muchas veces. Y a la mujer —informó Luis, rehuyendo la mirada de su hermano.

—Entonces, quedaros aquí. Nos sobra una habitación —dijo el hombre.

—¿Lo dice en serio? —Los hermanos se miraron sin atreverse a creerlo.

—Claro que sí. Podéis quedaros ahora mismo. Mañana iré a recoger vuestras cosas.

—No, por favor. No queremos que el señor Felipe sepa dónde estamos. Además, sólo quedan allí unos pocos recuerdos. Pero no queremos ser una carga. Le ayudaremos en su trabajo.

—Eso ya lo hablaremos. Lo importante es que estéis bien. ¿Vais al colegio?

—Sí, pero no podemos volver.

El hombre los examinó con atención. Su rostro se tornó serio.

—¿Por qué no podéis volver?

Los hermanos se miraron.

—Don Casimiro, el director, me odia y me pega por cualquier cosa. Además nos persiguen y el colegio está vigilado.

—¿Quiénes os persiguen?

—Hombres que no conocemos…, la poli…

—¿La policía? ¿Qué habéis hecho?

—Nada malo. Nunca hemos hecho nada… Bueno, sí, robar lana…

—¿Robar lana?

Julián le explicó todo el asunto, y concluyó:

—Pero no nos persiguen por eso.

—¿Por qué entonces?

—Vimos algo terrible.

El matrimonio se miró con alarma.

—Cuéntalo.

—Lo siento, señor Jesús; es mejor que no sepan nada.

—No os podemos ayudar si no nos lo decís.

—Ya nos ayudan dándonos refugio.

—¿Refugio? Os damos un lugar donde estar, pero no guarida. Tenéis que hablar con más claridad.

—Señor Jesús, le pido por favor que confíe en nosotros. Ya sé que es difícil, apenas nos conoce. Pero somos buenos. Se lo juramos por la memoria de nuestros padres. No nos haga más preguntas. En su momento le contaremos nuestro problema. Y pase lo que pase no piense mal de nosotros.

El silencio fue intenso, como si la casa hubiera quedado vacía. Al rato, Julián preguntó:

—¿Qué hora es? Tenemos que hacer algo esta noche.

—¿Esta noche? Ya es de noche.

—Más de noche, a las doce.

—¿A las doce? ¿Qué hora de salir es ésa?

—No puede ser otra. —Luego dijo—: ¿Podría guardarnos este dinero?

El hombre miró los dos billetes de cinco pesetas.

—Es mucho dinero —dijo, mirando asombrado los billetes—. ¿De dónde lo habéis sacao?

Julián se lo explicó. El hombre movió la cabeza.

—Es realmente raro lo que cuentas. No es frecuente.

—¿Por qué?

—Porque al coger el billete podías haber escapao con él. Y porque cuando se lo diste al hombre, él pudo habérselo quedao sin daros nada e incluso podía haberos golpeao. Cumplisteis los dos. Eso demuestra que todavía hay gente honrada en el mundo. —Miró al chico con admiración. Luego preguntó—: Antes dijiste que el director te pega.

—Sí.

—¿Se lo dijiste a Felipe?

—Sí, pero decía que algo habría hecho yo. Que me aguantara, como un hombre.

—¿Habías hecho alguna picia?

—No, bueno; el profe está siempre escamado y de mala leche. A la mínima la emprende a reglazos y a golpes. Los chicos cuchichean y se chungan a sus espaldas, pero él lo sabe y siempre está en guardia.

—¿Por qué se burlan de él?

—Es que se apellida Pozo Cuadrado. Nadie entiende eso porque todos los pozos son redondos.

—¿Y por eso te pega? —inquirió Jesús, riéndose a carcajadas.

Luis se echó a reír. Julián se mostró confuso.

—Bueno; don Casimiro es delgado como un fideo y lleva siempre trajes de chaqueta cruzada muy ajustados. Por eso le llaman el *Tubo*, un mote que viene de curso en curso. Él lo sabe y no permite que nadie se lo diga a la cara. Un día el Rana, bueno, el Juan, un amigo, apostó a ver quién era el valiente que se lo decía. El Luis colecciona cromos de los jugadores del Real Madrid y le faltaba el más difícil: el Pahiño. El Juan lo tenía. Le dije que si se lo daba a mi hermano yo le llamaría Tubo cuatro veces al director en su cara. Aceptó. Y un día que nos hablaba de geografía, le pregunté: «Don Casimiro, ¿usted estuvo en Barcelona?» Dijo que sí y yo seguí: «¿Y estuvo en Lisboa?» Otra vez dijo que sí, y yo: «¿Y en París también estuvo?» Al afirmar, le dije: «Pues usted es "tubo" en todos los sitios.» La clase entera se echó a reír y él cayó en la cuenta. Fue una juerga que me salió cara porque me dio una somanta palos. Conseguí al Pahiño, pero desde entonces me sacude a la mínima.

El señor Jesús, su mujer y Luis reían a carcajadas. Julián estaba serio y tenía los ojos agachados. Todavía con el temblor de la risa, el señor Jesús invitó:

—Lavaros un poco en esa palangana y luego echaros en la habitación del Chus. Descansar un rato.

El cuarto era oscuro y no tenía bombilla. En las paredes había hojas con dibujos de *El Guerrero del Antifaz* y de *El Diablo de los Mares*. Se descalzaron y se echaron en la cama.

—Debemos salir —insistió Julián—. No podemos dormirnos.

—¿Tan importante es?

—Sí.

—Dormir un rato. Os avisaremos.

Los niños cayeron en un profundo sueño. El hombre miró a su mujer.

—No los despiertes. Nada hay tan importante que no pueda esperar a mañana.

Día tercero

El comisario entró en su despacho y vio el informe que sobre su mesa habían dejado Mario e Isaac. Habían visitado el domicilio de los doce empleados ausentes. Cinco de ellos estaban en sus casas, más o menos enfermos. De sus manifestaciones se infería que no tenían ni idea de hechos diferentes a los habituales. Otros dos no estaban, pero sus esposas dijeron que habían salido a resolver algunos asuntos. En las otras cinco casas nadie respondió, por lo que continuaba la investigación.

Sonó la puerta y Pablo asomó la cara.

—Pase.

—Lo siento, jefe. A pesar de mirar con linternas y mover la paja no hemos encontrado nada significativo. Pero hay una novedad: tenemos una visita muy interesante.

—¿Quién es? Déjese de adivinanzas.

—Un falangista.

Los dos se miraron durante unos instantes.

—¿Qué hay de los huérfanos?

—A Garzón y a Robles se les han vuelto a escapar, anoche.

—¿Bromea?

—Estuvieron acechando en la casa del bocazas del Felipe. No aparecieron en todo el día.

—Entonces, ¿de dónde se escaparon esta vez?

—De una taberna que les indicó el Felipe.

—¿De una taberna? ¿Qué hacen unos chicos en una taberna?

—Parece que allí se ven con el jefecillo, el Mateo ese.

—¿También se escapó?

—No lo buscaban, no se les ocurrió.

—Hemos olvidado nuestro oficio, Pablo. Eso es lo que pasa. No hay iniciativas, sólo seguimiento de órdenes. —Movió la cabeza—. Haga pasar a ese hombre y quédese.

El individuo era de estatura aventajada, delgado como un huso y de cara uniformada; pelo negro brillante peinado a lo porteño y sin bigote, lo que extrañó al comisario, porque esa fina hilera era como un signo de identidad en la Falange. Vestía un pantalón azul oscuro y una camisa de manga larga del mismo color y tono. La insignia del yugo y las flechas estaba bordada en rojo al lado izquierdo, sobre el bolsillo. Justo debajo, bordados en rojo también, un yugo y dos flechas, indicativo de que mandaba unidades de primera línea. Tenía buena pinta y debía de estar en la treintena. Su aspecto era abrumadoramente saludable. Hizo el saludo romano con decisión y el comisario respondió levemente, invitándole a sentarse.

—Usted dirá, señor… —miró la tarjeta que le acercó el otro— León de Tejada y Ortiz de Zárate.

—Soy el jefe local de Falange de este distrito. Uno de mis hombres desapareció hace dos días sin ninguna razón que lo justifique. Somos grandes camaradas.

El comisario miró al político tan intensamente que el hombre se movió con cierta extrañeza.

—¿Cómo se llama su amigo?

—Andrés Pérez de Guzmán y Velázquez.

—Joder, vaya nombrecitos. ¿Es una condición para entrar en Falange?

—Oh, no —rió el otro—. La mayoría tiene nombres normales. Nosotros tenemos raíces aristocráticas. Eso nos acercó cuando nos conocimos. Podemos abjurar de nuestras servidumbres nobiliarias, cosa que hicimos, pero no de nuestros apellidos. Son los que tenemos.

El comisario miró la lista que le había dejado Pablo. Era uno de los cinco no encontrados. Mostró la lista al visitante, que, después de mirarla, levantó los ojos con gesto de incomprensión.

—Esos doce hombres se ausentaron de su trabajo el mismo día; de ellos, cinco permanecen en lugar desconocido. Su amigo es uno de esos cinco. —Tras una pausa, añadió—: ¿Le suenan algunos de estos nombres?

—Casi todos.

—¿De los de la lista o sólo de esos cuatro no aparecidos, como su amigo?

—Conozco a nueve de la lista.

—¿De qué los conoce?

—Son falangistas.

—Dígame por qué le escama a usted su falta.

—Él y yo vivimos cerca y todas las tardes salimos juntos un rato, ahora que nuestras mujeres no están. Lo normal es que me hubiera avisado de que se iba. No lo ha hecho. Algo le ha ocurrido.

—¿Dónde están sus mujeres?

—Veraneando, juntas, con los críos, en Vera, un pueblo de Almería de donde ellas son naturales.

—¿Qué función hace él en el Matadero?

—Está en control de pagos, entradas de ganado, salidas, cosas así.

—¿Tenía alguna misión especial, además de su trabajo?

—No me consta, aunque es normal que en esos sitios de tanto movimiento se vigilen las visitas extrañas, e incluso a los guardas.

—¿Era habitual que saliera por las noches?

—Nunca me dijo que lo hiciera.

—¿Le contó o notó algo diferente de lo habitual en sus conversaciones con él?

—Últimamente le veía preocupado. No me dijo nada. Sólo que no tenía importancia y que ya me lo contaría.

—¿Tiene una foto de él?

El hombre echó mano a la cartera y sacó una fotografía que entregó al comisario. El desaparecido era joven y reía abiertamente agarrado a un hombro del denunciante, que también reía. Tiempos felices. Estaban en bañador delante de una piscina y lucían unos cuerpos musculosos.

—Bien. Iniciaremos las pesquisas y le informaremos.

El hombre se puso en pie y volvió a saludar marcialmente con el brazo estirado. Al cerrar la puerta tras de sí, los policías se miraron.

—El muerto de los chicos —dijo Pablo.

—Marchando a la oficina del Matadero. Interroguen a todos los compañeros, a todo el mundo, a los que están enfermos. Qué hacía, qué trabajo tenía entre manos, qué comentaba. —Se puso en pie y caminó nerviosamente por el despacho—. El chaval ese, Gerardo, dijo la verdad, por eso lo raptaron. Mierda. Mientras no tengamos ninguna pista no podremos confirmar nada. Por eso es imperativo que encontremos a esos hermanos. —Se detuvo—. Mateo. Ése debe de saber dónde están. Tráiganmelo como sea. Vaya personalmente.

Cuando el inspector salió, el comisario tomó asiento, sacó el cuaderno y modificó dos puntos de la lista del día anterior.

6. El Bestia, Mateo Morante Peña. Once/doce años. Urgente su comparecencia.
7. Andrés Pérez de Guzmán y Velázquez. Treinta y tres años. Confirmada su desaparición y posible asesinato.

Estuvo escribiendo en el cuaderno las reflexiones que le iban surgiendo y se olvidó totalmente de la hora.

Julián se despertó con la claridad que entraba por el vano de la habitación «italiana». Su hermano dormía. Se vistió de forma apresurada y salió. La señora Matilde estaba sentada, zurciendo, con los auriculares de una radio-galena colgados de sus orejas. Su rostro se ensanchó en amplia sonrisa al ver al chico.

—No me despertó. Era muy importante para mí. Tenía que ver a alguien.

—Estabais muy dormidos. No pasa nada por esperar un día. Ahora ve a lavarte. Despertaré a tu hermano.

El retrete estaba en un extremo del pasillo y era de uso común para los vecinos de las cinco viviendas de cada planta. Consistía en una pieza destartalada y húmeda de metro y medio de ancho por uno de fondo, con una plancha de hierro fundido encastrada horizontalmente en las paredes del fondo y laterales, de lado a lado, a unos cuarenta centímetros del suelo. En el centro de la plancha, un simple agujero donde se encajaba el culo. En él, también, los vecinos vaciaban los barreños y palanganas de aguas sucias procedentes de los lavados caseros. La alta y oxidada cisterna se descargaba tirando de una cuerda pringada de sudores. Un fino tubo de hierro, introducido en la cisterna por un extremo en gancho, colgaba recto y suelto y terminaba en un grifo oscilante al alcance de la mano. Por él los vecinos sacaban el agua para sus necesidades hogareñas, incluyendo la de beber. Era la única fuente de agua canalizada para toda la casa. El espacio libre a ambos lados del agujero servía de apoyo a las tablas de lavar ropa que todas las amas de casa tenían. Toda esa actividad hacía que el retrete constituyera el cuarto más utilizado de cada piso, con gente dentro o esperando fuera para realizar sus menesteres.

Cuando Julián volvía del retrete se cruzó con su hermano, que iba a lo mismo. En la mesa ya había sendos tazones de leche con espesura de pan migado. Mientras comían, vieron a la mujer cruzar la aguja sobre los hilos con gran destreza, dejando el calcetín con un tupido parche, casi milagroso, donde antes había un agujero.

—Es una maravilla ver lo que hace.

—Soy zurcidora. Ayudo a traer dinero a casa. Todo es poco en estos tiempos.

—¿Sólo zurce calcetines?

—¡Oh, no! Mira. —Señaló un montón de prendas de todo tipo: camisas, pantalones, faldas, calzoncillos, bragas...

—Mi madre también zurcía muy bien.

—Sí, lo recuerdo.

—¿Dónde está el señor Jesús?

—Ha ido al trabajo. Está en una obra, por la calle de Atocha. No viene a comer.

—¿Por qué querían ir a América?

—Su hermano, mi cuñao, es albañil. Le dieron la concesión de una contrata para el mantenimiento de las tuberías y conductos de una refinería de petróleo. Está pidiendo que vaya porque el Jesús es un buen pintor y allí ganaría mucho dinero.

—¿Se irían para siempre?

—Unos años. Hacer dinero y volver, como todos los emigrantes. Todos quieren regresar a la tierra tras unos años de trabajo duro.

—Nos dará pena que se vayan —dijo Luis.

—No sé si nos iremos. Ya os dijimos cuál es nuestro pesar.

Terminado el desayuno, Julián se puso en pie.

—Tenemos que buscar colegio. Y quiero trabajar con el señor Jesús, en lo que sea.

—No puedes trabajar tan pequeño. En cuanto al colegio, en este mismo piso, en el exterior, hay un maestro muy cariñoso que da clases. ¿Le recordáis? —Julián asintió—. Os presentaré. Pero antes probaros unas ropas de mi Chus. Seguro que os valdrán porque siempre las comprábamos grandes para que le sirvieran más tiempo. Esas que lleváis hay que tirarlas. También hay unas alpargatas.

Más tarde cruzaron el pasillo abierto al patio. En el descansillo, donde nacían las escaleras de madera, había una puerta. La señora Matilde llamó. Al poco la puerta se abrió.

—Hola, Esperanza. Tenemos dos ahijaos, ¿te acuerdas de ellos?

—¡Claro!, los hijos de la Soledad.

—Vivirán con nosotros. Quizás el Aristónico pueda ayudarles. No tienen colegio.

Ella los hizo pasar. La casa era mucho más grande. En un

amplio comedor lleno de luz, seis niños estaban sentados ante una larga mesa. Delante de cada uno, un cuaderno y una enciclopedia de Bruño. El profesor estaba de pie junto a una pizarra montada en un caballete. Era un hombre desusadamente pequeño, regordete, gafas ópticas y rostro amable. Todos se volvieron a mirarles.

—¿Recuerdas a estos niños?

—Hola, Matilde; claro que sí.

—¿Puedes darles clase?

—Estamos terminando el curso. El día 15 tomamos las vacaciones.

—Bueno. Los días que sean.

El hombre miró a los Montero, que saludaron.

—Bien. Sentaos. Os daré un cuaderno y veré en qué nivel estáis, con vistas al próximo curso.

Más tarde tuvieron recreo en la calle. Los demás párvulos mostraron un rechazo inicial hacia ellos por su aspecto de golfillos. Los hermanos se mantuvieron juntos y la tragedia interna que estaban viviendo acrecentó la barrera que los separaba de los otros alumnos. Finalizadas las clases, volvieron a casa.

—Lavaros las manos antes de comer —dijo Matilde.

—No, señora. Perdone pero comeremos en otro sitio.

—¿En dónde?

—En el Auxilio Social —contestó Julián, consciente de que no podían volver allí, además de que no tenían las tarjetas.

—De ninguna manera. No se hable más. Al Auxilio Social no vais mientras estemos nosotros aquí. Así que acomodaros.

Después de comer estuvieron haciendo deberes. Julián dijo a la señora Matilde:

—Hemos de salir.

—Pero volveréis, ¿verdad?

—Sí.

—¿Adónde vamos? —dijo Luis, ya en la calle.

—Iremos a ver al Rana. Pronto irá al colegio al turno de tarde. Nos dirá cosas.

Se apostaron en el enorme solar natural existente entre las calles de Guillermo de Osma y Jaime el Conquistador, agazapados tras unos montículos de tierra, cerca de los terrenos adquiridos por la parroquia del barrio para edificar la iglesia. Más allá había unos troncos gigantescos que formaban una montaña vegetal y que recordaban haber visto siempre allí, como si hubieran surgido de la tierra por sí solos. Las tapias del Matadero y la torre del Reloj cerraban el horizonte. Tiempo después vieron a Juan cruzar camino del colegio. Un hombre fornido, trajeado y con sombrero iba a su lado.

—¿Quién es ese hombre? —preguntó Luis.

—Tiene pinta de poli. Y parece que le acompaña.

—¿Qué hacemos?

—Déjame pensar. —Julián reflexionó un momento—. Vamos a hablar con su madre.

Atentos y vigilantes llegaron al portal de Juan. En el piso quinto, y al fondo de un corto pasillo, había un descansillo cerrado por tres puertas. Julián llamó a una de ellas. La puerta se abrió y apareció una bella mujer, la madre de su amigo. Su gesto mostró la sorpresa que la visita le producía. Detrás de ella, Pili enganchó sus ojos en los de Luis. En dos sillas humanizadas con cojines estaban los abuelos paternos. Ella, zurciendo harapos; él, leyendo una novela del Oeste de M. L. Estefanía. Luis los besó pero Julián mantuvo la distancia.

—¡Vosotros! ¿Dónde estabais?

—¿Podemos pasar para hablar con usted?

—Claro, claro. ¿Habéis comido?

Ellos asintieron. Julián dijo:

—Hemos visto al Juan yendo al cole. Un hombre grande le acompañaba. No pudimos acercarnos.

—Es un policía. Le protege. —La mujer les contó lo acaecido—. Os están buscando para que declaréis.

—¿Podría echar la cortina, por favor, para que no nos vean desde fuera? —Ella accedió y él tanteó—: A lo mejor debemos ver al Bestia.

—¿Al Bestia? ¿Para qué?

—Es amigo nuestro. A lo mejor nos saca de este lío. Gracias a él pudimos ganar dinero.

—Gracias a él sois unos ladrones. El comisario dejó las cosas claras, aunque ya mi marido tuvo esa intuición y por eso impedimos que el Juanito volviera por lana.

Julián estuvo un rato callado y luego preguntó:

—¿Podemos quedarnos aquí hasta que venga el Juan? Le prometo que no la molestaremos.

—Podéis quedaros. Sentaros con la Pili y dibujar si queréis.

Tiempo después, efímera pausa llena de miradas entre Pili y Luis, oyeron ruido de pasos por el pasillo. Julián asomó un ojo y vio venir a Juan seguido del hombre fornido.

—Por favor, señora; no diga al poli que estamos aquí.

—Insisto en que contéis lo que habéis visto. Sois testigos de algo tremendo. Con vuestro testimonio pueden encontrar a los asesinos. Mientras tanto, el Juanito y vosotros corréis peligro.

—Por favor —rogó Julián antes de esconderse en una habitación.

Juan entró seguido del policía, que preguntó:

—¿Alguna novedad, señora? —Ella dudó y luego negó—. Estaré en el coche hasta que se haga de noche. Si ocurre algo, avíseme de inmediato.

Cuando el agente se alejó, los hermanos se mostraron a su amigo, que se llevó la sorpresa consiguiente. La madre les mandó sentar y les sacó la merienda: un trozo de pan mojado en aceite, con azúcar por encima.

—¿Por qué no vais a la policía? Es lo mejor que podéis hacer —invitó Juan, mirando a Julián.

—No me gusta la policía. Vi cómo golpeaban con vergajos a mujeres y niños en la cola del aceite. Los vi pegar a mi madre y a otras hasta dejarlas tiradas en el suelo sin sentido. Sólo para que hubiera orden y silencio en la fila. Son mala gente.

—Ésos son los de la porra; éstos son diferentes, no llevan uniforme.

—Todos son iguales.

—Evitarán que os cojan esos asesinos —dijo la mujer—. Debes decidirte. Si no vais, bajaré y le informaré al del coche.

—Por favor… Tengo que pensarlo. —Caviló un momento—. ¿Me puede conceder hasta mañana?

Juan miró a su madre. Ella dijo:

—Está bien. Pero de mañana no pasa. Ahora, Juanito, tienes que hacer los deberes.

—¿Podemos quedarnos hasta la noche, señora? Ayudaré al Juan a hacerlos.

—Sí, mamá, déjales. Además, no puedo salir a la calle. Luego podemos jugar al parchís.

La madre accedió. Habían terminado los deberes cuando llegó el padre de Juan, todavía con mucho sol en el cielo. Tras la sorpresa, también insistió en ir a las autoridades. Julián mantuvo un silencio prolongado.

—Le prometió a mamá que lo pensaría de aquí a mañana —intercedió Pili, con los ojos brillantes—. No les chinchéis más.

Jesús llegó a casa a las siete de la tarde. Se enteró de los movimientos habidos con los chicos. Se lavó y bajó a echar la partida de dominó, porque tenían un campeonato. A las nueve subió.

—¿Hiciste cena para los chavales?

—Sí. ¿Les esperamos?

—¿Te dijeron que vendrían?

—Sí, pero no cuándo. Ya se irán acostumbrando al orden. Dejémosles un poco con su libertad.

—Entonces cenemos nosotros.

Durante la cena, llena de renacidas soledades por la ausencia de los niños, él tanteó:

—Matilde, ¿qué vamos hacer con lo de Venezuela?

—No sé.

—Aquí no tenemos a nadie. Tu familia está en Galicia y la mía, en Andalucía.

—Chus…

—Está muerto, Matilde. La vida se nos va. ¿Qué hacemos aquí, pudiendo ganar cien veces más?

Ella no contestó inmediatamente. Luego dejó caer:

—Además están el Julián y el Luis.

—¿Qué tienen que ver ellos? Es nuestra vida, Matilde; nuestro futuro.

—¿Por qué no unirlos a nuestro futuro?

—¡Qué dices! No podemos hacernos cargo de ellos de forma permanente. Los tendremos un tiempo y luego…

—Y luego ¿qué? —Se miraron.

—Saldrán adelante, como miles de niños que hay esparcidos por ahí.

—Claro. Venir, muchachos, un tiempo. Y luego arreglaros como podáis, viviendo en la calle, mendigando o delinquiendo. ¿Es eso? —Ante el titubeo de su marido, continuó—: Creo que en verdad son buenos chicos. El Aristónico dice que el Julián es muy inteligente y que está a un buen nivel, superior al de los que él enseña. El Luis está muy descuidao. Se ve que le afectó más la muerte de la Soledad. Necesita ayuda. Y nosotros necesitamos a quien querer.

—Pueden entrar de internos en centros adecuaos. A La Paloma, por ejemplo. Allí admiten a chicos huérfanos y desfavorecidos, les dan un oficio y cierta cultura.

—Y crees que es llegar y besar el santo. Habrá cientos de ellos esperando para entrar, con solicitudes recomendadas.

—Matilde, mala solución tenemos. Si nos vamos con mi hermano, no les podremos llevar. Y si nos quedamos, no podremos mantenerlos y darles una educación. A todo lo más que llegarían sería a pintores, como yo.

Ella dejó que se consumiese una pausa.

—Y ¿qué me dices del asqueroso del Felipe? Decía que los trataría como a los hijos que nunca tuvo.

—Ya ves. Un cobarde emboscado. Nunca me gustó ese socialero. Siempre haciendo la pelota al capitán.

—Cuando visitaba a la Soledad después de la guerra,

¿recuerdas? Lo que en realidad quería era acostarse con ella. Pero se quedó con las ganas.

Tenían la ventana abierta y, a la luz combinada de la luna y de la que se escapaba de las casas, vieron aparecer a dos hombres desconocidos al fondo del pasillo. Se acercaban pisando recio en los tablones de madera. Jesús se levantó y se asomó a la puerta, que estaba abierta, con la cortina a un lado. Altos, trajeados, sombreros calados, produciendo inquietud.

—Buenas noches. No os alarméis. Soy el inspector Pablo Mir y éste es el inspector Alfonso Bermejo, de la comisaría de Ribera de Curtidores. Buscamos a los hermanos Julián y Luis Montero Álvarez.

Jesús había estado en prisión por haber hecho la guerra en el bando derrotado. No tenía cargos en contra. Pero aun con la conciencia tranquila y el propósito de la visita definido, las presencias policiales en aquellos tiempos sólo producían zozobra.

—Pasen; nos pillan cenando, ¿gustan?

Los hombres entraron aunque apenas cabían. Jesús vio que los vecinos de las otras casas asomaban sus cuezos.

—¿Los Montero, dice? Ellos no viven aquí.

—Sabemos dónde vivían. Se han escapado de su casa y es probable que no vuelvan. Intentamos encontrarlos. Nos indicaron este lugar porque tuvisteis relación con sus padres.

—Sí, éramos amigos.

—¿Habéis visto a esos chicos ayer u hoy?

—No —titubeó Jesús. El otro lo notó.

—Están en peligro. Sólo queremos ayudarles.

—¿Han hecho algo malo? ¿Por qué se escaparon de casa?

—Las preguntas las hacemos nosotros. Repito: ¿los habéis visto recientemente?

—No —aseguró Jesús, esta vez con firmeza—. Hace más de un año que no sabemos de ellos.

—¿Sabéis si tienen familia?

—Tienen unos tíos lejanos por parte de la madre en algún

lugar de Santander, y alguien en Extremadura por parte del padre. Ninguno se hizo cargo de ellos. Se los quedó uno llamado Felipe Romero porque nosotros no teníamos sitio.

—Ya —dijo Pablo, sacando un papel y escribiendo algo. Se lo dio a Jesús—. Éstos son los teléfonos del comisario y mío. Si tenéis alguna información, llamad inmediatamente. No juguéis con esto. Es un caso de vida o muerte.

La mujer quedó sobrecogida. Por un momento estuvo a punto de hablar. Jesús se adelantó. No era fácil romper la barrera de temor y rechazo que les distanciaba de los vencedores.

—No tenemos idea de dónde están. Es la verdad. Pero le prometo que indagaremos su paradero. Eran buenos chicos.

Los hombres salieron en silencio. Los vieron caminar por el pasillo mientras los curiosos se apartaban. Oyeron sus pisadas retumbando en los escalones hasta que se desvanecieron.

—¿Te fijas qué desprecio de la realidad? Que llamemos. ¿Será posible? ¿Quién tiene teléfono? Ni las tiendas, ni en la taberna del Paco lo tienen. Sólo los ricos. Y llamar desde la centralita de Lavapiés no es gratis. —Miró a su mujer, sorda al comentario. Añadió—: ¿En qué lío estarán metidos estos chicos?

Ella se sentó y puso la cabeza entre las manos.

—¿Qué hora es? —preguntó Julián después de la cena.

—Las diez y media.

—Debemos irnos.

—¿Adónde vais a dormir?

—No se preocupe. Tenemos un buen sitio.

—No se os ocurra ir con el Bestia —insistió la madre de Juan.

Todos se miraron. Pili y Luis notaron que algo se despedazaba en su interior, como si presintieran una sombra demasiado duradera. Impulsada por una fuerza irresistible, ella se acercó a Luis y le besó en la mejilla.

—Vendréis mañana, ¿verdad?

Luis miró a su hermano. Había algo, allí, girando, como una presencia invisible pero perceptible y amenazante, como cuando los pájaros dejan de piar. Julián salió al pasillo seguido de su hermano. Todas las ventanas de las casas estaban abiertas. Se oían canciones procedentes de los aparatos de radio. Muchos vecinos estaban en las aceras sentados y tumbados en hamacas y colchones, buscando un poco de frescor. Se deslizaron rápidamente, doblaron la esquina del almacén de dátiles y luego se metieron por las huertas y la pequeña selva de girasoles. Ya no había más casas hasta el paseo del Canal. Salieron al campo y caminaron bajo la noche estrellada hasta El Embarcadero, un merendero y pista de baile al aire libre rodeado de verdor, llamado así porque, años atrás, hasta allí llegaban las aguas del río y formaban un estanque por donde se podía navegar en barca. Cruzaron el ancho paseo de la Chopera, vacío de circulación, y se agazaparon entre los árboles del parque, esperando. Las campanas tardaban en tañer, demorándose a su cita mecánica. ¿Y si no sonaban por alguna avería? La primera campanada les llegó como un lamento. Julián se puso en pie y Luis le imitó. Siguieron las otras, lentas, como si se engancharan en algo que deseara retenerlas. Dos, tres. Renuentes, como esos niños que no quieren ir al colegio y van remolcados por el brazo de la madre. Seis, siete. Alarmantes, desgarrando el silencio en mil silencios. Nueve, diez. Julián se detuvo como si algo maligno se hubiera apoderado de la noche. Un desasosiego inédito esclavizó su ánimo. ¿Por qué el interés del Bestia en que se vieran a esas horas, cuando no iban a por lana? ¿Por qué no quería que fueran a la policía cuando todos así lo aconsejaban? ¿Qué solución les aportaría? Miró a su hermano, que esperaba confiado en su movimiento. «Cuídale.» Sintió una tremenda indefensión y unas ganas inmensas de llorar. Se sobrepuso. Iría con precaución. Se mantendría a distancia y no le cogerían en caso de peligro. El Bestia esperaría que llegaran a la cuadra por la puerta lateral que daba al muro este, el del paseo de la Chopera, como siempre. Por esa puerta escaparon cuando vieron matar al hombre. Decidió ir por el otro lado, desde el muro oeste, el que daba al río. Cruzaría la explanada y entraría por la puerta grande. Si algo iba mal, tendría la salida segura y todas las ventajas de su parte.

—Ven —dijo.

Bordearon el muro norte del Matadero y salieron al lado del Manzanares.

—Escóndete aquí. Si no vuelvo a las campanadas de la media, sales pitando para la casa del señor Jesús.

—¿Por qué no puedo ir contigo?

—No sé. Pero quiero que hagas lo que digo.

Los hermanos se abrazaron. Era la primera vez que se separaban desde hacía mucho tiempo. Sin saber exactamente la razón prolongaron el abrazo. Luego Julián escaló el muro oeste y desapareció por el otro lado. Luis dudó un momento pero escaló también la pared y se asomó al borde. La enorme luna había engullido todas las estrellas. Su hermano corría pegado al interior del muro norte, protegido por su sombra, evitando cruzar por el centro de la explanada, blanca como si fuera de sal. Cuando se hizo invisible, él saltó a su vez y corrió velozmente siguiendo el primer recorrido de Julián. Dio la vuelta a la última de las cuadras y se internó en el pasillo auxiliar situado entre ellas y el muro este. Se acercó y entró a la vaqueriza adjunta a la del lugar de encuentro, por la puerta lateral. Subió al piso superior y se aproximó cuidadosamente a la otra nave. Camuflándose entre la paja, miró por el hueco al piso de abajo. Su hermano estaba junto a la puerta, distanciado del Mateo, que decía:

—¿… tu hermano?

—No viene.

El Bestia se volvió y casi gritó:

—¿No viene? ¿Por qué?

—Está malo.

—¡Mierda! Lárgate a buscarlo.

—¿Qué? Está malo, ¿cómo va a venir? Además, él no es necesario. Dime…

—¡Los dos! Tenéis qu'estar los dos.

La claridad que entraba por la ancha puerta permitió ver su nerviosismo. Julián percibió el golpeteo de un aviso dentro de sí. Retrocedió para escapar. El hombre gordo apareció de repente y bloqueó la salida. Julián se quedó helado un momento; luego se giró, agachándose, buscando una oportunidad a la desesperada. El Bestia le propinó un tremendo puñetazo y lo envió al suelo fulminado. Luego le dio un puntapié en la cabeza, que a Luis le sonó como un balonazo en la pared. Mateo se agachó, cogió el cuello del inanimado Julián y se lo quebró, produciendo el mismo chasquido que emitían los cuellos de los chivines y de los lechales al ser rotos por el Bestia cuando los robaba.

«¡Nooooooo!»

El grito explotó en la mente de Luis y atronó en sus oídos, pero no atravesó sus labios. Un leve gorjeo, como el ruido del aire en una cañería, salió de su boca y fue captado por el asesino y por el gordo, que miraron hacia arriba. Había algo más que luz de luna en el rostro pintado de blanco de Luis, pero ellos vieron sólo al testigo que deseaban. El gordo arrastró el cuerpo de Julián a un rincón y lo cubrió de paja, mientras su compinche se lanzaba velozmente escaleras arriba. Luis le vio venir lateralmente. Estaba hipnotizado mirando el lugar donde yacía el cuerpo de su hermano. Un sonido fue naciendo en su conciencia, como la sirena de una fábrica. «Escapa, escapa.» De pronto comprendió que era la voz de su hermano sonando en su cabeza. Miró. No tenía escapatoria. Mateo ya coronaba la escalera y no le daría tiempo a llegar a la ventana. Corrió hacia la otra cuadra, casi despejada de paja. El grandón bordeó el hueco de la primera cuadra, donde él había estado agazapado, y le acorraló. Tenía dos opciones: tirarse por el hueco de esa cuadra al piso de abajo o saltar por el ventanal de carga al exterior. Tomó impulso y se lanzó al espacio, volando sobre los cuatro metros para caer en el tejadillo del muro este. El impacto fue doloroso y estuvo a punto de escurrirse y caer adentro. Volvió la cabeza y notó la sorpresa en el rostro del matón. Se descolgó al paseo de la Chopera y echó a correr hacia el de Yeserías, cojeando. Le dolían el pecho y las rodillas. Cuando llegó a la casa de las Cruces, frente al parque de la Arganzuela, se volvió a mirar. El Bestia corría con toda su potencia hacia él. Habría descendido al suelo, cruzado el patio y escalado el muro. Nunca podría alcanzarle en condiciones normales, pero sus dolores daban ventaja al asesino. Las calles estaban vacías en esa zona de pocas viviendas. Salió al terraplén de la estación ferroviaria de Peñuelas, lugar de carga y descarga de mercancías. Todo estaba en silencio, como si fuera una señal convenida. Sólo el golpeteo de su infortunio aterrorizando su mente. Saltó el muro de piedra y ladrillo, como el que rodeaba al Matadero, y cayó a la inmensa explanada llena de vagones, naves, oficinas y la aduana. Corrió protegido por el muro, llegó a las vías en uso y avanzó a lo largo de ellas hacia la estación Imperial, saltando sobre las traviesas y las picudas piedras. El asesino seguía sus pasos, algo distanciado. En vías secundarias había vagones apartados. Trepó al techo de uno, en una hilera oscurecida por la sombra de las casas de la Empresa Ruiz, y se tendió boca abajo, aplastándose quieto como una lagartija. Notó el ruido del perseguidor al pasar por delante del vagón. Esperó. El Bestia regresó, y le oyó registrar los vagones, abriendo las puertas correderas de los de mercancías y subiendo por los peldaños de los de viajeros. El asesino no cejaba. El sonido de su acción se acercaba. Sintió correr la puerta de su vagón, la vibración y la asfixia del terror. Con una mejilla apoyada en el techo, abrió los ojos. Vio una luz intensa cerca, pero fuera de las vías, allá, hacia la parte este. Y, dentro, una figura, como si fuera un cantante en un escenario iluminado por los focos. Le veía perfectamente. Parecía flotar y le miraba. Era un hombre joven, apuesto, de sonrisa tranquilizadora. Le recordaba a alguien. ¿Qué hacía allí, con las manos en los bolsillos? ¿Quién era? De repente sintió que se le iba el temor. Una sensación de paz le inundó. Oyó voces.

—¿Quién anda'í?

Vio las luces de las linternas. El Bestia echó a correr. Escuchó los estampidos de las escopetas. Los guardas jurados se acercaban. Sin moverse, miró la aparición fantasmagórica. Se había desvanecido.

—Cabrones —dijo uno de los vigilantes, justo debajo de él.

—Vamos hacia allá, tú por un lao y yo por el otro —ordenó su compañero—. A ver si agarramos alguno y le quitamos las ganas de birlar.

Los ruidos fueron apagándose. La tensión y el cansancio hicieron mella en él y se quedó dormido. Cuando despertó todavía era de noche y el ejército de estrellas había hecho huir a la luna. Debía de ser muy tarde. Desde su atalaya veía la torre del Reloj, demasiado distante como para que pudiera leer la hora. Bajó con precaución, cruzó las vías, subió por el pronunciado talud y salió al paseo de las Acacias. La ciudad estaba desierta. A lo lejos vio a los barrenderos regar las calles y oyó el traqueteo de los carros de basura y el golpeteo de los cascos de las mulas en el empedrado. Corrió por la calle de Miguel Servet hasta la plaza de Lavapiés, avanzó por Ave María, entró en el número doce y subió al último piso como un fantasma. Ni un alma a la vista. Oyó las respiraciones y los ronquidos de los vecinos a través de las ventanas y puertas abiertas. Le dio apuro despertar a la señora Matilde y al señor Jesús. Se sentó delante de la cortina, en el pasillo. Anonadado, miró los enigmáticos ojos de los gatos clavados en él, sintiéndose el ser más desvalido de un mundo vacío. Poco después dormía con sobresaltos y pesadillas.

Día cuatro

El comisario miró hacia la puerta y observó al chico. ¿Chico? Nadie lo diría. Normalmente los motes nada tienen que ver con los nombres ni el aspecto de las personas. En este caso, con Mateo habían acertado. Era un grandullón de cuidado, cercano al metro ochenta, fornido. Le calculó por encima de los setenta kilos de músculo. Tenía la cabeza grande, labios gruesos y orejas divorciadas del cráneo. Pero eran sus ojos saltones lo que impresionaba por su fuerza. Su aspecto era chulesco, de matón de barrio. Los conocía bien por haberlos sufrido durante su niñez en su barrio de Vallecas y luego en el colegio de San Ildefonso. Mostraba un gesto cansado, con ojeras, como de no haber dormido. Vestía un pantalón largo y una camisa bien conservada. Sus zapatos tenían brillo de limpiabotas. Entró con las manos en los bolsillos y se plantó delante de la mesa sin cohibición.

—Hola —dijo.

Pablo, detrás de él, le dio un tremendo bofetón, lanzándolo contra la pared. Mateo se revolvió con fiereza.

—¿Por qué m'a pegao?

El inspector se le acercó y le golpeó repetidamente sin miramientos hasta que el chico se arrodilló, cubriéndose con los brazos.

—Basta, Pablo —ordenó el comisario.

El policía se detuvo. Mateo ofrecía el rostro rojo por los golpes y de la nariz le manaba sangre.

—Ahora —dijo Pablo—, inténtalo de nuevo, como te dije.

Mateo obedeció, dejando escapar lágrimas de rabia.

—Buenos días, ¿puedo pasar? —Sus ojos latían de odio no reprimido. Las manos colgaban a los lados de su cuerpo y tenía los puños apretados.

—Hazlo y colócate ahí. —El comisario señaló un lugar. Añadió—: ¿Cómo te llamas?

—Mateo Morante Peña.

—¿Qué años tienes?

—Voy a cumplir doce.

Pablo le dio un fuerte revés.

—Se dice señor.

—Once, señor.

El comisario miró su corpulencia y sus grandes manos. Nunca había visto un espécimen semejante. Imposible creer que tuviera esa edad. Era tan grande como Pablo.

—No me estás mintiendo, ¿verdad?

—No, señor.

—¿A qué te dedicas?

—Voy a entrar en Artes y Oficios, en la calle de Embajadores, al lao del mercao de San Fernando…

—No es eso lo que te pregunto. Qué haces ahora.

—Estudio. Voy al colegio Cervantes.

—Mientes. Te echaron de ese colegio —dijo el comisario. Luego preguntó a Pablo—: ¿Dónde lo ha encontrado?

—En la taberna, jugando a las cartas.

—Bueno, era la hora del boca. Curro en el mataero.

—¿Qué haces allí?

—Ayudo a los ganaeros, a los matarifes, hago encargos…

—Se ve que te va bien. ¿Cómo explicas tus ropas y zapatos? Vistes casi mejor que nosotros.

—Curro mucho y me tratan bien.

—Robas, embustero. Eres un ladrón e instigas para que otros chicos oficien de ladrones. Y como si fueras un mafioso te quedas con la parte del león.

—'So es mentira. Yo…

Pablo se acercó y le propinó un fuerte guantazo. Mateo reculó, tropezó con una silla y cayó al suelo. Se levantó con el rostro congestionado de ira. Parecía querer saltar sobre el policía. Pablo le abofeteó reiteradamente y Mateo volvió a caer de rodillas. Al comisario le dio la sensación de que su ayudante intentaba demostrar que era más fuerte que el chico.

—Déjelo ya, Pablo. No es así. Sabe que no me gustan esos métodos.

—Es para que tenga un poco de respeto, jefe.

—Yérguete y arréglate —dijo Ocaña al chico.

Mateo obedeció y se secó la sangre con un pañuelo. El fulgor de sus ojos no había disminuido.

—Eres peligroso —dijo el comisario—. Lo aconsejable es meterte en una celda para que se te calmen los humos y luego ingresarte en un correccional. Ni estudias ni trabajas. No necesitamos gente así en el país. Y ahora responde, y ten cuidado con lo que dices. ¿Con quién vives? ¿Tienes padres?

—Soy huérfano. Vivo con m'irmano y mi tía.

—¿Cuántos años tiene tu hermano?

—Quince… Quince, señor.

—¿Qué es lo que hace?

—Curra en el mercao de Legazpi.

—¿En qué exactamente?

—Está en los trenes y en los camiones, yo qué sé. —Su voz sonó altanera. El comisario miró a su ayudante y notó su esfuerzo por contenerse. Suspiró.

—Llevas odio en la mirada. No te gusta que te pongan la mano encima pero tu aspecto es el de un camorrista. Se ve que no estás acostumbrado a recibir pero sí a sacudir. —Le miró procurando contener su irritación—. Tu hermano.

Mateo se demoró un momento. Cuando atisbó a Pablo acercándose, contestó rápidamente.

—Cuida los trenes y los camiones. Vigila pa' que no manguen las cargas.

—¿Vigila? ¿A qué cuerpo pertenece? ¿Quién le paga?

—No lo sé.

—Sí lo sabes. Con toda seguridad será uno de los chorizos que roban en los trenes. Estará en una de esas bandas que extorsionan a los asentadores, ¿no es así?

Mateo miró a Pablo y luego bajó los ojos. El comisario movió la cabeza. Esas bandas juveniles eran consecuencia de la guerra y de la miseria. Era comprensivo con esas situaciones pero no era paciente con la chulería y la violencia que ejercitaban esos mangantes, como sin duda era la condición del que tenía delante.

—¿Qué pasó con tus padres?

—Mi padre fue afusilao por rojo. Mi madre la palmó en prisión, tuberculosa. Dejaron que la diñara. Tenía sólo vintinueve años. Mi'rmano y mi tía cuidaron de mí cuando era un mierda. —Tuvo un gesto incontenible de rebeldía—. Yo tamién soy rojo y republicano. ¿Me van a matar como a él por eso?

—¿Qué sabes tú de esas cosas? —dijo el comisario, sorprendido.

—Mucho. Tamién afusilaron a tíos míos.

Pablo se acercó pero el comisario le frenó con la mirada.

—No matamos a nadie por eso. Aquí, al menos. Sólo perseguimos delincuentes de cualquier color. Y parece que tú lo eres o puedes llegar a serlo.

El comisario hizo una tregua en la valoración negativa que el chico le producía. Un chispazo de ternura se infiltró en su corazón. Fue sólo un momento. Era una historia demasiado repetida. Chicos que pierden la brújula al quedar huérfanos, algunos de forma traumática; que se hacen golfos y luego delincuentes. Parte de ellos renegaba de lo que hacían, pero otros no, porque vivían bien al otro lado de la raya. Delante de él tenía un ejemplo. Sintió cierta conmiseración por él.

—¿Qué hiciste la noche del martes?

—¿La noche del...? —Hizo como que pensaba—. Sí, estuve en casa, con mi'rmano. Cenamos y luego nos acostamos.

—¿Y antes de ayer, miércoles?

—Lo mismo. Dimos una vuelta, jugamos algunas partidas y luego a casa.

—¿Sabes que Eliseo y Gerardo desaparecieron?

—Sí —dijo, tras una pausa.

—¿Qué opinas de ello?

—No sé. Hablan de los «Sacamantecas». A lo mejor es verdá.

—Y anoche, ¿qué hiciste?

—En casa, puede preguntar a mi tía.

—Lo hicimos. No estuviste en toda la noche. Tu tía no estaba preocupada porque trasnochas con frecuencia.

—Bueno. Estuve jugando a cartas con unos amigos —admitió Mateo, tras calibrar la mirada de Pablo.

—¿Viste a los Montero?

—Sí —dudó—. Ayer por la tarde, en la taberna.

—¿Qué ocurrió?

—Yo'staba jugando con mis amigos y se presentaron pa' decirme que dos hombres desconocíos les seguían. Les dije que vinieran a la policía.

—¿Tú les dijiste que vinieran?

—Sí, señor, se lo juro, pero no quisieron. Odian a la policía.

—¿Odian a la policía? ¿Por qué?

—No lo sé, lo juro.

—¿Te dijeron por qué les perseguían?

—Sí.

—¿Qué te dijeron? No me hagas perder la paciencia.

—Qu'esos hombres habían matao a otro.

—Y ¿qué te parece?

—Cosas de críos. A lo mejor se lo han inventao.

Los policías intercambiaron una mirada.

—¿Tienes idea de dónde pueden estar?

—No —miró a Pablo—, no, señor, lo juro.

—Juras mucho para ser creído. —Le miró con fijeza—. Puedes irte. Pero no creas que he terminado contigo. Estaremos vigilándote. Tú sabes algo más y lo ocultas.

—Le juro…

El comisario miró a Pablo, que cogió a Mateo del cuello de la camisa y lo empujó hacia fuera.

—Quédate ahí sin moverte —dijo y, entornando la puerta, añadió—: ¿Le fichamos, jefe?

—Me cago en diez, Pablo, ¿cómo vamos a fichar a un chico de once años?

—Jefe, éste... —Se calló al ver la mirada del superior; abrió y salió.

El comisario tomó asiento y estuvo un rato cavilando. El inspector entró de nuevo y le miró.

—¿Sabe, Pablo? Ese chico...

—¿Sí?

—Es producto de nuestra victoria. Matamos a sus padres...

—¿Matamos? Hubo una guerra, jefe.

—... Matamos a sus padres entre todos y les quitamos sus sueños de niños. —Se acercó a la ventana y miró abajo—. La inmensa herida curará mal. Esos chicos son diferentes a los nuestros. Lo perdieron todo, no tienen nada. Su futuro es incierto.

—Vamos, jefe, este cabrón es un golfo auténtico. No sienta lástima. Será un delincuente. Ya ve que los otros chicos no son así.

—Cada uno actúa según el daño recibido. Quizá Mateo recibió más daño que los otros. Espero que los Montero no se malogren también.

El comisario tuvo un pequeño sobresalto cuando, tras una breve llamada, aparecieron dos hombres desconocidos, que se plantaron delante de su mesa sin más protocolo. Sus trajes apenas escondían sus fornidas figuras. Conservaron los sombreros en sus cabezas y no hicieron intención de estrechar su mano.

—Disculpe, comisario. Inspectores Prada y Angulo, de la Político-Social. Sírvase seguir estas instrucciones —dijo uno, extendiéndole un papel.

—Sus credenciales —exigió el comisario, haciendo un esfuerzo por dominarse.

Se las entregaron. Allí estaban los documentos especiales distintivos. Como la Gestapo o la NKVD. Nadie podía dejar de estremecerse cuando le ponían esas siglas delante de los ojos, aun teniendo la conciencia tranquila. Ningún poder por encima de ellos, jueces supremos de sus actos. Ni siquiera el Caudillo tenía control sobre sus acciones inmediatas. Cogió el volante y vio que lo firmaba el subsecretario general de la Dirección General de Seguridad. Por encima de él sólo el secretario, el director general y el ministro de Gobernación. Se quedó helado. ¿Qué deseaba de él tan inaccesible personaje? Si el asunto era oficial, y no había dudas al respecto, ¿por qué se comunicaba directamente con él, un simple comisario, saltándose los niveles jerárquicos intermedios? Le había visto una sola vez, hacía años, cuando verificó su historial con el fin de dar o no su visto bueno a su reincorporación a la policía, tras la inhabilitación y la cárcel. Le recordaba como un tipo untuoso. ¿Habrían trascendido algunos de sus juicios sobre la estructura policial deseada? Había un número de teléfono en el oficio y la orden de que lo marcara. Lo hizo y dio su nombre a la telefonista. Un rato después oyó una voz ejercitada en el autoritarismo.

—Comisario Ocaña. Espero que los emisarios que le envié no le hayan incomodado.

—Es un honor, señor subsecretario. ¿Qué puede precisar de mí?

—Entregue a los inspectores todo lo que tenga sobre el caso que lleva entre manos.

—¿Qué caso?

—No se haga el tonto. Ese del hombre desaparecido. Y véngase para acá.

Lleno de frustración, el comisario entregó todo el expediente oficial a los hombres, reservándose las copias en papel carbón de cada documento y sus cuadernos, que su experiencia le aconsejó guardar en lugar aparte. Salieron. En poco tiempo estuvieron en la Puerta del Sol. Dejaron el coche en la entrada de Gobernación y subieron las escaleras, cruzándose con mucha gente de uniforme y paisano, casi todos hombres. Vieron algunos detenidos, con mal aspecto y señales de golpes, bajando custodiados hacia los sótanos. En la planta superior se detuvieron ante una puerta. Prada golpeó con los nudillos. Una voz les dijo que pasaran. Los subordinados cedieron el paso a Ocaña y entraron, quitándose los sombreros. Prada avanzó y depositó la carpeta ante la mesa del jefe. Luego se esfumó con su compañero. El amplio despacho estaba lleno de humo, como si algo se hubiera quemado, lo que hacía más caluroso el cerrado recinto. Había dos hombres, uno detrás de una gran mesa y otro, de rostro grave, que le miró desde un sillón, sin moverse, como si formara parte del mueble y los hubieran fabricado a la vez. Al comisario no le impresionó el recargado despacho, con parafernalia de fotografías y símbolos del Régimen nacido el 18 de julio. Miró al subsecretario, que enarbolaba un cigarro puro del que aspiró una intensa bocanada antes de apoyarlo en un cenicero plateado, atiborrado de colillas, grande como una sopera. El comisario no pudo por menos que pensar adónde iría tamaño botín, una pequeña fortuna debido a las circunstancias. El tabaco estaba racionado y casi toda la población masculina fumaba desaforadamente. En los barrios pobres no había colillas tiradas por las calles. Los hombres las guardaban y hacían nuevos cigarrillos con ellas. De la necesidad y la escasez había surgido una profesión nueva: la de colillero. Iban por el centro y los barrios pudientes donde la gente despreciaba las colillas. Llevaban un palo terminado en una punta de alambre. Ensartaban las colillas, sin agacharse, y las depositaban en un morral. El ingenio les servía también para espantar a los muchos rapazuelos que hacían lo mismo, con lo que se erigían en únicos autorizados para ese oficio. Con todo ese producto, limpiado de ceniza y mezclado con algo de picadura original, rellenaban los envases de cuarterones vacíos de Tabacalera y los vendían fuera de los estancos a menor precio a los ansiosos fumadores.

El subsecretario dio la vuelta a la mesa y le ofreció su mano derecha. Su rostro intentaba parecer jovial.

—¿Cómo le va, Ocaña?

—Usted dirá, señor subsecretario. Hasta ahora me iba bien. ¿Estoy arrestado por algo?

—Ya conoce al jefe de la Jefatura Superior de Madrid, su superior. —Presentó al del sillón. Se dieron la mano sin que el citado se levantara ni pronunciara palabra—. ¿Decía?

—Que si estoy arrestado por algo.

—¡Ah!, los imponderables. Somos hojas que mueve el viento. —Indicó un sillón a Ocaña, dio la vuelta a la mesa y tomó asiento—. No está arrestado. Vaya ocurrencia.

—Me daba esa sensación cuando venía en el coche.

—Olvídelo. Iré al grano. Creemos, según nuestra competencia decisoria, que este caso debe ser llevado por la Político-Social. El titular de la Comisaría General de Orden Público y el de la Político-Social ya han sido informados, y están totalmente de acuerdo con el traspaso del expediente. Su jefe, aquí presente, también ha dado su conformidad —dijo, mirando al hombre sentado, que asintió con la cabeza.

—¿Creen que se me olvidó el oficio?

—No es por ahí. Sabemos que es usted un buen policía. Tendrá otros casos.

—Éste entra de lleno en mi jurisdicción.

El subsecretario analizó al comisario. Los rasgos eran nobles, su gesto determinado y sus ojos miraban de frente.

—Ocaña, sabe que sólo hay una jurisdicción. Hemos creado un orden nuevo, que nos costó mucha sangre. Hemos eliminado ese cáncer llamado Democracia. Tenemos una autoridad militar protegiéndonos. Nuestros deseos no valen, salvo la coincidencia en el bien común.

—Le ruego que sea más explícito.

—Es fácil. —No había complacencia ya en la mirada del superior—. Obediencia y lealtad. Yo obedezco órdenes y usted obedece las de sus superiores. Más claro el agua.

—Según los datos que estamos obteniendo, el caso entra de lleno en lo criminal. ¿Qué tiene que ver aquí la Social?

—Mucho. No es sólo el simple hecho criminal sino lo que hay detrás. Andrés Pérez de Guzmán estaba investigando unas células subversivas.

—¿Cómo dice? ¿En serio?

El gesto del subsecretario se estiró.

—Aquí siempre hablamos muy en serio. Esos empecinados contrarios a la legalidad hacen que el Régimen siga manteniendo el estado de guerra. Los enemigos ya no están en las trincheras sino en la oscuridad, socavando como las termitas. Y los mercados de alimentación son un vivero donde pueden infiltrarse los enemigos del orden establecido.

—Disculpe, señor. No pongo en duda que puedan existir grupos políticos contrarios al Régimen, pero un hombre y cuatro niños han desaparecido, posiblemente ya no viva ninguno. No veo acciones políticas en esos hechos.

—Lo que importa son las causas. Los hechos pueden ser accidentales y equívocos. ¿Qué tenemos? Niños desaparecidos, que pueden aparecer en cualquier momento. Lo de nuestro agente es diferente. En cualquier caso, no aporta ninguna prueba irrefutable; no hay cadáveres, no hay testimonios solventes, sólo lo que dijo un chico.

—Dos chicos. Uno fue raptado después de hacer declaración.

—Le suponía más objetivo por su cargo, comisario. No tiene nada concreto, ninguna pista. Nosotros las encontraremos. Las células criminales que investigamos son reales, no aire. Así que déjelo. No está capacitado para opinar sobre las decisiones del SSS, al que pertenecía Andrés Pérez de Guzmán. Y, desde luego, tenemos más medios que usted para averiguar lo que ocurrió con nuestro hombre y saber los porqués.

—¿SSS? ¿Qué es eso?

—No le interesa.

—Me quita el caso, me deja en la ignorancia. ¿Qué me queda? ¿Qué policía soy?

El subsecretario le miró fijamente y luego miró al hombre empotrado en el sillón. Un tiempo de incógnitas llenó el silencio. Al cabo, fue a la librería, tomó un libro y lo dejó sobre la mesa. Era una Biblia.

—Es usted hombre religioso. Ponga ahí la mano y jure que lo que le diga no lo ha oído. Y si no lo ha oído es que no existe. Y si no existe, chitón.

Ocaña cumplió el protocolo y, a una indicación del superior, tomó asiento. Cuando el anfitrión terminó de hablarle, Ocaña concedió para sí que el subsecretario tenía muy claras sus adhesiones y fidelidades. Si era cierto lo que decía, si todos los que estaban en puestos de poder tenían esa convicción, el Régimen podría durar cien años. Y además, en cuanto al caso, podía tener razón en sus sospechas políticas. Movió la cabeza. Vaya con la Social Secreta. Tan secreta que Fernando León de Tejada desconocía lo que su amigo íntimo llevaba entre manos. El subsecretario se levantó y le hizo una seña. Ambos se acercaron a una de las ventanas.

—¿Qué ve, comisario?

—Nada, con esta bruma.

—Las tengo cerradas por el ruido que entra —rió el subsecretario—. Estas viejas ventanas necesitan ser cambiadas. Como el edificio, que está pidiendo a gritos una restauración. Pero habrá que esperar. Hay cosas más urgentes en que gastar el dinero. Supongo que en el futuro se podrán hacer instalaciones de refrigeración en las casas. A ver esos americanos, que todo lo inventan. Vivamos para verlo.

El subsecretario abrió la ventana. El humo salió atropelladamente y durante un rato la visión siguió borrosa. Cuando aclaró, pudieron contemplar la Puerta del Sol, corazón de España y testigo mudo de grandes hechos relevantes de su historia. La plaza estaba llena de gente. Se veían muchos soldados sentados y paseando. La mayoría de los hombres civiles llevaban sombrero o gorra. Ninguno iba en mangas de camisa, porque lo impedían las ordenanzas municipales sobre la moral aplicada al vestir. Los coches y tranvías cruzaban ruidosamente, y las tiendas lucían sus mejores escaparates. Enfrente, las calles de Preciados y de Tetuán se perdían, ocupadas también por el bullicio. El subsecretario tenía razón: el estruendo era peor que el calor.

—¿Qué ve ahora?

—¿Que qué veo? ¿Qué quiere decir?

—Sí, qué ve.

—No sé adónde quiere ir a parar.

—Se lo diré. Desde este edificio se desgobernaba España y sólo se veía gente hambrienta y desorientada. Eso ha cambiado. Hay orden, justicia y alegría. Está viendo ahora gente feliz y ocupada, cada uno en sus asuntos. Personas que trabajan y que contribuyen al bien general. No hay vagos ni gente amedrentada y hambrienta como cuando estaba la horda. Ahora todos comen.

—¿Está seguro de eso? —Ocaña le miró abiertamente.

—Bueno, la hambruna que padecía esta ciudad bajo el dominio rojo ha desaparecido. Claro que hay necesidades… Una guerra tan cruenta deja todo patas arriba. Ahora hay que empezar de nuevo. Faltan recursos para que toda la población alcance el nivel adecuado. Mientras, hay que repartir lo que tenemos de la manera más equitativa. Por eso el racionamiento es necesario y se hacen los máximos esfuerzos. Se han creado ayudas sociales, como Auxilio Social, el Seguro de Enfermedad y los campamentos y centros de recuperación de salud, para que todo el espectro poblacional tenga alimentos, vida sana y servicio médico asegurado. Y en cuanto a la reconstrucción nacional se ha creado Regiones Devastadas para arreglar lo que se destruyó por culpa de los comunistas.

—Sé cómo está el país.

—No está de más recordarlo. Todo esto y mucho más lo conseguiremos porque hay orden y una dirección al servicio de todos los españoles; no con esos comunistas que pasaban el tiempo en huelgas y manifestaciones ni con los burgueses reventados de privilegios, que estaban arruinando el país y se enzarzaban en un sistema de partidos fracasado. Está demostrado que el parlamentarismo sólo produce inoperancia y atraso. Hemos corregido esa enfermedad que nos ha quebrado como país desde la infausta Constitución de 1812.

—En otros países, como Estados Unidos e Inglaterra, el parlamentarismo sí funciona.

—Allá ellos. Nosotros somos latinos, los que creamos la civilización occidental. Grecia, Roma y España han sido grandes cuando tuvieron gobiernos imperiales. No nos va el liberalismo. —Hizo una pausa y continuó con los ojos brillantes—. Estamos limpiando de rojos y vividores el país y levantándolo con nuestro trabajo. Y eso se hace con sacrificios, con renuncias de lo propio. Por eso, y volviendo al caso que nos ocupa, si alguien ordena que lo lleve otro departamento, obedecemos. Seguro que es por el bien general. No se preocupe. Encontraremos a esos chicos suyos. ¿Cree que no me interesan? Los necesitamos, a todos, hijos nuestros o de los rojos. Son el futuro, los brazos que nos ayudarán a situar a España al nivel que le corresponde entre las grandes naciones después de siglos de postración. Estamos en la tarea de educarles en el esfuerzo, el trabajo y el estudio, eliminando la vagancia y el pesimismo. Esos chicos llenarán el país de canciones alegres con una energía encauzada. ¿Qué hay de malo en nuestros proyectos?

—Parece que la idea no está funcionando como sería deseable. Cientos de niños deambulan sin norte, dejados de la mano de Dios.

—Tiempo al tiempo. El país está devastado y, encima, tenemos el boicot criminal que ha impuesto la ONU sobre nuestro país por instigación de los comunistas. ¿Cómo esa organización tiene la desvergüenza de pedir nuestro aislamiento con el cuento de que no respetamos los derechos humanos? ¿Se respetan en la URSS y China, miembros decisorios del Consejo de Seguridad, con casi dos mil millones de esclavos entre ambos países? Algún día los americanos se darán cuenta de que el verdadero enemigo de la paz es Rusia. En fin, a lo nuestro. Ahora aquí todo son prioridades y no hay medios suficientes, ¿necesita que se lo recuerde? Lo primero, que todo el mundo coma en paz y protegido de enemigos. Y luego todo lo demás: educación, reconstrucción de pueblos y ciudades, carreteras, fábricas, en un empeño nuevo, con leyes justas y de alto contenido social. Lo conseguiremos, solos, sin la ayuda que nos niegan, porque somos un pueblo orgulloso y capaz de las mayores hazañas. —Se permitió un respiro—. Los chicos aparecerán y no dude de que los culpables serán castigados. No queremos criminales en el país. Una guerra nos costó acabar con ellos y no permitiremos que regresen o que sigan emboscados.

—Tengo a un chico en protección. ¿Se la quito?

El subsecretario lo pensó un momento.

—Continúe con la vigilancia durante un tiempo, pero olvídese de todo lo demás. Por supuesto, le informaremos por los canales adecuados. —Miró al convidado de piedra, que parpadeó en señal de aquiescencia—. Y excuso decirle que debe mantener lo aquí hablado, y todo el caso, en el más estricto secreto.

PARTE SEGUNDA

Julio 1946 – Octubre 1956

Uno

Julio 1946

Fernando León de Tejada y Ortiz de Zárate accedió al despacho sin llamar, con aire desenvuelto y confiado. A él no le impresionaban los modos solemnes ni la farfolla del nuevo Régimen. Estaba por encima de esos personajes de oropel, fueran ministros o altos cargos, muchos de ellos surgidos del oportunismo y del peloteo. Sabía descubrir a quienes erguían la cerviz antes humillada, ahora altanera. Él se había criado en familia y entorno de blasones y abolengos y entendía lo que era la conciencia de clase. La «clase» era algo diferenciador, que no se aprendía ni se adquiría. Se tenía o no. Ahí influían los genes incontaminados, transmitidos a través de siglos por linajes que el destino eligió. Al integrarse en la Falange, un partido con savia nueva que pretendía para España horizontes renovadores, él rompió con las ataduras de una nobleza que era un segmento gastado y decadente y que llevaba degradando al país desde los últimos siglos por el ansia inacabable de privilegios y su aversión al trabajo. Él había rechazado heredades y títulos. Pero nunca podría eliminar de sí la clase. Por ello, de un simple vistazo percibía quién era portador o no de ese atributo. Y el titular de la jaula apabullante que le sonreía falazmente desde el fondo de la mesa, aunque tenía el mando, desde luego que carecía de clase alguna, además de que, con seguridad, no habría estado batiéndose el cobre en los frentes de batalla derrochando la generosidad que sus camaradas y él mismo brindaron con el único propósito de lograr una España mejor. El tipo sólo era un funcionario de retaguardia, y él no. Y ambos lo sabían. Y también sabían que él tenía una carrera superior universitaria, y el mandamás no. Se cuadró con la elegante marcialidad de siempre, chocando los tacones y levantando el brazo derecho con firmeza, mano abierta, dejando en el otro un nuevo pozo de confusión ante la evidencia de las dos realidades que representaban.

—Ese saludo ya no es necesario. Fue suprimido el año pasado.

—No para mí —contestó el visitante, manteniendo el brazo firme.

Al subsecretario, con un puro en la mano derecha, le asaltaron dudas sobre cómo proceder. Miró el cenicero plateado, engullido de colillas como si hubiera sido adquirido con ellas. Determinó cambiarse el cigarro a la otra mano y respondió al saludo, consciente de que el suyo carecía de autenticidad. Para superar la prueba, dio la vuelta a la mesa, soltando un reguero de ceniza, y extendió su mano con demasiada amabilidad.

—Señor León de Tejada, mucho gusto de verle.

—Encantado, señor subsecretario. Usted me dirá.

—Siéntese, siéntese. Está en su casa.

Fernando aceptó la invitación y vio regresar al mandamás por el mismo camino de ceniza. Se le ocurrió que acaso el gerifalte construía esa huella a propósito para, como Pulgarcito, asegurarse el retorno. Dos grandes ventiladores intentaban desde un rincón mantener a raya el fuerte calor, pero sólo conseguían que la humareda existente diera vueltas como si fueran señales de los indios en el Far West.

—Han estado aquí su jefe Provincial y un miembro de la Junta Política; es decir, del Consejo Nacional de Falange, sus superiores jerárquicos. Me han expresado que tiene excesiva preocupación por el caso Andrés Pérez de Guzmán…

—Perdón, Andrés Pérez de Guzmán no es un caso; es un hombre.

—Claro, claro. Le hablo de la investigación. Y le decía que no debo soslayar sus reiteradas llamadas a esta Subsecretaría en ese sentido…

—Que siempre contestan sus ayudantes con evasivas porque usted nunca se pone —cortó Fernando.

—… por lo que he considerado que esta entrevista le calmará y le quitará la preocupación. Por eso le he mandado llamar.

—El caso, en general, es una cosa; mi amigo es otra. Mi interés está en saber el paradero de Andrés.

—Es lo mismo.

—No para mí. Me preocupa mi amigo antes que el caso en sí, que espero resuelvan a satisfacción ahora que parece que lo han situado ustedes en coordenadas políticas, quitándoselo al comisario de policía que lo inició.

—Así es.

—Si no es mucho pedir, le ruego me lo aclare.

—¿Aclarar? —sopesó un momento mientras enterraba el cigarro en el cenicero. Era un hecho que la Falange estaba siendo desplazada a un lugar de menos relieve. El Régimen, atento a los vientos que soplaban desde fuera, soltaba lastres que le identificaban con el fascismo recién derrotado. Podía despachar a tan altivo individuo con viento fresco. Decidió que era mejor compadrear y evitar un enfrentamiento. No era fácil competir con el vigor que el tipo desprendía—. Es una decisión de las direcciones de las Comisarías Generales y de esta Subsecretaría. Pero el dejar al comisario Ocaña fuera del caso no significa que se haya perdido interés por él. Ni mucho menos. Todo lo contrario. La Político-Social tiene mayores recursos que la policía normal para esclarecer el caso.

—Sigo en la inopia. ¿Puede ser más explícito? ¿Por qué el cambio?

—Porque Andrés es miembro de esa brigada.

—No, no lo es. Imposible.

Fernando vio que el subsecretario agriaba el gesto y asía el borde de la mesa, apretándolo hasta que se le blanquearon los nudillos, como si la hubiera comprado él mismo y temiera que alguien pretendiera arrebatársela.

—¿Pone en duda mi palabra? ¿En qué basa su afirmación?

—Considero irrelevante su expresión de agravio. Andrés y yo no teníamos secretos. Me lo hubiera dicho.

—Los agentes hacen un juramento de silencio. Ni sus mujeres deben saber nada al respecto. Nadie. Menudos agentes serían si lo fueran pregonando.

—Así será para todo el mundo. No para Andrés respecto a mí —dijo Fernando, a la vez que sacaba una cajetilla de tabaco rubio Winston. Eligió un cigarrillo y lo encendió con un mechero dorado, en un ritual de movimientos que provocó la envidia del otro. Sin ofrecer, se guardó la cajetilla—. En cualquier caso, coincidimos en que lo fundamental es resolver. Pero veo que están en pañales.

—Se está trabajando en ello. Hay varias pistas de tramas desestabilizadoras —dijo el subsecretario, endureciendo la voz—. Haremos justicia.

—No me vale. Hace más de un mes que Andrés desapareció. «Nada se parece tanto a la injusticia como la justicia tardía.»

—¿Cómo dice?

—Es una cita.

—Bueno. No tiene por qué preocuparse. La Político-Social aplica la lógica en sus métodos, por encima de los hechos circunstanciales.

—No creo en la lógica.

—¿Que no…?

—No señor. ¿Conoce ese de Jaimito y los timbres?

—No sé…

—Jaimito está en clase y el maestro explica lo que se entiende por lógica, con ejemplos. Jaimito se levanta y dice: «La lógica no existe y pondré un ejemplo. Vivo en un quinto piso y siempre que bajo a la calle voy tocando los timbres de las puertas de todos los vecinos. Lo lógico, según usted, es que me llamen el Tocatimbres, ¿verdad?» «Sí, es lo procedente», dice el maestro. «Pues no me llaman así, sino el hijo-puta del quinto».

—Joder, don Fernando —rió el otro, a su pesar—. ¡Qué cosas tiene usted!

—Como en el chiste, su lógica está lejos de coincidir con la realidad del caso. —Se levantó, dio una larga calada al cigarrillo y lo aplastó en el cenicero que había a su lado. Soltó un chorro de humo y habló con acento sin inflexiones, imponiendo su mirada rectilínea—. Mire, señor subsecretario. No sé por qué eso de la Político-Social. Tendrán sus razones, y como «donde manda patrón no manda marinero», las respetaré. Pero no me suelte milongas. Le diré una cosa. Andrés es más que un amigo. Nos salvamos la vida el uno al otro varias veces por los frentes de guerra. No hay dudas de que está en apuros. Me necesitan él y su familia y no voy a defraudarles. Ante la falta de resultados indagaré por mi cuenta a partir de ahora. Mandaré a algunos de mis escuadristas a que investiguen. Y nadie me lo podrá impedir.

La desharrapada chavalería prorrumpió en gritos animosos:

Padrino roñoso,
eche la mano al bolso.

La soleada mañana de domingo colaboraba con el bautizo celebrado. De la apretada y umbría parroquia de la Beata María Ana de Jesús, en los bajos del número seis de la calle Domingo Pérez del Val, en las Casas Baratas, salían ya los familiares y amigos. Ellas, estribillo de estaturas menguadas, vestidos sumisos, cabellos sin tintes peinados en casa. Ellos, trajes negros alcanforados, zapatos con brillos de limpiabotas para disimular los cueros agotados. Había un bulto atrapado entre los brazos y el amoroso busto de la madrina, reina por un día, por donde asomaban los negros pelos mojados del bebé protagonista.

Eche, eche, eche,
no se lo gaste en leche.

El padrino, asumiendo el liderazgo del acto, metió su mano en un abultado bolsillo y se dispuso a proceder con la tradición. Con gesto heroico lanzó un puñado de monedas de cinco y de diez céntimos, no demasiado lejos de los invitados para un mejor disfrute de su esplendidez. Los chicos se abalanzaron sobre las rodantes piezas y se las disputaron ferozmente levantando nubes de polvo mientras el donante paseaba su gesto pleno de felicidad y satisfacción. El grupo fue caminando despaciosamente, ellos saboreando extrañados Farias y dejando una densa estela de humo como si todos viajaran en tren. La chiquillería insistió.

Padrino pelao,
si cojo al chiquillo
lo tiro al tejao.

Nuevos puñados de calderilla y nuevo forcejeo entre los críos. Pili, como las demás niñas, se mantenía apartada del barullo, capitalizado siempre por la violencia de los chicos. Pero algunas monedas llegaban rodando a su jurisdicción. Y ellas, como gorriones esperando el fallo de las acaparadoras palomas en el picoteo, las atrapaban rápidamente. Horas y bautizos después, Pili había podido reunir una peseta y cuarenta céntimos. Ya tenía para el cine, que costaba una peseta. Vio salir a don Antonio, el párroco, junto con otros curas. Se les había acabado el trabajo. Con las demás niñas corrió hacia ellos y les besaron el dorso de la mano, tal y como les ordenaban en los colegios. Luego caminó feliz a casa junto a Conchita y Toñi.

Terminando de comer, gachas de harina de almortas, tortilla, pan y naranjas, Juan, que también había estado con sus amigos capturando monedas, dijo:

—Pili ha vuelto a besar las manos de los curas.

Todos la miraron y ella se ruborizó.

—Te dije que no hicieras eso —dijo su padre—. No lo hagas más, ¿entendido?

—Deja a la niña —terció la madre—. Tendrá que hacer lo que los demás. ¿Quieres que la señalen?

—Yo no les besé a ninguno —dijo Juan—. Además, don Antonio iba con la prisa de siempre y estas tontas tuvieron que ir corriendo detrás mientras él no paraba de andar.

—Iría a pedir dinero a alguien —dijo la madre—. Está obsesionado con lo de levantar una iglesia en Guillermo de Osma para salir de las catacumbas de esa parroquia de ahora.

El abuelo la miró. Tenía sesenta y cuatro años y un brazo más corto que otro, lo que no le había impedido trabajar duro en la carbonería del barrio. Se había jubilado por causa de los dañados lumbares y no había podido eliminar el carbón acumulado en los poros durante décadas, por lo que ofrecía un aspecto negruzco y sucio, no acorde con la realidad. Terminó su vaso de vino peleón y dijo:

—Más valía que todo lo que ese cabrón recoge lo dedicara a dar de comer a los montones de niños famélicos del barrio y no a buscarse un sitio en la posteridad como impulsor de ese templo. Lo primero es atender el hambre de tantos desfavorecidos y no hacerle la pelota al Cielo.

—Hemos de vivir con lo que hay, padre. Las cosas son como son.

—Ya sé cómo son —masculló él, levantándose y yendo a su silla de lectura para atrincherarse tras una novela de Zane Grey.

Por la tarde Pili fue con sus amigas, su madre y la de Conchita al cine Montecarlo para ver el programa doble y el Nodo. Ponían *El Capitán Maravillas*, interpretado por el atlético Tom Tyler, y *El peñón de las ánimas*, en sesión continua. Compraron pipas y esperaron en la vociferante cola a que fueran saliendo espectadores. Tardaron en entrar al abarrotado local, tumultuoso de conversaciones, risas, toses y silbidos. La primera película era por episodios. El que más le gustó de los cuatro fue el último. Al chico Billy los malos lo maniatan y amordazan. El piloto de la avioneta donde viaja secuestrado pierde el conocimiento y el aparato se precipita a tierra. Billy consigue quitarse la mordaza y lanzar el grito salvador: «*Shazam!*» El rayo instantáneo lo convierte en el indestructible Capitán Maravillas, que vuela hasta tierra, salvando también al piloto, entre el entusiasmo y los aplausos de la chiquillería. Y en la otra película su emoción se desbordó cuando la chica se lanza al vacío al ver muerto a su novio prohibido. ¿Dónde estás, Luis? ¿Por qué no vienes? Cuando salieron, la madre de Conchita dijo:

—¡Qué amor tan grande entre la María Félix y el Jorge Negrete! ¿Por qué la familia de ella desprecia al muchacho?

—Atavismos, que han vuelto aquí —respondió su madre—. Luchamos para acabar con eso y conseguimos liberar el amor, lo que se recibió con alborozo. Perdimos y eso acabó. Pero en un futuro, que quizá vean nuestros hijos, las parejas tendrán libertad de elección y de unión. Será así porque es ley de la naturaleza.

—De todas formas, es una tontería que los protagonistas acaben así. El amor es vida, no muerte.

—Sí; el amor es vida… y esperanza —dijo su madre, bajando su mirada hacia ella. La madre de su amiga captó el gesto.

—¿No tienes noticias del Luis y del Julián?

—No. El policía que protege al Juanito no sabe nada. Hace un mes que desaparecieron. Nadie sabe dónde están.

—Ni si viven aún, como el Gerardo y el Eliseo. Pobrecillos.

Ella hubiera querido ser como el hombre de acero volador para, con su mirada de rayos X y su fuerza, encontrar al Luis y salvarle de lo que le amenazaba. Porque su amor nunca se extinguiría. Y si le faltara, no le importaría hacer lo que la mujer de la otra película porque, como ella, también había hecho un juramento. Notó la mano de su madre apretar la suya mientras el grupo caminaba en silencio por las anchas aceras de tierra hacia sus casas.

Dos

Noviembre 1946

La travesía discurría con placidez. Chus se apoyó en la barandilla junto al señor Jesús y la señora Matilde. Sus cabellos habían crecido y ahora se enmarañaban por el viento. Nunca antes había visto el mar, ni los barcos, ni los pájaros del puerto. Desde que tomaran el tren en Madrid, todo había sido nuevo para él. Vieron acercarse a la numerosa familia vallecana, como siempre, para cambiar las acostumbradas palabras risueñas. Se habían tomado simpatía desde que se conocieran al embarcar en la estación ferroviaria de Príncipe Pío. Hicieron juntos el trayecto al puerto en el mismo departamento de tercera. Chus, que siempre se mantenía alejado de los demás niños españoles, italianos, polacos y otros, por razones obvias, recordó su presentación mundana. «Miguel Molero Tapia —dijo, dándoles la mano a todos—. Ésta es mi mujer, Rosario Pérez Prieto, y éstos, nuestros hijos: Fernando, diez años; Miguel, nueve; Daniel, ocho, y Libertad, siete. Ahora ya podemos llamarla así, su nombre verdadero. Nos obligaron a cambiarlo por María.» Jesús había estado a la altura: «Jesús Manzano Aparicio, mi mujer, Matilde Cuevas Perales, y nuestro hijo, Jesús, ocho años.» Luego compartieron las tortillas, el pan, los pimientos fritos y el vino, y llenaron de humo el habitáculo. Los vallecanos también iban a Venezuela, pero a la aventura. Nadie les esperaba en la tierra nueva y esperanzadora.

—¿Cómo conseguiste las autorizaciones? —preguntó Jesús Manzano—. Ahora no dejan que salga nadie. Todos los brazos son necesarios para levantar España, ya sabes.

—Costó lo suyo. No fue fácil. Llevo un contrato de trabajo que me envió un amigo. Marchó en el 38 e instaló una pequeña carpintería en Caracas. Es lo único que pudo hacer por nosotros. Lo mandó hace ocho meses. Sólo ahora hemos podido conseguir el dinero para los papeles y los pasajes, ahorrando como fieras y pidiendo a familiares en préstamo.

—Entonces sí tienes quien os espere allá.

—No. Murió hace cuatro meses. No sabemos qué nos encontraremos allí y si la carpintería existirá siquiera.

Eran gente sencilla y simpática, y sus hijos respetuosos. Se notaba que el padre les imponía un régimen de obediencia. Ya no se despegaron de ellos. Tras el papeleo en la aduana, el embarque en el buque italiano, la revisión de los pasaportes y certificados de vacunación en la oficina de control del barco, y la entrega de los equipajes, buscaron acomodo en el mismo camarote de tercera clase: dos filas de tres literas para los varones. Ellas tendrían que ir a las zonas asignadas a las mujeres. Luego los días fueron pasando sin más incidentes que la escala en Tenerife. Y desde el primer día de navegación la conversación entre los adultos giró casi siempre en torno a las experiencias de los frentes de guerra y retaguardia, la falta de trabajo y de horizontes en España, las precarias condiciones de vida y la gazuza que se pasaba. Miguel, unos treinta y cinco años, delgado, rubio, ofreció tabaco a Jesús.

—Estamos a mitad de camino. Cada vez más cerca. Veremos lo que nos espera.

—Sigo sorprendido por tu valentía. Os lanzáis a la buena de Dios, al puro albur.

—Ésta dice que es una locura —señaló a Rosario, que, al contrario que su marido, hablaba lo imprescindible—. Pero es lo que nos ocurre a la mayoría. Casos como el tuyo, con un hermano esperando, no es lo habitual.

—Hablaré con él. Seguro que tiene un sitio para ti. Necesita buenos currantes.

—Soy carpintero de muebles, ebanista; tu hermano necesitará carpinteros, pero de obra.

—Yo soy pintor de casas. Tendré que pintar depósitos y cosas que nunca he pintado. Vida nueva, trabajo nuevo.

—No sé…

—Estarías en los encofraos o en lo que sea. Aprenderías un oficio nuevo.

—Temo no estar a la altura. En tu caso, tu hermano tendrá paciencia. No la tendría conmigo si no me adaptara.

—Venga, hombre. Déjate de temores. Tendrás que adaptarte a la fuerza.

—Probaré en Caracas. Puede que la carpintería siga abierta. A ver qué dice la mujer que vivía con mi amigo, la que nos escribió de su muerte.

—Todo el mundo va a Caracas, pero es Valencia la ciudad industrial. No dejes que te deslumbre la capital.

—Me quedo con tus señas. Si no encuentro tajo, ¿podré llamarte?

—Claro que sí. No lo dudes.

Al duodécimo día el barco echó amarras en el animado puerto de La Guaira. Había mucha gente esperando en el muelle, agitando las manos. Al otro lado del terminal, otro vapor expulsaba sus pasajeros. Más allá, en el puerto comercial, barcos cargueros y petroleros atracados en pantalanes, enormes grúas moviendo las cargas, los muelles atiborrados de mercancías, automóviles y cajones. Al fondo, agencias de aduanas y bancarias, galpones, bodegas y tugurios; y encima, el guirigay de los alcatraces que los habían acompañado desde horas antes. Funcionarios de Sanidad y policías uniformados, pistolones colgando, subieron al buque a verificar los papeles en la oficina de mando. Tras horas de tardanzas burocráticas, los pasajeros de primera clase abandonaron el trasatlántico. Después, el desembarco bullicioso de italianos, españoles y centroeuropeos, las largas colas ante el cochambroso y parvo edificio de inmigración, el aplastante calor húmedo, el sol tórrido. A un lado formaron los que iban en calidad de inmigrantes a la aventura, una interminable cola, que serían llevados luego a Caracas en furgones policiales para ser alojados en unos pabellones donde podrían dormir y comer gratuitamente durante quince días. Las dos familias se despidieron.

—No te extravíes, compañero —dijo Jesús a Miguel.

Daniel, espigado, parco en palabras y de largos mutismos, miró a Chus. Su constante compañía durante la travesía fue el complemento que atenuó la soledad del madrileño. Era un alma gemela y pasaron muchas horas apoyados en las barandillas en silencios cómplices. Al abrazarse algo aleteó en los ojos de ambos.

—No te preocupes. Es mejor no hablar que decir tonterías. Nos veremos pronto. Mi madre dice que convenceremos a mi padre para irnos con vosotros.

Tras la reja del muelle esperaba Juan, el hermano de Jesús. Se dieron un abrazo sostenido, y Chus notó la emoción de los hermanos vibrar dentro de él al pensar en Julián. Sintió nuevas ganas de llorar pero, como un latigazo, recordó el juramento que él le hizo asumir: «No llores nunca mientras seas niño; al menos, no delante de nadie.» Juan era casi gemelo de Jesús. Se había hecho acompañar por su hijo mayor, Juanín, de diez años, rubio como la familia y rezagado de estatura. Al acercarse para saludarlo, notó la curiosidad en su mirada, la búsqueda de signos diferenciales por su defecto físico. Entraron todos en una berlina que llevaba en los laterales placas de madera de color claro. Era una «rubia», un Chevrolet amplísimo con aire acondicionado donde cupieron sobradamente todos los bultos que llevaban. Circularon luego por la empinada y sinuosa carretera que conectaba el puerto con Caracas, la ciudad de los sueños. Había feroces curvas trepando entre descomunales montañas boscosas.

—Sólo son treinta y cinco kilómetros y tenemos que subir de cero a novecientos metros, que es la altitud de Caracas. Entre la capital y la costa está la cordillera de El Ávila con sus cuatrocientas curvas, que son las que estamos escalando. Como ves es una pendiente constante y peligrosa. No te imaginas la de accidentes que se producen porque aquí manejan como locos —informó Juan—. Se habla de que van a hacer una autopista de ocho carriles, con dos túneles, estilo americano, que reduciría la distancia a la mitad y el tiempo en una tercera parte. Ya hay varias de esas acá, algo impensable en España.

Juan hablaba mucho y reía, mostrando la alegría de tener a su hermano. Contaba cosas interesantes, diferentes, como de otro mundo, empleando palabras desconocidas mientras una música dulzona y pegadiza, también distinta, surgía de la radio hablando de amor y de felicidad. No pararon en Pedro García, el poblado situado en lo alto del puerto de El Boquerón, desde donde divisaron en la distancia un amplio valle agostado por el sol en el que sobresalían altos edificios. Llegaron a Catia, primer barrio de Caracas, y la carretera se desvaneció. Más allá enlazaron con la primera autopista, llena de coches americanos. Juan buscó apartarse de la urbe y enfiló hacia el suroeste por la carretera panamericana que llevaba hasta Colombia. En una bomba* cerca de Los Teques, una vieja población colonial, pararon a echar nafta. Aprovecharon para comer algo en la fuente de soda** aledaña. Ni Juan ni su hijo habían hecho mención a la mudez de Chus, por lo que el chico supuso que Jesús les había informado previamente. Debió de ser antes de recobrar la razón y la percepción de lo que le rodeaba en los meses que siguieron al terror de Mateo, cuando despertó en una cama extraña.

Juan pidió arepas y sancocho para todos, una comida totalmente nueva para ellos.

—Esto es otro mundo. Venezuela es un país naciendo ahora, pujante, el más rico de Iberoamérica. Es el verdadero El Dorado. La plata corre. ¿Ves los carros? Impresionantes, ¿eh? De importación, gringos. Todo el que curra tiene un carro, y no para siempre, como en España hacen los pocos que tienen uno, que lo cuidan como si fuera un tesoro. Aquí se cambian a los dos o tres años. ¿Quién de nuestra clase

* En Venezuela, gasolinera.
** En Venezuela, cafetería de carretera.

puede comprar uno en España? En cuanto a las perras, el bolívar es el más sólido de América tras el dólar. ¿Viste las monedas? Míralas, son de plata. ¿En qué país se usa calderilla de plata? ¿Y la forma de vida? Sin diferencias de clase, sin esa sumisión al poderoso. Los que venimos a trabajar tenemos las mayores oportunidades. En unos pocos años podemos llegar a tener una posición económica imposible en España. No te arrepentirás de haber venido. —Hizo una pausa para masticar y continuó—. Como has visto, la inmigración está abierta. A nadie le impiden entrar porque el país necesita brazos para tanto como hay que hacer. Te darán una cédula de emigrante y podrás ir de un sitio a otro sin limitación. Ahora gobierna una Junta Revolucionaria, que echó al general Isaías Medina, muy cercana a Acción Democrática, un partido cuya cabeza política es Rómulo Betancourt, un demócrata convencido.

—¿Una Junta Militar? La jodimos. Otra dictadura, como la de allá.

—No es lo mismo, ni mucho menos. Esta Junta ha prometido elecciones libres, que serían las primeras en toda la historia de este país. Y nadie duda de que el presidente será Betancourt o alguien de AD. Pero sea lo que sea, es un asunto interno que no afecta a los inmigrantes, tan necesarios para el desarrollo del país, en el que todos están de acuerdo.

—Algo tengo claro, hermano: este país te sorbió el coco.

—Y ¿cómo no? ¿Qué era allá? ¿Qué podía llegar a ser en nuestro empobrecido país? Aquí hay una riqueza mineral increíble, ¿tú sabes? Tercer productor de petróleo en el mundo. Las mayores reservas están en la cuenca del lago Maracaibo. Por eso la refinería más importante está en Paraguaná…

—Me mareas un poco con todo esto, Juan. Me lo tendrás que ir explicando poco a poco y no de sopetón el primer día. —Todos se echaron a reír.

—Es verdad, como que te estoy hinchando la cabeza. Pero necesitas saber lo que es la vaina del petróleo y del refinado aunque sea de forma marginal, porque vamos a vivir de él. Así tendrás una visión de la importancia de tu trabajo. La refinería petroquímica El Palito, cuando la veas, te cortará la respiración. Dicen que estará preparada para el procesado de trescientos mil barriles de crudo diarios.

—Joder, Juan…

—¡Cónchales! He vuelto a pelar. Tienes razón. Terminemos y sigamos camino.

Fue anocheciendo durante el viaje. La incesante cháchara de Juan y la jerga, a veces incomprensible, de los locutores adormecieron a Chus. Pasaron sin detenerse por La Victoria y luego por Maracay, bordeando el inmenso lago de Valencia, y llegaron a la capital del estado Carabobo ya de noche. El coche se detuvo en una urbanización de casas de dos plantas de diseño plano, rodeadas de jardines con palmeras y árboles de hoja perenne. Dos perros negros salieron dando saltos junto con la mujer de Juan y el segundo hijo de ambos, de nueve años, llamado Manuel. Una temperatura agradable, casi fresca, impregnaba la noche.

Tres

Diciembre 1946

El comisario ayudó a su hija a poner las figuras en el nacimiento. El conjunto era desigual y la cabeza del niño Jesús era más grande que la de la vaca. Pero a la niña eso no le importaba. Luego puso el papel de plata para simular el río y colocó el musgo en los bordes. El gramófono emitía música navideña carrasposa. Los discos de vinilo de 33 rpm habían sido comprados esa misma mañana en el Rastro. El ambiente era hogareño, plácido. Había nevado y hacía frío en las calles, pero en la casa la temperatura era agradable gracias a los braseros de carbón de encina. El año acababa. No había sido bueno, pero 1947 sería peor en todos los aspectos. La autarquía, que serviría «para impulsar el genio creativo de la raza», según palabras de José María de Areilza cuando oficiaba de director general de Industria, era un fracaso, y el nivel de vida de los españoles estaba estancado bajo mínimos. Él era conocedor de que la represión continuaba en todos los órdenes. Si bien habían disminuido sustancialmente, seguían las ejecuciones por responsabilidades de guerra, aún sumarias en muchos casos aunque camufladas bajo el epígrafe de «judiciales». Era algo que él no compartía. Como tampoco entendía que, aunque la población reclusa había descendido, la mayoría de los presos fueran políticos. La guerra mundial había terminado y el mundo estaba construyendo la paz. Sombras se cernían, sin embargo, sobre España. Las potencias vencedoras no olvidaban el coqueteo que el Gobierno de Franco había mantenido con el Eje y que era el único Régimen totalitario de tinte fascista que pervivía en Europa. Ya habían empezado las sanciones. Los movimientos guerrilleros internos se reforzaban con ayudas exteriores. Estaban mandando agentes y armas. La prueba de que eran una amenaza activa había sido el atentado del año anterior en Cuatro Caminos en el que murieron dos falangistas. Y él, tarde o temprano, podría verse involucrado en algo más que en el mantenimiento específico de la tranquilidad ciudadana. Miró a su hija y volvió a pensar en los niños desaparecidos cuatro meses antes. Por su crianza en un colegio cerrado, el de San Ildefonso, en el que las familias reales de los niños eran los otros niños internos, tenía obsesión insistente por los problemas infantiles. No ignoraba, a pesar de la censura, la suerte corrida por la mayoría de los niños del bando republicano. Las muertes por meningitis, disentería, desnutrición, muchos de ellos al ser separados de los padres cuando los fusilaron o llevaron a prisión. Nunca se sabría la cantidad total de niños desaparecidos porque muchos no estaban censados y no vivían ya los padres ni familiares para reclamarlos. Era como si nunca hubieran existido. No había cifras oficiales, no podía haberlas, pero se hablaba de cientos. Él sabía que a los huérfanos cuyos padres habían sido fusilados se los metía en centros para ser adoctrinados en la nueva fe y el nuevo orden, forzados a renegar de sus progenitores y de las enseñanzas recibidas, lo que también se hacía con los hijos de las presas, a quienes se separaba de sus madres. A las embarazadas condenadas a muerte se les permitía tener al niño y amamantarle unos meses. Luego se cumplía la sentencia y el niño era entregado a una «caritativa familia cristiana». Las adopciones secretas de niños pequeños, huérfanos o alejados de sus padres y familias, eran frecuentes. Para él esos también eran niños desaparecidos. A los de más edad se les dejaba que se las compusieran. No había plazas suficientes para escolarizar ni para mantener a tanto niño. Eso era el fermento de las bandas juveniles que iban surgiendo en las grandes ciudades. Cuando se hablaba del tema subrepticiamente, siempre oía la misma justificación: hubiera ocurrido lo mismo si los otros hubieran ganado. Algo que nunca se podría comprobar.

Las noticias recibidas desde la Subsecretaría de Gobernación, a través del hierático jefe superior de policía, eran negativas en cuanto a resultados. Sólo supo que habían sido detenidos unos matarifes y guardas con antecedentes, acusados de pertenecer a una célula comunista y posiblemente culpables de la desaparición del agente secreto. Pero cómo averiguar lo que realmente declararon. Lo cierto es que los cuerpos del hombre y de los cuatro niños no habían aparecido. El asunto se le había ido de las manos. Seguía manteniendo la vigilancia sobre el niño Juan Barón y, a pesar de la prohibición de actuar en el caso, había enviado a Pablo a casa de los Manzano, sin resultados. Esa gente parecía no saber nada. Los Romero dijeron que nunca volvieron a ver a los Montero. También había vuelto a interrogar a Mateo. Sospechaba que sabía algo más de lo que decía. A pesar de las amenazas, el caradura resultó inexpugnable, y juraba su ignorancia. Tendría que abandonar la custodia de Juan, no sólo porque persistían las condiciones de falta de resultados sino porque esa familia se mudaría a otro barrio, que mantendrían en secreto y donde nadie les conociera. El comisario oyó la voz de su mujer llamando a cenar. Tomó de la mano a su feliz hija y caminaron hacia la mesa, donde ya estaban sentados los abuelos maternos.

—Me dejas estupefacto. Realmente es un caso rocambolesco. Y la verdad es que, aunque me sorprendió su alta estatura, el muchacho se parece a Chus, con ese pelo dorado y esos ojos claros. ¿Cómo urdiste semejante cosa?

Jesús se encogió de hombros.

—Salí al curro y allí estaba la criatura, durmiendo en el suelo. Fíjate que dormíamos con la puerta abierta y una cortina. Él respetó esa cortina como si hubiera sido una barrera.

Al despertarle se enganchó a mí, temblando, con los ojos secos. Nunca vi un desvalimiento semejante. No te puedes imaginar la situación. No sabíamos qué pasaba ni qué hacer. Preguntamos por su hermano y negó con la cabeza, sin emitir sonido, mirando aterrorizado hacia el pasillo. Fui al tajo y le pedí permiso al jefe. Volví a casa. La Matilde dijo que el chico no había querido comer nada y que seguía mudo. Estaba dormido, agitándose con pesadillas. A media mañana se despertó, aterrao, pero se fue calmando. No decía nada. Sus ojos se cubrieron de lágrimas pero no permitió que manaran. Su empeño nos partió el corazón. Intentaba hablar y no podía. Nos pidió un papel con gestos y escribió que a su hermano lo habían matao y que a él lo perseguían para matarle también, como habían hecho con otros dos niños. Puedes comprender cómo nos dejó tal noticia. Creímos que eran alucinaciones, pero su terror no era fingido. Dijo desconocer las causas. No sabía, no entendía. Mencionamos ir a la policía, le dijimos que habían estao el día anterior. Su terror aumentó. Negó con vehemencia. Dijo que también eran malos, que el Julián no los quería. Sólo pedía que le escondiéramos, que le ayudáramos.

—¿Qué hiciste?

—Fui a ver al tutor; bueno, el que se había hecho cargo de los dos hermanos tras la muerte de la madre. El padre del chaval, que había sido capitán durante la guerra, lo había destinado a diversos trabajos en los almacenes, porque es cojo. Lo protegía a petición de la mujer por ser del mismo pueblo. Ferviente socialista, decía. En realidad era un cagao y se pasó acojonao todo el tiempo por si lo enviaban al frente.

Estaban solos en una oficina mediana, con dos mesas de despacho y algunos archivadores. El sol iluminaba bravamente a pesar de la temprana hora.

—Me presenté como si se tratara de una visita fortuita, inventándome que venía del mercao de frutas y que, al pasar por delante de su casa, decidí subir a ver cómo estaban los chicos, afirmando, por supuesto, que no sabía nada de ellos. No estaba el hombre y lo esperé, hablando con su mujer, quien me puso al corriente de todo, mostrando su pena por la ausencia de los chicos y un aire de temor. Se ve que la zumbaba. Cuando el tipo llegó no se mostró muy agradable. No habíamos sido muy amigos y nos vimos poco desde que se quedó con los críos. Dijo que eran unos golfos y que lamentaba haber prometido que se los quedaría. Ya sabes que, aunque existe, la adopción legal es un cuento. Los niños se pudren en la Inclusa. Por eso existe la adopción ilegal, gente que se queda con hijos de otros y ninguna autoridad mete las narices. Ése era el caso. Me contó un rollo de que robaban y que se escapaban del colegio. Cuando miré a su mujer vi en sus ojos amedrentaos que el tipo mentía. Y más cuando me dijo que la policía los buscaba por delincuentes. ¡Delincuentes a los ocho y diez años! Añadió que algo malo habrían hecho, porque cuando oyeron llegar a la policía y preguntar por ellos se escaparon saltando por una ventana trasera. Desde entonces no había vuelto a verles, ya hacía tres días. Me informó de que faltaban algunos niños de las casas de más arriba del paseo y que, según él había interpretao de las palabras de los policías, los perseguían porque ellos tenían alguna relación con esas desapariciones. Aquello era un disparate pero, de algún modo, confirmaba lo dicho por el chico. Al despedirnos dijo que cuando aparecieran iba a meterlos internos porque no los quería. Subí hasta las casas indicadas. Entré en la tienda de ultramarinos, que estaba llena de gente hablando a voces. Mientras esperaba a que me despacharan, oí que habían volao dos niños, tal y como dijo el Luis. La gente estaba muy revolucionada, entre el temor y la indignación. Se hablaba de que los habían matao para sacarles la sangre, que enfermos ricos necesitaban. Eso corre por ahí y ve a saber si es o no verdad. Ya sabes cómo está España, aunque llevas años sin vivir allí. Fuiste listo al largarte antes de que empezara la guerra.

—Debiste haberte venido conmigo. No me fui por cobardía sino por buscar lo mejor para mi familia. Sabes que durante la República las cosas no mejoraron para los pobres. Quienes podían dar trabajo, los patronos, no lo hicieron para que la reacción consiguiera el poder. La verdad es que, aunque había rumores de pucherazos como la Sanjurjada, pocos esperaban una guerra civil. Cuando Franco se levantó, yo supe que la República estaba perdida. Por eso te llamé que vinieras. No me hiciste caso.

—Contrariamente a lo que dices, todos estábamos seguros de que los insurgentes serían derrotaos y que la República saldría reforzada para acabar con los terratenientes y el desigual nivel entre el pueblo y las clases altas. Nosotros teníamos un Gobierno legal y las mayores industrias. ¡Si vieras con qué ilusión se levantó el pueblo…!

—Pero el trigo lo tenían ellos. Y las mejores armas, porque era la parte del Ejército mejor dotada. ¿Y de qué industrias hablas? Ninguna de armamento moderno. Hubo que comprar con urgencia aviones, tanques, ametralladoras a nuestros amigos rusos y franceses; amigos de mierda. Pusieron precios desorbitados a su material y hubo que pagarlo por adelantado, aunque lo mandaron cuando les dio la gana. Al contrario que Hitler y Mussolini, que mandaron a Franco sus mejores armas y tropas, de inmediato y a crédito la mayor parte. ¿Cómo se podía pensar en ganar a los golpistas?

—Por el puro instinto de supervivencia. Imaginábamos lo que ocurriría si ganaban ellos. Por eso el entusiasmo y las esperanzas. Incluso a principios del 39, con casi todos los frentes derrotaos, muchos considerábamos, como Negrín, que la situación internacional nos ayudaría a vencer.

—Bueno, todo eso ya pasó. Sigue contándome lo del muchacho. Pero fuma —dijo, señalando una cajetilla de *Fortuna*.

—No me hago con el rubio. Siempre he fumao negro.

—Es un rubio medio. Acabará gustándote. Ya probaste el *Bandera Roja* criollo. —Rió—. Casi te ahogas.

—Cierto. Ese negro es infumable. Te haré caso. —Tomó un pitillo—. Sigo. De allí me acerqué al colegio, cuyas señas también me habían dao los dos hermanos cuando se presentaron en casa de improviso y mostraron su soledad y desamparo. El director fue reacio al principio a hablar conmigo. La verdad es que parecía un tubo. —Se echó a reír.

—¿Cómo dices?

—Te lo contaré luego. El tipo estaba nervioso y muy alarmao. Le dije que era un pariente lejano de Julián Montero padre. Entonces me explicó que habían desaparecido los dos hermanos y otros dos chicos; que la policía vigilaba. A través de la ventana me indicó un coche con un hombre dentro. Dijo que el asunto había roto la normalidad del colegio y que muchos padres habían dejao de mandar a sus hijos. No me cabía duda ya del lío en que estaba metido el Luis. Llegué a casa. Lo hablamos la Matilde y yo. ¿Qué debíamos hacer? Si lo llevábamos a la policía, ¿qué harían con él, a qué torturas psicológicas y físicas le someterían intentando sonsacarle lo que supiera o no supiera? Y luego, ¿qué destino le darían? Nadie tenía potestad legal sobre él. Pero primero debíamos atenderle. El chaval mostraba un aspecto preocupante, respirando agitadamente en la cama. Conscientes del riesgo que comportarían nuevas visitas de la policía, lo llevamos a casa de don Aristónico, quien se portó como un verdadero amigo. El Luis había entrado en un estado febril, con pérdida ocasional de la razón. Un médico amigo del profesor, represaliao al terminar la guerra, se hizo cargo de la situación y echó una mano. El chico caía bien a todos. Estábamos conmovidos por su indefensión, sin saber exactamente cuál era su tragedia. Sólo teníamos claro que debíamos protegerle. Cuando recobró la cordura habían pasao quince días. El Aristónico lo llevó con una hermana que vive en Villalba, cuyo marido es cantero. El Luis pasó allí estos meses, reponiéndose. No recobró el habla.

—¿No volvió la policía?

—Sí, varias veces. Pero, claro, no encontraron nada. —Hizo una pausa—. Más tarde dijimos al muchacho que habíamos decidido venir a Venezuela y que le traeríamos con nosotros, reemplazando al Chus. Sería nuestro hijo ante todo el mundo y no volvería a llamarse Luis Montero sino Jesús Manzano Cuevas. ¿Quién podría sospechar que no era quien mostraban nuestros documentos? Como sabes, no hacen falta fotografías porque los menores pueden viajar con los padres sin pasaporte propio. Nadie tuvo la menor sospecha. ¿Quién imaginaría cosa semejante?

—Te aseguro que nadie. Hasta a mí casi me das el pego. ¿Y no ha hablado desde entonces?

—En ningún momento. Ya lo has visto.

—Bueno. Cuando pasen estos días de fiesta habrá que llevarlo a algún médico, aquí, en Valencia, o a Caracas. Hay que quitarle la mudez. Y, por supuesto, tendrá que ir al colegio. ¿Qué años tiene?

—Los que tenía el Chus: ocho.

—O sea que…, veamos, entraría en Kinder, como aquí llaman a la primaria. Seguramente en el segundo curso. ¿Qué sabes de su nivel y notas?

—Realmente, no tengo mucha idea.

—En cuanto pasen las Navidades lo llevaremos a la escuela pública, con tus sobrinos, donde le harán una evaluación. Es bueno que, a pesar del retraimiento del chico, haya encajado con mis hijos. Al fin, los tres son del foro, han visto las mismas cosas en su niñez primera. Hiciste bien en presentarle como prohijado, de familia lejana. Sintieron mucho la muerte de Chus. Creo que acertaste en darle su nombre a este chico. No diremos nada a mis hijos sobre el origen del chaval. Para ellos será como su primo hermano. Habrá tiempo en un futuro para que sepan toda la historia. —Movió la cabeza—. Esperemos que en la escuela no pongan reparos a…, bueno, supongo que el muchacho no habrá quedado traumatizado y que sólo tendrá el problema de la mudez.

—Yo también lo espero. Sus padres eran altos y fuertes. Él ha heredao su planta y confío que también sus características positivas. Tiene buenos miembros y una boca sana.

—¿No te describió cómo mataron a su hermano?

—Ni por asomo. Hace tiempo que dejamos de presionarle porque veíamos su sufrimiento. Está claro que debió de ser una experiencia terrible. El Julián era lo único que tenía, su ídolo. ¿Cómo reaccionaríamos nosotros ante un hecho así? Sólo puedo entreverlo pensando en mi Chus. Fue tremendo, pero ¿cómo estaríamos la Matilde y yo ahora si en vez de atropellao le hubiéramos visto morir asesinao?

—¿Crees que esa visión brutal gravitará siempre sobre él?

—Sin duda, al menos mientras su asesino esté sin castigo. Lo importante es que no afecte a su normal desarrollo.

—Y ¿cómo sabremos si el asesino paga?

Jesús miró a su hermano con intensidad.

—Mantendré contacto con alguien para saber si el asesino sigue campando. Y, si es así, intentaré que alguien busque las pruebas que le incriminen y llegar a conocer los motivos de los asesinatos. Debe ser castigado por lo que hizo. Quiero dar pleno sentido a la vida de este chico y a la mía. Si los hubiera recogido cuando murió su madre, nada de esto habría pasao. Quizás algún día…

—No eres culpable de nada. No mataste a Julián.

—Es lo que hubiéramos hecho nosotros de haberles ocurrido una cosa así a nuestros hijos. Y ahora, hablemos de trabajo. Estoy deseando empezar.

—Lo sé, pero antes tienes que prepararte. No es lo mismo pintar casas que tanques de combustible. Pintabas a brocha y aquí tendrás que hacerlo con pistola o manguera. —Se rió al ver la expresión de su hermano—. Sí, esos americanos son la hostia, lo inventan todo. Son unos artilugios que lanzan chorro de pintura esparcida, como lluvia, impulsada por el aire de compresores; como la manguera de un barrendero sólo que una niebla de pintura en vez de agua. Tendrás que aprender la técnica.

—¿Cómo obtuviste el contrato con la petrolera?

—Por licitación. No es un contrato para siempre. Hay que licitar en cada caso y conceden el trabajo a quien presenta el menor precio, asumiendo el respeto a las especificaciones. Pero nosotros estamos bien instalados porque hemos trabajado bien desde el primer contrato y eso nos beneficia siempre que otras propuestas no sean mucho más bajas que las nuestras. Estos gringos son gente seria y recompensan la responsabilidad en el trabajo con la fidelidad a los contratistas habituales.

—¿En qué consiste el curro?

—De mantenimiento, muy variado y permanente porque las refinerías funcionan veinticuatro horas al día. Es indispensable pintar los depósitos, y primordial la limpieza de la maleza y vegetación que crece debajo y cerca de los conductos y de los tanques. Hay que estar matando las yerbas constantemente porque el clima es feroz. Allá abajo el calor es terrible, con una humedad entre el noventa y el cien por cien. También hay obras de albañilería, de reposición de tubos, tapado de zanjas… Tenemos plomeros, gruístas, soldadores…

—¿Quién hace ahora el trabajo de pintura?

—Una empresa subcontratada. Ahora tendremos que anular la colaboración. Seguramente querrá mantener el trabajo directamente. A ti te toca demostrar que el cambio de jefatura en la pintura es acertado porque tú llevarás esa sección. Te toca currar duro. Tendrás que sacarte el permiso de conducir, y aprender, claro. —Ambos rieron—. No tengas problema. Te enseñaré bien por estas carreteras.

—Estoy preparao. ¿La refinería no pudo instalarse en un lugar menos sofocante? Allá abajo no se puede respirar.

—He leído sobre ello. Puerto Cabello es el segundo puerto de Venezuela por sus aguas profundas y tranquilas, situado en Punta Chávez, nombre tomado del español que lo descubrió hace más de cuatrocientos años. Cuando los gringos de la Socony Vacuum Oil, antecesora de la Mobil, porque la compañía es americana, buscaron un lugar en la costa central del país donde instalar el complejo, no dudaron. Un puerto de esas características les era imprescindible. Después de mirar por toda la zona escogieron el punto más adecuado, a veinticinco kilómetros al oeste de Puerto Cabello y a quince de El Palito, el mísero pueblo costero del que ha tomado el nombre la refinería. Es un lugar diáfano, al contrario que al este de Puerto Cabello, que está lleno de islotes y tiene una costa muy accidentada. Ya te mostré. Así que compraron los terrenos a un hacendado y en un plis cortaron los árboles, allanaron la tierra y construyeron el tinglado. Lo trajeron todo medido: depósitos, tuberías, oficinas, hornos; todo en piezas, como un mecano. Independientemente del clima el sitio es excelente porque, además de ser necesario un puerto cercano, hacía falta un río. Allí está el Sanchón, de donde sacan el agua para las torres de enfriamiento. Y también están el Morón y el Temerla, por si acaso.

—Me imagino que habrá otros sitios donde trabajar. ¿Por qué elegiste la refinería?

—No hay una actividad mejor para desarrollarse empresarialmente y ganar cuartos. El petróleo es el motor del país y todo lo relacionado con él da beneficios. La refinería es un centro económico en sí misma. Tiene unos mil empleados directos y para ella trabajan muchas empresas suministradoras de servicios y materiales, que, a su vez, sostienen cientos de puestos de trabajo. Su influencia financiera es extraordinaria. Es la mayor industria del estado Carabobo.

Jesús se quedó abstraído un momento mientras comparaba el horizonte que tenía ante sus ojos con el que había dejado en España. En verdad, ése era otro mundo. Pero en todos los conceptos. Movió la cabeza y comentó de pasada:

—Qué bien se está aquí, el aire es limpio y seco. Parece mentira, tan cerca de la costa.

—Estamos a quinientos metros de altitud, algo menos que Madrid. Por eso el clima es sano. Es la causa de que vivamos en Valencia. Pero lo de cerca, bueno; es relativo. Hay cuarenta y cinco kilómetros al litoral, más que de Caracas a La Guaira. Pero en ambos casos hay sierras por medio, que alargan esas distancias. Ya has visto aquí los montes selváticos de San Esteban, que llegan casi a Puerto Cabello. Aun así es preferible hacerse los setenta kilómetros que nos separan de la petroquímica a pesar de la mala carretera. Bueno, eso tendrá remedio porque construirán una autopista y el recorrido lo podremos hacer en treinta minutos. De todas maneras tendrás que acostumbrarte al calor de abajo. Allá es donde trabajarás.

—¿De dónde viene el petróleo?

—Como te dije, la cuenca más importante de Venezuela es la de Maracaibo, en el estado de Zuliá. Este crudo lo traen de un lugar llamado Casigua el Cubo, al sur de Zuliá, a unos mil kilómetros al suroeste de aquí, casi en la frontera con Colombia. Allí están los pozos. Por oleoducto atraviesa los Andes bajos y llega a Barinas, un estado en el centro de Venezuela. Desde allí sube al litoral del Caribe, donde estamos, hasta llegar a un cerro cercano al complejo petroquímico, antesala de los tanques de almacenamiento. También llega en barcos a Puerto Cabello. De ahí lo acertado de la elección del lugar.

—¿Cualquiera puede licitar para los trabajos de la refinería?

—Cualquiera que reúna los requisitos. La empresa tiene que tener, a través del jefe o empleados autorizados, la calificación de Técnico de Gas. Es un título que emite el Ministerio de Minas e Hidrocarburos, que es quien controla el asunto del petróleo. Hay unos cursos que se hacen en Caracas, nada sencillos de aprobar. Quien los supera queda capacitado para optar a este tipo de trabajos.

—¿Y ya está, sólo con el título?

—No, claro; hay que tener una empresa como Dios manda, con el personal necesario y la solvencia adecuada. Debe constituirse con un capital social mínimo de cien mil bolívares, que normalmente es avalado por una compañía de seguros. Hay que tener en plantilla un ingeniero civil, un jefe de seguridad, un supervisor… Ya has visto el tinglado que tenemos aquí.

—Joder, hermano. Siempre dije que eras una lumbrera. Has montao una cosa impensable en España.

—¡Bah! Tú hubieras hecho lo mismo, sólo que fui yo quien vino el primero.

—Hablemos de dónde vamos a vivir la Matilde, el chico y yo.

—Lo haréis en casa, con nosotros; no vais a meteros en cualquier lugar. Ya has visto que hay sitio de sobra. Es claro que debes tener tu propia casa. Sabemos que las mujeres siempre encuentran a la larga o a la corta motivos para las disputas. Pero miraremos sin atosigarnos.

Jesús le miró y sus ojos se enternecieron.

—Gracias por ayudarme, por darme esta oportunidad.

—No hago nada distinto a lo que tú habrías hecho. Te hubiera traído de todas formas porque eres mi hermano, pero en este caso, además, el agradecido soy yo. Necesito un buen pintor y un hombre de confianza y con carácter, como yo. ¿Quién podía ser sino tú? Además ya has sufrido bastante con esa guerra que perdiste. Y supongo que la España que has dejado no te hará llorar. Porque las cosas allá...

—No te puedes imaginar. Está todo aplastao. Sigue el racionamiento, las colas para el aceite, las cárceles llenas, los fusilamientos... No existen los derechos ciudadanos porque no somos ciudadanos sino súbditos con obligaciones. Se han prohibido las facultades de reunión y asociación. En realidad, se han suprimido todas las libertades, hasta la de circulación. No se puede transitar libremente por España. Es necesario disponer de un salvoconducto.

—¿Salvoconducto? ¿Cómo va a ser? Ése es un documento usado en tiempos de guerra.

—Exacto. El asunto es que el Régimen mantiene el estado de guerra, aún ahora, siete años después de terminao el conflicto bélico. La diferencia es que durante la guerra lo expedían los Gobiernos Militares y ahora, desde el 39, los Gobiernos Civiles de cada provincia, previo aval de una o dos personas «de orden», según el rango social del avalista. Pero es un documento idéntico, oficial, con fotografía, que permite la libre circulación por todo el territorio español. Para que te lo concedan tienes que explicar la causa del desplazamiento. Si te aborda la Guardia Civil fuera de tu localidad habitual y no lo llevas, se te cae el pelo.

—Joder, hermano. Afortunadamente pudiste salir. Y ahora, como yo, tienes un país nuevo donde vivir en paz.

—¿Y volver algún día? —valoró Jesús—. ¿Lo has pensao?

—Quién sabe. Al principio a todos nos ahoga la pena por la tierra lejana. Pero luego se va uno habituando. Somos de donde echamos raíces. ¿Qué tenemos en España, salvo los recuerdos? Volver, volveremos. Otra cosa es si desearemos quedarnos o no. Estas tierras tiran mucho. Ven —dijo, levantándose y yendo hacia el ventanal. Jesús se acercó y miró—. ¿Ves esa cúpula blanca y la torre, a lo lejos? Es la Catedral. Está en una plaza en la que hay un monumento a Simón Bolívar, *el Libertador*, como en todas las ciudades del país. Es un culto a quien encarnó el sentido de la libertad. Ésta es una tierra impregnada de ese sentido y no es fácil encontrarlo en otro lugar.

Entre los árboles gigantes, Jesús observó las torres indicadas, la atmósfera tranquila, la gente caminando a lo lejos sin prisas. Quizá realmente había llegado a un sitio donde no existían las persecuciones y el trabajo daba prosperidad. Tuvo una duda. Al Libertador también le llamaban Caudillo de la Revolución. Era una tentación para que otros surgieran justificándose con el modelo. Y a él no le gustaban los caudillos.

Cuatro

Abril 1947

El hombre salió de la estación de Atocha y bajó por el paseo de las Delicias sorteando el gentío de la populosa arteria, plagada de bares, cines y zapaterías. Eran las ocho de la noche de un día primaveral y todavía el cielo estaba encendido y los comercios abiertos. Torció por la calle de Cáceres y salió a la de Jaime el Conquistador, muy concurrida también, por una de cuyas aceras de tierra continuó su caminar. Observó a la derecha que las chabolas ya se habían comido el campo inmenso. Buscó un portal, que, como todos, estaba abierto, y se acercó a un grupo de mujeres que conversaban sentadas en unas sillas.

—Perdón, señoras, ¿vive aquí la familia Barón, Juan Barón?

—No; en esa de ahí, en el tercero A —indicó una de ellas.

El hombre fue al portal indicado, subió las escaleras y tocó en la puerta, que se abrió a la segunda llamada.

—Buenas tardes. ¿La familia Barón?

La mujer le miró con sospecha. Era un hombre de treinta y pocos años, grande, de bellas facciones, escueto de carnes, vestido con ropas de olvidados estrenos. Calzaba alpargatas y su gesto denotaba cansancio.

—Sí, ¿qué desea?

—Traigo un recado de un amigo de su hijo. ¿Puedo verle?

—¿A mi hijo?

—Sí, bueno, si su hijo se llama Juan Barón.

—¿Quién es usted?

—Mi nombre no importa. Es lo de menos. Vengo a hacer un encargo y puede que ya no nos veamos más.

Juan Barón padre salió del interior y se colocó junto a la mujer. Las cabezas de Juan y de Pili asomaron por el quicio de una puerta; detrás, los abuelos.

—¿Cómo se llama ese amigo de mi hijo?

—No lo sé.

—¿No? ¿Entonces...?

—¿Puedo pasar? —dijo el hombre, atisbando el destartalado comedor de muebles primarios.

—No —dijo el padre de Juan, y añadió, sin dejar de mirar al hombre—: Pilar, mira a ver si el policía sigue abajo.

—Sí, está.

—Diga qué quiere exactamente; si no, váyase o llamaremos al policía.

—Téngame confianza —pidió el hombre—. Me envía alguien con un mensaje para su hijo. No puedo decir más porque de verdad no lo sé, pero les mostraré algo.

Sacó un sobre del bolsillo y extrajo algo inofensivo: un cromo. Lo mostró, cogiéndolo por una punta. El chico se acercó y lo miró. Pahiño.

—¿Puedo verlo?

El hombre se lo dio. El chico examinó el cromo y leyó al dorso: «Conseguido por la hazaña de mi hermano.» Levantó los ojos y miró a su hermana, que había emocionado su mirada.

—Déjalo pasar, papá. Siéntese, señor.

El hombre entró despacio y se sentó en una banqueta.

—Me llamo Isaías Bermejo Castellanos. Recibí el cromo dentro de una carta que me envió desde Venezuela un amigo, con instrucciones de que se lo mostrase; que ustedes sabrían interpretarlo.

—¿Cómo se llama ese amigo?

—Miguel Molero Tapia.

Del sobre sacó una carta cerrada que entregó al padre del chico, quien la abrió y leyó:

—«Soy yo, Juan. No hace falta decir mi nombre. Escríbeme al remite. Quiero saber de ti y de la Pili, y que sepáis de mí. Dime cómo van las cosas por allí y lo que hace el Mateo, sus andanzas. No lo pierdas de vista. Ya te contaré el porqué de esta petición. Un fuerte abrazo de quien os recuerda con cariño. Rompe este papel.» —Miró a su hijo—. Sabes quién es, ¿verdad?

—Bueno, sí; pero ésa no es la letra de mi amigo. Está muy bien escrita.

—Es la misma letra que la del sobre —observó su padre—. Se la habrán escrito para que no haya pistas. Está claro que quiere mantenerse en incógnito. Fíjate que la carta viene a mi nombre y no al tuyo.

—Está vivo y a salvo —dijo Pili, riendo feliz—. No le pueden hacer nada.

Luego, cuando el policía se hubo ido, el padre de Juan invitó al hombre a la taberna de abajo, llena de voces y humo. Buscaron un rincón discreto entre barricas y, ante unos vinos, estuvieron reviviendo pasadas vicisitudes.

—¿Quién es ese amigo que te manda, Miguel Molero?

—Un gran tipo. Lo tuve de sargento en la brigada. Nos criamos juntos en el barrio. Él atenuó la incomprensión de mi diferencia en aquellas edades duras. Un valiente. Irse a Venezuela con toda su prole, sin trabajo, a lo que salga… No sé qué es eso del cromo de tu hijo. Pero no dudes que será algo decente. Él siempre está en el lado noble de la vida. Educa a sus críos en ese lado noble. Son unos chavales estupendos. Pero apuesto por uno llamado Daniel. Hay algo especial en ese chico.

—¿Así que estuviste en lo de Guadalajara? —preguntó Juan, no muy seguro de haber entendido bien lo de la diferencia que el otro había indicado—. Aquello fue fantástico.

—Sí. Les dimos para el pelo a aquellos italianos. Pero conviene ser honrados con la verdad —dijo Isaías con voz fina llena de inflexiones.

—¿A qué te refieres?

—Realmente fueron ellos quienes perdieron esa batalla. Tenían unidades motorizadas de gran efectividad, rápidas, para ataques envolventes. Una nueva concepción del arte bélico: la guerra relámpago. Les había funcionado en Abisinia, donde culminaron la ocupación del país con la toma de Addis Abeba dos meses antes del comienzo de nuestra guerra. Y también les fue bien en Málaga, donde vencieron a nuestros hombres de forma fulgurante. En ambos casos, en terrenos llanos y secos, y ante adversarios que distaban de ser unidades organizadas y debidamente pertrechadas. Creyeron que todo el campo era orégano. —Hablaba con lentitud, sin entusiasmo, como un profesor mal pagado—. En Guadalajara, el general Roatta y el jefe de la División Littorio, general Bergonzoli, se las prometieron muy felices. Estaban demostrando al mundo que Italia era la gran potencia a tener en cuenta. «Cuidado con nosotros», decía el Duce, que presumía de tener el mejor Ejército de Europa y todos se lo habían creído, él el primero, incluso Hitler, que estaba fascinado por la personalidad de Mussolini. Pero no contaron con la nieve y la lluvia, que convirtieron en cenagales los campos de batalla. En ese frente fracasaron aquellas flamantes e invencibles unidades de acción rápida. Simplemente, se atascaron.

—Y nosotros lo aprovechamos.

—Efectivamente. Allí estaba la 12.ª División al mando del coronel Lacalle. Luego llegó la 11.ª División de Líster. Yo estaba en el segundo batallón de la 70 Brigada, perteneciente a la 14.ª División de Mera. Pero esa brigada, como la 77, constituida por anarquistas, había sido cedida a la 11.ª División. Así que estuve luchando bajo mando comunista, con todas las reticencias que ello comportaba. Ya sabes cómo nos llevábamos. Luego llegó la 14.ª División de Mera, que tuvo que nutrirse con la 65 Brigada de carabineros y, más tarde, con la 77 Brigada. Éramos, pues, tres divisiones republicanas contra cuatro divisiones italianas y una división rebelde, la Soria, mandada por el general Moscardó. Y su artillería. Y les vencimos. Pero, siguiendo con la verdad de los hechos, debo decir que la mayor parte del éxito se debió al batallón Garibaldi, de la 12.ª Brigada Internacional del mismo nombre. Esos italianos garibaldinos supieron luchar con bravura y desmoralizaron a los voluntarios de Roatta diciéndoles en su lengua, por altavoces, machaconamente: «¿Por qué venís a luchar contra obreros como vosotros?», y cosas así.

—Pero también estaban los camisas negras, gente avezada y preparada, muy difícil de desmoralizar.

—Sí, pero la mayoría eran los otros voluntarios, del sur de Italia y de las islas casi todos. Labriegos huidos del campo, gente sin trabajo que se había alistado por la paga y, muchos de ellos, embriagados por la propaganda de las victorias en Abisinia. Pocos sabían leer. Creían que España estaba en África y que los españoles éramos como los abisinios, gente primitiva y sin coraje. Pensaban que venían a un desfile militar, poco menos. Cuando el frío, la lluvia, el barro y las balas les trajeron a la realidad, muchos desertaron. El frente se vino abajo. Hicimos cuantiosos prisioneros y el material bélico recogido fue de un gran valor. Las botas, ropas y alimentos supusieron una ayuda considerable para nuestro famélico Ejército. Y lo más importante: la enorme moral que nos dio, después de haber empatado en el Jarama, con miles de muertos, mientras que en Guadalajara las bajas se contaron con los dedos de las manos. Para el Duce aquel desastre tuvo unas consecuencias considerables. Quiso resucitar el Imperio Romano. Se ve que no leyó *Las ruinas de Palmira*. Pasó de ser el más temido al hazmerreír de Europa. Esa derrota gravitó en adelante sobre el Ejército italiano. Sus entrenadas legiones habían naufragado frente a hombres que intentaban crear sobre la marcha un Ejército. Algo similar, salvando las distancias, a Bailén para las tropas napoleónicas. La primera derrota en ambos casos. ¿Cómo era?: «Se perdió el mágico asombro, la prístina aureola…» —Movió la cabeza y echó un largo trago—. Tanto Líster como Mera se apropiaron de esa victoria, que no se hubiera conseguido sin el barro y sin aquellos italianos garibaldinos. Nunca lo olvidaré. ¡Qué gente, qué entusiasmo!

—¿Qué pasó con los prisioneros?

—Los llevaron a campos de concentración, días después. No se me olvidará la noche en que entré en uno de los barracones donde estaban, en sus ojos una mezcla de terror y asombro. ¿Sabes? Creían que los íbamos a fusilar porque la propaganda les había hecho creer que éramos demonios con cuernos y rabo, rojos salidos del infierno. Cuando vieron que nada de eso era cierto, que éramos como ellos y que no sólo no se les fusilaba sino que los tratábamos con humanidad, muchos de ellos se echaron a llorar.

Volvieron a beber en silencio. Juan miró al otro. El haber participado en aquella ocasión de gloria no parecía que le cautivara especialmente. Algo le impedía mostrar entusiasmo en la remembranza. Permanecía taciturno, ninguna sonrisa aclarando su gesto sufriente. Quizá porque aquella jornada triunfal dejó de tener valor al haber perdido la guerra.

—Al día siguiente los fachas, en represalia, bombardearon Madrid. Un hermano mío fue una de las víctimas.

—¿Estás casado? —preguntó Juan, tras la adecuada pausa.

—No, ni tengo hijos. Vivo en Vallecas con mis padres y un hermano, desde que salí de la cárcel hace un año. Tenía otro hermano. Murió en el frente del Ebro.

Con un dedo largo y fino recorrió las vetas crudas de la mesa, frotando, como si quisiera eliminar las viejas manchas y las huellas de quemaduras de cigarrillos. Había algo pugnando por escapar de su extraño mutismo; algo en su pasado que no había sido resuelto.

—Estuve luego en otros frentes. Pero nada fue ya como Guadalajara.

—Parece que esa batalla te marcó —apuntó Juan.

Isaías levantó sus ojos y Juan vio en ellos un fondo de lágrimas.

—Fue lo más grande que ha ocurrido en mi vida. Nada resultó igual desde entonces.

Volvió a humillar la mirada y siguió moviendo el dedo sobre la mesa, pero ahora parecía estar acariciándola. Con la cabeza abatida permitió la liberación de lo que le mortificaba.

—Entre aquellos italianos derrotados, había un chico lleno de lágrimas. Tenía miedo en sus bellos ojos negros, grandes, de largas pestañas. Me enamoré de él al momento. —Dejó una nueva pausa como si su confesión necesitara de un árbitro—. Yo era teniente y logré sacarle del barracón común, bajo mi custodia. Durante tres noches vivimos un idilio apasionado. Luego, fue llevado con los demás a los campos.

Juan miraba absorto a su circunstancial compañero, mientras Isaías seguía con la cabeza resignada, insistiendo en acariciar las vetas del basto tablero.

—Se llamaba Giovanni y era de Riposto, un pueblito costero al norte de Catania, al oriente de la isla de Sicilia. Se había criado allí, frente al mar. Decía que en días claros se veía la punta de la bota italiana. No conocía el frío y el de aquel marzo en Guadalajara le sobrecogió. —Bebió un trago—. Él mandaba sus cartas a casa de mis padres, y yo, a la de los suyos, quienes nos las hacían llegar a donde estuviéramos. Nuestra guerra española terminó y él conectó con la suya, la que ha dejado Europa arrasada. Entré en prisión y él, en frentes feroces. Las cartas, a pesar de las dificultades, llegaban con cierta regularidad. Pero entonces las de él se interrumpieron durante meses. Me volvía loco en la maldita cárcel. —Tomó un nuevo trago, ya de la segunda botella, y sacrificó varios minutos en otra pausa—. Y un día llegó otra carta.

Juan contemplaba a ese hombrón, que se diluía en sensaciones turbadoras que no comprendía del todo. Intentando superar sus propias contradicciones, puso una mano sobre la de su compañero, deteniendo el movimiento pulidor. Isaías levantó unos ojos imposibles.

—No era suya. Una hermana me informaba de que Giovanni había muerto en un bombardeo de los americanos.

Juan aquilató el profundo drama del hombre. Nunca

había visto tanta melancolía. Notó que su mano, como si tuviera vida propia, apretaba la del compañero. Estuvieron entrelazados un rato hasta que Isaías deshizo la unión. Tiempo después, con las sombras atosigando las balbuceantes luces de los faroles de gas, ambos hombres salieron del bar.

—¿Volveremos a vernos? —dijo Juan.

—Nunca se sabe. Intentaré salir para Italia, a oír las olas que él oyó en su niñez. Quizá me quede por allá. —Miró ensoñadoramente al final de la calle, como si allí estuviera el mar—. Fueron sólo tres días. Toda mi vida.

Cuando se despidieron, había algo más que vino en el abrazo emocionado de los dos hombres.

Fernando León de Tejada coronó el puerto de Navacerrada. Detrás quedaba Madrid, delante se iniciaba la bajada a La Granja y, a la derecha, entre el bosque puro, descendía serpenteante la carretera a Rascafría. Había subido caminando desde Villalba con algunos camaradas y unos cuantos chavales, sus hijos entre ellos, en uno de esos retos físicos que se habían impuesto los auténticos falangistas para ejemplarizar la regeneración de España, haciéndola vibrar desde el esfuerzo y el sacrificio, templando el músculo atrofiado por el acomodo de siglos. Su cuerpo sudado agradeció el suave viento que intentaba aliviar el incipiente calor. No había ninguna construcción pero se iniciaban las obras del hotel y algún local para el yantar. Bebió de la cantimplora y se separó del grupo, indicando a sus dos hijos que le siguieran. Subieron a una peña y contempló allá abajo El Escorial y, a la derecha, la base de la cruz que en el paraje llamado Cuelgamuros se construía por iniciativa de Franco con el propósito de albergar los restos de caídos en la Cruzada. El silencio era tan profundo que lo sintió como vehículo para sus pensamientos. ¡Qué hermosa y grande era España…! Hundida durante dos siglos por guerras fratricidas y por pactos gravosos con otras potencias coloniales que significaron sumisiones oprobiosas. Nada les quedaba del impresionante imperio. Allende los mares, mucho más allá del verdor, él podía ver las carabelas llegando al Nuevo Mundo. Podía sentir el esfuerzo de aquellos hombres excepcionales que, inasequibles al desaliento, fundaron ciudades, atravesaron selvas impenetrables, cordilleras inaccesibles y ríos desmesurados, descubriendo un mundo abrumador e inmaculado, como si Dios lo tuviera reservado para los españoles. Todo aquel esfuerzo se perdió, pero quedaba la herencia. Y ahora, con el nuevo impulso de la Falange, entroncarían de nuevo con aquellas naciones hijas de España en un plano de igualdad integradora desde el concepto de Hispanidad. Ya había compañeros moviéndose en las tareas políticas. Él estaba en una tarea igual de ambiciosa y esforzada, también en clave de futuro, pero más cercana y lo mismo de fascinante: trabajar en el Frente de Juventudes para forjar a los niños en el espíritu de aquellos que asombraron al mundo y adoctrinarlos en esa misión. Él, como su amigo Andrés y otros, había visto la deriva del partido a posiciones acomodaticias y subordinadas al poder militar. La mayor parte de los mandos había buscado enquistarse borreguilmente en ese monstruo burocrático para medrar en los numerosos empleos que brotaban como setas al tufillo de la victoria. Para ellos ésa era una alteración grave del ideario que les había subyugado. La Falange iba por unos caminos que ellos no aceptaban. En realidad la Falange auténtica había dejado de existir desde su unificación con las JONS y los tradicionalistas impuesta por Franco en 1937, quien, con un ansia incalmable por acaparar todos los resortes del poder, y en un alarde de despotismo, había tomado la Jefatura Nacional del partido. Algo inaudito. Porque la unión era como tratar de mezclar el agua y el aceite y porque Franco representaba lo odioso que había que eliminar del país; todo lo contrario al ideal joseantoniano. Verle en los desfiles con la camisa azul era demasiado para los falangistas genuinos como él. Así que, salvado el primer impulso de abandonar el partido, decidieron trabajar en su reconducción a la idea primigenia embriagadora, si ello les fuera permitido. En lo que a él concernía, se dedicaría, como hiciera su llorado amigo Enrique Sotomayor, a la atractiva idea de guiar a esos chicos de las Organizaciones Juveniles, fuente generosa, para hacerlos ambiciosos de esfuerzos y beligerantes con el conformismo. Ahora él estaba allí con el encargo de verificar, por su condición profesional de arquitecto, los defectos de construcción del Albergue de Juventudes, terminado tres años antes. Luego miraría los fallos y goteras. Ahora, desde fuera, observó el emplazamiento del edificio, una zona ligeramente plana al pie de la peña desde donde oteaba. La instalación y jardines ocupaban unos siete mil metros cuadrados en el terreno denominado Pinar Baldío, a unos cinco metros de la carretera que subía desde Madrid. El lugar era ideal, mirando al oeste, cara al sol vespertino invitador porque en occidente estaba el destino de la raza. En ese Hogar, y en otros similares que se construirían, se estaba forjando a los chicos en el amor a la naturaleza y el sentimiento de compañerismo, en un sentido diferente al escultismo que fundó Baden-Powell, los Boy Scouts, que en España había funcionado hasta 1940 con el nombre de Exploradores de España. Los postulados y la dependencia a organismos internacionales del movimiento juvenil británico los alejaba de los principios del Nacional Sindicalismo y de la necesaria exaltación del espíritu nacional. El de Falange era un proyecto calcado de las Hitler Jugend, porque su preparación se basaba en una educación más patriótica, aunque diferían en lo religioso y en lo étnico. Ya venían adiestrándose los niños en Campamentos, al aire libre, arrullados por las estrellas, desde el fin de la guerra. Pero ahora tenían también una pequeña red de Hogares estacionarios donde solazarse todo el año. Miró a sus hijos, de nueve y diez años, y luego miró al frente. Un aire sutil le penetró. Sintió el soplo de los siglos gravitar sobre él, como el monje iluminado de mística. Su emoción le situó al borde del llanto.

—¿Qué te pasa, papá? —dijo uno de los chicos.

Intentó recobrar la normalidad. Luego citó:

—«El futuro está oculto detrás de hombres que lo hacen.»

—¿Qué significa eso, papá?

—Que vuestro futuro depende de lo que hagáis. Puede brillar con esplendor o ser una sombra. —Se tomó un tiempo antes de seguir—. Mirad, en el Albergue de ahí abajo volveréis a pasar las vacaciones y otros periodos. Solos, como las otras veces, sin padres, hermanados con otros chicos y conviviendo como soldados. Se os está brindando la oportunidad de que adquiráis las enseñanzas que os habiliten para enfrentaros con hombría de bien a la vida cuando seáis adultos. Respirando este aire puro, caminando por senderos silvestres para conseguir el temple de los grandes hombres. Como Diego de Ordaz.

—¿Quién es ése?

—Un conquistador; uno de esos que eliminaron la palabra imposible en su deambular por la América del siglo XVI.

—Nos hablaste de Pizarro y Cortés y otros, nunca de ese hombre.

—¡Hay tantos…! La lista es interminable. Cortés y Pizarro están en la cumbre de las hazañas de la conquista americana. Pero fueron muchos los anónimos y secundarios que con grandes sufrimientos hicieron posible que sus generales obtuvieran la gloria. Porque «el hombre a quien el dolor nunca educó, siempre será un niño».

—¿Qué hizo ese Diego de Ordaz?

—Era uno de los capitanes de Cortés, un soldado; quizá, para ser más exacto, un guerrero. No es muy conocido pues sólo se le recuerda por una hazaña, y no de armas precisamente. Una sola, pero que ningún occidental volvió a repetir hasta cuatrocientos años después. Y esa única hazaña permitió la toma de Tenochtitlán, la capital de los aztecas; es decir, la conquista de Méjico.

—Cuéntalo, papá.

—En otro momento. Vayamos ahora con los demás.

Tomaron el camino hacia abajo. Y en ese momento él pensó en otros niños a quienes se les negaba el futuro que él quería para sus hijos. Los niños rojos, perdidos, pocos de los cuales saldrían adelante. Su intención personal era integrar a los que pudiera en esa tarea inmensa de reconstruir España, lo que venía haciendo en los veranos pagando de su bolsillo el costo de uniforme y gastos a algún chaval. Pero sabía que era como intentar peinar el agua. La niñez roja, en su conjunto, era una esperanza abandonada. Como esos niños desaparecidos junto a Andrés. ¿Qué habría sido de él? El desafío que hiciera al subsecretario quedó en simple baladronada. Había fracasado, como la Político-Social. Sus hombres seguían investigando en el centro de trabajo y en el entorno de su actividad. Una célula comunista había caído, pero su amigo no volvió. Seguro que habría otras células secretas más, siempre existirían, dadas las características del Régimen. Pero sin cuerpos ni pistas fiables todo seguía en la más tremenda oscuridad. En su casa buscaron y echaron en falta la cartera que siempre llevaba consigo. ¿Dónde estaría esa cartera y qué contendría? ¿Estaría ahí la clave?

Cinco

Mayo 1948

El consultorio del doctor Rodríguez Peláez, otorrino de gran fama, ocupaba un bello y moderno edificio de una urbanización del barrio de La Florida, con salas de consulta que se adentraban en luminosos pasillos tras el mostrador de recepción. Desde la sala de espera se apreciaba una vista espectacular de Caracas, con las torres que iban proliferando por entre las frondosas arboledas, más allá de la avenida Urdaneta, destacando las gemelas de El Silencio. Jesús y Matilde entraron en la consulta con Chus al ser llamados por una enfermera. El doctor era un hombre alto, delgado, de unos sesenta años y cabello cano abundante. Era un exiliado español y había tenido cátedra en el hospital de San Carlos de Madrid. Dirigía la clínica y un equipo en el que había especialistas españoles, italianos y austriacos, dedicados todos al tratamiento de ojos, garganta, nariz y oídos. Les saludó amablemente, hizo sentarse al chico en el sillón de exploración e invitó a los adultos a ocupar los sillones situados frente a su mesa, tras la que él tomó asiento. Leyó en silencio un informe oftalmológico y otros análisis, anotando datos en el grueso historial del muchacho. Luego se levantó para inspeccionar unas radiografías de cuello y tórax que colgaban de unas pantallas iluminadas. Las observó con detenimiento antes de acercarse a Chus y ocupar un asiento frente a él. Con palabras tranquilizadoras le fue palpando y examinando el cuello, la cabeza, el interior de los oídos y la garganta. Le pidió que hiciera varias cosas, que el chico hizo, pero no emitió ningún sonido. Luego le miró a los ojos, pidiéndole que no retirara la mirada de los suyos. Chus lo hizo y el médico vio en ellos algo que le conturbó, haciéndole desviar la vista. ¿Qué significaba esa luz, ajena al mecanismo físico de los ojos? Tal intensidad... Era como si alguien más que el niño estuviera mirando a través de esos ojos. Sintió un estremecimiento. Leyó la edad: diez años. Luego se volvió y se tomó un tiempo antes de hablar al matrimonio, que ya se había puesto en pie.

—Su hijo, señor Manzano, no tiene ninguna detorsión en sus cuerdas vocales, ni en la laringe. Su tráquea, faringe y trompa de Eustaquio están en perfectas condiciones. Escucha muy bien por ambos oídos, su conducto nasal es excelente y las amígdalas son tan pequeñas que no es necesario su extirpación. El informe oftalmológico, que no tiene ninguna relación con el órgano de fonación pero que he pedido para evaluar las constantes sensitivas del muchacho, no puede ser mejor, así como los datos de otros análisis. —Hizo una pausa y miró a Chus, que contemplaba el paisaje enmarcado por el amplio ventanal como si el asunto no fuera con él—. Estamos, por tanto, ante una persona absolutamente normal desde el punto de vista médico. No hay ninguna razón mecánica para que no hable. La perturbación no proviene de lesión ni de algo físico. Está en su mente. Algo en su cerebro le impide hablar. Usted me dijo que recibió un choque al ver morir a su hermano, sin explicarme cómo murió ese otro hijo de usted. Pero debió de ser muy fuerte. Ésa es la clave y lo que le ha afectado la voz. Lo más parecido que puedo decirle en términos comprensibles es que padece una parálisis histérica, algo no muy frecuente.

El médico recogió las radiografías y las metió, junto con los originales de los informes y análisis, en un sobre que entregó a Jesús. Guardó copias de todo ello en un archivador y luego se acercó al chico, tan alto como él.

—Pueden ver a otros médicos, aunque ya han hecho un

largo peregrinaje. Pero que no sometan al muchacho a ningún proceso quirúrgico. No le hagan sufrir innecesariamente, porque ninguna cirugía le devolverá el habla. Sólo hablará cuando tenga voluntad de hacerlo. Su mudez es una forma de defensa inconsciente. Le horroriza hablar porque teme que ello le deje indefenso ante algo tenebroso, y sin duda relaciona su voz con el hecho crucial vivido. —Chus le miró avasalladoramente y volvió a ocultar su mirada en el ventanal. El médico prosiguió—: No soy doctorado en psicoanálisis ni en psicología, pero he estudiado esas ciencias y métodos y sé lo que digo. Pueden visitar algunos especialistas en estas ramas, pero dudo que le ayuden con efectividad, porque los caminos de la mente son infinitos y no será fácil encontrar aquél por donde se escondió la voluntad de no hablar del muchacho.

Dio la mano a la pareja y también a Chus, y les acompañó hasta la puerta.

—No le atosiguen. Dejen que haga su vida normal porque es un chico normal; con una alteración importante, sí, pero normal. Acéptenlo como es, como si fuera mudo de nacimiento pero en la inteligencia de que potencialmente no lo es. Eso no tiene por qué ocasionar comportamientos negativos. Y un día, cuando menos lo esperen ustedes y él mismo, *cuando las circunstancias le digan que el momento llegó*, su voz sonará. Les aseguro que eso ocurrirá. Y hablará sin esfuerzo, de forma natural, como si su mudez fuera algo que nunca ocurrió.

Seis

Octubre 1948

Mateo cargó las pieles en el carro y las llevó al secadero, junto al gran depósito elevado de agua. Allí, como si fuera un tendedero de ropas, las pieles colgaban a miles en las abiertas naves de oreo impregnadas de un olor nauseabundo. El hedor era tan fuerte que toda la plaza de Legazpi estaba saturada con su efluvio. Ya pronto dejaría de ser repartidor, pasaría a matarife y la cosa sería diferente. El trabajo era duro pero mucho mejor pagado y con otra categoría. Buena falta le hacía, porque desde el lío, hacía dos años, sus ingresos eran muy escasos. Los asuntos que había llevado con esos tipos se habían acabado, y también los robos de lechales y lana. La vigilancia, aunque había disminuido, seguía siendo intensa, y a menudo se veían hombres desconocidos husmear en los barracones, entrar y salir de las oficinas y llamar a declarar a empleados. No se habían hallado los cuerpos de los desaparecidos, ni se hallarían nunca. Sólo un accidente o un milagro podrían hacer que encontraran el lugar de los enterramientos. A menudo pensaba en el Patas. ¿Dónde estaría el cabrón? Se le escapó y no había dado señales de vida. Menuda potra tuvo el hijoputa con la aparición de los guardas. Pero estaba claro que no se fue de la lengua, porque si no habrían venido a por él y le habrían hinchado a hostias. No le harían hablar aunque lo despellejaran vivo. Además, la falta de pruebas y de cadáveres también jugaba en su favor, en el de todos, como le decían sus antiguos jefes, de quienes tampoco estaba del todo satisfecho. Se habían desligado de él a raíz de la captura de algunos elementos de la célula comunista, dejándole que se pudriera en la miseria. Pasaban por su lado como si no le conocieran. Ya en su día le habían ordenado observar relaciones distantes para eliminar resquicios de sospecha, y él sabía que la anulación de contactos era el mejor argumento para conseguir ese fin. Pero, coño, no de forma tan drástica. Él se cruzaba con gente, piezas menores de la organización, y se saludaban como con todos; la mejor manera de actuar, a su entender, para mantener la normalidad. Cada uno de ellos sabía que debían guardar el secreto por pura autodefensa. Claro que esos peones eran ignorantes de los asesinatos realizados por el grupo dirigente, él incluido. En cualquier caso, de vez en cuando le asaltaban dudas sobre el comportamiento futuro de sus jefes. Porque a veces los sorprendía discutiendo, lo que le preocupaba por si estaban desmoronándose y le arrastraban con ellos. Bien, que se fueran al infierno. No podía hacer nada al respecto. Las cosas estaban como estaban. Él hacía tiempo que había dejado de lamparles. Cada uno a lo suyo. Pero si por circunstancias volvían a necesitarle, estudiaría si colaboraba o no. Si accedía, tendría que ser por una pasta gansa, no por cualquier migaja como antaño. Porque había un factor a su favor: cada día era más adulto, más fuerte y sabía más. Podría enfrentar lo que viniera, como en su día hizo su padre. Con él no iba a jugar nadie.

Siete

Octubre 1950

Al sur de Madrid, entre las carreteras de Toledo y Andalucía, está el barrio de Usera, llamado así porque en un tiempo todos esos terrenos pertenecieron a una familia de ese nombre. A la sazón era un barrio abierto, obrero, marginal, de estrechas callejas, desdichados árboles, miserables casas y el verde brillando por su ausencia. Al final del barrio, más al sur, la habitabilidad cesaba bruscamente. La tierra se desplomaba varios metros más allá en un inmenso campo que se perdía, huérfano de arbolado y viviendas, hasta el pueblo de Villaverde, entre las carreteras de Andalucía y de Toledo. Ésa fue la barrera natural de uno de los frentes de Madrid durante la Guerra Civil, la tierra de nadie, y no había sido tocada desde el final de la misma. A un lado, abajo, allá, estuvieron los legionarios y moros de Yagüe; en lo alto, acá, las milicias que defendían la República. Los niños jugaban ahora en las ruinas de las trincheras, los búnkeres y los cascotes. Y todavía, de vez en cuando, aparecían bombas sin explotar o armas diversas enterradas entre algunos huesos. Esa antaño frontera estaba ocupada, en su parte norte, por chabolas, de gitanos en su mayoría.

Mateo fue a la taberna que el jefe de la organización le había indicado, al final de la calle de San Basilio. Miró a través de los cristales. En efecto, Facundo estaba allí, echando la diaria partida de cartas. El viejo Facundo Morales, el en-

lace que tuvo la organización antes que él. Antiguo matarife, quedó inútil para ese trabajo cuando se cortó los tendo-
nes de la mano izquierda con el afilado cuchillo. No había
seguro de accidentes, por lo que no recibió ninguna compensación económica. Le dejaron para tareas auxiliares. Un
hombre así, cuyo cometido fuera variado e hiciera recados,
es lo que necesitaba el jefe para el puesto de enlace en su proyecto. Eran las nueve de la noche pasadas y el frío empezaba a sentirse. Mateo esperó fuera, emboscado en un portal y
fumando calmosamente. La gente pasaba rápida a sus casas
y sólo las luces de las tabernas colaboraban con las macilen-
tas de los faroles para que las sombras no se adueñaran totalmente de las calles sin pavimentar. Tiempo después vio salir
a Facundo y despedirse de sus amigos. Le siguió y cuando
juzgó conveniente le abordó.

—Facundo.

El hombre se echó hacia atrás para contemplarle. Aparentaba unos cincuenta años aburridos, su cuerpo desvencijado y embutido en ropas menoscabadas.

—¡Hombre, Mateo! —dijo, al cabo—. Joder, estás tremendo. ¿Qué haces aquí?

—Vengo a verte.

—¿A verme? ¿Para qué? ¿Qué puedes querer de mí después de hacerme la putada?

—Na' tuve que ver con tu cambio.

—Lo sé. Pero pudiste haber dicho que no.

—Hubieran elegío a otro. Tu suerte estaba echá.

—Tienes razón. Pero fue injusto —dijo el hombre, cuya
cabeza no llegaba al hombro de Mateo—. En fin, ya no tiene remedio. Vamos a una taberna y me cuentas.

—Prefiero caminar un poco, si te parece.

—No hace tiempo para eso, pero bueno, vamos.

Echaron a andar por la empinada calle de Carrascales.

—Te enseñaré algo, ya que estás en mi barrio —dijo Facundo—. Vamos por esa calle, a la izquierda.

Caminaron hasta el antiguo frente y se detuvieron ante un
gran cráter en la parte alta del descampado. Facundo habló:

—La aviación franquista bombardeó estas trincheras en los últimos meses del 36. Luego, el frente se estabilizó y no hubo más bombardeos aquí. Cayeron bombas que no estallaron. Los artificieros republicanos las desactivaron, pero no todas. Algunas penetraron profundamente y quedaron enterradas. Después de la guerra, los artificieros de Franco las encontraron y las desactivaron. Pero una de ellas, un monstruo increíble de trescientos kilos, no fue detectada. Allí quedó, agazapada con su carga maligna, esperando a cumplir su terrible misión. Hace seis años un grupo de chicos, ahondando en busca de chatarra, la encontraron. Descubrieron primero la aleta de cola. Excavaron y poco a poco fue apareciendo el enorme cilindro. Alborozaos, no dijeron nada a los adultos. Allí había hierro en abundancia, un gran botín para no repartir con nadie más. Fíjate qué mezcla de ignorancia y avaricia. ¿Cómo iban a cargar con un objeto tan pesao, en el supuesto de que hubieran podido sacarlo? Siguieron ahondando alrededor del obús, que estaba firmemente clavao. Y siguieron. El tumulto atrajo a chicos mayores. Y entre todos movieron la pieza para facilitar su extracción. El mal allí dormido despertó. La explosión abrió el agujero que ves, mucho mayor que ahora, porque se ha ido tapando. Mató e hirió a un montón incontable de niños y adultos, y destruyó las chabolas de hojalata cercanas. Nunca se supo cuántos murieron; hombres, mujeres y niños. Algunos cuerpos se eclipsaron por la detonación, además de que muchos niños estaban incontrolaos, sin saber quiénes eran, ni sus nombres siquiera. La noticia no salió en los periódicos ni en la radio. La censura impidió que se conociera la catástrofe. ¿Cómo iban a permitir que el mundo supiera que una de esas descomunales bombas lanzada por ellos seguía matando inocentes cinco años después de terminada la guerra?

Mateo permaneció un largo rato mirando en silencio el agujero. Luego se volvió a Facundo.

—No debiste contarme eso.

—¿Por qué?

—Por na'. Hubiera preferío no saberlo.

Volvieron hacia la calle de Carrascales.

—Se dijo que empezaste a darle al trinque —apuntó Mateo.

—Ese cuento era la justificación que esgrimió el Rafael. Bebo como todo el mundo; bueno, quizás un poco más ahora. Pero siempre cumplí con mi trabajo.

—Dijeron que tenías la lengua floja, que te ibas de mu. Metías la pata, cosas que podían dar lugar a consecuencias fatales pa'l grupo. Pensaron qu'eras un peligro pa' tos.

—Mentira. Soy un hombre responsable. Yo también me jugaba mucho.

Llegaron al gran solar que descendía a la calle de Rafaela Ibarra, situada en un plano más bajo.

—Estoy aquí porque dicen que te vas a chotar de lo nuestro —espetó Mateo de pronto, sin levantar la voz.

—¿Qué? —dijo el otro, parándose—. ¿Quién te ha dicho eso?

—¿Quién va a ser?

—El Rafael, claro. El Roberto es incapaz de una cosa así. ¡Ah!, el muy cabrón. No es verdad. Sólo le dije que me diera algún trabajo porque estoy tieso. Tengo familia. Cuando me quitó de enlace me echó del Matadero y me amenazó de muerte si hablaba. ¿Cómo crees que iba a irme de la lengua, si me tiene acojonao? Le hiela a uno la sangre con esa terrible mirada. Sólo le pedí que me ayudara.

—Dices que te largó. Él no tiene autoridá pa' eso.

—Claro. Se limitó a intrigar en Personal, donde tiene mano. ¿Crees sinceramente que en Dirección se fijaban en mí? ¿A cuántos despiden? A ninguno. Ni siquiera a los que roban.

—Él dice que te dio mucha panoja, bastante pa' no pasar fatigas.

—¿Eso te dijo? Otra bola. Me dio, sí, pero no para vivir de ello toa la vida. El dinero se gasta. ¿Qué te da a ti? ¿Te paga bien el riesgo que corres?

—Aquello acabó hace cuatro años. Tos dejamos el asunto. Ara soy matarife.

—¿En serio? —se sorprendió el otro—. ¿Por qué se acabó?

—Porque to’ lo que empieza acaba alguna vez.

—Coño, ¿te has vuelto filósofo? —Ante el silencio de Mateo, prosiguió—: Bueno, contesta, ¿crees que te pagaba lo suficiente, a nivel del riesgo?

Fueron caminando en silencio. Mateo admitió para sí que el Facundo tenía razón. El mamón del Rafael le había estado explotando. En su momento le pareció mucho el dinero que recibía. Analizándolo después, concluyó que fue una mierda, dadas las dimensiones de la apuesta. Pero con esta misión, que le iba a proporcionar una considerable suma, se desquitaría.

—Te callas. Vale —dijo el otro—. Pero él te mintió. Sólo le pedí un trabajo porque con esta mano no entro en ningún sitio. Nunca descubriría a la organización.

Habían ido bajando la pendiente y andaban por la acera de tierra. Un coche negro se detuvo cuando nadie pasaba cerca. Mateo abrió la portezuela trasera, empujó al hombre y entró tras él. El coche arrancó. Facundo, sorprendido, hizo intención de hablar.

—Cállate —dijo el conductor.

—¡Tú! ¿Qué…, qué es esto? —dijo al reconocer al del volante.

Mateo le retorció el cuello hasta oír el chasquido. El coche siguió su rumbo por el inmenso descampado sur hasta llegar a un lugar apartado, donde buscó un estrecho camino. Sacaron al muerto y lo metieron en el maletero. Volvieron al coche y se dirigieron a la ciudad por la carretera de Toledo.

—Esta noche, a las dos —dijo Rafael.

—Cuando terminemos, ¿c’aremos?

—Tú seguirás con tu trabajo y yo con el mío. No nos hemos visto. Continuaremos sin tener relación. Puede que nunca más vuelva a necesitarte.

—Estás cuatro putos años sin hablarme, m’encargas este mochuelo de sopetón y luego si te’ visto no m’acuerdo.

—Así es. Te llevas una buena pasta. Y por otro lado también te has beneficiado. Si se hubiera chivado, caerías tú también.

—Dijo que sólo te pidió curro.

—¡Bah! Una excusa. ¿Le crees a él o a mí?

—No sé. No me gustó hacerlo. Era un rojo.

—Y ¿qué? Era una amenaza y ya no lo es.

—¿Seré yo una amenaza tamién, algún día?

El otro le miró fijamente y vislumbró la inhumanidad agazapada en sus ojos saltones, como el áspid vigilando su presa.

—No. Estamos los tres en esto y es absurdo que ninguno nos vayamos de la lengua.

—¿Qué opina el Roberto de lo de hoy?

—Está de acuerdo en todo.

—No es ésa la impresión que dais. Peleáis mucho.

—Discutíamos, hace tiempo, pero ya no. Él tenía miedo, simplemente. Pero se le pasó.

—¿Por qué no ha venío?

—No era necesario. Con dos es suficiente.

—¿Por qué pediste mi ayuda? T'ubieras ahorrao una pasta gansa d'aberlo hecho vosotros.

—Tú eres mejor. Lo hiciste con los otros. Además, no queríamos que alguien nos viera con el Facundo.

Detuvo el coche en la glorieta de los Bebederos. Mateo descendió.

—Te recojo aquí.

—Sí.

El coche arrancó y Mateo caminó por la calle de Embajadores hasta su casa.

Ocho

Abril 1952

—Hola, muchachos —saludó Jesús, al sentarse en la mesa para el desayuno. Su irrupción apagó los murmullos que mantenían sus sobrinos Manuel y Juanín—. ¿No ha bajado Chus?

—Sí —habló Juanín—. Ha ido a correr por ahí, antes del alba.

—Buenos días, Jesús —dijo Inocenta, poniendo dos jarras de café y leche en la amplia mesa junto a otra jarra de chocolate batido y una fuente de fruta: mangos, papayas, cambures y piña.

—Hola —contestó Jesús, viendo a su mujer trastear por la cocina. La construcción de ésta era típica norteamericana: un amplio espacio de grandes ventanales mirando al jardín, con todos los muebles y electrodomésticos a un lado del ancho salón, integrándose de forma funcional en un solo volumen, sin puertas divisorias. Tanto él como Matilde habían dejado de maravillarse por el cambio acaecido en sus vidas. De la lobreguez y angostura de su piso de la calle de Ave María, a éste, luminoso, con habitaciones y sitio para todos. Habían pasado seis años ya desde su salida de España y las dos familias seguían viviendo juntas, siete personas en rara armonía, compartiendo vivencias y gastos. Ambas mujeres se habían hecho muy amigas, quizá porque Matilde tuvo desde el principio la intuición de mantenerse en un segundo plano en cuanto al orden doméstico. Ello permitió una corriente de auténtica camaradería, y el aprecio que sentían unos por otros no era fingido. Aquella mañana, sin embargo, comenzó con la mención del problema que todos pretendían que no lo fuera. Juan padre bajó de su habitación con el gesto satisfecho de siempre. Un día nuevo comenzaba y había mucho trabajo que hacer. Tomó asiento y miró a sus hijos.

—¿Qué les pasa a ustedes? —dijo, observando los moratones de sus caras, sin comentarlos. Ellos se miraron y bajaron la cabeza—. Les hice una pregunta.

—Nada, no ocurre nada —habló Manuel.

—Sí ocurre —dijo su hermano—. Es Chus. Volvieron a golpearle en el Liceo. Las bandas de siempre.

—Son ustedes tres, más los tres vallecanos. No deberían vencerles.

—En realidad somos cinco. La cuestión es que Chus no devuelve los golpes. Como que se ablanda.

—Los problemas como que empiezan siempre igual —terció su hermano—. Se meten con él, le insultan y el tipo ni se inmuta. Luego le empujan, le zanquean y le golpean. Y él como que es incapaz de sentir calentazón. Como Jesucristo.

Las dos mujeres se habían acercado. Jesús miraba en silencio a los dos sobrinos y a su hermano.

—Intervenimos, como siempre, y ya está el zaperoco. Todos enzarzados. Y ¿qué hace él? Intenta apartarnos y se lleva la mayor parte de la golpiza. Bueno, el que más recibe es Daniel, que no soporta que se metan con su amigo. En verdad que es un tronco de fajado. A la mínima se lía a cipotazos.

—No se entiende lo que ocurre con Chus. Como que es el hazmerreír del instituto. Porque una cosa es ser mudo y otra...

—No lo digas —interrumpió Jesús—. Nadie puede creer que el chico sea un güevón. Sabemos que es distinto pero perfectamente normal. Ya lo dijeron los médicos. Tiempo al tiempo. Algún día esa melancolía desaparecerá.

—Tampoco se integra en los grupos. Se aparta de las reuniones, no va a bailes, no sale con muchachas.

—Pero es el primero en clase y les ayuda en sus deberes, ¿no es así? —dijo Juan padre—. Y cuando va a la refinería siempre da la talla, sin flojeras, según dice Boves.

—Sí, pero desde su misteriosa soledad. Siempre que le necesitamos para esas cosas, está. Y para cualquier esfuerzo. Pero nada de juegos, ni confidencias. Sólo deporte. ¡Cónchales, viejo!, le queremos, es nuestro primo; pero nadie sabe lo que piensa.

—Además hace cosas insólitas. Eso de subirse a los árboles y escalar las ramas más altas, lo de las caminatas por los montes... ¿Y lo del agua? Se mete en el lago y permanece sumergido más de lo que nadie puede aguantar. Es tal el exceso que siempre creemos que se ha ahogado. Como que fuera a venir el fin del mundo y él se preparara para ser el único superviviente. Bueno; él y Daniel, tal para cual.

—No hace mal a nadie con eso —indicó Juan padre.

—No, pero es tan chocante que provoca toda esa burla de los otros estudiantes y por eso lo embroman.

—¿Qué otros estudiantes son ésos? ¿Criollos?

—No, italianos, portugueses...

—¿Qué pasa con las muchachas?

—Como que están todas locas por él, pero Chus no les presta ni ojos ni oídos. Actúa como un monje. Incluso algunos maricos lo han intentado, a ver si... También pelaron estrepitosamente.

—Está claro que la toman con él por todo eso que dicen ustedes. Es mudo, largo para su edad, de los que mejores notas obtienen, y funciona oquei en los deportes, además de su aparente desapego a lo sexual. Todo le hace diferente. Es lo que les irrita, no el despreciar los corrillos, porque, al no estar integrado en ningún grupo, nadie de otras bandas puede estar en su contra. Siempre ha sido así en todos los lugares y épocas. Se tiende a despreciar o a amar al distinto. Llegará un momento en que la fase de rechazo a Chus cambie a la de comprensión.

—Sólo conque les haga frente, que les presente batalla una vez, sería oquei. Fajarse arrecho con uno de los cabecillas, como hace Daniel, y al día siguiente se acabaron las pendejadas.

—Debemos tener paciencia —dijo Inocenta—. Dejemos que el tiempo juegue su baza.

En ese momento entró Chus. Todos le miraron. Rostro noble y gesto agradable, alto como un pino y delgado como un bambú, con la cara llena de moratones. Besó a las mujeres y se sentó entre los hombres con un gesto sosegado. Tomó un papel y escribió:

«Les he oído y lamento las preocupaciones que les causo. No puedo comportarme de otra manera. Algún día todos lo comprenderán. Les pido perdón a ustedes, mis primos; los quiero mucho y les agradezco su defensa. Quizá pueda compensarles a todos de otra manera, pero no devolviendo golpes e insultos a muchachos sin maldad que sólo se divierten. Sé lo que es la auténtica maldad.»

Todos leyeron el mensaje. Manuel se echó a reír.

—¿Ven ustedes? Como Jesucristo.

Nueve

Mayo 1952

Mateo llegó al Matadero a las seis de la mañana, entró en el cuarto-vestuario y procedió a cambiarse de ropa. Estaba solo, porque, renegador de la cama, siempre era de los primeros en llegar. Las operaciones de matanza comenzaban a las siete en verano y a las ocho en invierno. Se puso el pantalón y la chaquetilla azules, las botas de goma y el delantal de cuero. Luego se colgó el cinto con los cuchillos y el hierro de afilar metidos en sus fundas, guardó sus ropas en la taquilla y cerró con llave, porque se habían denunciado robos en los vestuarios. Salió al pasillo y se echó un pitillo mientras veía llegar a los demás matarifes. Le faltaba un año para tener su propia cartilla de fumador, pero se había agenciado una con datos falsificados, lo que le permitía retirar una cuota de tabaco racionado y que el vicio de fumar, tempranamente adquirido, no le resultara oneroso.

Llevaba tres años en el cuerpo de matarifes y estaba de apuñador, el trabajo más duro, pues había que estar agachado como los segadores. Él trabajaba muy bien y pronto pasaría a colgador, para llegar a degollador, que era el puesto más cómodo, asignado normalmente a los veteranos. Tenía diecisiete años y la cabeza muy centrada. Después de «aquello», en que estuvo manejando tela, no se acostumbraba a vivir de un sueldo. Claro que, como había apuntado el desgraciado del Facundo, no era tanto lo que sacó del Rafael como en su momento le pareció. Su sueldo ahora no era malo, pero tenía que estar pegándole sin parar desde las siete de la mañana a las dos de la tarde y, en primavera-verano, cuando el trabajo se desbordaba, hasta las ocho o diez de la noche, tras una rápida comida. Debían de existir otras formas de ganarse la vida mejor y sin pringar tanto. Las encontraría. Pero mientras, como a todo hijo de vecino, con la carne le iba de cojón de alabardero. Todo el mundo robaba piezas, cortándolas con las inevitables navajas que nadie olvidaba portar, para sacarlas entre las holgadas ropas. Hubiera sido estúpido no hacerlo. Era como el que cuidaba un huerto de manzanas. Se daba por sentado que se hartaría a comer, y nadie creería que no lo hiciera. Así que todos comían carne a diario gratis, tanto los que trabajaban en el Matadero a nómina como los cientos que laboraban y huroneaban al servicio de éste.

Pasó a la nave de matanza, que medía unos cuatro mil metros y que estaba limpia como un espejo porque los equipos de limpieza la fregaban concienzudamente cada tarde, arrastrando la sangre y los restos de carne y pieles. Cientos de ganchos fijos, en filas, colgaban del techo como negras estalactitas, a unos ciento ochenta centímetros del suelo, salvo en la zona central, un pasillo longitudinal por donde circulaban los trabajadores y las ristras aéreas de ganchos de traslado. Se trabajaba en dos equipos paralelos de veintiséis hombres cada uno, situados a ambos lados del pasillo central. Cada equipo constaba de cuatro grupos de matarifes colocados en líneas horizontales, una detrás de otra como en formación militar: el grupo de ocho apuñadores, el de seis colgadores, el de seis vaciadores y el de los seis descabezadores. En total, cincuenta y dos hombres como núcleo especializado de trabajo, más los que principiaban y terminaban la matanza, además del jefe de nave, normalmente el de mayor antigüedad y responsable del buen funcionamiento de los trabajos. Mateo se colocó en su línea, al fondo de la nave. Poco a poco fueron llegando los otros matarifes para completar las filas de los grupos y equipos.

Miró a la punta de la nave, allá delante, cien metros a lo lejos, por donde ya entraban los corderos. Uno de los arrastradores, ayudante, como él al principio, los iba colocando sobre un carrito, acostados, cabeza con cabeza, en grupos de diez por vez. A Mateo, como a los demás, había dejado de admirarle el que los animales se quedaran quietos en la postura inicial y permanecieran así hasta morir. En su día recordó una historia de pueblo que contaba su tía. Decía que cuando Herodes buscaba a Jesucristo recién nacido para matarlo, y conjurar así la amenaza que para la estabilidad del reino representaba ese extraño nacimiento según los oráculos, preguntó a hombres y animales si sabían dónde estaba el niño. Todos callaron. Cuando les llegó el turno a los corderos, ellos respondieron: «¡Beeeelen, Beeeelen!» Dios avisó a María y cuando los soldados del rey llegaron a Belén encontraron el pesebre vacío. Pero en castigo, por chivatos, el Señor los condenó a morir en silencio.

Los arrastradores llevaban ya los carritos hasta la siguiente fase, donde los oficiales degolladores, uno por equipo, traspasaban el cuello de los corderos con un cuchillo en el mismo carrito, en un rápido movimiento, sin que los animales ofrecieran resistencia. Sin moverse, quietos, se desangraban y su sangre iba vertiéndose en un recipiente a través de los desagües que para tal fin tenían los carritos. Los carristas desplazaron los carros desde los degolladores hasta el otro extremo de la nave, donde esperaban los ocho apuñadores en formación, y procedieron a descargar el ganado en el suelo. Algunos corderos habían muerto ya y otros lo hacían en el suelo pataleando con el estertor final.

Mateo se agachó y comenzó a quitar la piel del primer animal desde la parte trasera. Actuaba rápido, codo con codo con los demás de su línea, separando expertamente la piel de la carne, porque los pieleros daban unas primas por las pieles enteras, que iban a un fondo común. Desgarró las patas traseras, cortando y metiendo los puños entre piel y carne, tirando de la piel y puñeando hasta llegar a la mitad, donde lo dejó para la línea de los seis colgadores, que venían detrás y que suspendían de los ganchos fijos a los corderos, cabeza abajo, por el nervio de una de las patas traseras. Los colgadores, de alta estatura por motivos obvios, terminaban el desollado tirando de la parte desgajada, que pendía como un faldón, separándola hasta el cuello. El animal, ya desangrado y con la piel colgando de la cabeza, era abierto en canal en la línea siguiente de los seis vaciadores, que extraían las tripas y las dejaban caer en unas banastas cuyo destino era Mondonguería, si superaban el paso previo por Inspección Sanitaria. Los seis descabezadores intervenían a continuación para desprender la piel totalmente, cortar las cabezas y las pezuñas, que, junto a las asaduras —hígado, corazón, esófago, riñones, pulmones—, se echaban en otros cestos para Casquería, una vez cumplido el requisito sanitario. Las pieles se depositaban en unos carros que la cuadrilla de repartidores llevaba a los secaderos. La sangre líquida, que unos hombres se habían encargado de batir para evitar su coagulación, era vendida también a los casqueros. Finalmente, los troncos de los animales, limpios y en canal, eran llevados por los repartidores desde los ganchos fijos al pasillo central, a hombros, para colgarlos en los ganchos del bastidor longitudinal, donde, por los raíles aéreos, se empujaban hasta las inmensas naves de oreo, situadas al otro lado del patio, para permanecer toda la noche. La normativa exigía que cada pieza fuera inspeccionada por miembros del Cuerpo de Veterinarios, algo imposible de cumplir. ¿Cómo examinar diez mil corderos diarios, además de los otros miles de animales sacrificados por jornada? En la amanecida del día siguiente, los repartidores llevarían las piezas desde las naves de oreo a las de romaneo y, después del pesado, las cargarían en los camiones del Ayuntamiento para su reparto a las carnecerías.

En las silenciosas y pobremente iluminadas naves de oreo, diez mil metros de espacio diáfano, la contemplación de los miles de cuerpos colgados en filas perfectas, como soldados de un enorme ejército renovado cada día, constituía un espectáculo sobrecogedor.

Mateo avanzó hasta el cordero siguiente y procedió de la misma forma. Su enorme fuerza y sus grandes puños separaban sin desmayo. Siguió hasta el tercer cordero y luego hasta el cuarto y sucesivamente, sin parar, progresando hacia el extremo de la nave por donde entraban los animales. No había pausas, no podía haberlas. Las demás líneas venían detrás, empujando, como engranajes de una máquina en marcha. Era la mejor época de matanzas, y se sacrificaban unos diez mil corderos diarios, lo que significaba despedazar un animal en aproximadamente un minuto; es decir, sesenta segundos desde que el animal entraba en la sala de sacrificio hasta que salía despiezado a la nave de oreo, por lo que en los puntos específicos de acuchillamiento, restando los tiempos de traslado en las enormes naves, cada hombre debía hacer su labor en unos quince o veinte segundos. Si alguien tenía que hacer alguna necesidad, debía resolverla rápido para no detener la cadena. La flojera era nula y la abstención escasa, porque los dineros extras se repartían entre todos y quienes no estuvieran no recibían parte. El ritmo era frenético mientras los hombres gritaban y hacían chistes entre el ruido de los carritos, el crujido de los ganchos al correr por los raíles aéreos y el sonido de los cuchillos al ser afilados continuamente. Contemplar a los corderos entrando a miles sin resistencia a su sacrificio, empujándose unos a otros como si fueran a un suicidio colectivo, sin recular a la vista y olor de tanta sangre, al contrario de lo que hacían los vacunos y los cochinos; ver esa destrucción masiva de vidas era algo que no admiraba ni preocupaba a los especialistas en matanzas. Taladrar los cuellos, arrancar las pieles, colgar los cuerpos, abrirlos en canal, quitarles las vísceras, llevarles al oreo: un círculo sabido, aceptado, repetido, inalterable. La misma rutina que cualquier trabajo, pero en éste había que ser insensible a emociones naturalistas. Por eso hubo quienes desertaron al poco de iniciarse en él. Ése no era el caso de Mateo. Él no miraba los ojos inocentes de los animales. Cuando le llegaban, sus miradas estaban vacías de vida. Y cuando levantaba la vista al hacer una breve parada y veía cómo los corderos se atropellaban para morir y cómo se les descuartizaba, su mente estaba en otro sitio, insensible a la industrialización de la muerte.

El día fue resumiendo sus horas. Los matarifes paraban para tomar un bocadillo o un café rápidos, turnándose. Cuando en su trabajo los equipos llegaban al principio de la sala, volvían a retroceder hacia el fondo, a la parte contraria, para reiniciar la función. Así fueron haciendo varias veces el recorrido de cien metros por la inmensa nave, hasta que no quedó ningún animal vivo. Ese día culminaron el trabajo antes de las ocho de la tarde. Mateo pasó a las duchas entre el guirigay de los compañeros. Estar tantas horas inclinado hacia el suelo era un gran esfuerzo, pero él lo aguantaba bien. Dejó que el agua le escurriera y se lavó bien las manos para eliminar el penetrante olor de la sangre. No le gustaba ir desprendiendo ese olor, por lo que al terminar la ducha se enjuagó, como siempre, con agua de colonia. Se vistió y salió con algunos compañeros a tomar unas cervezas en la taberna Central, como un día cualquiera. Al entrar divisó dos rostros al fondo, por entre los parroquianos. Se quedó paralizado. El Largo y el Patas. No podía ser. Se abrió paso. No eran los Montero sino dos hombres aparentemente de su edad y de aspecto aniñado. ¿Cómo iban a serlo? ¿Empezaba a ver fantasmas? Se rió de sí mismo. ¿Fantasmas, él? Uno estaba muerto y el otro había desaparecido hacía ya seis años. ¿Dónde coño estaría? El barrio ya no era como antes. Los chicos crecían y muchos se habían marchado a otros lugares. Como la familia del Rana, el testigo del rapto del Gege. No sabía dónde vivían. Pero a él tres cojones le importaba dónde estaban. El Rana no representaba ninguna amenaza ni podría representarla para el que secuestró al Gege, porque aquel maldito día iba disfrazado. En realidad eran ellos, sus dos antiguos jefes, quienes le preocupaban, cada uno por un motivo distinto. Le habían citado en dos ocasiones en los últimos meses con el propósito de darse ánimos mutuos y desterrar temores por lo hecho en el pasado, retomando el juramento de mantener el secreto. Para él era absurdo, ya que a ninguno le interesaba darle al pico. Pero observó que el alto, Roberto Fernández, se había venido abajo sobre todo desde el asunto Facundo porque, al contrario de lo afirmado por el gordo cuando lo liquidaron, él no estaba enterado ni lo hubiera permitido. Le había mentido el muy cabrón. Al saberlo, más tarde, al Roberto le dio un síncope. Los remordimientos le estaban comiendo el coco y les acusaba al gordo y a él de ser unos simples asesinos. Pasaba mucho tiempo de baja laboral con una rara enfermedad que le tenía los nervios destrozados y no le dejaba dormir. El gordo, Rafael Alcázar, era todo lo contrario y mostraba una seguridad no acorde con su cuerpo sobrado de grasa. A él le asaltaban dudas de que el tipo, al margen de su frialdad, albergara la energía y decisión suficientes para hacer funcionar el tinglado, de que fuera el jefe. Pero, según confesión del propio Rafael, suya fue la idea y también fue él quien creó la organización, que había funcionado de forma impecable. Y nada habría ocurrido si el imbécil del Andrés Pérez de Guzmán y aquellos jodidos mocosos no hubieran metido el cuezo. El gordo insistía en mostrar gran seguridad en sí mismo y se afanaba en transmitirles ese sentimiento. Él no necesitaba de tanta recomendación. No hablaría nunca. Era el Roberto quien requería de ayuda urgente, porque se había convertido en un riesgo. Le extrañaba que el cabrón del Rafael no le hubiera pedido que hiciera con el Roberto lo mismo que con el Facundo. Quizás el desquiciado tenía algún escrito comprometedor y eso le salvaba la vida. O puede que, simplemente, al Rafael no le pasara por la cabeza eliminarle porque en verdad sintiera cariño por su amigo y compañero de guerra.

Estaban en 1952 y hacía un año que los yanquis habían desembarcado en España con sus ayudas económicas y sus bases militares, consolidando el Régimen. El racionamiento de alimentos se había acabado recientemente. En lo político todo seguía igual, con una policía que no cejaba en la conservación del orden que el Gobierno requería. A veces había visitas e interrogatorios en el Matadero para eliminar posibles amenazas subversivas de los comunistas. Pero en cuanto al asunto de las desapariciones, parecía que la policía había dejado de husmear. Quizá se contentaron con la redada que hicieron hacía ya cinco años, cuando emplumaron a aquellos desgraciados de la organización subversiva, o con la segunda, hecha un año después en Administración, en la que implicaron a gente de mayor nivel. Lo cierto es que el asunto se había frenado al no aparecer los cuerpos. ¿Por qué entonces sus otrora jefes tenían tantos temores? Haber colaborado con ellos fue una experiencia gratificante para él, y más en aquella edad, con tanto por descubrir. Pero aquello acabó cuando la organización fue disuelta y el dinero se extinguió. Tuvo que afanarse desde entonces en trabajos auxiliares hasta que pudo entrar de matarife. Luego ocurrió lo del Facundo. Las pelas que le proporcionó ese asunto las tenía a buen recaudo en casa, en un agujero de la pared, donde estaban seguras porque no había robos en las casas. Procuraría no gastarlas, ya que cuando fuera a la mili no tendría ningún ingreso. Lo demás era el pasado y había que olvidarlo. Pero el gordo cabrón quería tenerlo uncido a ellos. Y eso debía terminar. A él no le helaba la sangre, como al pobre Facundo.

Diez

Agosto 1954

Chus bajó del camión en la zona de limpieza que le había asignado Boves. Cogió el rastrillo y el pico, y se ajustó el machete al cinto. El caporal: venezolano, veinticinco años, moreno de soles y rasgos nativos; de algo más de metro setenta, fibroso, extraordinariamente fuerte. Había entrado de peón en la empresa hacía siete años y su eficacia demostrada para las tareas del campo, y su don de mando natural le hicieron subir hasta ese cargo, que conllevaba un alto grado de confianza de los patronos, a los que guardaba un gran respeto y fidelidad.

—¿Todo bien, patrón?

Chus asintió con la cabeza. No era su patrón pero le llamaba así desde aquel día. Chus acudía a ayudar en las tareas de campo durante los periodos vacacionales en el Liceo, ya desde entonces, integrándose en las cuadrillas como un obrero más. Ahora estaba en las vacaciones de fin de curso, último de secundaria. Cuando finalizaran tendría que desplazarse a la Universidad Central al haber sido clausurada la de Valencia por Decreto del general Cipriano Castro en 1904. Ese año fueron cerradas también las universidades de Maracaibo y Ciudad Bolívar, quedando sólo la Central, en Caracas, y la Occidental, en Mérida. Empezaría Ingeniería Civil y compartiría residencia en la capital con sus primos y los cuatro vallecanos, uno de los cuales, Fernando, ya cursaba estudios allí desde un año antes. Sus primos y amigos no entendían que dedicara buena parte de sus vacaciones a tareas tan duras y tan poco ilustrativas. El único comprensivo era su fiel Daniel, que en ocasiones le acompañaba en esas groseras tareas durante una parte de los periodos de inactividad escolar, antes de partir juntos a explorar el país hasta el final de las vacaciones. En esta oportunidad se había quedado en Valencia preparando las asignaturas reprobadas, y luego se reunirían para hacer una escapada a los Andes antes de iniciar el curso universitario. Tampoco entendían esa dedicación los obreros, todos ellos venezolanos de baja extracción, la mayoría analfabetos y dados al ron. Al igual que Boves, ellos creyeron entonces que era una intromisión en sus tareas y una especie de fisgón. Por lo bajo hacían burla y frases despectivas; le llamaban el Echapico, el Gallo Pelón, el Cuentero y procuraban ridiculizarle con la superior fuerza y oficio que ellos poseían. Pero Chus persistió. Y no se sabe el tiempo que habría durado ese rechazo si no hubiera ocurrido aquel hecho durante la pausa escolar de la Semana Santa anterior. A partir de aquello se acabaron las miradas torvas y malintencionadas y vinieron las de admiración. Y desde entonces todo fue diferente y cada vez que llegaba le recibían con gritos de júbilo y todos le llamaban patrón.

Se trataba de sustituir partes de la tubería de acero general que estaban picadas por la arenilla del crudo y perdían combustible. Era un trabajo especial dentro de su rutina, que, como siempre, empezó a las seis y media de la mañana. Se cerraron las válvulas situadas cada diez kilómetros y se descargaron los tubos nuevos del camión. El trabajo consistía en eliminar las partes dañadas, lo que se hacía cortándolas en trozos con discos de esmeril mediante sierras neumáticas accionadas con un compresor. Con ayuda del tractor cargaban los trozos viejos en los camiones. Después de rastrillar el suelo para eliminar los vertidos y la vegetación, y alfombrar la zona con tierra limpia, se izaban partes del tubo nuevo y se colocaban sobre las almohadas de goma puestas en las camas cóncavas de las bases de concreto, a unos treinta centímetros del suelo. Las partes se unían, una vez biselados los bordes para un ajuste sin rebabas, mediante soldadura eléctrica inducida por el grupo electrógeno hasta allí desplazado. La parte de tubo a cambiar en esa ocasión era larga y estaba en posición horizontal sobre un terreno plano. Habían soldado varios trozos cuando dos liebres saltaron desde la cercana maleza a uno de los extremos del tubo habilitado, que tendría ya unos noventa metros de longitud. Tras la sorpresa inicial, dos hombres corrieron hacia el otro extremo para capturar a los animales cuando salieran. Pero los roedores no salieron. Intentaron sacarlos golpeando en cada una de las bocas y en diferentes partes del tubo. No hubo resultado y la expectación general subió, en ausencia del caporal, lejos del lugar en ese momento.

—No asoman, pue.

—Hay que cazarlos, vale.

—¿Para qué, compae?

—Ujú, para hacer un guiso.

—Si no salen, el crudo los ahogará.

—Y ¿qué a los conejos? Morirán lo mesmo.

—A mí me provocan más los conejos de las alegronas.

Coro de risas y aspavientos.

—Hay que entrar por ellos.

Risas generales.

—¡Qué esperanza! ¿Quién entra?

—Cualquiera, negro; cualquiera con bolas.

—Güeno, pue; ¿dónde está el arrecho?

—Aquí mesmo —dijo uno, corpulento.

—¿Tú? Como que cargas rasca. Necesitamos un calambeco, no un moclón alumbrao.

Todos rieron, haciéndose gestos.

—Coño e madre, ve a mamar la cuca. —Le señaló con un dedo avieso—. Miren a este arrastracuero. Él vocea pero no le arriesga.

—Acaben con esa vaina. Se jodan los conejos.

—Ahí tenemos candidato —dijo uno señalando a Paco,

un ayudante de peón, flaco, de no más de doce años y sobrino del caporal ausente.

—¿Tú lo harías? —preguntó otro.

—Güeno… —vaciló el muchacho, viéndose centro de todas las miradas.

—Gandumbas. Si no hay…

—Como que quieres obligar al muchacho, ¿ah? Como que le echas pico, pero no apuestas. ¿Por qué no entras tú al juraco?

—Es tamaña faena —dijo otro—. Quedaría atorao. Dejen esa lavativa. Nadie puede hacerlo.

—Le ataremos un mecate a los pies. Si grita, halamos y lo sacamos —insistió el otro—. Pongo una locha.

—¡Cónchales!, yo pongo un real.

—¿Quién da un bolo?

—No jodas, más que las liebres. ¿Por qué no una morocota? —Todos rieron.

—¿Te fijaste? Vale con esta mamaera e gallo. Quien lo intente comerá pavo.

—¡La verga! Dejen ya la cuestión.

—¿Entras pue o te paran bolas? —habló el de antes. Todos miraron a Paco.

—No cargas cuidado de tentar al muchacho, ¿ah?

—Güeno, pue. Entraré, sí —dijo Paco.

En el tubo, de ochenta centímetros de diámetro, había aparentemente holgura suficiente para arrastrarse sin problemas. El voluntario entró y fuera hubo apreturas para mirar por el conducto. Al poco la negrura tapó los pies del muchacho. La cuerda avanzaba. De pronto oyeron un grito de pánico. Halaron fuerte y la cuerda vino a ellos sola. Se había desprendido de Paco, que seguía gritando dentro. Hubo confusión general, voces, discusiones, inacción. Chus cogió la cuerda, se la ató con decisión a los pies y se lanzó al agujero. La oscuridad fue envolviéndole a medida que progresaba. Notó una presión en sus oídos y un agobio en el pecho. El calor era sofocante. Él estaba acostumbrado a recorrer los túneles del alcantarillado del barrio. Había corrido con su hermano y sus amigos por las grandes galerías y los pequeños conductos de las cloacas, allá, en el lejano Madrid, desde que tuvo uso de razón. La mayoría de las alcantarillas estaban sin tapa, lo que era una invitación para que los chavales entraran a jugar, descubriendo ese mundo lleno de ratas, arañas y murciélagos; animales a los que perseguían con el fin de exterminarlos por el solo placer que ello les producía. A veces se topaban con huecos estrechos sin salida y había que retroceder a gatas. Otras veces los huecos conectaban con otros huecos en una especie de laberinto que les obligaba a esfuerzos de imaginación para buscar las salidas. Pero entonces era un rapaz con menos estatura y más delgado. Y no recordaba haber entrado nunca en un conducto que, aunque aparentemente ancho, resultaba estrecho por su longitud y por ser cilíndrico, dando a los pocos segundos la sensación de ajustarse al cuerpo como el capullo al gusano cuando quiere transformarse en mariposa. Debía poner las manos delante, apoyarlas y reptar ayudándose con la puntera de las botas. Miró al frente. El cuerpo de Paco bloqueaba la leve claridad que entraba allá a lo lejos. El aire apenas circulaba porque los dos cuerpos taponaban la escasa corriente entre las dos bocas. Sudaba con intensidad. Comprendió que de haber sido más tarde, el calor sería tan intenso que habrían perecido ahogados. La progresión era lenta. La superficie rugosa comenzó a abrasar sus manos. Sus pies empezaron a acusar el esfuerzo, igual que sus rodillas y codos. Paró un momento a tomar aire. Entendió el terror de Paco, cuyos gritos ya no se oían. Era urgente llegar a él. Al proseguir se dio cuenta de que no debía detenerse, porque el reinicio era muy doloroso. La curvatura del tubo dificultaba el arrastre, ya que el cuerpo se aplastaba en la punta del arco y las manos no podían ponerse planas sino torcidas. Sintió sangre en las yemas de los dedos. El sudor le cubría la cara y mojaba su braga de trabajo. El escozor de los codos se hizo más intenso. Hubiera querido que halaran de la cuerda. Cerró los ojos y prosiguió. De pronto chocó contra los pies de Paco, que parecía estar desmayado, quizás ahogado. Haló de él pero no pudo moverlo. Se dio cuenta con alarma de que estaba trabado. Cabalgó sobre él en busca de la obstrucción, golpeándose la cabeza con el áspero hierro. La encontró, palpando. La braga se había enganchado en una arista mal limada. Se ahogaba, por el taponamiento de los dos cuerpos. Procedía a librar la ropa cuando un tirón de la cuerda lo arrastró un metro para atrás, separándole de Paco. Los hombres halaban sin saber lo que ocurría. ¿Cómo avisarles o contrarrestar la fuerza aplicada por varios de los obreros? Afianzó las botas en el metal, notando el dolor del cordel en los tobillos. No podría aguantar mucho. Hizo un esfuerzo, aspirando desesperadamente, y volvió a montarse sobre el cuerpo inanimado, olvidando el techo de hierro. El golpe lo dejó inconsciente unos segundos. Se repuso, sintiendo la sangre resbalar por su frente. Buscó el enganche y soltó la tela. Agitó la cuerda y se dejó arrastrar hacia atrás agarrando los tobillos de Paco. El arrastre era veloz. Mantuvo la concentración a punto del desmayo y de pronto se encontró fuera, cayendo en los brazos de los hombres con Paco encima. Al poco, la sordera desapareció y sus pulmones se llenaron de aire caliente. Miró a Paco. Lo estaban reanimando. Tenía los ojos cerrados pero respiraba. Chus se recuperó y escribió: «¿Salieron los conejos?» Negaron. Chus se incorporó, se ató a las rodillas y a los codos unos refuerzos de cuero y pidió que le vendaran la cabeza. Escribió una nota, se puso unos guantes y volvió a entrar. Uno de los que sabían leer transmitió, admirado: «Entro de nuevo. Pero los conejos deben escapar libremente.»

Otra vez en el agobio del tubo, miró adelante. Allá lejos un puntito marcaba el final del metálico túnel. Ya sabía a lo que debía enfrentarse. Siguió y siguió. Notó que la luz, cada vez más intensa, se movía. Abrió los ojos. Los conejos saltaban delante. Atisbó las caras asombradas. Asomó con los ojos cerrados, chorreando sudor y con sangre en las manos, desertados los guantes durante el recorrido furioso. Aturdido, oyó una voz:

—¡Ojo pelao! Ya como que está saliendo.

—¡Sáquense! ¡Dejen hacer! —Identificó la voz de Boves.

«¿Y Paco?», preguntó por señas, mientras lo llevaban al camión.

—Ta bien, patrón. —El tratamiento significaba mucho. Había sido aceptado en el círculo obrero. Su dolor se desvaneció.

«¿Y los conejos?»

El sol atrapó sus dientes de lobo.

—Como que escaparon, patrón, tal y como ordenó.

—Es chévere, tronco e hombre —oyó decir a uno.

—A él no le paran bolas, ¿vieron?

—El catire no peló y se llevó el punto, ¡ajuro!

—Gua, como que tiene tabaco en la vejiga.

—Ajá, como que le hizo broma a la pelona.

En el hospital, adonde fueron llevados Paco y él, Boves buscó un rato para estar solos.

—Salvó la vida de mi sobrino.

Chus escribió: «Cualquiera hubiera hecho lo mismo. No tiene importancia.»

—Sí la tiene. Como que puede disponer de mí, patrón. Lo que le provoque. Siempre.

Su hazaña fue comentada y trascendió, llegando incluso a la universidad. Su tío despidió de inmediato a los obreros inductores de la apuesta, que pudo llegar a tragedia. Pero Chus se arrogó toda la culpa y le pidió su readmisión. Eran buenos obreros y no habían calibrado las consecuencias. Ello concitó nuevas alabanzas hacia él y una fidelidad insospechada. Ahora, cuatro meses después, la anécdota seguía flotando en la mente de todos.

La zona asignada en este día era grande y dos obreros le acompañaban. Empezó a rastrillar la vegetación situada bajo los conductos metálicos y partes cercanas, dejando un camino sin matojos de unos diez metros de ancho, el cilindro en el centro como eje longitudinal. A veces empleaba el machete y otras el pico para quitar raíces fuertemente enganchadas. Iba haciendo montones con la paja a lo largo del recorrido, para ser quemada posteriormente por las brigadas dedicadas a ese fin y así evitar incendios. Bebió otra vez de su cantimplora de plástico. El calor húmedo estaba impregnado de eternidad y, aunque llevaba gafas oscuras y un sombrero de anchas alas, el sol le aplastaba sin compasión. Miró la hora: casi las once. Llevaba cerca de cuatro horas trabajando, bebiendo agua y jugos solamente. Terminó de confeccionar una montonera y dejó a un lado el rastrillo, la pala y el machete. Pronto vendrían a recogerle y a quemar la paja acumulada. Observó a sus eventuales compañeros y los vio desparramados. Contempló a lo lejos los cinco tanques de crudo, grandes como plazas de toros. Estaban pintando uno de ellos, con su padre al mando. Primero limpiaban la superficie con chorros de arena hasta dejar la chapa limpia, subidos en grúas. Luego aplicaban la capa de minio y finalmente la pintura blanca con las mangueras. Vio a los hombres, pequeños como hormigas en la distancia. Volvió la vista buscando su árbol, el olmo que había plantado hacía ya siete años. Estaba alejado del área, más allá del bosquecillo de cocoteros. Hacía tiempo que no lo visitaba.

Fue hacia él atravesando el cocotal, cuyos troncos crecían distanciados entre sí. Al rato, y a través de ellos, atisbó su olmo, luciendo poderoso y soberbio en su soledad como si fuera el abanderado del bosque dirigiéndolo ladera arriba. De pronto, el suelo se abrió a sus pies con estrépito. Su cuerpo fue golpeando las paredes del pozo hasta llegar al fondo, almohadillado de broza y hojarasca. Pasados los momentos de sorpresa, analizó la situación. Una nube de polvo difuminaba el borde del pozo, allá arriba. Calculó unos seis metros, quizá más, y apreció que la mayor parte de la boca estaba cubierta con ramajes enganchados. Se examinó. Aparte de las raspaduras y golpes en rodillas, cabeza y manos no tenía dolores de algo quebrado. ¿Cómo estaba ahí ese agujero, prácticamente oculto? ¿Para qué se hizo? No se oía nada salvo el zumbido de los zancudos. Temió que alguna serpiente estuviera emboscada. Desechó la idea porque las serpientes no anidan en pozos tan hondos. La luz que entraba por arriba apenas llegaba hasta él. Miró las paredes. No estaban lo suficientemente próximas para escalarlas poniendo un pie en cada lado. Se notó lleno de calor, de polvo y de mosquitos. Intentó escalar, pero no había ningún saliente donde asirse. Decidió esperar. Sus compañeros le buscarían y le sacarían de allí. Tiempo después oyó débilmente el ruido de un camión y gritos llamándole. ¿Tan lerdos eran que no podían dar con él? ¿Cómo avisarles? No tenía nada para hacerse oír. Siguió oyendo las llamadas y luego otro ruido lejano: el crepitar de las llamas de los amontonamientos de hojarasca. Más tarde oyó el camión alejándose. Miró la hora. Las 12.05. Los obreros habían demostrado ser poco imaginativos. Pero Boves vendría, sin duda; sólo debía almacenar paciencia, aunque el calor era aplastante y el espeso aire le impedía respirar con normalidad. Estaba deshidratándose rápidamente. Tuvo atisbo de que la situación era seria.

En ese momento apareció el resplandor. Allí estaba, arriba, el ignoto rostro mirándole con la placidez acostumbrada y transmitiéndole seguridad, como había ocurrido cuando reptó por el tubo de acero meses antes y como ocurría cuando le venía un severo peligro. Luego el resplandor se extinguió, pero él supo lo que debía hacer. Volvió a examinar el entorno. El pozo era como un cono truncado invertido, algo más estrecho en el fondo que en la boca, lo que hacía que las paredes se inclinaran ligeramente hacia fuera en la parte alta. Buscó piedras picudas. No encontró ninguna. Removió la alfombra vegetal y se hizo con dos trozos de ramas gruesas. Estaban secas y pudo partirlas a tamaño adecuado. Luego las afiló, raspando las puntas contra la tierra. Usándolas como punzones, fue horadando la pared, primero un agujero para meter la puntera de un pie, luego otro para una mano, el siguiente para el otro pie. Los primeros intentos fueron fallidos. La pared estaba muy seca y la tierra se desmenuzaba. Procedió con gran cuidado. No tenía mu-

cho tiempo. El sol estaba en su cenit y las ramas de los cocoteros no detenían su potencia. Calculó que habría cerca de
cincuenta grados. Poco a poco, sin prisas, se concentró en
formar una escalera por la que fue ascendiendo como una
araña. Llegó al borde chorreando sudor y respirando agitadamente. Allá estaba su árbol, demasiado lejos para su agotamiento. Reptó hacia un grueso cocotero, limpio de maleza, precavido contra las serpientes. Se sentó y se cobijó en su
sombra. Cerró los ojos y dejó que los zancudos se nutrieran
de él. ¿Quién era, qué eran esas apariciones salvadoras? Por
sobre el sisear de los mosquitos oyó ruido de motores. Se
levantó y se acercó a los camiones que brincaban por el pe-
dregoso sendero de más allá.

Once

Enero 1955

La carta tembló en su mano antes de abrirla. Con la formalidad imperante decía que había sido admitida como taquimecanógrafa en Cajas Registradoras National, la multinacional americana con sede en Dayton, Ohio, pionera de este producto industrial en el mundo y que estaba modernizando el comercio y los controles de caja con sus aparatos registradores. Había superado las pruebas. Sintió la explosión de la alegría, compartida luego por sus abuelos, su madre y su hermano Juan. ¡Si hubiera estado su padre...! Atrás quedaban los meses de preparación en la academia y el presentarse a ofertas de empleo en oficinas, anhelando el trabajo necesario. Ella quería aportar a la casa un sueldo y no sólo un esfuerzo en las labores caseras, para que la economía creciera. Quería ir consiguiendo mejores ropas, adquirir alguna sortija o colgantes de plata, si acaso de oro, y quitar la fascinación que sobre ella ejercían los zapatos. Quería ir haciéndose con un ajuar para el día que...

El dinero que llegaba a casa era el que ganaba su madre trabajando de cocinera en un mesón de la calle de Claudio Coello, con el añadido de algunos alimentos que el dueño le permitía llevarse. Y el que su hermano Juan obtenía en el Centro de Investigación de la Empresa Nacional Calvo Sotelo, donde, al mismo tiempo que hacía los trabajos, se formaba como ayudante químico en la propia escuela del Centro. Esta empresa, con sus laboratorios, oficinas, torre de destilado, plantas de almacenamiento, terminales de carga de camiones y tren, ocupaba un área de unos cincuenta mil metros cuadrados al final de la calle de Embajadores, esquina a la de Antracita. Eran unas instalaciones modernas, de rutilantes despachos y un enorme salón de actos. Juan cantaba su admiración por la imponente biblioteca y la fascinación que le causaba el hecho de poder ducharse todos los días en los grandes cuartos de baño, algo que, como el mismo concepto de servicio de ducha, eran realidades lejanas al entorno donde vivía. El Centro, perteneciente al Instituto Nacional de Industria, se creó como consecuencia del sistema autárquico del Gobierno y de la política de austeridad inserta en el ideario del Régimen, que promovía la obtención de combustibles líquidos y lubricantes no del petróleo, del que se carecía y cuya importación se pretendía limitar para mitigar la dependencia, sino de las pizarras bituminosas. El procesamiento de este mineral, desde la extracción, el destilado, el refinado hasta la industria petroquímica indispensable, se hacía en unas inmensas instalaciones en Puertollano. Para el proyecto hacían falta químicos prácticos y para ello se creó la escuela de formación de ayudantes químicos, homologada por el Ministerio de Educación, destinada a formar a quienes habían de jugar un papel importante como especialistas en esta rama industrial.

Juan iba ya por el tercer curso y sólo le quedaba uno, más la reválida, para dejar la bata azul y vestir la blanca de ayudante, lo que supondría un aumento de sueldo. Pili recordaría siempre la alegría de sus padres cuando su hermano aprobó los exámenes de ingreso en el Centro. Su padre les llevó a todos, incluidos los abuelos, al cine Coliseum de la Gran Vía, donde vieron la película *El halcón y la flecha* y donde se enamoró de Burt Lancaster, para terminar luego en una chocolatería de la plaza del Carmen. Un día inolvidable. ¡Qué daría por que su padre viera que ella había conseguido un trabajo…! Su padre… Nunca vio un hombre tan alegre. Cuando se mudaron al piso de Ciudad de los Ángeles asignó las habitaciones para el matrimonio y los abuelos. Luego le cogió de una mano y le dijo que eligiera una de las dos que quedaban. Prefirió la más pequeña, pero con una ventana que daba a un parque de pinos enormes. ¡Un cuarto para ella sola! Nunca olvidaría ese momento. Su padre... Sintió que las lágrimas le raptaban la mirada.

Un día empezó a sentirse mal y en poco tiempo se les fue. A los entierros no acudían las mujeres, sólo los hombres. Pero ella insistió en ir al de él. Recordaba su primera impresión cuando caminaba por entre las tumbas del inmenso cementerio del Este, detrás del coche que portaba el féretro. Todos los caminos estaban custodiados por árboles pelados y sólo se oía el crujir de la dorada hojarasca. Cuando el ataúd descendía ella se preguntó si vería subir el alma de su padre, que había sido un hombre sencillo y bueno, porque don José, el párroco, decía que los humildes subirían al reino de los cielos. El viento de aquel frío final de otoño arremolinaba los cabellos y aventaba las hojas, pero no vio salir nada del féretro, ni siquiera una vibración en el aire que pudiera interpretarse como un reflejo místico. Y, como no dudaba de la demostrada bondad de su progenitor, se preguntó por vez primera si acaso el alma no existía y todo moría con el cuerpo, salvo el amor y la memoria que impregnarían la vida de los deudos como herencia emocional. Y al regreso notó un inmenso vacío. Su falta irreemplazable hacía más aguda la ausencia del amado y aumentaba la lejanía. Ya no recordaba su voz y sólo la imagen de sus rizos era lo que guardaba de aquel chico que tanto tiempo atrás mezcló su sangre con la de ella. Recibía sus cartas y sus fotos, pero ella necesitaba algo más que ese hilo frágil que en realidad era más deseo que certeza. Luis no era él sino un chico serio de ojos increíbles pero extraño, tan desconocido como esa caligrafía que le hablaba de amor.

Guardó la carta y se preparó para enfrentar su primer día de trabajo, el siguiente lunes. Miró su escaso vestuario. Sus vestidos estaban muy usados. Sólo tenía presentable el que se puso cuando el examen en la calle de Goya. No podía ir con el mismo. Pediría a su madre un esfuerzo para unos zapatos y alguna ropa adecuada. Luego se dispuso a ir en busca de su amiga Conchita, su confidente, para descargar en ella las emociones que la ahogaban.

Doce

Septiembre 1955

El apartamento, luminoso como un faro, de dos habitaciones y un gran salón con una cocina al fondo, estaba en las
colinas de Bello Monte, donde las residencias de lujo y los
caros colegios privados se disociaban del calor de Caracas.
El mirador, como una pantalla panorámica, se abría sobre la
Ciudad Universitaria y el frondoso Jardín Botánico, hurtándose al fárrago de la enorme ciudad. Más allá, a la izquierda,
los altos edificios intentaban destacarse del agostado valle. Se
lo había dejado su amiga Marta, ahora de viaje ocasional a su
casa de Coro, en el estado Falcón, para el plan urdido. La
opulenta familia de su amiga había adquirido el piso para
ella cuando se matriculó en la Universidad Central. Catia
Pertierra miró a Chus, que contemplaba el paisaje a través
del ventanal.

—¿Quieres comer algo?

Él negó con la cabeza, sin volverse. Le contempló con
fruición. Tan alto, tan atractivo, tan solitario en su mudez y
en su comportamiento. De hoy no pasaría. Lo había traído,
sin que él lo sospechara, para fundirse con él y arder en el
deseo que le invadía cuando la miraba; pasión incalmable
desde que lo vio por vez primera al inicio del curso en la
universidad, cuando le soñaba y le presentía. El español sin
sonidos, el muchacho de la tristeza turbadora. Catia notó
que su sangre hervía. No podía aguantar. Ninguna de sus

amigas, ni ella misma, era virgen. Qué tontería ser virgen. ¿Para qué, si el sexo era tan lindo? Lo practicaban desde niñas porque la tierra, el aire, el clima les incitaba al goce de la vida, como ocurría con todos los seres vivos de esas latitudes: humanos, animales y plantas. Ella había atemperado sus contactos carnales con sus ocasionales amigos desde que lo viera aparecer en el campus y notara en su interior que, aun sin haberse fijado en ella, lo que era sorprendente, él la llamaba como el imán al fierro, porque era el hombre esperado. Y además de la sed primaria, estaba el reto entre las amigas: ver quién se lo tiraba primero, quién ganaría la apuesta. Se confesaron entre ellas y supieron que nunca había estado con ninguna, y hasta existió la sospecha de que podría ser virgen o un marico escondido, cosa esta última que no persistió porque los declarados como tales en la universidad aseguraron que en ningún momento aceptó ninguna de las señales. Bien; era el momento de comprobar esas cosas y de conocer algo más de la vida del silencioso. A ella, una de las más solicitadas, le concedía la misma nula atención que a las demás. Meses haciéndose el sordo a sus insinuaciones y provocaciones. Pero hoy no se le resistiría. Era llegado el momento. Lo vio sentarse y esperar a que ella sacara sus apuntes y textos, para ayudarla en la preparación del curso que se iniciaba, según ella le había pedido como cebo para traerle. Chus la miró. Era una catira de gran atractivo, hija de italiana y venezolano de origen español. La más bella, que traía locos a todos los muchachos y que, sin embargo, buscaba sin complejos su compañía. Catia se quitó el vestido y la ropa interior y, sin decir nada, le mostró la perfección de su cuerpo desnudo mientras miraba su reacción. Vio que la analizaba antes de bajar los ojos. Luego, él se levantó, la apartó y fue a la ventana. La sorpresa de ella fue absoluta.

—¿Qué te pasa, mi amor? ¿No te gusto?

Se acercó a él y le abrazó por detrás frotando sus pechos contra la suave camisa.

—No temas nada, soy tuya; trabájame, tírame pues.

Él no se movió. Ella le cogió de un brazo y le giró. Al

mirar de nuevo sus ojos descubrió tal desesperación que se echó hacia atrás sobrecogida, notando que su pasión se deshilvanaba como la estela de un avión supersónico en un día de viento.

—¿Qué, qué te ocurre?

Él tornó al asiento, movió la cabeza y se cubrió el rostro con las manos. Catia se le aproximó, se arrodilló delante de él y se las separó. La claridad bailó en la inmensidad que él liberaba de su mirada para mostrar un dolor que escapaba a toda ponderación. ¿Qué le pasaba a ese muchacho? Ella, Miss Universidad, la más deseada de todo el campus, estaba siendo rechazada. Era algo incomprensible.

Se paró y se vistió. No pudo comprobar nada de lo que había proyectado, pero tomó conciencia de dos cosas, de golpe, como si algo empezara a descuartizarla por dentro: que ese muchacho soportaba una enigmática pena incalmable y que la había enganchado en su misterio, abruptamente. Tendría que desentrañar el secreto. Carácter para esa misión no le faltaba. Se sentó a su lado, dejando que las horas fueran pasando y que el sol se rindiera ante la noche estrellada.

Trece

Septiembre 1956

Fernando León de Tejada vio salir a sus ayudantes. Quedó solo en el estudio. Tenía bastante trabajo porque había mucho que construir. Él prefirió, al contrario que otros colegas, dedicarse a la vivienda más social, en los barrios extremos y en los pueblos, para ayudar a la erradicación del chabolismo. San Blas, los Carabancheles, Getafe... Viviendas sencillas para gente necesitada. Estuvo revisando las correcciones en las cotas de los planos encomendados a su equipo. Cuando terminó era tarde, como casi siempre. Se frotó los ojos y pensó en el asunto que le había caído encima. Ahora, después de trece años, y cuando la evidencia indicaba que todo quedaría en el misterio, ya sabía, de golpe, impensadamente, quién y por qué mataron a su amigo Andrés.

Un domingo, semanas atrás, a la salida de misa en la iglesia del Buen Suceso, un hombre se acercó a él, abriéndose paso entre la concurrencia, y le extendió su mano.

—Fernando, cómo estás.

Se la estrechó sin reconocerle al principio. Roberto Fernández. Era tan alto como le recordaba, aunque estaba más delgado y su rostro tenía una palidez en desacuerdo con el color tostado que mostraba la mayoría de la gente en plena estación veraniega. Vestía con cierto descuido un traje de buena factura y la corbata pendía del cuello entreabierto de su camisa. Parecía más viejo de lo normal, siendo como era un hombre joven. Llevaba una cartera de mano, algo inusual en día festivo.

—¿Me prestas unos minutos? A solas. Es importante.

Él estaba con su mujer y dos parejas amigas, a las que presentó. Roberto venía solo. El pequeño jardín arbolado situado a la entrada del templo y la ancha acera de la calle de la Princesa estaban llenos de gente charlando animadamente en grupos, luciendo sus galas domingueras. La mayoría iría luego a los bares a tomar el acostumbrado y mundano aperitivo, remate social del acto litúrgico y antesala del almuerzo. Él miró a su grupo y dudó.

—Media hora máximo —insistió Roberto—. Concierne al caso de Andrés.

Quedó con su mujer y sus acompañantes en el bar habitual y siguió a Roberto hasta un café cercano. No eran amigos y en sus tiempos de falangista no habían tenido muchos contactos, ya que estaban asignados a distritos diferentes. Cuando la desaparición de Andrés, trabajaba en el Matadero y fue uno de los interrogados al respecto por la policía y por él mismo. No había vuelto a verle desde aquello. Entonces dijo no saber nada y ahora mencionaba el nombre de su amigo con el tono misterioso de quien está en disposición de conceder una revelación exclusiva. Tomaron asiento y notó en Roberto un desequilibrio emocional. Su atractivo rostro tenía demasiadas arrugas.

—Estoy en tratamiento. Tengo depresión, un nombre nuevo para una enfermedad vieja. Ya sabes: insomnio, angustia, inapetencia, caídas de ánimo… Normalmente no se sabe el origen, pero yo sí sé cómo vino a mí. La causa se explica en esta cartera.

Era una mañana espléndida, soleada, llena de críos y de pájaros. Los árboles estaban pletóricos de hojas. El local estaba muy concurrido, plagado de risas y conversaciones y bajo una protectora nube de humo. Pero Roberto tejía a su alrededor una atmósfera de angustia que también a él lo alcanzaba.

—Quiero que me hagas un juramento de confidencialidad antes de entregarte unos documentos.

—No, mientras no me digas qué es.

—El juramento debe ir antes, como sabes; nunca después.

—¿Qué documentos son ésos? ¿Por qué te diriges a mí y no a tus familiares o a alguno de tus amigos?

—No tengo amigos. Mi familia no debe saberlo. Eres hombre íntegro y fuiste inseparable de Andrés. Sólo tú puedes recibir estos informes. —Como siguiera viendo sus dudas, añadió—: Te aseguro que este material justifica esa excepcionalidad.

Accedió. Roberto le entregó la cartera y su dirección. No debía hacer nada hasta una nueva comunicación. Más tarde, cuando leyó los informes, entendió la perturbación del hombre. Era tremendo. Una cosa era ir contra el Régimen y otra en lo que derivó esa organización ignorada que los escritos revelaban. El crimen como solución.

Pasaron los días y como no recibía noticias del informador, le llamó. Se quedó helado al saber que había muerto en accidente de circulación. Se informó. Había sido atropellado por un vehículo. Al parecer, cruzaba la calle sin mirar, según los testigos. Pero era mucha la coincidencia con el aviso que emanaba de los escritos. Ahora él había heredado esa preocupación. Y estaba solo con un material explosivo, previsoramente a buen recaudo, que no sabía cómo manejar. Había hecho un juramento que, aunque ya no estaba a quien lo hizo, seguía teniendo toda vigencia para él. Pero la magnitud del asunto le superaba. Desde entonces le daba vueltas, rogando in mente que le llegara rápida la inspiración necesaria para proceder con acierto. Porque el asunto estaba afectando a su trabajo y podría hacerle tan depresivo como a su confidente.

Pensó en sus hijos. ¡Qué par de excelentes muchachos! Estaba orgulloso de ellos, aunque algo decepcionado porque habían elegido Medicina en vez de Arquitectura. Cosas de la vida. Ellos representaban la juventud seria y trabajadora que tanta falta hacía. Atrás quedó su niñez esforzada pero feliz, tan distinta a la de aquellos niños del hambre y a la de los que se mencionaba en el informe de Roberto. ¿Por qué había tantas diferencias? Estaba claro que Dios no era justo. Su fe y sus ideales políticos hacía tiempo que se habían desvanecido. Acudía a la iglesia por razones sociales, ya que se debía a un entorno de amistades cuyas formas no quería quebrar. Pero en la intimidad, sus hijos, su sangre para el futuro, sabían cuáles eran sus pensamientos y sus consejos.

Oyó el timbre exterior. Miró la hora. Faltaba poco para las doce. ¿Quién sería? Se levantó, avanzó por el largo pasillo y abrió la puerta.

Catorce

Octubre 1956

Mateo llevaba intranquilo unos días, aunque quizás ésa no era la palabra exacta, porque él no era de los que le daban al coco. Si acaso algo más alerta que de costumbre y eso era una sensación controlable. Nacía en él como podía ser la tos. Pronto sería llevado a África, a los Regulares de Tetuán. La letra eme de su primer apellido, en los sorteos de los quintos, siempre apuntaba en dos únicas direcciones: o excedente de cupo o África, nunca a la Península. Lo tenía asumido y había hecho sus preparativos para que a la tía no le faltara de nada. La quería mucho. En realidad no tenía a muchos a quien querer, sólo a ella y a su hermano. La vieja, que no lo era tanto en realidad, iba mucho a la iglesia y tenía sanos el cuerpo y la mente. Hacía vida de gran humildad y había sido una verdadera madre para ellos, criándolos y atendiéndolos en la adversidad. Recordaba vívidamente el hambre y las penurias desde que la razón le alcanzó. Con ellos nadie había tenido consideraciones. Más tarde supo que el suyo no había sido un caso aislado sino uno de los miles que la guerra produjo. Pero él no podía olvidar ni perdonar. La piedad pasó de largo por su lado. Nunca supo lo que era ese sentimiento. Que se pudrieran los débiles. Él no volvería a aquella miseria que aún le espantaba.

La necesidad hizo que empezaran a currar desde muy niños, sobre todo su hermano, si es que los robos que hacía en el mercado de frutas podían llamarse trabajo. El Antonio era buen hermano, siempre pendiente de él, pero no había encontrado su camino. Hacía poco que había regresado de África, donde pasó cinco años en la Legión para eludir problemas con las autoridades. Y ahora estaba de mozo de carga en la estación de Atocha. Era cuatro años mayor que él y su futuro parecía estar en el aire, lo que les diferenciaba, porque él tenía planes. Veía que el enriquecerse sin trabajar, mangando, era vivir en el borde del peligro y conducía a la total delincuencia, lo que suponía tener a la pasma encima. Así que cuando terminara la puta mili se iría a Alemania. Algunos de los compañeros que se habían ido allí escribían diciendo que ganaban una pasta gansa. Su profesión le permitiría entrar en los grandes mataderos que atendían la demanda de carne de un país con tantos millones de personas, más del doble que en España, según decían. Pero ahora tendría que definir ese timbre de alerta que no se apagaba y que se le avivó aquel día al enterarse de que uno de sus antiguos jefes, el Roberto Fernández, el acojonado o arrepentido, que para el tema valía lo mismo, había muerto aplastado por un camión dos meses antes. No se enteró por el Rafael, sino por otro liquidador. Su ex jefe se hacía el tonto al verle, lo que era normal según el plan establecido; pero podía haber buscado la ocasión para cambiar impresiones con él. Por fortuna la palmó el más cagado, con lo que se evitó la ocasión de que metiera la pata. Fue una muerte oportuna, pero no le gustó que sólo quedaran ellos dos de testigos. ¿O habría alguien más? Le seguían asaltando dudas de que el Rafael lo hubiera tramado todo. Seguía pensando que los gordos eran incapaces para la verdadera acción.

Esa tarde dominical fue a Las Palmeras, la sala de baile que estaba en la glorieta de Quevedo. Él bailaba mal pero no le importaba; el caso era darse el lote con las putas. Se enrolló con una que no era bonita pero sí grande y maciza, como a él le gustaban, que le condujo a una pensión de la calle de Jordán. Un tipo mal encarado, de mediana estatura, al aire los brazos musculosos y tatuados, les dio una llave, previo pago de diez pesetas por la cama. Un oscuro pasillo les llevó a un cuarto, cuya bombilla apenas iluminaba el somero mobiliario. La mujer se desnudó y echó agua en una palangana.

—Límpiate bien el ojete —indicó Mateo—. Te la meteré por ahí, tamién.

—No, rico. Ese agujero es para cagar. Métela en su sitio.

—En los dos laos, el chumino y el ojete —sentenció Mateo.

Ella vio la determinación en sus ojos saltones y supo que no había posibilidad de negociación sobre ese punto.

—Pues lo siento —dijo, cogiendo sus ropas, consciente del repentino pavor que la invadía.

Mateo, ya desnudo, la arrojó sobre la cama. Ella se refugió en unos gritos, que él acalló de un revés. La chica se rindió, medio desvanecida y sangrando por un labio. Mateo se dispuso a la tarea. La puerta se abrió de un golpe y apareció el portero con una porra en la mano junto con otro fulano, alto, trajeado, delgado, de largas patillas y ojos de pez. De un vistazo, sin decir nada, se hicieron cargo de la situación. Mientras el de las patillas se colocaba un puño de hierro, el tatuado se dispuso a golpear. Mateo cogió la almohada, paró el golpe con ella y lanzó su puño derecho. El impacto en el mentón envió al hombre al suelo, fulminado. El otro calibró la potencia y envergadura de su adversario. Metió su mano libre en un bolsillo y la sacó armada de una navaja, que se abrió con un chasquido. Mateo cogió una banqueta y, cubriéndose con la almohada, la incrustó en la cabeza del chulo. El golpe se uniformó con el crujido de huesos y el hombre se desplomó con los ojos en blanco. La chica inició unos gritos.

—Calla golfa, o t'arreo.

Ella enmudeció. Él se tumbó encima y procedió a sobarla hasta ponerse a tono. Luego la penetró por detrás, desgarrando sin miramientos, sordo a los lamentos. Más tarde, saciado de sexo, se vistió sin prisas. Se aproximó a los caídos. El del traje no se movía, y sangraba, pero el otro despertaba.

De un puñetazo lo volvió a llenar de sueño. Luego los registró expertamente y les quitó el dinero. Se acercó a la chica.

—Era eso, ¿eh, zorra? Tenías el jebe virgen. —La miró—. Toma, cien pelas, por el desflore. Me lo' pasao dabuten.

Salió vigilante, sin ver a nadie. Tomó el metro en Bilbao y bajó en Embajadores. Echó a caminar hacia su casa con todas las calles llenas de sombras. Al cruzar por el descampado, antes de las chabolas, vio a un tipo que se le acercaba.

—¿Tienes lumbre, macho?

Le miró. Ancho, vestido normalmente; no era un mendigo. Sacó las cerillas y encendió una. La acercó al cigarrillo y vio relampaguear sus ojos. Se echó atrás rápido, evitando la cuchillada que le envió el otro. Le soltó un puñetazo con la izquierda y el desconocido se vino abajo. Como nacidos de la nada otros dos se abalanzaron sobre él. La fuerza de su patada mandó a uno al suelo mientras sujetaba el brazo armado del otro. Con urgencia animal le torció el brazo, le quitó la navaja y se la clavó en el bajo vientre. Ya los otros, repuestos, volvían a la carga. Proyectó al herido contra uno y arremetió contra el tercero como un vendaval, lanzándole un tajo que el oponente detuvo con su brazo. La herida le hizo gritar antes de enmudecer al caer despatarrado por el tremendo puñetazo que le asestó Mateo. El otro optó por huir dejando a sus amigos retorciéndose en el suelo entre lamentos. Mateo les pateó el cuerpo hasta dejarlos sin sentido y malheridos, quizá muertos. Se marchó rápido antes de que alguien acudiera. No quería verse envuelto en ningún caso en que interviniera la policía. Joder con la nochecita. Pero había diferencias entre las dos peleas. La tenida con los macarras fue espontánea. La de ahora no. Venían por él, a cargárselo. Estaba claro. Ahora ya sabía qué significaba el timbre de alarma y la perturbación que le rompía el sosiego. El accidente del Roberto Fernández fue provocado. El Rafael no quería ningún testigo. Pero la había cagado al intentar matarle. Ya se ocuparía de él en su momento.

La iglesia de San Juan de la Cruz, frente a los Nuevos Ministerios, estaba llena. Se oficiaba la boda de la hija del comisario Ocaña. Allí estaba él en primera fila como padrino. Su niña, su sangre, la prolongación de su esperanza. Era y no era un día feliz. Miguel Bañón era ingeniero de montes y le habían destinado a Murcia. Tendrían que separarse, algo realmente duro para él. Tañeron las campanas y el órgano se impuso a los susurros. Un coro precedió al momento mágico en el que su hija, virgen como era menester, daría el sí a su nueva vida.

Después, las fotografías en Ibáñez para acompañarles el resto de sus vidas. Y más tarde el aperitivo en el magnífico jardín del local de Arturo Soria, donde se buscaron los amigos y las familias. Había muchos policías y gente de calidad, todos con sus mejores galas. La vida se renovaba y lejos iban quedando las huellas materiales de la guerra, no así las escondidas, que algún día saldrían a la luz. Cuando ese momento llegara, porque habría de llegar, ¿cómo sería la irrupción de esas reivindicaciones negadas? Miró a la ciudad, allá abajo. Económicamente el país iba bien. Los cientos de miles de emigrantes, casi una desbandada en la década, aportaban las divisas necesarias. Y el turismo creciente traía a España la modernidad necesitada, que el Régimen intentaba canalizar. Los jóvenes eran diferentes a los de su tiempo. Muchos buscaban aparentemente sólo la mejora de su nivel económico. Pero el peligro de movimientos para subvertir el modelo de Estado seguía latiendo en la sombra y en las acciones exteriores. La policía seguía sin ser bien vista por la mayoría de las gentes. Se la identificaba con el Gobierno, secuaces a sus órdenes represivas. No les faltaba razón. Pero él era policía, sólo eso. Y deseaba hacer bien su trabajo. Quizás algún día…

El sol de octubre iluminaba de rojo unas nubes migratorias y daba un tinte de oro al cielo aquietado. Su mente voló hacia el ayer, diez años atrás, al caso perdido de los niños y del falangista desaparecidos. Todas sus pesquisas secretas, realizadas con ayuda de Pablo, no obtuvieron ninguna luz. Y desde la Dirección General tampoco recibió información

creíble. Se habían desarticulado varias células antiguberna-
mentales desde entonces y se decía que allí estaban las claves,
lo que él nunca aceptó, aunque nada podía hacer al respecto.
Aquel chaval a quien puso escolta durante algún tiempo se
mudó de casa con sus padres al año siguiente, y la pista lan-
guideció por ese lado. Felipe, que vivía solo, nunca volvió a
saber de los chicos. No había seguido con las palizas a la
mujer por la sencilla razón de que ella le había dejado. En el
barrio y en el colegio nadie supo más de los Montero. Los
Manzano se habían ido, decían que fuera del país. Mateo había estado controlado al principio y se había hecho matarife, sin que hubiera motivos para seguir vigilándole. Y hacía
tiempo que los padres de Eliseo y la madre de Gerardo habían dejado de asomar sus rostros incoloros por la comisaría. Nunca aparecieron los cuerpos ni pista alguna. El tiempo cerró los huecos del caso, que pareció no haber existido.
Pero él sabía que sí existió y contaba los años, que se
vaciaban en las sombras del tiempo ilimitado, como el fumador que deja el tabaco y cuenta el periodo transcurrido desde la fecha de renuncia.

—José, ¿qué haces aquí, solo?

Se había quedado en el amplio jardín, solitario como un
centinela. Contempló a su mujer, bella y aún deseable, principio de todas sus felicidades. ¿Por qué él se merecía tanta
dicha? ¿Por qué no les cumplió a esos chicos? Sintió en sus
ojos el peso de unas irresistibles lágrimas. Se abrazó a ella y
dejó que su angustia se diluyera en la realidad impagada de
su fortuna.

PARTE TERCERA

Febrero 1957 – Octubre 1959

Uno

Febrero 1957

La lluvia batía fuertemente, como si todas las nubes del mundo estuvieran allí, vaciándose a la vez. Sin truenos, el único ruido era el monocorde de las gotas repicando en el suelo baldío. El agua formaba grandes charcos en la zona más llana y bajaba inventándose riachuelos por las laderas hacia el cercano mar. Los faros de los camiones iluminaban la escena extrayendo de la noche un bosque acuoso irreal. El enorme convoy estaba detenido, con los cientos de reclutas aguardando en las cajas. Cerca se alzaban los barracones de madera para el Mando, intendencia, sanidad y otros servicios, además de los alojamientos para oficiales y suboficiales. Alineadas pendiente abajo estaban las tiendas de lona circulares que los legionarios del cercano poblado de Dar Riffien habían montado días antes para albergar a los quintos. Eran diecisiete hileras de veintinueve tiendas. El Mando entendió que el campamento de instrucción para los últimos reemplazos que entrasen en Marruecos debía instalarse lejos de áreas habitadas y con protección asegurada porque, aunque los acuerdos entre el Gobierno marroquí de Mohamed V y las autoridades españolas para poner fin al Protectorado se firmaron el año anterior, el Ejército español todavía seguía ocupando el territorio. Había el temor de que exaltados e impacientes ultranacionalistas marroquíes crearan disturbios. Por eso se eligió un terreno yermo y deshabitado próximo al poblado del Cuartel General de la Legión.

La intensidad de la tormenta paralizaba la iniciativa. Los camiones debían regresar a Ceuta para trasladar a más quintos. Al fin el capitán al mando salió a la lluvia y gritó una orden. Los sargentos se desparramaron e iniciaron un cacareo de voces destempladas. Los reclutas bajaron remolonamente de los vehículos al barrizal, cargando con sus maletas, y todo se llenó de ruido y confusión.

—¡Fuera! ¿Estáis sordos? ¡Abajo todo el mundo; marchando, a las tiendas! —se desgañitaban los suboficiales—. ¡Doce por tienda! ¡Rápido, cabrones!

Todos los quintos pretendían meterse en las tiendas más cercanas, lo que provocó un tapón tremendo, con muchos cayendo al lodo y arrastrando a otros. La escena era dramática, con los enloquecidos reclutas pugnando en la semioscuridad, y los sargentos golpeando inmisericordes con manos, puños y a cintazos con el deseo de conseguir un orden imposible. Mateo se dirigió a dos comparsas con los que había intimado en el largo recorrido de cuatro días desde Madrid, primero en tren, luego en barco y finalmente en camión:

—Seguirme —dijo.

Agarró su maleta y se lanzó hacia abajo sorteando la muchedumbre y el caos. De cada tienda salía una luz débil proyectada por un farol de petróleo, suficiente para señalar el camino a seguir. Tropezaron y cayeron varias veces en el embarrado y desigual terreno mientras se dirigían al centro de una de las filas, dejando atrás el pandemónium. Hasta allí no había llegado nadie todavía, empeñados todos en ocupar las primeras tiendas. Entraron en una de ellas, chorreando agua y totalmente empapados el mono color garbanzo y las alpargatas que les dieron en Ceuta. Estaba vacía, con el suelo inculto por donde se filtraban regueros de agua. Los legionarios se habían limitado a montar las tiendas sin alisar la tierra. El espacio era inhóspito y frío. Estaban en febrero y el invierno se dejaba sentir a pesar de la mediación del Mediterráneo.

El tremendo guirigay les fue llegando a medida que los hombres bajaban para ocupar las tiendas vacías. Mateo dejó pasar a nueve reclutas y rechazó sin contemplaciones a los que intentaban superar ese número. Bajó la toldilla sobre la abertura y la fijó con las correas, aislando al grupo del resto del mundo. Miró a los compañeros uno por uno. Tenían pintas de bandidos, supuso que como él. Los demás le miraron y todos entendieron que Mateo se había proclamado jefe de la tienda, sin discusión. Se acomodó en el lugar elegido, sacó un cigarrillo y ofreció a sus dos amigos.

—Vaya noche nos espera —dijo uno.

—De puta madre.

—No lo entiendo. En los libros dicen que en África hace mucho sol.

—¿Tú lees libros?

—No, qué va. Me lo dijo alguien que lo leyó.

—¿Qué más decía sobre África?

—Que hay muchos negros. Y que son negros porque el sol les tuesta la piel. Antes eran blancos como nosotros.

—'So es una poyez. Conozco gente qu'está to'l puto día al sol y no son negros —intervino Mateo.

—Los albañiles. ¿Son negros los albañiles?

—Bah, los libros trolan. Yo no he visto ningún negro desde que llegamos ¿Y tú?

—¿Cómo va a haber negros con la que está cayendo?

—Ni negros, ni sol, ni pollas; sólo esta puta lluvia.

Tiritaban, calados hasta los huesos. Mateo abrió la maleta, sacó ropa seca y se la puso, siendo imitado por los demás. Los ruidos duraron toda la noche y pocos durmieron. Imposible hacerlo en el suelo embarrado y con agua entrando sin pausa por todas las rendijas.

La lluvia persistió sin variación durante los siguientes días, retardando el inicio de las actividades. Bajo la cortina de agua se construyeron canalillos, bordeando las tiendas, con lo que se evitó que siguiera entrando agua por el piso. Allanaron el suelo y echaron lonas sobre la tierra empapada, y mantas encima de ellas a modo de alfombras. Pudieron así dormir en un lecho medianamente seco. Se colocaron toldos en las zonas de cocinas y de reparto de comida, al aire libre, con lo que la distribución del rancho pudo hacerse evitando el aguacero. Ninguna otra actividad podía realizarse, por lo que los reclutas pasaban todo el día recluidos en sus tiendas, arrebujados en las pesadas y tiesas mantas, esquivando los goterones. Ese periodo de tanta humedad, y a pesar de que todos habían sido vacunados en Ceuta, produjo muchos casos de fiebres por afecciones pulmonares y de garganta que colapsaron la enfermería, motivo que llevó a tener que habilitar uno de los barracones de intendencia para albergar a tanto enfermo. Era como vivir en una pesadilla, habitando un mundo donde no existiera otra cosa que esa lluvia obsesionante e interminable que no dejaba ver lo que había más allá porque todo se difuminaba en un gris mortecino.

—Joder, la inundación esa de los curas debió de ser la hostia.

—¿Te refieres al Diluvio Universal?

—Sí. ¿No es lo mismo un diluvio que una inundación?

Y la lluvia siguió cayendo día tras día, sin cesar, robando de las mentes los deseos, salvo el de ver el final de ese fenómeno nunca vivido antes. Y al fin, al séptimo día de su llegada, como dice la Biblia que hizo Dios cuando creó el mundo, las aguas se retiraron y no volvieron. Un sol nuevo se enseñoreó del cielo, limpiándolo hasta donde abarcaba la mirada. El otrora odioso paisaje había sido cambiado mágicamente. El mar azul se perdía hasta la línea que lo unía con el cielo y, por el lado terrestre, los horizontes se habían alejado permitiendo apreciar que en todo lo que alcanzaba la vista no había otros asentamientos humanos salvo el Cuartel de la Legión. Las órdenes y gritos empezaron de inmediato. Formaron para el paso de listas y agrupación de reclutas según sus armas, con lo que muchos tuvieron que cambiar de tienda. Más tarde pasaron por almacén a retirar el uniforme de paseo, las chilabas, la gorra de visera, que ese año sustituía al rojo *tarbus*, y las pesadas botas de Segarra. Después, todos a enfermería a recibir las únicas pastillas de rigor contra todo, ya fuera afección pulmonar, dolor de muelas o rotura de menisco. Las ropas se secaron, los cuerpos recobraron su humedad normal y el aire se tornó respirable.

Hasta entonces habían dormido en el suelo. Era llegado el momento de montar las camas. Del almacén recogieron los tres tablones y las dos borriquetas por hombre. Después todos se dirigieron con sus colchonetas vacías, rayadas como los uniformes de los presidiarios, a donde se almacenaba la paja en pacas, lo que dio lugar a nuevas situaciones de enfrentamiento. La paja estaba húmeda y amazacotada; había que desmenuzarla con las manos, porfiando todos en llenar su saco de forma razonable. Mateo cargó pedazos enteros, sin entretenerse en deshacerlos. Cuando cerraba su abultada colchoneta, dos tipos fornidos se despegaron de los afanados reclutas y se colocaron frente a él.

—¡Tú, hijoputa! —dijo uno—. Eso no vale. Tienes que repartir. Así que suelta los pedazos que te sobran.

—Lo que te voy a soltar s'un peazo, pero de hostia. C'os den por el culo.

—Un chulo, ¿eh? —dijo el segundo, iniciando un ataque junto al otro. Siempre se arrepentirían de su desacertada elección. Mateo les golpeó sin contemplaciones, dejándolos tirados en el suelo retorciéndose de dolor.

—Joder, cómo golpeas. Eres un bestia —dijo uno de los compinches.

Sin decir nada, Mateo se cargó la pesada colchoneta a la espalda y se encaminó hacia la tienda seguido por sus secuaces. Un teniente le interceptó. Era de baja estatura, algo rechoncho, moreno de pelo y cetrino de piel.

—Tú, enterado, a qué compañía perteneces y cómo te llamas.

Mateo le dio los datos, que anotó.

—He visto cómo trataste a tus compañeros. Pareces un matón, pero aquí se dejan los cojones colgados a la entrada. Vuelve, saca toda la paja de la colchoneta y me la enseñas. No dejes ni el polvo.

Mateo lo hizo. El teniente no se había movido del sitio. Los miró a él y a la colchoneta vacía. No le gustó la mirada del recluta.

—Durmiendo sobre la simple tela aprenderás que el Ejército es solidaridad, piezas humanas que se aúnan para un bien común. El soldado es el depositario último de las virtudes de la milicia. No puede haber uno sobre otro, todos iguales, solidarios. Si empiezas con ese comportamiento de chulo nunca serás buen soldado. Y tendrás serios problemas. Si fueras soldado te metería en el calabozo. Pero eres recluta y por eso te libras. Así que, aunque tienes suerte de no estar en mi compañía, ándate con ojo porque vamos a estar juntos mucho tiempo.

Mateo se alejó. El bocazas se equivocaba si creía que iba a dormir sobre la tela. No sabía con quién echaba el pulso. Dormiría sobre un buen lecho de paja, esa misma noche. Había muchos pringados a quienes amedrentar. Y le importaba tres cojones ser un buen soldado. Iría a lo suyo, como cada quisque.

El trabajo inmediato por hacer era urbanizar todo el poblado, alisar el suelo y dejarlo sin barro. A diario esos miles de hombres bajaron varias veces a la playa, situada más allá de la carretera Ceuta-Tetuán, pero cercana; llenaban los macutos de arena y subían en fila india y resoplando la inventada vereda, para echarla sobre la tierra y compactarla al estilo chino, con los pies. Se subieron toneladas de arena y en menos de una semana el campo inicial había sido transformado. Desaparecieron los desniveles, la rala vegetación y las piedras. La inmensa explanada, las calles entre las tiendas, la zona destinada a comer y el acceso desde la carretera quedaron tan compactados y lisos como si hubieran sido hechos por procedimientos mecánicos. Las mantas se orearon y la enfermería se vació. Se plantaron palmeras entre las tiendas y se colocaron postes en cada calle y confluencia, con carteles indicadores del arma, la compañía y los servicios. Paralelamente se inició la construcción de las duchas y las letrinas, dos edificios de unos veinte metros de largo por dos de ancho y tres de alto, en desnivel, para que las aguas sucias descendieran por canales hasta pozos alejados. El diseño permitía que los hombres entraran por un extremo, cumplieran y salieran por el otro, ya duchados o evacuados. Y en poco tiempo el asentamiento se convirtió en un poblado limpio y funcional con todos los servicios para los más de seis mil hombres que lo habitaban, algo tan sorprendente como estéril porque, quizá, todo ello quedaría destruido y abandonado al final del periodo de instrucción.

Organizadas ya las compañías por armas se procedió a la separación por secciones. En el centro de cada hilera una tienda quedó de oficina de compañía y despacho de oficiales, y otra, al lado, para almacén. En la Décima Compañía eligieron como escribiente a un muchacho mallorquín, oficinista de profesión. Y de furriel adelantado, la elección designó a Mateo, que había caído muy bien al capitán y tenientes por su inusual figura y su natural disposición para el mando. Le habían prometido hacerle cabo después de la jura de bandera, cuando pasaran al cuartel. Y él procuraría hacerse respetar, evitando encuentros con el teniente que le había menospreciado.

Dos

Marzo 1957

El joven dejó los papeles, manuscritos y firmados por Roberto Fernández, y miró al otro, como había estado haciendo en ocasiones durante la silenciosa y absorbente lectura. Ahora, al terminar, la mirada fue más sostenida. Estaban en un cuarto de tamaño mediano: una habitación de estudiantes, con dos camas en litera y dos mesas de trabajo.

—Un asunto asombroso.

—Sí. Ya ves todos los que han muerto para mantener el secreto. Hasta quien escribió esa declaración.

—Son los documentos que buscaron en el estudio de papá.

—Sí. Ésa fue la razón de que lo asesinaran. Trataban de encontrarlos.

—¿Dónde los hallaste?

—En su caja del banco. En un sobre, lacrado.

—¿Por qué no hizo denuncia al recibirlos?

—No podía. Hubiera descubierto al informador, partícipe de los hechos delictivos, aunque no de los asesinatos.

—Pero cuando Roberto murió, pudo haberlo hecho.

—No estaba autorizado por Roberto. Y ya sabes cómo era de cumplidor. Lo que has leído es la descripción de la trama, nombres, fechas y demás datos de una organización que terminó siendo asesina. Te leeré la motivación del denunciante. —Abrió un sobre pequeño—. Dice: «Estimado

Fernando. Esta confesión no me libra de culpa pero hace que pueda seguir viviendo con cierta paz de espíritu. No debe salir a la luz porque mi familia quedaría deshonrada y perjudicaría gravemente a otras de menguada culpabilidad. Por eso no me he suicidado. Eres hombre íntegro y sé que no me defraudarás si te pido que me ayudes a que los asesinos reciban su merecido, yo incluido. Porque soy un asesino. Tengo planes de cómo hacerlo. Si, mientras, muero, es que me habrán matado. En ese caso estarías solo para administrar justicia a tu albedrío, pero siempre de la forma más secreta y descomprometida. ¿Podrás perdonarme por lo de Andrés?» —Miró al otro—. Como ves, el material es una bomba, que puede carbonizar a mucha gente si estalla.

—Espera un momento. Estoy entendiendo que Roberto estaba sugiriendo que ellos dos se convirtieran en jueces. ¿También en verdugos? ¿Una invitación para acabar en silencio con los asesinos?

—Entendiste lo mismo que yo.

—¿Crees que habrán mantenido contactos después de esta carta?

—Sí, sería lo lógico. Hasta qué punto, nunca lo sabremos.

—¿Debemos hacer lo que ellos se proponían?

—Muy buena pregunta, que vincula el deber con lo que realmente nos interesa.

—«Por desgracia, el deber no coincide siempre con el interés.»

—Sí en este caso. Nuestro deber e interés está en trincar a los asesinos, no para hacer justicia, como sugiere la carta, sino como venganza por nuestro ser más querido.

—Entonces, el ir a la policía…

—Para nada. No podríamos hacer nuestro trabajo.

—«Una vez que se cede al primer impulso, nadie puede contenerse.» ¿Estamos seguros? Hemos de tener prudencia con lo que hagamos.

—«La prudencia es la hija del fracaso.» Tendremos paciencia, y dominaremos el primer impulso. ¿Recuerdas nuestra promesa ante el cuerpo asesinado de papá?

—Sí, hermano.

—Llevaremos a buen fin lo que ellos pensaban hacer y no pudieron. Yo tengo que ir a Milicias ahora, y tú, el año que viene. Mientras, estableceremos un plan perfecto, sin precipitaciones. Haremos seguimiento de los asesinos. Y cuando acabemos la mili, caeremos sobre ellos. Les pillaremos descuidados. No nos convertiremos en criminales por eso. Es una misión. Y será nuestro secreto. Nadie deberá conocer nunca nuestra intervención.

Tres

Octubre 1957

Pili levantó la mirada de la carta recibida. Estaba en su pequeño cuarto adornado con fotografías de John Derek, Gary Cooper y Charlton Heston. Era un cuarto alegre y por la ventana veía jugar a los niños en el parque en las tardes sin frío. Tenía banderines de los pocos lugares en que había estado con las Hermandades del Trabajo, a que estaba afiliada, y un cartel a todo color, grande y ensoñador, de Caracas, acostada en la verde cordillera de El Ávila. A su lado, un cartel más pequeño y de pálidos colores mostraba la playa de El Sardinero.

Se miró en el espejo y encontró a la misma chica delgada y de rasgos delicados que la miraba a su vez, siempre en busca de respuestas que no tenía. Porque todas sus preguntas, su vida y su futuro conducían a una sola meta, tan distante como anhelada. Vivía una existencia sin sobresaltos y plena de tedio, aunque su sonrisa nunca se escondía salvo en la soledad de su refugio. Ya llevaba casi tres años en la empresa americana y la habían hecho secretaria del jefe de Personal. El ambiente era bueno y cada vez había más empleados. La firma estaba en expansión y se habían mudado a unas modernas oficinas de varias plantas en la calle de San Bernardo, esquina a Gran Vía. Tenía nuevos amigos y surgían otros paisajes emocionales. Pero ella seguía recogiéndose a las nueve de la noche, cada día, salvo cuando tenía novena dedicada a sus vírgenes preferidas, o catequesis. Los domingos, después de misa, a la que había de acudir con medias, velo y devocionario, a veces tenía misiones asignadas por los de Acción Católica, organización que captaba voluntarios para ayuda gratuita y desinteresada a desvalidos. Ahora atendía por las mañanas a una niña, en el hospital del Niño Jesús, que curaba de graves quemaduras en el aparato digestivo por ingestión de lejía. Limpiaba a la niña, le daba de comer, le leía cuentos y se llevaba su llanto y sus ojos al marcharse, porque la niña le había tomado mucho cariño.

Atrás iban quedando los tiempos en que las chicas se apuntaban a la Sección Femenina, la cara amable de Falange, para cumplir el Servicio Social, donde les enseñaban, además de la atención a enfermos y ancianos, labores de casa como costura, cocina, bordado y otras. Ella no tuvo que cumplir ese servicio obligatorio de seis meses por ser hija de viuda y porque esas artes y orientación cívica las aprendió de su madre y de su abuela. Su hermano se había echado novia y, para sorpresa de todos, había dejado el laboratorio. No le gustaba estar enclaustrado y se había metido a topógrafo.

—Geómetra, ¿eh? Es el nombre adecuado porque esto no es sólo arte; hay mucha matemática en esta profesión.

Ahora recorría España trabajando para el Ministerio de Obras Públicas, adonde había accedido mediante un contacto y derrochando desparpajo. Casi no paraba en casa. Cuando volvía de sus recorridos, se eclipsaba con la novia. Pero ella no desaparecía. Allí estaba, ayudando a su madre y a sus abuelos, viendo arrastrarse los días hasta llegar a los domingos en que salía con Conchita, única amiga disponible y constante, esquivada de novios por buscar el ideal; algo que las demás amigas, todas con acompañantes, no suscribían. «El ideal no existe. Te quedarás soltera.» Pero Conchita, como ella, esperaba. Mientras, iban al cine o, a veces, a los guateques, celebrados no en locales sino en casas particulares, donde bailaban, tomaban limonadas y se dejaban vencer por el modernismo del cigarrillo. Toñi se había casado y las demás anhelaban hacerlo. Les urgía, estaban llenas de temblores, deseando sucumbir al sexo prohibido, algo que a ella no le llamaba en demasía. Cuando Toñi la abrazó a la salida de la iglesia, ambas lloraron, cada una por un motivo distinto. Su amiga le dijo al oído: «Por fin, esta noche.» Porque la noche de bodas era sagrada, un vértigo al que casi todas llegaban vírgenes; noche sólo para las mujeres, que representaba la consumación de un acto tan esperado como temido, un rito en que estallaban los colores y las sombras para ellas. No se compartía con la pareja; las novias se entregaban a una posesión desconocida y a una aventura esperanzada como culminación de un sueño.

Ella, sin esa pasión que a otras desbordaba, también quería atrapar ese sueño. Volvió a leer la carta, nexo de unión con un juramento que ya duraba demasiado tiempo. Su recuerdo estaba en aquel niño que en el recreo y durante los juegos la miraba con aquellos ojos verdes tan profundos; aquel niño huérfano que venía a casa a leer y dibujar tebeos con su hermano y que la hacía palpitar hasta el ahogo, aprendiendo a tan temprana edad que el amor es gozo y tortura; aquel niño con el que tras torpes encuentros en solitario cruzó su sangre y juraron profesarse amor eterno.

Estaban en 1957 y había leído y oído de historias de amor jurado como la suya, que a veces se confundían con caprichos de esas edades balbuceantes. Pocos de esos amores niños cristalizaron en la juventud. Y menos con la lejanía del ser amado, la ausencia de roces y caricias, el silencio de las voces… Ahora miraba las fotos cambiantes de ese chico guapo y delgado que nada tenía que ver con el niño de sus recuerdos, aquel al que diera su primer beso tembloroso y al que abrazó sintiendo la vibración de sus carnes y un sentimiento de temor y dicha incontrolable. Luego llegó la desgracia del amado al perder a su hermano, la fascinación de su huida y la magia de su estancia en una tierra de canciones y aves multicolores. Todo ello impregnó de romanticismo una historia simple y bella y la nutrió de consistencia. Pero a veces notaba que iba quedando dolorosamente atrás, sobre todo cuando algunos amigos intentaban cortejarla o cuando veía a parejas besándose en la oscuridad de los cines. Entonces ella sentía flaquear sus convicciones, anhelante de caricias verdaderas y no de palabras escritas a miles de kilómetros en hojas lloradas. Y, luego, el temor al reencuentro sin fecha. ¿Cómo reaccionaría cuando las miradas se enfrentaran y las manos se buscaran?

Miró el cartel pequeño. Santander, el lugar que la había hechizado. Nunca antes había visto el mar y cuando pisó aquella fina playa había recordado a Jorge Sepúlveda y su *Mirando al mar*, la canción que se había instalado en su mente desde entonces. Como el cantante, aquel día soñó que estaba junto a Luis. Lo *sintió* a su lado tan profundamente que se volvió mirando alrededor, buscando ávidamente, antes de que la realidad quebrara esa ilusión. Porque su amado no estaba allí sino detrás de la línea azul del horizonte, lejos, oculto en un tiempo que crecía sin fin y que aumentaba la inmensa distancia.

«Te conservo en mi memoria tal y como te vi la última vez. Intento comprender que esa chiquilla de mis promesas de amor es la mujer que veo en las fotos que me envías. Eres tan bella que siento urgencias de verte, sentir tu respiración. Y siento el temor de que un día, incapaz de soportar la espera, cierres esta larga fidelidad a un recuerdo y te desvanezcas buscando un sustituto más real. Ese día habré muerto del todo.»

Tocó el rostro de la foto última. «Ven pronto, mi vida; dame razones para que te siga amando, mi amor amado. Si supieras cuánto te necesito…»

Volvió a mirar por la ventana. El tiempo se deshacía. Su abuela se había ido para siempre y ella acompañaba a su abuelo en sus paseos diarios, recogiendo sus últimas soledades. Su abuelo. El hombre frugal con el alma desasistida por la destrucción de sus ideales democráticos. Heridas. Notaba que la gente sangraba por algo, sus esperanzas acosadas de frías realidades. Se sintió llena de lágrimas y dejó que salieran en torrente y que aliviaran su angustia y su soledad.

Mateo llegó al puesto de vigilancia número ocho al frente del pelotón de relevo de la guardia. Eran las dos de la madrugada y un ligero viento traía las primeras temperaturas invernales. El cielo estaba despejado y el manto estrellado abrumaba por su magnitud e intensidad. Todavía no llevaban las chilabas pero pronto las necesitarían. El puesto estaba en la parte contraria a la medina. Desde el seis hasta el ocho, la muralla, de unos ocho metros de altura, daba al campo montañoso y pelado, casi deshabitado. Sólo unas escasas casuchas desperdigadas insistían en permanecer en esa tierra yerma. Estaban en el inmenso Cuartel de Regulares que dominaba la ciudad de Tetuán, capital del Protectorado, adonde su quinta había llegado a mediados de mayo desde el campamento de instrucción. Mateo siempre recordaría cómo hicieron el traslado. En camiones, con las cajas cerradas y ellos dentro sin poder ver nada, como reclusos; los faros, con luces de posición; de madrugada, en el mayor silencio, como un ejército invasor aprovechando que la población dormía. Un mes después vieron marchar a los de la quinta anterior, de día, abiertos los faldones traseros de los camiones para dar la sensación de que el Ejército abandonaba poco a poco el territorio. Pero todos sabían, incluidos los moros, que las fuerzas españolas estacionadas en el Protectorado seguían teniendo grandes efectivos.

En la semioscuridad de la noche no vieron al centinela ni oyeron su obligada petición de contraseña. El silbido del viento enmascaraba los ruidos menores.

—Guripa, dónde coño estás —llamó Mateo.

Miró dentro de la oscura y estrecha garita. Estaba vacía. Sólo el mosquetón apoyado en una pared. Dio un paso a un lado y oyó un ruido. De la oscuridad, bajo las almenas, surgió el centinela abrochándose la bragueta.

—Aquí, cabo —dijo, sacudiéndose y componiendo su atuendo. Mateo vio algo que se movía en la sombra. Apartó al centinela y aprestó su fusil.

—Salga quien coño sea —ordenó.

Las sombras expulsaron a una mora, bajita, tratando de

cubrirse el rostro con el velo. Mateo se lo quitó de un manotazo. Era una niña, unos doce años, que refugió su cara entre las manos. El soldado intentó recuperar su fusil pero
Mateo se lo impidió.

—Tú —dijo a uno de los del relevo—. Coge'l arma
d'este desertor, al que sorprendimos desarmao.

—Oye, cabo…

—Y tú —se dirigió a la chica, que se movía con temor y
gimoteaba—, ¿sabes qu'esto s'un cuartel y que no se puede
entrar sin permiso?

—Él pedir chapar, yo chapar con él dos veces pero él no
querer pagar.

—No le hagas caso. Estas putas…

El puñetazo de Mateo lo lanzó al suelo fulminado.

—Animarle —dijo. Dos de los soldados se afanaron sobre el caído. Cuando recobró la conciencia, lo levantaron.
Mateo lo miró—. Págale.

El soldado, medio desvanecido, sacó unos billetes y eligió uno de una peseta. Mateo atrapó el manojo, cogió uno
de veinticinco pesetas y se lo dio a la muchacha, devolviendo el resto al centinela.

—Pero, oye…

—Continuar la ronda. Llevaros a este imbécil pero no
l'entreguéis el fusil. Daremos el informe de lo c'a pasao. Yo
llevaré a ésta al lugar de donde vino. Me reuniré con vosotros antes de terminar el recorrío. Y tú —señaló al nuevo
centinela—. Que no te pase na' si haces lo mismo qu'este
gilipoyas.

—Coño, déjalo estar —dijo uno—. Es un compañero.
Lo van a moler.

—Abandono de puesto y de arma. 'So s'un delito. Se
joda.

—No seas cabrón; él…

Mateo le dio un tremendo bofetón. El soldado se fue al
suelo, liberando la gorra y el fusil, que cayeron lejos.

—Mecagüen tu madre. No consiento que me s'able así.
—Miró a los componentes de la patrulla con fiereza—. Jode-

ré tamién a quien n'aga lo que digo. N'ay tutía ni compañeros que valgan. ¿Está claro?

Hizo una seña a la chica y la siguió. Caminaron unos metros a lo largo de las almenas. Ella se detuvo en un punto, donde había una cuerda gruesa enrollada y tirada en el suelo. Miró al otro lado del muro, abajo. En la penumbra distinguió a dos mujeres, mirando hacia arriba. Una sería la madre, que, como otras, habría ofrecido su hija al centinela para paliar su miseria. Una escalera estaba apoyada hacia la mitad de la muralla. La niña habría lanzado desde allí la cuerda al centinela, quien la habría izado, para hacer lo inverso cuando terminara la faena. Mateo había oído que eso se venía haciendo con frecuencia. No le había prestado atención. No era asunto para un furriel exento de servicios. Pero quiso su fatalidad que el teniente Alemparte viniera destinado a la compañía durante ese mes a reemplazar al teniente Martín, ido de permiso. Y el muy cabrón, que desde el primer día de campamento le tenía filado, le puso en todos los servicios. ¿Dónde se había visto que un furriel hiciera guardias e imaginarias? Bueno. Quedaba poco para aguantar la situación pues el mes terminaba. Y ahora estaba allí, en esa aventura, que en el fondo le importaba un rábano. Cuando terminaran la ronda firmaría el parte de incidencias en el cuerpo de guardia y entregaría al guripa, que dormiría en el calabozo y al que más tarde meterían en el Hacho por dejación de servicio, el peor delito de un centinela. En cuanto a la chica…

—¿Tú querer chapar, teniente? —dijo la niña, subiéndose las ropas.

Mateo tomó la cuerda y la tiró afuera. Luego cogió a la niña y la arrojó abajo. La vio caer fulgurando, como una estrella fugaz, antes de estrellarse contra el suelo. Oyó el grito horrorizado de las mujeres mientras se acercaban al cuerpo, que no se movió. Las vio levantar los brazos y plañir desconsoladas. Luego agarró su fusil y siguió el recorrido del pelotón.

Cuatro

Enero 1958

Chus condujo el Ford ranchera por el aparcamiento abierto del aeropuerto internacional de Maiquetía hasta encontrar un lugar adecuado. Descendieron Fernando, Miguel, Daniel y Libertad Molero; Juan y Manuel Manzano, y él mismo. Daniel agarró una maleta y un bolso, que se colgó del hombro, mientras que Chus y Fernando tomaron la otra maleta y el resto de los bultos. Luego se miraron todos. Del mar llegaba un aire caliginoso y el cielo permanecía agazapado. Los siete entraron en la terminal. Chus y Daniel, el mismo conjunto vaquero Levi Strauss, los mismos rostros serios, el mismo pelo dorado, se adelantaron a los otros sorteando a la gente y se pararon ante uno de los mostradores. Pusieron las maletas en las cintas de facturación. Tras obtener los boletos de embarque para los vuelos de Viasa hasta Madrid y de Aserca a Mérida, retornaron al grupo.

—Quedan más de dos horas hasta la salida del vuelo de Madrid. ¿Tomamos un fresco? —sugirió Manuel.

La amplia y cerrada terraza del bar estaba poblada, como siempre. Tomaron asiento alrededor de una mesa, esforzándose por que el ambiente fuera distendido a pesar del fondo de tristeza y melancolía que, como un gas invisible, los envolvía. Habían desayunado juntos en el restaurante del Macuto Sheraton, donde la noche anterior pernoctaron Chus y

Daniel, tras el breve viaje a Valencia para despedirse de los familiares. Los dos viajeros no querían ver lágrimas en el aeropuerto. Tampoco deseaban agobios de otros amigos de la residencia de estudiantes de la Universidad de Caracas, donde residían. Sólo el grupo de los niños trasplantados de Madrid, que la fraternidad envolvió en un primer destino análogo. Nunca se habían separado por largos intervalos. Pero ahora, culminada la adolescencia y tras la resolución de los dos líderes del grupo, quizá había llegado el momento de la escisión natural de ese destino hasta ahora compartido. De ahí esa sensación de pérdida de algo bello; algo que ya nunca volvería. Fernando miró a los dos aventureros y quebró el apesadumbrado silencio.

—¿Recuerdan cuando llegamos? Un bojote de años.

—Él —dijo Manuel, señalando a su hermano— y yo, el doble. Éramos muy pequeños. No nos acordamos.

—Nosotros sí recordamos —habló Miguel—. ¿Cómo olvidarlo?

«Hacía el mismo calor, pero mucho sol», escribió Chus.

—Era diferente: el puerto, aquella gente… El aeropuerto es otra cosa. Todo ahora es distinto; nada que ver con aquello —dijo Libertad; alta, catira, atractiva.

«Hemos pasado buenos ratos. No ha sido un camino malo.»

—Oquei, y ahora botan la armonía tú y ése; uno a la selva y otro a esa lavativa de la guerra de África —criticó Fernando—. Locos de bola. Abandonan los estudios por aventuras. Dos ingenieros menos.

«No los abandonamos; los interrumpimos durante un tiempo.»

—Retrasan dos años sus estudios, pues. Y dejan el equipo de básquet en cuadro. El *trainer* como que está bravo del carajo. ¿Qué les habló? —dijo Manuel.

—Mira, mi yave, nadie es imprescindible —habló Daniel. Luego apuntó, mirando a Fernando—: Te tengo noticias. No hay guerra en Marruecos. ¿Ves qué desconocimiento tenemos de las cosas de España?

—Somos madrileños pero a ninguno se nos ocurre volver para hacer la mili allí, haya guerra o no.

Chus miró a Daniel, que movió la cabeza. Todos eran familia y amigos pero ellos dos simbolizaban la amistad pura. Juntos la mayor parte del tiempo libre, sin ataduras de novias, intercambiando sueños y superando retos.

—Hay que cumplir con nuestro país. Yo así lo entiendo —apuntó Daniel—. Además, no ir significa ser declarado prófugo.

—No. Somos venezolanos; no nos afectarán las reglas españolas —dijo Manuel.

—Somos medio venezolanos. La otra mitad es española. Si ustedes han decidido dejar de ser españoles, les prenderá la Recluta y los llevarán dos años a Tocuyito. Y ya saben: a los conscriptos los tunden a cuerizas.

—Sabes que eso no ocurrirá. Somos universitarios. La Recluta sólo agarra a alpargatudos.

—A veces se equivocan y arramblan con todos los que están en bares y discotecas.

—Vale, pero se demuestra y en paz.

—¿Cumplir, dices, mi yave? —señaló Fernando—. ¿Ir a África a pasar fatigas sin que nadie nos oblige a ello?

—Bueno, podría decir que nos obliga nuestro compromiso de españoles con la patria.

—¿Qué tú dices? Tronco de vaina. ¿Qué patria? ¿La de esos guerreros que viven chévere con esa lavativa a costa del sudor de la tropa?

—No hay que pensar en eso. El asunto es cumplir o no.

—Me jode esa determinación que tienen tú y éste para lo sinsentido.

—Míralo desde este lado —dijo Daniel—. Está la ventaja de poder ir a España cuando uno lo desee. Los que no hagan la mili, siendo españoles, no podrán ir mientras no prescriba el tiempo de vigencia de la obligatoriedad de cumplir con el servicio militar, ya tú sabes. Creo que hasta no tener los treinta y cinco años.

—¡Cónfiro! ¿Eso es una ventaja? Olvídate de esa vaina.

¿Para qué ir a España, qué hay allá? Los que han estado hablan del tremendo atraso. Malas carreteras, carros de mierda, nafta por las nubes, censura, prohibiciones, los estudiantes amordazados, la prensa vendida… Tremenda diferencia con Francia e Italia en todo. Y no digamos con Estados Unidos.

—Estoy de acuerdo con Fernando —habló Juanín—. Y bueno, si hay que ir a los treinta y cinco años pues esperaremos a tenerlos. ¿Quién quita? La vida es larga. Hay tiempo para todo.

«No hay tiempo.»

—Chus tiene razón. La vida vuela. Además, no se trata de visitas de inspección o de misiones de la ONU sobre derechos humanos. Algo menos trascendental. Es ver el país, sus monumentos, nuestros barrios, tú sabes. Por un bolo dan dieciocho pesetas. Serían visitas baratas e instructivas. Y, además, allí no hay delincuentes, dicen.

—¡De bola! Pero yo prefiero gozar de este país, de mi libertad. Y si no puedo volver en años, pues no vuelvo. Nada se me perdió allá.

—De acuerdo con él —señaló Juanín—. Aunque la locura de este zumbao —apuntó con la barbilla a Chus— no es más razonable. Ver el nacimiento del Orinoco y escalar el Auyantepuy, para ver cómo se precipita el Salto de Angel, debe de ser un gozo. Pero no estarse dos años por esas selvas, entre gente torva y tribus indias. ¿De qué vas a vivir? ¿Cómo te las apañarás, ah?

El interpelado se encogió de hombros.

«Ver al tigre y al tucán en libertad; investigar a cientos de especies aún desconocidas antes de que desaparezcan. Descubrir toda la Guayana, incluso la que nos quitaron los ingleses, la Esequiba…», escribió Chus.

—Dicen que esos piratas, al que agarran, lo hacen desear no volver.

—No lo creo —dijo Daniel—. Tampoco que agarren a nadie por esas espesuras sin fronteras. Ningún aventurero es un invasor. Ellos, los ingleses, caminaron así por el África Oriental en el siglo pasado.

«Hablar con los viejos indios porque "cuando un indígena anciano muere, desaparece una pequeña enciclopedia viviente". Subir a la Amazonia, bajar a El Dorado. Verlo todo, estar en el nacimiento del mundo…»

—¡Cónchales! Así dicho parece chévere. Pero dos años…

—¿Por qué si comulgan igualito, no hacen la misma locura juntos? Los dos a África y luego a la selva, ¿ah? —apuntó Libertad—. Así reventarían los dos años, pero juntos.

—Buena pregunta, pero les brindo otra —añadió Miguel—: ¿Qué tanta prisa por ir a África? Tu llamada a filas sería dentro de dos años.

—Les expliqué —respondió Daniel—. Quiero ver Marruecos. Dentro de dos años no será posible.

—Me contesten ésta —dijo Fernando—. ¿Por qué los dos parten al mismo tiempo, como si el culo les escociera a la vez?

Daniel miró a Chus y entre ellos se estableció un mensaje que los otros interpretaron como un sentimiento de emoción. Daniel desvió la mirada hacia las mujeres que se movían por la terraza. No había mujeres tan hermosas como las venezolanas. Por eso no tenía novia; las quería todas, las cambiaba con frecuencia. Amaba a este país. España quedaba muy lejos pero también tiraba de él como le ocurría a Chus. Había nacido allí. ¿Cómo sería ahora su Vallecas natal?

—Ya lo hemos hablado. Aceptemos las cosas como son. ¡Miren qué palo de hembra! —señaló, intentando el alivio común.

—Debiste decirle a Catia que te ibas hoy —dijo Libertad, mirando a Chus—. Ya la conoces. Me quitará la palabra cuando se entere.

El muchacho acaparó todas las miradas. Escribió:

«Catia no es nada mío.»

—Un tipo loco, es lo que eres —señaló Miguel—. Tronco de hembra que desperdicias.

—¡Eh! —exclamó Libertad—. No sólo somos objetos, tú sabes, ¿ah?

—En este mismo lugar, cuando llegue el momento, volveremos a encontrarnos —dijo Daniel, volviéndose a Chus—. ¿Oquei, mi yave?

«Estaremos juntos en las Navidades del 59.»

—Deben librarse de la chiva, pues —dijo Fernando, dejando una pausa de zozobra.

—Cuando ustedes regresen acá, como que encontrarán a alguno casado. Se perderán la boda.

—¡Qué esperanza!

Miraron a través de la enorme cristalera que protegía el refrigerado recinto del agobiante calor exterior. Afuera, las aeronaves salían y entraban, miles de vidas prisioneras de sus destinos. Las palabras fueron secándose poco a poco, acuciadas por el tiempo que se acortaba. Se miraron unos a otros en silencio y luego enlazaron sus manos sobre la mesa y formaron un círculo por el que se transmitieron las emociones que pugnaban por salir.

—¡Eh! ¿A qué tanta pena? ¿Qué carajo les ocurre, ah? —dijo Daniel—. Hurgué en los recuerdos. ¿Saben qué me viene a la memoria así agarrados?

Todos le miraron. Daniel esbozó una sonrisa, el blancor de sus dientes destacando.

Al corro de la patata,
comeremos ensalada...

Los demás rieron y le acompañaron en los sones que les unían a un pasado apenas disuelto. Y siguieron cantando, renovando su fe en ellos mismos, hasta que los altavoces anunciaron el fin de la espera.

Cinco

Febrero 1958

Catia Pertierra, Miss Universidad Central de Venezuela, diecinueve años, llegó al cruce tras escalar con su Ford Mustang rentado los sesenta y seis kilómetros de angosta carretera de alta montaña que había desde Mérida, capital de los Andes venezolanos. Dos mil metros de empinada y zigzagueante subida. Estaba en Apartaderos, un pueblito colonial de casas asfixiadas a tres mil quinientos metros de altitud, el punto vial más alto del país y unión entre la carretera trasandina y la de Barinas. Buscó la bomba para repostar viendo que la noche se abalanzaba y sintiendo el intenso frío, desconocido para ella. Nunca antes había estado en la cordillera. Se arrebujó en su chaquetón y quedó sobrecogida al ver a unos niños corretear, brazos y piernas al aire asomando por tenues camisas sin mangas y cortos pantalones. No podía creerlo. Tenían las caras rojas y reían en el juego. Volvió maravillada al carro. Como que no era posible. Esa gente del altiplano... Inició la bajada a Barinas. El río Chama había viajado a su derecha desde que salió de Mérida. Ahora colgaban las abrumadoras moles de la imponente Sierra de Santo Domingo mientras que el río del mismo nombre horadaba el cañón por su izquierda, allá abajo. Pasó sin detenerse por el pueblo de Santo Domingo. A unos sesenta kilómetros de los niños de hielo, en medio de amedrentadoras curvas, más allá de Mitisus, el ruido sonó delante de ella, amplificándose en el silencio. La sinuosa y estrecha carretera estaba despejada. Tocó los frenos con precaución e intentó ver más allá de las luces de los faros. El ruido se repitió, más cerca, rebotó en el pétreo muro de la derecha y lanzó el eco al abismo de la izquierda. Catia avanzó lentamente. Unos cien metros delante divisó luces quietas de faros jugando al escondite con las cerradas curvas. La vía se abrió y pudo acercarse a una zona despejada en la parte izquierda, como un gran balcón natural. Tres carros y dos camiones estaban detenidos, sus faros delanteros señalando algo. Detuvo el Mustang y abrió la ventanilla.

—¿Qué hubo, pues?

—Como que desprendimientos —dijo un hombre—. Se llevó un carro abajo. Lo vi.

Catia sopesó la situación. Llegaron más carros, que se detuvieron junto al suyo. Un rato más tarde una larga fila de automóviles bloqueaba la carretera. Apagó el motor y salió. La pista, labrada en roca y hecha durante la dictadura del general Gómez treinta años atrás, había descendido a dos mil metros en ese lugar. No hacía el frío que arriba y la gente se reunió para comentar.

—¿Qué les parece, qué es lo mejor de hacer?

—Barinitas está cerca —dijo uno—. Vendrán a despejar.

—Altamira está más cerca.

—Sí, pero abajo, en el río. Y no tendrán medios.

Catia conversó un rato con la gente y luego volvió a su carro. Esperaría. No tenía prisa y, aunque hubiera podido salir del taponamiento, no le seducía escalar los kilómetros de curvas dejados atrás. Oyó los murmullos de la gente. El tiempo se alargó. Se acomodó y cerró los ojos. ¿Qué hacía allí? ¿Qué sueño perseguía con esa escapada? Chus. Estaba subyugada por el hechizo que desprendía. ¿Tanto que no podía esperar su regreso, en vez de enmarañarse en imprevisibles y seguramente peligrosas aventuras? ¿O era simple despecho porque el muy ingrato la ignoraba y había partido sin despedirse? Y en cuanto a él, ¿en qué clave podía entenderse su ausencia? Lo de Daniel a África era absurdo pero tenía cierto sentido. Pero Chus, ¿huía de ella y de su acoso? ¿Era un mensaje de despedida y de conclusión de algo no comenzado? Demasiadas preguntas. Sería lo que tuviera que ser. En cualquier caso todo era un reto para su bullente sangre asturiana, herencia de su abuelo español. «A lo hecho pecho», como él decía. Además era hija de militar y su formación desde niña fue medio castrense, como la de sus hermanos, lo que le había permitido solventar situaciones comprometidas. Los que la conocían sabían que dentro de su admirada figura latía un carácter intrépido. Se presentaría ante la mirada sufriente de Chus, por sorpresa, para que él apreciara sus incalmables sentimientos. Y entonces ella sabría si era amor lo que sentía o el deseo de arrebatarle el secreto de su mudez.

Cuando le dijeron que Chus había tomado vuelo a Mérida el mismo día en que Daniel marchaba a España, ella supo que tenía que seguirlo. Hizo sus preparativos, pidió permiso a sus padres y a sus profesores y voló a esa ciudad. Buscó en la Universidad de Los Andes, la segunda del país, a un antiguo profesor, Anastasio Segura, que se quedó helado «como los páramos del entorno» al verla, según dijo después. A lo largo del encuentro reiteró lo incomprensible de que su antiguo alumno huyera de una mujer como ella.

—Estuvo aquí. Se hospedó en mi casa —dijo, tras profunda meditación—. ¿Sabe que le buscas? ¡Qué daría yo por que una muchacha como tú me persiguiera!

Estaban sentados en un rincón de la cafetería de la universidad, rodeados de voces y humo. Él era trigueño, mediano de cuerpo, aspecto fiable y estaría en la treintena.

—¿Dónde es que se ha ido?

—Subimos al pico Bolívar, el techo de Venezuela, cinco mil metros. Caminamos por Sierra Nevada. ¡Ah, ese muchacho admirable! Quiere conocer el país, intentar salvar a los animales salvajes y proteger las selvas, ¿no les dijo? Fracasará. Es un adelantado a su tiempo. Ahora caminará hacia Los

Llanos y a la Amazonia. Concluirá en la misteriosa Guayana y desde allí iniciará el regreso, coincidiendo con la vuelta de África de Daniel.

—¿Como cuándo será eso? ¿Cómo se avisarán?

Anastasio se encogió de hombros.

—Él no escapa de ti. Es tonto que lo pienses. Lleva un propósito claro. Algo le mueve y algún día lo sabremos. De nada sirve que le acoses. ¿Por qué no vuelves a casa?

—¿Cree que abandonaré? Rentaré un carro y me llegaré a Barinas. Seguiré su rastro.

Se miraron a los ojos y ella creyó ver un mensaje.

—No encontrarás al hombre que buscas en esos bosques inmensos.

—¿Por qué no?

—Bueno… —Anastasio hizo un gesto ambiguo—. Va muy por delante de ti. Te lleva mucha ventaja.

—Lo encontraré. Seguro.

Él la miró largamente. Por un momento le vio titubear, como si quisiera añadir algo. Pero no dijo nada y repitió el movimiento de los hombros.

Cedió al cansancio y se durmió. Despertó horas más tarde. *Algo* la había perturbado. Salió del carro en la profunda noche. Todos los autos tenían las luces apagadas y la mayoría de la gente dormía. Unos pocos hacían corrillo mirando las luces del fondo, donde se trabajaba para despejar el camino. Había demasiada luz para ser tan de noche. Su mirada fue atrapada por los montes cercanos. *Eso era*. Estaban iluminados por luces titilantes, que competían con las que colgaban del cielo. Era increíble. Millones de luciérnagas que cumplían con su ciclo vital, apagándose y encendiéndose como luces en Navidad. Nunca había contemplado nada igual. Había oído que cuando las luciérnagas apagaban su luz era porque morían. Si era cierto, ahora, ante sus ojos, millones estaban muriendo y naciendo a la vez. Como las personas en ese momento, a lo largo del mundo. Sólo que los humanos tenían un ciclo vital más largo, pero ambos eran breves en la inmutabilidad del Universo. Pensó que quizá Dios, si existía, miraría a los humanos como ella miraba a esas fugaces criaturas. Se emocionó hasta el llanto. No recordaba haber llorado desde que era niña. Se sorprendió de saber que tenía tantas lágrimas dentro. Cuando el flujo acabó, quedó vacía de algo, no sabía qué. Comprendió la ignorancia que tenía de su país y el poco tiempo de que disponía para descubrirlo. Quizá no era locura lo que provocaba las andanzas de Chus. Ese muchacho tenía dentro luces que, como las de las luciérnagas, sólo se veían cuando las condiciones eran propicias.

Tiempo después, cuando las estrellas y los insectos se habían apagado, los vehículos reanudaron la marcha. Catia circuló sosegadamente, dejando que le adelantara quien quisiera, aún emocionada por las sensaciones de la pasada noche. Al llegar a Barinitas paró en una fuente de soda. El local estaba lleno de humareda y gente comentando la avalancha. Decían que fueron dos los carros arrastrados por las piedras. Pidió unas arepas y café. Luego sacó un cuaderno y expresó en él sus impresiones. *Ella podría estar ahora en el fondo del barranco*. Más tarde, con el sol mirando de lado, puso en marcha el Mustang. Salvando las últimas curvas de Barinitas, y mucho antes de Quebrada Seca, llegó a un tramo de carretera descendente con montes sin fiereza y curvas de amplio radio. Le llegó el calor del cercano llano y decidió levantar el techo plegable. El viento enmarañó sus largos cabellos rubios y la relajó. A lo lejos divisó un control. Un coche policial a un lado y dos hombres con uniformes verde oliva en el centro de la pista, detrás de una señal de PARE. Levantó el pie del pedal y el carro rodó por inercia. A unos veinte metros pisó el acelerador. El motor rugió. Los hombres se echaron a un lado mientras la señal era embestida y volaba por los aires. ¿Policías o salteadores disfrazados? ¿Policías buenos o malos? Nadie con sentido común paraba en esas soledades para comprobar. Miró por el retrovisor. Los hombres no hacían intención de seguirla. Ya los Andes se iban rezagando y empezaba el paisaje abierto, con el río Santo Domingo rumoreando por la izquierda. A unos ocho kilómetros atisbó otro control. El coche policial estaba en medio de la vía detrás de la señal. Al acercarse vio a dos uniformados apuntando sus armas hacia ella. Por un altavoz oyó:

—¡Pare el carro o baleamos!

Catia llegó al grupo y detuvo el auto a un lado de la carretera sin arcén. Uno de los hombres se acercó a ella cubierto por el arma.

—Salga con las manos en alto.

Catia obedeció y el hombre se quedó sin resuello al verla. Un simple vestido floreado magnificaba su espléndido cuerpo. Los hombres se miraron. En sus rostros oliváceos y conejiles se estableció una señal. Luego compusieron unas muecas que quisieron ser sonrisas.

—Como que tiene mucha urgencia y no vio el otro control, ¿ah?

Catia no contestó. Vio al otro hombre guardar la señal en el carro y luego camuflar ambos autos entre los árboles y la vegetación. Imaginaba lo que vendría a continuación, tantas veces repetido y denunciado por el inmenso e inseguro país. Para algunos, el uniforme no garantizaba el respeto a la Ley sino su abuso para quebrantarla. Esos hombres podían ser policías de esa clase o bandidos que actuaban con esos ropajes para atracar, cosas ambas muy frecuentes. No se contentarían con robarla. Iba a ser violada y seguramente matada después. Su cadáver y el carro serían echados al río. Su cuerpo descendería al Orinoco y, si no era devorado por los peces y caimanes, se disolvería en la inmensa tumba del mar Caribe. El de la pistola señaló hacia el río, escondido entre los árboles.

—Siga hacia allá, orita. Ya le diré.

Catia anduvo sobre la húmeda yerba. Cerca del río, oyó:

—Párese.

Se volvió. No se veía la carretera. Estaban solos. El hombre había guardado el arma y había desabrochado su bragueta. Su pene era negruzco y apuntaba hacia ella con decisión.

No cabía duda de que el hombre saboreaba con anticipación lo que imaginaba y necesitaba urgente alivio. Catia nunca había visto un rabo tan grande, y no eran pocos los probados.

—Orita se quita el vestido, catira, y nos enseña la cuca. Vamos a gozarlo bien los tres —dijo, mientras el otro observaba refocilándose. Catia sacó el 38 y les apuntó. Los hombres se quedaron helados de la sorpresa.

—Ahorita se quitan los cintos y los botan acá, ¡ya! —dijo, disparando. El proyectil dio cerca del pie del desbraguetado, cuyo atributo era ahora, repentinamente, un compungido cachivache buscando el suelo en vez de la retadora berenjena del principio. La detonación levantó una bandada de pájaros multicolores. Los hombres obedecieron con presteza—. Ahora ándense a un lado, allá, y se desnudan.

—¿Qué…, qué va a hacer, señorita? —dijo uno, espantado.

—Caminen hacia el río, coño de madres. Háganlo, pues, o los acabo. Así que ojo pelao.

Las aguas estaban a unos pocos metros, más abajo del borde, y debían de bajar frías desde la sierra. Los hombres, desnudos, se aproximaron.

—Salten.

Los vio chapuzarse y manotear en la corriente. Alcanzarían la orilla más abajo. Ojalá se ahogaran. Regresó a donde estaban los cintos y las ropas. Recogió las documentaciones y las armas y volvió con precaución hasta los carros. Se dirigió al auto policial y disparó a la radio y a tres ruedas con uno de los revólveres policiales. Entró en su Mustang y un momento después se alejaba, escuchando las arpas de Hugo Blanco. «Gracias, abuelo.» Más tarde paró a un lado del camino. Fue hasta el río y arrojó las armas de los hombres. Con los documentos su padre haría un poco de ruido en Caracas, ya fueran de bandidos o de policías transgresores. Dos horas después llegaba a Barinas, ahogada por el calor de esas tierras bajas cubiertas de bosques. En la plaza Bolívar, cerca de la Catedral del Pilar, encontró la tienda indicada por Anastasio.

—Sí, ese catire alto estuvo aquí. Cargó corotos para llevarse a la selva. Partió en bus hasta San Rafael de Canagua.

Catia almorzó con apetito y sin prisa. Dejaría el carro en Barinas y tomaría el bus hasta San Rafael, desde donde, por el turbulento río Canagua, llegaría al Apure, en la región más llana del país, con docenas de ríos y afluentes que buscaban incansables el inmenso Orinoco como niños en busca de la madre. Indagaría en los pueblos de las riberas y llegaría hasta San Fernando de Apure. Si no encontraba pistas volvería a casa desde allí por aire. Pero continuaría indagando la estela del aventurero admirado. Porque, contrariamente a cuando se echó a la búsqueda irreflexiva, ahora sabía que gracias a ese rastreo la vida le estaba mostrando sensaciones que jamás habría creído experimentar.

Cinco jóvenes se alineaban frente a una de las mesas en el amplio barracón de oficina de mando del centro de instrucción provisional instalado junto al Cuartel General de la Legión en Dar Riffien. Tres de ellos estaban esposados. Detrás, un cabo y un número de la Guardia Civil chorreando agua por los tricornios sobre sus capotes y con los fusiles bien sujetos. Al otro lado de la mesa, junto a un escribiente, un capitán de Regulares miraba unos papeles y pasaba la vista de ellos a los jóvenes alineados. Había otras tres mesas, con sus máquinas de escribir y los correspondientes escribientes haciéndose los desentendidos.

—Severiano Palomares Prieto, Manuel Irastorza Fernández y Javier Echevarría Riolí. Prófugos. ¿Sois vosotros? —dijo el capitán, señalando a los esposados, que asintieron.

—Quitadles las esposas —ordenó a los civiles.

—Después de que firme la entrega, mi capitán.

El oficial garabateó sobre el papel y lo selló. El cabo recogió el impreso e hizo una seña a su compañero, que liberó las manos de los prófugos. Luego saludaron marcialmente y se retiraron tras proteger sus mosquetones con los capotes. El capitán miró un rato a los muchachos antes de dirigirse a un legionario que permanecía de pie junto a la puerta.

—Que los lleven al calabozo. Ya decidiremos sobre ellos.

El soldado abrió la puerta y gritó. Dos legionarios armados entraron y se llevaron a los reclutas. El oficial miró a los otros mozos y dejó que una pausa jugara con sus nervios.

—Juan Couce Toro, ¿quién es de vosotros? —inquirió, con la cartilla militar en la mano.

—Yo —se ofreció un muchacho de pelo castaño, bien parecido, gesto risueño y aspecto atlético, de más de metro ochenta.

—Di «yo, señor».

—Yo, señor.

—Madrileño. Te retrasaste dos meses.

—Estaba en el hospital. Fiebres tifoideas.

—Ya veo. Supongo que estás curado porque aquí no se viene a descansar.

—Sí, señor, estoy bien.

—Estás asignado a la Décima Compañía del Tabor de Regulares de Tetuán número uno.

Miró hacia un punto de la sala donde un hombre rubio de unos treinta años, mentón fiero, nariz rezagada y párpados gandules permanecía sentado en el borde de una mesa, fumando y observando la escena. Llevaba el uniforme color garbanzo de Regulares, la ancha faja roja debajo del cinto con la pistola reglamentaria. Las estrellas de teniente y el escudo del cuerpo, media luna y dos fusiles cruzados, destacaban en el lado izquierdo de su pecho. Las botas de media caña devolvían el reflejo de las velas. El capitán se volvió al otro muchacho, más alto que su compañero, cabello que se adivinaba rubio, porque iba rapado al cero, facciones correctas pero serias.

—Tú eres Daniel Molero Pérez.

—Sí, señor.

—Aquí dice que eres de Madrid, de Vallecas, pero tienes un acento raro.

—He estado viajando por ahí. Siempre se pega algo de otras lenguas, señor.

—Voluntario. Tu quinta es la del 60, dentro de dos años. ¿Por qué vienes aquí de voluntario?

—Un tío mío sirvió en el Tabor de Tetuán número uno, en la Décima Compañía, precisamente.

—Ni más ni menos —dijo el capitán, mirando al teniente—. ¿Y?

—Me habló de sus experiencias y del hechizo de esta tierra. Siempre quise experimentarlo por mí mismo.

—Puede que te arrepientas. ¿Qué te pasa en la cabeza? ¿Por qué ese rapado?

—Como me lo cortarían aquí, preferí traerlo hecho, señor.

—Aquí no se pela a nadie desde hace años, salvo a los que así lo merecen como castigo. Eso son prácticas del pasado. Estamos en 1958 y en un Ejército moderno.

—Me informaron mal, señor.

—Asignado a la Quince Compañía del Tabor de Tetuán.

—Perdón, señor. Si pudiera ser, desearía ir a la Décima Compañía. Mi tío…

—Ya lo has dicho. —Miró de nuevo al teniente, que asintió—. Bien, a la décima.

El teniente se levantó. Era un gigante rubio con ojos que se divisaban azules por el poco espacio que dejaban los párpados. Su aspecto impresionaba. Se puso la gorra montañera de copa roja y se enfundó la chilaba verde oscura. Caminó con negligencia hacia los reclutas, sin mirarlos.

—Si no dispone lo contrario, mi capitán, me los llevo.

Salieron a la lluvia. El oficial se echó la capucha sobre la visera y caminó por el encharcado suelo a largas zancadas salpicadas. Los reclutas mantuvieron el paso cargados con sus maletas. Llegaron a una de las hileras y entraron en una tienda, donde un suboficial y un recluta se levantaron al verlos. Había una mesa y cajones de madera que servían de archivadores, así como una cama al fondo y diversos pertrechos.

—El sargento Moríñigo es uno de vuestros mandos directos y os dirá lo que tenéis que hacer a partir de ahora. —Se volvió a Juan—. Tú, qué haces en la vida civil.

—Soy analista de métodos.

—Eso qué coño es.

—Mido los tiempos de fabricación de las piezas y la calidad de las mismas para que todas se ajusten a las especificaciones.

—¿La empresa española ha llegado a esa perfección?

—Trabajo en Isodel Sprecher, una empresa alemana con dirección mixta. Fabricamos componentes eléctricos.

—Te quedas cuidando las cosas de la compañía. Dormirás con el escribiente en la otra tienda. —Miró a Daniel—. Y tú, ¿qué hacías?

—Estudio Periodismo. Quiero vivir la mili desde dentro, desde el punto de vista del soldado.

—Eso no explica lo de voluntario.

—Oí que ésta podía ser la última quinta que viene al Protectorado. Si hubiera esperado, quizá no habría llegado al tiempo de Marruecos.

—¿Qué quieres decir exactamente?

—Deseo captar los momentos últimos de España en el Magreb, tras tantos años y tanto esfuerzo.

—¿Vas a escribir un libro sobre ello?

—Quién sabe; quizá más adelante. Ahora sólo quiero recoger las impresiones.

—Sabrás que aquí estuvieron periodistas y escritores como Pedro Antonio de Alarcón, Ramón Sender y Arturo Barea, que escribieron realidades crudas. Pero hay otro tipo de literatura, más universal y heroica: la que glosa los avatares de los Ejércitos coloniales, como la de Kipling o la de P. C. Wren. ¿Por dónde se inclinarán tus apuntes?

—Depende de si es ensayo o novela.

—Es lo mismo. Ten por cierto que en el fondo de todo este esfuerzo hay romanticismo y grandeza. Porque los Ejércitos coloniales son el verdadero Ejército, la milicia real. Y en ningún otro lugar se encuentran, juntas, las verdades auténticas: honor, compañerismo, abnegación, espíritu de superación. Incluso amor. Sólo cerca de la muerte se viven las puras sensaciones. —Miró a ambos reclutas, de uno al otro, mientras éstos, instintivamente, se ponían firmes—. No lo olvidéis nunca.

El silencio fue tan intenso que el ruido de la lluvia rugió como si estuviera tronando.

—Tú —se dirigió a Daniel—, pasarás a una de las tiendas, a la que designe el sargento. Serías escribiente si no lo tuviéramos ya. —Señaló al recluta, grueso y con gafas, que permanecía firme como un palo—. En cuanto a lo que decías de que éste podría ser el último reemplazo que venga al Protectorado, eso está por ver. Se decía lo mismo del anterior. Permaneceremos aquí hasta que lo decida Franco. Los franceses se han rajado y se han largado. Nosotros tenemos más huevos que ellos. Lo importante es ser un buen soldado. En esta tierra no nos quieren pero tenemos que cumplir. Y hasta puede que tengamos que luchar contra las FAR. Eso sería bueno para tus experiencias y tu carrera de periodista, ¿no es así?

Daniel dudó un momento, pero ya el teniente había salido hacia la lluvia con determinación, como si fuera un enemigo contra el que luchar.

El sargento apagó la untuosa sonrisa y su bigotito recobró la horizontalidad. Era de boca absorbida, mezquino de estatura y carnes, y ningún atisbo de marcialidad existía en su cuerpo. Entrecerró los ojos y, de improviso, dio a Daniel un tremendo bofetón, repitiendo el acto velozmente con Juan. Los mozos trastabillaron y se llevaron las manos a la cara, más sorprendidos que doloridos.

—¡Y ahora, cabrones, saludadme! Soy vuestro sargento y no me habéis hecho ni puto caso, sólo al teniente. ¡Firmes!

Los reclutas se estiraron.

—¡Os puedo moler a palos, enterados de mierda! ¡No me toquéis los huevos! —Los ojos se le movían como si quisieran emanciparse del rostro vinagrero—. Me importa una mierda el porqué llegáis tarde al campamento. Vais a pringar de lo lindo para recuperar el mes que os lleva la quinta. Y no creáis que el teniente os ha tomado deferencia por vuestras posiciones en la vida civil. Ya se habrá olvidado de vosotros, pero yo no. Aquí no sois nadie, menos que la cagada de una vaca. Así que mucho ojo conmigo a partir de ahora, que os meto el cuerno. Tú. —Se volvió al escribiente—. Lleva a estos dos cabrones a sus tiendas. Éste —señaló a Juan—, a la de almacén, contigo, y éste a la veintidós. Y ponles al tanto. ¡Marchando, me cago en…!

Los tres reclutas salieron de estampida y pasaron a la tienda aneja. En ella se amontonaban ordenadamente arcones, fusiles encadenados, mantas, faroles, bidones pequeños y multitud de cosas, con la piltra del escribiente al fondo, luciendo impecable, en estado de revista.

—Me llamo Iraola —dijo el escribiente—. Ya veis cómo funciona aquí la cosa. Los oficiales son soportables, pero los sargentos… La madre que los parió. Bueno, apéate de tu maleta —indicó a Juan—. Dormirás aquí, junto a mí. Así nos tendremos para hablar por las noches. Si lo permite la lluvia os acompañaré al almacén general para que cojáis los catres. También el mono de trabajo y el uniforme. Aquí os daré mañana el correaje y los mosquetones.

—No parece que tengáis mucho trabajo —dijo Juan.

—Ninguno. Cuando hay lluvia no se hacen ni instrucción ni deportes. Los que pringaron duro fueron los de la quinta anterior, que tuvieron que transformar un erial enfangado en este poblado, transportando toneladas de arena. —Miró a Daniel—. Vamos. Luego vienes a por las mantas.

Echaron a correr hasta una de las tiendas, que estaba llena de reclutas. Once pares de ojos les miraron con aprensión.

—Vamos, dejad un hueco a vuestro nuevo compañero.

—Joder, más peste de pies. ¿No lo puedes llevar a tu tienda? Allí tienes sitio de sobra. Aquí estamos muy apretados.

—Venga, ¿o prefieres que se lo diga al sargento?

De mala gana le hicieron un sitio al lado de la puerta.

—Aquí pondrás tu cama. Claro que no es el mejor sitio, pero te jodes.

—No me importa —dijo Daniel. Miró fuera. Todo estaba solitario como si estuvieran en un poblado deshabitado, con el agua cayendo sin pausa sobre la compactada superficie de arena.

—¿Siempre llueve así?

—Sólo cuando llueve —aclaró Iraola, saliendo a todo correr.

—Eh, tú, *pipi*, ¿traes tabaco? —dijo una voz.

Seis

Septiembre 1958

El cafetín, espacioso y de mobiliario simple, estaba lleno de soldados de diversas armas, en mesas y ante el largo mostrador. El color garbanzo y la faja roja de los soldados de Regulares vencían sobre los colores de otros uniformes. Varios clientes de paisano ponían la nota civil necesaria para que el lugar no pareciera sólo recinto de soldadesca. No parecía posible que nadie se entendiera con el estrépito de las conversaciones a viva voz, las risas y el entrechocar de vasos. Juan Couce, uno de los cuatro cabos de la Décima Compañía del Tabor de Regulares número uno, con base en Tetuán, aseguró:

—Pues eso lo dices y algunos no se lo creen.

Estaban sentados junto a una de las ventanas y reían mientras le daban a la cerveza.

—¿Y lo de las putas? En donde está mi empresa, en la calle de Méndez Álvaro, ya desde niños veíamos el comercio vespertino y nocturno. Las mujeres estaban de espaldas a la pared con las piernas abiertas, la falda levantada y las tetas al aire. Los tíos estaban en fila, delante; llegaban, pagaban, metían la minga a la brava, sin paraguas, y, hala, fuera, el siguiente. Ellas se secaban con un trapo de forma mecánica. Podéis imaginar cómo estaba el trapo.

—¿Y eso se hacía a la vista de la gente?

—Poca gente pasaba por ahí, igual que ahora. —Se echó

un trago—. Casi todos son solares y talleres que cierran al anochecer. No había, ni hay, casi viviendas. Las aceras son muy anchas y en su mayor parte son de tierra. Había entonces montones de tierra y piedras esparcidas aquí y allá. Ellos se encargaban de apagar las farolas cercanas que, de todas formas, no eran muchas y todo estaba en penumbra. Si no sabéis cómo es la calle, id a verla; no se ha movido del sitio ni ha mejorado la iluminación.

—¿Quiénes eran ellos? —preguntó José Jiménez, perito químico titulado en la Escuela Técnica Industrial de la ronda de Valencia y apasionado por el culturismo, al que todas las noches dedicaba ejercicios agotadores para mantener su masa muscular.

—Los guardias.

—¿Te refieres a los grises? No jodas. ¿La policía armada, la autoridad?

—¿Qué te pasa, eres nuevo? Vaya un madriles, que no sabe esas cosas.

—Yo me he criado en Chamberí. Allí no hay nada de eso.

—Claro que lo hay pero no te enteras por el culto a la musculitis.

—Déjalo y sigue —terció Daniel Molero.

—Ellos ponían orden en la cola, impedían broncas y recibían su comisión. Buen dinero se embolsaban los cabrones con el trabajo ajeno.

—Ya; y a vosotros os dejaban mirar —ironizó José.

—Claro que no, pero lo veíamos escondidos entre los cascotes. Pobres mujeres. Las viejas, la mayoría desdentadas, se ponían aparte, sentadas en unas piedras, y a chuparla. Cobraban una peseta. Escupían la lefa a un lado, formando un charco que cubrían con tierra cuando se hacía muy grande.

Todos le miraron, imaginando la escena.

—¿Sabéis? Entonces no me paraba a pensar. Creía que la vida era así, la estaba descubriendo. Cuando crecí y lo recordaba, como ahora, me quedaba perplejo. Aquel espectáculo… Las mujeres, como si fueran de cartón, despatarradas. El líquido no limpiado chorreando por sus piernas.

Y sus rostros... Bueno; nunca podía vérseles en la sombra, como si no tuvieran. ¿Y los tíos? No lo entendí nunca. ¿Tan necesitados estaban para follar una cosa así, y de esa manera, con el otro pegado detrás y la policía mirando? ¿Cómo podía llegarles el gusto? No besaban a la mujer, sólo meter la picha y sobetear las tetas, que parecían ubres de cabras recién ordeñadas, colgando como los cojones de los viejos.

—Joder, cómo lo describes, casi como el periodista éste —dijo el fornido Paco Carapeto, señalando a Daniel.

—Es que no hay que tener una carrera para decir las cosas adecuadamente. —Observó a Daniel—. Y tú, vallecas, ¿no veías cosas así? Méndez Álvaro termina en el descampado que da a Vallecas, en el puente de los Tres Ojos. En las noches aquello está más negro que los cojones de Antonio Machín. Ni una puta luz.

—¿Qué puente es ése? —habló José.

—No circulan coches ni personas por él, sólo los trenes que van al sur y a Extremadura —aclaró Daniel—. Es enorme, de tres arcos, y por debajo no pasan ni carreteras ni calles ni el río. Está en un terreno descampado que, como el puente, pertenece a la Renfe. En esos andurriales van las parejas de novios a darle al morro, pero nunca hubo eso que dices. Es escabroso y poco accesible. Algo de lo que cuentas ocurrió por Entrevías, al final, yendo a Vallecas pueblo, antes de que llegaran las chabolas del Pozo del Tío Raimundo.

—Vaya niñez de mierda que habéis pasado —señaló José, riendo.

—Claro, en Chamberí nadie folla, porque los alobaos como tú sólo hacéis gimnasia y no sabéis lo que es un chichi —dijo Juan, intentando una carcajada, que sólo tuvo eco en Paco—. Seguro que no has estado aún con ninguna chorba.

—Te equivocas, descerebrado. Eres como el sargento Navarro. Tengo novia formal, lo que tú nunca tendrás. ¿Qué chica decente va a querer a un pingo semejante?

—Te diré, para tu corto conocimiento, que tengo no una sino dos. Mi «músculo» las vuelve locas, y no esos tuyos; ¿para qué te sirven? Ya ves el teniente Fernández.

—¿Quién es ése? —inquirió Paco, que había llegado de Ceuta recientemente y estaba destinado a enfermería.

—Claro, tú no has estado en el campamento. Era un Hércules; como éste —señaló a José—, pero más grande y de verdad. Gimnasia por aquí, deporte por allá. Buscando siempre los límites del riesgo, y en vista de que no hay guerra con los moros…

—O para estar más preparado —interrumpió José—. Era un militar de carrera.

—Lo que sea. El caso es que se alistó en el recién creado Cuerpo de Paracaidistas. En uno de los saltos, no se le abrió el invento. Kaputt.

—Creo que un poco de respeto no vendría mal —apuntó Daniel mirando a Juan con seriedad—. No nos recibió tan mal cuando llegamos al campamento y siempre nos trató correctamente.

Un soplo de silencio llevó hasta ellos la deferencia hacia el ausente. Juan bajó los ojos. En el cafetín, lleno de humo, entraban y salían soldados y civiles por las dos puertas, aunque poco a poco iba vaciándose. El local estaba situado detrás de la iglesia de los Cristianos, en una zona de cafetines del sector europeo de Tetuán. Un poco más allá la ciudad se desplomaba hacia la verde y florida vega en un abrupto acantilado protegido por un pretil descendente. De día, la vista era hermosa y amplia, como a vuelo de pájaro, con el horizonte custodiado por el macizo del Gorges. Allá, las blancas casuchas subían por las laderas semejando gusanos de seda. Cuando llegaba la noche el paisaje se desvanecía y sólo quedaban titilantes lucecitas en la lejanía, como luciérnagas deambulantes, y, acá, los cafetines intentaban romper la acechante oscuridad de la zona.

—¿Cómo fue tu campamento en Ceuta? —preguntó repentinamente Daniel a Paco.

—Bueno, más o menos como el vuestro de Dar Riffien.

—Sí que es raro que estando en Ceuta quisieras venir a Tetuán —dijo Juan.

—Coño, pues como éste. Preferí ver la ciudad de los moros. Puede que no tenga otra oportunidad.

—Entonces, ¿por qué no viniste directamente a Tetuán, si eres voluntario? —Todos le miraron.

—Un capitán tuvo la culpa. Llegamos cuatro voluntarios. Los otros tres venían a Ceuta. El capitán impuso que el adiestramiento de los cuatro fuera allí.

—Y después, ¿cómo convenciste a quien convencieras para venir, ya con el destino asignado?

—Fácil. En este cuartel sólo había un practicante: Cuevas. Insuficiente, para tanto soldado. Logré venir. Ahora somos dos. Por cierto que Cuevas, que parece que no le gusta tener compañía, me mira como un bicho raro por mi interés en la morería genuina. ¿A que vosotros no miráis a éste —señaló a Daniel— como si estuviera loco, a pesar de estar aquí por las mismas razones?

—Hay una diferencia. Él es periodista y tú, practicante. ¿Qué te priva de esta gente?

—Soy curioso y quiero aprender cosas. Estoy yendo a los mercados de la medina, a las tiendas de perfumes y alfombras, a las teterías…

—¿Qué has aprendido?

—Que es imposible con ellos. Son taimados y desconfiados. ¿Y la murga de los almuédanos llamando a rezar las cinco veces al día, paralizando toda actividad?

—Y no se te ocurra pararte a mirar a una mujer. Al momento, ya hay docenas de ojos machos iracundos con ganas de matar —corroboró Juan.

—Es cierto. Y eso que la mayoría llevan caftanes y sólo enseñan la cara.

—Ni eso. Llevan el *kcham*, cuando no se escudan del todo en el jaique, esa prenda blanca que les cubre enteramente el cuerpo, como a los fantasmas.

—Estamos de paso. Cuanto antes lo entendamos, mejor. Dejémosles con sus tradiciones y su cultura —dijo Daniel.

—Carecen de cultura.

—No digas eso. ¿Y *Las mil y una noches*? No tenemos nada igual en Occidente.

—Esos cuentos no son de aquí, sino de Oriente Medio;

del califato de Bagdad, pueblos cultivados desde siglos —refutó José—. Éstos, los bereberes, el Magreb, tienen raíces tribales, casi bárbaras. Poca literatura propia.

—Su cultura oral es bella. Oí una historia que es comparable a las nuestras de la picaresca del Siglo de Oro. Lo recordé antes cuando a Paco se le cayó el vaso de cerveza.

Todos miraron a Daniel.

—El bajá condenó a muerte a un ladrón. Éste le pidió un vaso de agua y le rogó que no lo mataran hasta que no hubiera bebido esa agua. El bajá aceptó. El reo soltó el vaso al instante y el agua se derramó. El bajá ordenó su muerte inmediata. El ladrón le recordó su promesa: antes tenía que beber esa agua, cosa imposible pues había sido absorbida por la tierra. El bajá lo dejó en libertad. —Apreció la sensación causada. Apostilló—: Es la sabiduría de un pueblo, aunque no nos guste.

—No me interesan esos cuentos —aseguró Juan—. Que se los queden. Nunca estableceremos verdaderas corrientes de amistad. Tan diferentes somos; como dos mundos distintos. Observad. No hay ningún moro en la taberna, salvo el dueño y los hijos. No se mezclan con nosotros.

—Ni nos quieren ni los queremos. ¿Para qué coño estamos aquí? ¿Alguien puede explicármelo? —dijo Paco.

—Hacemos la mili. Todos tenemos que hacerla por cojones.

—Todos no. Hay muchos que se libran por diversas causas. Si todos la hicieran sería lo más igualitario del mundo. Ricos y pobres cumpliendo el mismo deber.

—Eso sólo ocurre en Israel, según dicen.

—La mili es una puta mierda. Además de que no sirve para nada, te sacan de tu trabajo, te envían a tomar por culo y tu familia queda desamparada en lo económico. El Ejército, que es el raptor, debería pagar a los familiares, durante el tiempo de servicio, el sueldo que estabas ganando. Hay familias que únicamente viven de lo que gana el movilizado. Al ser secuestrado a filas la familia queda en la pura miseria. Y eso lo conoce el Ejército. Eso es la mili. Una injusticia.

—Peor que eso. Porque además interrumpe tus estudios o la promoción en tu trabajo. Cuando vuelves, has perdido tiempo y oportunidades.

—No me refería a la mili en sí. Nos jode, pero las protestas al maestro armero. Quería decir qué hacemos en este país —insistió Paco.

—Protegiendo el Protectorado.

—¿Cómo se come eso? ¿Qué es realmente el Protectorado?

—En teoría es la intervención de una potencia para que en un país inestable cese la violencia interna, los ataques a los extranjeros y se protejan sus bienes, a la vez que se consiga la gobernabilidad, el orden y el desarrollo —explicó Daniel—. En la práctica, una farsa colonialista que, además de privilegiar el estamento militar, hace que el país «protegido» dependa del protector en toda la rama de producción y servicios y le ceda los beneficios, que van a la metrópoli.

—Joder, sabes más que Lepe —dijo Paco, con zumba.

—Pues aquí fracasó la fórmula —terció José—. España, como protectora, sólo recogió hostias y gastos. Y el país, a pesar de tanta sangre, sigue ingobernable. Que se queden con su tierra y con su forma de vida. Menos mal que nos vamos.

—Sí —dijo Juan. Luego analizó a Paco—. Cambiando de tema: todavía no entiendo cómo puedes ser practicante con esas manazas. —Todos miraron los gruesos dedos de Paco, que se esforzó en ocultarlos.

—Sirven también para dar hostias —señaló.

—Vale —dijo Juan—; estamos con la flor y nata de los matones. Pasen y vean, señores.

—Es que siempre estás con eso, cabrón.

—A propósito de matones —señaló José—. Mirad quién entra.

Mateo caminó hacia el mostrador y pidió una cerveza. Luego miró alrededor, deteniendo su inspección ocular al llegar a la mesa de los cuatro cabos. Daniel levantó su vaso, saludándole, y él le devolvió el saludo.

—No jodas —dijo Juan—. No le hagas venir. Ese tipo estremece. Se cree un sargento y pega a los soldados. ¿Visteis los ojos de loco que tiene? Mete miedo. Por algo está siempre solo.

—Es un veterano. Toda su quinta se ha marchado. Sus amigos, también. No es fácil hacer nuevos colegas.

—Llevamos aquí cuatro meses desde que dejamos el campamento; tiempo suficiente para haberlos hecho. Lo que ocurre es que es un verdadero cabrón.

—¿Por qué no se licenció con su quinta?

—Parece que un hermano suyo se ha enganchado en el Tercio. Quiere estar cerca de él. Por eso ha pedido que le dejen estar un año más aquí, en Regulares. Eso dicen.

—El cabrón ni te mira. ¿Cómo podéis convivir en la oficina? —habló José, mirando a Daniel.

—Cada uno está a lo suyo. Él es el furriel y yo, el escribiente. Tenemos trabajos diferentes.

—Pero no hacéis ningún servicio. Y con la cercanía nace el trato; y con el trato, la amistad.

—Eso no es posible con Morante.

Por encima del ruido oyeron el vozarrón de Mateo preguntar al cantinero:

—¿Qué te debo, tú, pringao?

—Cinco pisetas.

—No. T'equivocas. No te debo na'.

Las voces fueron apagándose como si hubiera entrado una orden secreta. Todos los ojos miraron al gigantesco Mateo, que tenía sus manazas sobre el mostrador. Solo, imponente en su provocación, mirando al dueño y a sus tres ceñudos hijos. Tras un silencio expectante, Mateo dijo:

—No te debo na' porque te voy a pagar. —Sacó el dinero, lo dejó en el tablero de un manotazo y se marchó sin despedirse. El ruido regresó poco a poco al local.

—Joder con el tío —dijo Juan—. ¿Habéis visto?

—Creo que está algo cargado —expresó Daniel—. Puede que lo de su hermano le esté fastidiando.

—¿Ése? —José negó con la cabeza—. No creo que nada le quite el sueño.

—Ya ves qué caso te ha hecho el cabrón —señaló Paco, dirigiéndose a Daniel.

Juan oteó a través de la ventana. Vio que un grupo de marroquíes se echaba encima de Mateo y que él se defendía a golpes mientras los otros intentaban rodearle.

—¡Mirad! —señaló Juan. Pero ya Mateo había retrocedido, entrando en el cafetín, sin dar la espalda. Le vieron coger una silla y emplearla en molinete contra sus adversarios. Hubo un tremendo revuelo y los clientes buscaron la huida por la otra puerta, espantados.

—Vámonos —dijo Paco, levantándose.

—Tenemos que ayudarle —opuso Daniel.

—Y una mierda.

Otro grupo de africanos, navajas y palos en las manos, entró y se sumó al primero. Mateo había saltado sobre el mostrador y desde el otro lado barría el área. Daniel cogió su silla y cargó contra los marroquíes antes de saltar el mostrador. Junto al cabo acorralado se esforzó en rechazar el ataque de los vociferantes enemigos. Los demás soldados se habían ido y el local sólo albergaba a los contendientes, con el dueño y sus dos hijos mirando la pelea desde el otro extremo del mostrador. La batalla era feroz, con los marroquíes empeñados en herir principalmente a Mateo. Parecía que todo iba a culminar en la derrota o muerte de los dos europeos cuando sonó alto un grito:

—¡Aquí la Legión!

Los magrebíes se detuvieron en seco. Por una puerta aparecieron varios legionarios con porras en las manos. Los marroquíes salieron precipitadamente, esquivando la lluvia de palos que caía sobre ellos. Dueños del campo, un cabo se dirigió a los regulares.

—Bien; no hay moros en la costa.

El dueño abandonó su temor y gritó, señalando el estropicio:

—¿Quién pagar roto, paisa? ¿Quién?

Mateo se le acercó y le atenazó por la garganta.

—Dime por qué m'an atacao ésos o t'incho a hostias. ¿Son amigos tuyos?

—¡No saber, paisa! ¡Jurarlo por Alá! —gritó, medio ahogado, al ver levantarse el poderoso puño del cabo.

—Mecagüen tu Alá y en tu puta madre. Vengo aquí a menudo y nunca tuve un puto lío. ¿Por qué ahora?

—No saber, no conocer, yo ver primera vez, jurarlo.

Mateo miró a los tres hijos y captó sus miradas turbias.

—¿Y vosotros, cabrones?

Negaron con la cabeza sin despegar los labios. Mateo empujó al hombre y miró en derredor sopesando el aumentar el destrozo. Finalmente siguió a Daniel, que ya había saltado el mostrador. Se reunieron con los legionarios, salieron y caminaron juntos, atentos, hasta el centro de la ciudad. Daniel miró sus caras. ¿Qué de extraordinario tenían? Algunos delgados, otros algo orondos, tipos normales. Desde luego ninguno comparado con el poderoso Mateo, ni con él mismo. ¿O era el uniforme verde lo que les daba el poder amedrentador, como la capa roja a Superman? Cuando se separaron, los dos regulares subieron la gran cuesta curva de tierra que llevaba al cuartel.

—¿Por qué m'as ayudao? —preguntó el coloso.

—Era mi deber. Tú habrías hecho lo mismo.

—Ninguno de los voceras qu'estaban contigo, ni los muchos c'abía allí, lo hicieron. Yo tampoco lo habría hecho. Ca' perro se lame su cipote.

—Los legionarios no opinaron así.

—Son diferentes, com'una raza aparte.

—¿Tu hermano es de una raza aparte?

—¿Qué coño hablas de mi'rmano?

—Oí que está en el Tercio.

El gigante dejó pasar unos minutos antes de responder. Daniel notó que tenía una copa de más.

—Mi'rmano s'un idiota. Pero no hablo de los legionarios a nivel personal, sino como cuerpo. No siento admiración por ellos. Mataron a mi padre en la guerra. Lo c'an hecho esta noche entra en la mentalidad que les imponen. Desprecian la muerte. Lo tuyo fue diferente.

—Lo hice y ya está. Y volvería a hacerlo con cualquier otro que necesitara ayuda.

—Si es por principios, no te lo voy agradecer.

—No quiero tu agradecimiento. No hablemos más.

Era de noche cuando cruzaron las puertas del fortín. Atravesaron la gran explanada de instrucción, entraron en la compañía y cada uno fue a su cama. Paco, José y Juan se acercaron a Daniel.

—¿Qué ha pasado? ¿Cómo habéis podido salir?

Daniel los miró uno por uno mientras se quitaba la faja roja y la guerrera.

—¿Por qué no os limpiáis los pantalones de la diarrea?

—¿Crees que fue por cobardía? No quisimos ayudar a ese cabrón.

—Pero yo estaba allí, también —dijo, dándoles la espalda.

Las mesas del enorme comedor eran para doce hombres. Durante la cena, Mateo miró especulativamente a Daniel, sentado enfrente, en la misma mesa. Pero no cruzaron palabra.

Siete

Abril 1959

No era una patrulla en misión militar. Los cincuenta soldados de varias compañías de Regulares, sin armas, estaban de marcha por los barrancales, lejos de zonas habitadas, al noreste de Tetuán. Iban en ropa de maniobra, dirigidos por un oficial y un sargento. Tras un tiempo de deambular, subiendo y bajando montículos, el oficial permitió un descanso. Los soldados se esparcieron sudorosos e intentaron recobrar el resuello.

—Los que vayan a cagar que no s'alejen muncho —dijo el sargento Navarro.

El teniente Alemparte Barbero, de la Dieciocho Compañía, botas de media caña, camisa color garbanzo impecable cuando salieron, se quitó el *tarbus* rojo y secó delicadamente el sudor de su frente. Tomó asiento en un pedrusco y esperó a que regresaran los ausentes. Luego bebió de su cantimplora a sorbos cortos mientras contemplaba el árido paisaje.

—¿Habéis cagao tos? —gritó el suboficial—. Luego no venir con mandangas. —Nadie contestó—. Son suyos, mi teniente.

—Escuchad, cenutrios —dijo, sin mucho entusiasmo—. Ya sabéis que no entrarán más quintas a Marruecos. Ésta es la última. Nos iremos dentro de un mes o dentro de seis, no lo sabemos. Estamos en situación de espera. Parte de nuestro Ejército ya marchó a España. Mientras, debemos mantenernos ocupados. Tenemos prohibido portar armas fuera del cuartel, salvo a los obligados por el servicio. Debemos hacer estas caminatas y deportes, unos grupos por un lado y otros por otro, para tener el músculo ejercitado. No molestamos a los moros en estos páramos y ellos nos dejan en paz. Las armas son innecesarias. Ahora, un tiempo para teórica y cultural. Sargento, su turno. —Se levantó y se alejó.

El sargento Navarro, cuerpo perezoso, estatura media, gafas incrustadas, mostacho de tradición, carraspeó.

—A ver, ¿quién sabe lo qu'es el glande?

—Yo lo sé —dijo un cabo.

—Venga, qu'es.

—Es éste —señaló a Mateo—; es el más «glande» de todos.

Risotadas.

—Te voy a dejar pelón, Garrido; no me toques los güevos.

—Vamos, mi sargento; es una broma. Si ya estamos casi licenciaos.

—El glande es el capullo, so burros; la punta el nabo —definió orgullosamente el sargento.

—¿Qué capullo? —dijo el mismo cabo—. Aquí está lleno de ellos.

Nuevas risotadas.

—Garrido, que te la ganas. —Dejó continuar el ambiente festivo, antes de preguntar—: Veamos, ignorantes, ¿qu'es la vagina? ¿Alguien lo sabe?

Los soldados, derrengados y sin muchas ganas de participar, no respondieron. Daniel y su grupo dejaron que el sargento tuviera su nueva jornada de gloria cultural.

—Es el toque de corneta para el rancho —afirmó uno.

—Eres más burro c'un arao, Mejías. Eso que dices es llamada de fajina. No tiene na' que ver.

—A mí de pequeño me operaron de anginas —dijo uno.

—Joder, Castelló; eres sordo o gilipollas. He dicho vagina, no angina —reprendió, repartiendo su mirada triunfante por la desmotivada tropa—. Hay que joderse la poca cultura que tenéis, y eso c'aquí hay muncho listillo. La vagina es el chocho, so cafres.

—El otro día dijo que el chocho es el clítoris. Ahora dice que es la vagina —arguyó Mejías.

—Tiene el puto conejo metío en el coco. Eso es lo que le pasa —dijo Mateo—. Seguro que se la casca a diario.

Estribillo de risas y de comentarios mientras al sargento se le encendía el rostro y decidía si era conveniente enfrentarse al gigante. En ese momento apareció el teniente.

—Este zoquete tiene razón. Eso son mamonadas, Navarro. No es eso lo que interesa.

—Es lo que les gusta, mi teniente.

—Lo que les gusta no es lo que les conviene. Esas marranadas no van a ningún sitio. —Tomó asiento y miró a los soldados, que habían mejorado su compostura al verle llegar—. Hagamos repaso de cosas prácticas. ¿Quién sabe cuál es el ave más rápida?

—El águila.

—El azor.

—El gavilán.

—Decís lo que os viene a la cabeza, a ver si acertáis. Incultura total. Claro que no estáis en el Ejército para adquirirla, pero podríais aprovechar todo el tiempo libre que tenéis. Es una desgracia un nivel tan bajo, casi igual que el de los moros. ¿Alguien lo sabe? —Esperó un poco antes de afirmar—: Es la paloma viajera, de la especie migratoria. Alcanza más de setenta kilómetros por hora. Una simple paloma la más rápida. —Miró a Juan, a José y a Daniel—. A ver los chulos de Madrid de la décima. Ya sé que este viejo —señaló a Mateo con la mirada— es un bruto, pero vosotros tres sois los enterados. Deberíais saberlo, algo tan simple.

—La paloma migratoria no es la más rápida, mi teniente —objetó Daniel con voz neutra.

El oficial abandonó la torva sonrisa.

—¿No? ¿Cuál es entonces, enterado?

—El vencejo común. Vuela a más de ciento cincuenta

kilómetros a la hora. —Todos miraron al cabo, que permanecía serio y sin quitar la vista del superior. Añadió—: Pero hay otra más rápida aún.

Sólo se oía el zumbido agobiante de las moscas. El teniente invitó:

—Déjanos boquiabiertos con tu sabiduría, oh enterado.

—El halcón peregrino, cuando se lanza sobre la presa, en picado —informó Daniel sin alterar su seriedad—. Consigue superar los trescientos kilómetros a la hora.

—Parece que estás muy puesto. Veamos si sabes cuál es el mamífero más rápido. ¿Alguno lo intenta?

—El caballo.

—El galgo.

—Casi acertáis, pero no. ¿Tú que dices, chuleras? —preguntó a Daniel, que no respondió—. El cuadrúpedo más rápido es la gacela, un venado del África. Hace ochenta kilómetros por hora.

Hubo un murmullo cuando Daniel negó con la cabeza.

—Es el guepardo. Corre a más de ciento diez kilómetros a la hora.

—¿El leopardo? La pifiaste, enterado; el leopardo corre poco, como la pantera.

—El leopardo no, el guepardo.

—¿El guepardo? ¿Eso qué es?

—Un depredador de las sabanas del este africano. Es el mamífero más rápido del mundo.

—¿Qué estás contando? Ese animal no existe. ¿En Periodismo os enseñan irrealidades? —Daniel no respondió—. A ver, ya que hablamos de velocidad, ¿cuál es la del sonido?

—Sobre mil doscientos kilómetros a la hora.

—¿Y la de la bala de fusil?

—No sé; supongo que más.

—¡Ah!, no lo sabes todo. Casi tres veces más: tres mil cuatrocientos kilómetros por hora. Es el objeto más rápido que existe en la Tierra.

—Creo que se equivoca, mi teniente —refutó Daniel, sin perder la serenidad. Para entonces ya todos se habían constituido en meros espectadores y pasaban las miradas de uno a otro como si estuvieran viendo un partido de tenis.

—¿Qué es más rápido?

—La misma Tierra. Circula alrededor del Sol a más de cien mil kilómetros a la hora. Es el objeto más rápido a pesar de su enorme masa.

El turno estaba en el teniente, que porfió agriamente.

—Hablamos de objetos propulsados. La Tierra se mueve sin que ninguna fuerza la impulse.

—Está propulsada por las leyes físicas que regulan el cosmos. Las mismas que hacen girar a todos los planetas del universo.

Nuevas miradas para el teniente.

—¿Quieres dártelas de listo conmigo?

—No, señor; sólo contesto sus preguntas.

—¿Sí? Bien, ¿qué es el caudal?

—Una cantidad de agua que corre.

—No; incompleto. Es la cantidad de agua o lo que sea que circula por unidad de tiempo.

Le miró con sorna antes de ver caer la piedra sobre el sargento. El impacto rompió sus gafas y lo derribó al suelo. El asombro de la tropa duró poco. Un vociferante grupo de musulmanes se alzó sobre un montículo lanzándoles una lluvia de cantos.

—¡No respondáis! —gritó el teniente, aunque ya había varios descalabrados—. ¡Agrupaos y en marcha!

Con rapidez, agarrando a los heridos, echaron a correr. Las piedras seguían lloviendo. El cuartel estaba lejos.

—¡Dispersaos en grupos! —rugió el teniente.

Mateo echó por su lado, embistiendo como un toro y lanzando al suelo a varios agresores. Corrió sin mirar atrás. Su envergadura le restaba velocidad. Pensó en ese bicho que dijo Daniel. ¿Cómo era? ¿Jepardo? ¡Quién pudiera jalar así! Giró la vista. Parecía que todos los moros le seguían a él. Joder, ¿qué estaba pasando? Se esforzó en mantener la distancia. Pisó mal y cayó, rodando por una pendiente. Al momento empezó a recibir pedradas desde todos los sitios.

Se levantó y se cubrió, escalando con furia el terraplén. Eran demasiados los proyectiles. Estaba siendo lapidado. Rindió una rodilla, abrazó su cabeza y resopló, chorreando sangre. «Cabrones. S'os tuviera cerca…» Pareció que algunos le habían leído el pensamiento. Los vio bajar hacia él y tuvo la dicha de golpear y verlos derrumbarse. Atisbó armas blancas en las manos nerviosas. Sacó su navaja. No les iba a ser fácil. Oyó un grito:

—¡Aquí, ayuda!

Entre lágrimas de rabia vio a Daniel cargar bravamente con un palo a diestro y siniestro. Vislumbró a otros soldados que llegaban. El grupo morisco se aventó. Daniel ayudó a Mateo a subir. El grupo de regulares lanzaba piedras con fuerza sobre los atacantes, desbaratándolos definitivamente. Corrieron los metros que les separaban del cuartel, viendo converger a los compañeros hacia el mismo punto. Minutos después bajaron la cuesta y entraron raudos por el portalón mientras los del cuerpo de guardia aprestaban sus armas. Mateo, ensangrentado, se paró a mirar. Llegaban más compañeros, el teniente entre ellos. Ningún atacante había en todo lo que alcanzaba la vista, como si la experiencia hubiera sido un sueño. El sargento y algunos soldados estaban sangrando. El oficial de guardia, con una pistola en la mano, fue informado por el teniente Barbero mientras la tropa se dispersaba y los heridos eran llevados a la enfermería.

—Tú, ¿qué pasa contigo? —habló Mateo.

—¿Qué dices? —Daniel le miraba con el semblante serio.

—¿Por qu'estás siempre al quite? ¿Qué coño quieres de mí?

Daniel se volvió y echó a andar hacia la compañía sin contestar.

Ocho

Mayo 1959

El tucán de pico amarillo lanzó un graznido que fue contestado por otro, antes de que ambos se elevaran hacia las ramas más altas de las ceibas. Al momento, el mono aullador inició su desagradable repertorio de sonidos. Hubo un revuelo de loros, ibis rojos, garzas, oropéndolas y otras aves entre los cedros y laureles gigantes del denso bosque húmedo y siempreverde, inundado de nubosidad. Y luego oyeron, lejanos aún, los ladridos de la jauría. El catire y los cinco indios piaroa, pintados de verde, se escondieron entre los helechos arborescentes y las palmas gigantes del umbroso bosque. El sol estaba atascado en el dosel de los enormes vegetales y la semipenumbra favorecía el camuflaje. Después hubo un silencio expectante. Por entre el follaje vieron aparecer al animal moteado, negros sobre amarillo, con signos de fatiga, antes de perderse en el verdor. No los había visto. Los seis hombres se levantaron y en la senda del jaguar echaron piezas de carne adobadas con esencias aromáticas y adormideras. Se escondieron rápidamente. Cuatro feroces perros, fauces babeantes, aparecieron y se pararon. Venían con hambre, argumento añadido a la orden de busca y acorralamiento dictada por los amos. Se lanzaron a la carne y la hicieron desaparecer a dentelladas, olvidándose de su misión. Al momento perdieron la energía y comenzaron a dar vueltas. Los seis hombres levantaron el campo silenciosamente y se perdieron entre la maleza. El alto catire sabía que la lucha de esos indios por salvar al jaguar, animal sagrado para ellos, era una labor imposible. De los quince meses que llevaba viviendo en los bosques, había pasado cuatro con el itinerante y menguado grupo, y en ese tiempo habían podido evitar la caza de once jaguares. O acaso era el mismo animal, o unos pocos repetidos, porque habían sido diezmados; ¿quién podría saberlo? Pero habían retrasado su exterminio. No cabía duda de que los llaneros estarían muy embromados y llenos de ira. Pero poco podían hacer para vengarse. No se habían causado daños. Simplemente habían impedido o retrasado la muerte de unos animales. Además, desconocerían quiénes eran los causantes de la frustración. Esos ganaderos de Los Llanos, el estado más extenso de Venezuela, no estaban satisfechos con los enormes hatos de miles de hectáreas, donde sus miles de reses, cebúes la mayoría, se alimentaban a cielo abierto en total libertad con los pastos naturales. Querían más terreno y lo conseguían deforestando la selva a un ritmo frenético, dejando sin espacios a cientos de especies. Mientras no hubiera la conciencia conservacionista que intentaban expandir organizaciones como National Geographic, innumerables especies serían exterminadas, entre ellas el jaguar, el depredador más grande de Sudamérica. Si el quetzal era el fénix de los bosques, el ave más bella del continente, el jaguar era el más bello mamífero. Hábil nadador, excelente trepador pese a sus más de ciento treinta kilos, era un felino solitario que caminaba hacia la extinción. Para los vaqueros, la eliminación del animal era una pasión irrazonada. Ellos mismos, o los furtivos a quienes pagaban mil bolívares por pieza, perseguían con saña y sin tregua al felino aunque no supusiera ningún peligro para el ganado. Simple afición cazadora que destruiría el símbolo de la fauna salvaje del país. La forma más utilizada era la de la jauría. Los perros perseguían al animal, enloqueciéndolo con sus ladridos, hasta que la fatiga lo dominaba y se refugiaba en una rama. El acoso seguía hasta que llegaban los escopeteros y lo abatían.

El catire y los cinco pequeños indígenas llegaron al campamento provisional junto al río Capanaparo, antes de su desembocadura en el lado izquierdo del inmenso Orinoco. Había otros cuatro indígenas. Sin apenas hablar, recogieron sus cosas, apagaron el fuego e iniciaron la marcha a otro lugar. Los piaroa habitan en el estado de Apure, en la parte alta que abraza el caudaloso Meta. Es una tribu mansa que se nutre de caza y pesca. El catire los había contactado ocho meses antes, tras su largo viaje desde Mérida, en los Andes, donde compartió fríos y experiencias durante un tiempo con Anastasio Segura, amigo y antiguo profesor, y con gente del altiplano, que vivía a más de tres mil metros de altura. Había bajado hasta Barinas por una enloquecida carretera bordeada de precipicios, no reparada desde su construcción durante la dictadura del general Gómez, y luego había progresado lentamente hacia el Orinoco, atravesando selvas impenetrables, y ríos caudalosos y turbulentos, utilizando autobuses, caballos, balsas y camiones. Tras el contacto con otras tribus selváticas, vino el encuentro receloso con los piaroa, y él gastó cuatro meses en transformar el recelo en confianza, aprendiendo su forma de vida, sus simples tradiciones y su parco lenguaje. Con ellos se alimentó de capibaras, el roedor más grande del país, de ibis y de pirañas. Estudiante de Ingeniería Civil por conveniencia familiar, su espíritu estaba inclinado al naturalismo, no como filosofía sino como forma de respetar la Naturaleza. Fue él quien les sugirió la idea de dificultar la caza del animal admirado y, luego, pudo convencer al pequeño grupo para ponerlo en práctica. Ahora, el ciclo acababa. Sus cuadernos de notas y dibujos quizá valieran en el futuro para alguna universidad. Se despediría de los eventuales compañeros, a quienes había tomado cariño, y les desearía que continuaran con la labor salvadora. Ojalá lo hicieran. Tenía seis meses por delante para la cita de vuelta. Poco tiempo para tanto que recorrer todavía. Ahora pasaría a Amazonas y escalaría la Sierra Parima para tratar de ver el nacimiento del inmenso Orinoco, el río madre de Venezuela, que se funde en el Atlántico a través de un delta formado por miles de riachuelos, después de recorrer más de dos mil kilómetros. Allí visitaría a las comunidades yanomami, en la frontera con Brasil, donde los buscadores de oro y diamantes estaban destruyendo su hogar ancestral. Vería con sus ojos el deterioro medioambiental y compartiría algún tiempo y experiencias con las tribus. Pasaría luego a Bolívar y buscaría, en la Sierra Pacaraima, cerca de la Guayana robada, las fuentes del Caroní, el principal afluente del Orinoco. Y desde allí, finalmente, se llegaría a la Gran Sabana, la tierra de los tepuyes. Como hasta ahora, iría preparado para afrontar el tedio de las lluvias, el agobio de los zancudos, el veneno de la serpiente coral y la terciopelo, el de la araña mona, los extenuantes fríos y la hipotética amenaza del esquivo jaguar. Y sobre todo, tendría precaución del «hombre no indígena», auténtico peligro en esas zonas sin apenas ley. Pensó en su amigo, allá en la lejana África. No habían tenido noticias el uno del otro desde que se despidieran en el aeropuerto de Maiquetía hacía dieciséis meses. Hubiera sido chévere haber estado juntos. Pero eso no había sido posible. Pronto dejaría de estar incomunicado y mandaría un mensaje a sus amigos, indicándoles el nuevo rumbo. Y en unos meses todos se encontrarían de nuevo.

Nueve

Junio 1959

A miles de kilómetros de la selva venezolana, Daniel levantó la mirada del libro y contempló a Mateo, que había acabado de leer una carta. Estaban en la oficina de la compañía. De fuera, a través de la puerta abierta, llegaban los gritos y risas de los soldados. Mateo puso la mano derecha sobre sus ojos y movió la cabeza.

—¿Problemas? —dijo Daniel.

—¿Qué t'importa? —contestó, sin mostrar sus ojos. Tras una pausa, añadió—: Mi'rmano me pide que vaya a verle el domingo.

—Quizás es allí donde deberías estar.

Mateo quitó su manaza y proyectó su iracunda mirada sobre el otro.

—¿Qué coño estás diciendo?

—Hubieras encajado mejor en el Tercio. Tu carácter, tu personalidad... Eres demasiado para el Ejército normal. —Volvió a su libro.

—¿Vendrías conmigo?

Daniel contempló al enorme cabo. En sus ojos saltones había un paño desconocido.

—¿Oigo bien? ¿Me estás pidiendo que te acompañe?

—Sí, cojones. ¿Vienes o no?

—No me darían permiso. Sólo los dan a familiares y para casos determinados.

—Así es.

—Tendría que saltar la muralla.

—Sí.

—Si me cogen, iré al calabozo.

—Seguramente.

El domingo, antes del alba, con el cuartel dormido y las estrellas colgadas del cielo, Daniel salió de la compañía vestido de paisano. Anduvo con sigilo hasta las terrazas situadas más abajo de los dormitorios y se acercó al muro. Caminó agachado hasta cerca del puesto de guardia. Chistó al centinela, que salió de la garita.

—¿Quién es?

—Un compañero —susurró—. Déjame acercarme.

—Hazlo, pero con cuidado —dijo el otro, apuntando el fusil. Daniel se agachó a su lado.

—Necesito saltar.

—Joder, no puedo dejarte. Me la cargo si nos ven.

—He estado vigilando. Nadie nos observa.

—Me juego el calabozo.

—Lo sé, yo también. Pero lo he verificado. Vamos, hombre. Debo hacer algo y no me han dado permiso. —Como el otro vacilara, añadió—: Venga, hoy por ti mañana por mí. Sabes cómo son estas cosas.

El centinela le miró buscando sus rasgos en la semioscuridad.

—Te conozco. Eres el cabo de la décima que siempre gana y que le cantó las cuarenta al teniente Alemparte Barbero. —Esperó la respuesta del cabo, que no llegó—. Vale, hazlo rápido.

El lugar era utilizado por quienes necesitaban salir secretamente. Era un dato que se transmitía de quinta a quinta, y no tan secreto; la oficialía no lo ignoraba. De vez en cuando un teniente se emboscaba y vigilaba. No fueron pocas las ocasiones en que sorprendieron el ejercicio de la labor prohibida. El calabozo, corte de pelo y algún castigo físico era el premio que recibían el infractor y el centinela.

Daniel pasó las piernas por las almenas, se colgó por fuera y se dejó caer sobre el terreno. Bajó por la pendiente entre matorrales y piedras y se adentró en la medina, hurtándose del cuartel. Anduvo deprisa por las semidesiertas callejuelas, cruzándose con algunas silenciosas sombras con turbantes, consciente de que algunos se paraban a mirarle. Salió a la zona europea, cruzó la plaza de España y buscó la estación de autobuses, cerca de la antigua y clausurada del ferrocarril. La estación era un centro de gran actividad y ocupaba el fondo de una gran plaza. No existía nada igual en España, lo que maravilló a Daniel una vez más. La concesionaria era La Valenciana y las líneas iban a Tánger, Ceuta, Melilla, Xauen, cubriendo todo el Protectorado español y funcionando con una regularidad inhabitual. Era muy temprano y ningún autobús había salido. Se sentó a esperar mirando el trasiego de la gente según iba llegando. Vio aparecer a Mateo, que había salido tranquilamente de paisano por la puerta principal del cuartel, tras enseñar su permiso. Se miraron sin decir nada. Sacaron sus billetes y subieron al autobús de Ceuta. Cuando circulaban por la carretera, ya fuera de la ciudad, Mateo habló.

—Espero c'ayas vigilao bien. A veces algún oficial se camufla pa' joder.

—No esta noche.

—Te contaré lo que se dice que le ocurrió a uno d'esos tenientes mirones, García Valiño, hijo del c'asta hace poco fue alto comisario de España en Marruecos. Hostia de tío, ¿le viste alguna vez?

—Sí.

—Con ese bigote y gesto de cabrón amargao. Debería ser ya comandante, cuando menos. Pero aquí'stá, pa' darnos por culo, como si fuéramos enemigos suyos. Cuentan que tomó costumbre d'agazaparse en noches sin luna pa' trincar a los audaces. En una d'esas misiones el guripa le descubrió y le dio el alto. El teniente gritó su nombre e intentó levantarse. El centinela dijo c'una poya. Le mandó no moverse o le pegaría un tiro. Dijo que no se fiaba ni de su padre y que la oscuridá le impedía la comprobación. Evidentemente le había reconocío y s'estaba vengando d'él. Lo tuvo tirao en el suelo com'una puta coliya de mierda hasta que llegó el relevo. A pesar de su furia, el teniente no hizo na' contra el soldao. Había cumplío impecablemente su labor de centinela. Y si le castigaba, quedaría doblemente ridiculizao.

El disco solar incendió el mar en su punto de salida. Mateo dijo:

—'Estao dándole a la chola. ¿Por qué t'arriesgas?

Daniel miraba arder el mar, en el lado derecho de la ruta.

—Somos amigos, ¿no? —contestó sin mirarle.

—No tanto. No tengo amigos. Los que se dicen tales no lo son. Me temen o me odian. Soy de la quinta el 57, que ya se licenció. Ésta es la del 58, a la que tú tampoco perteneces, por ser voluntario. Me ven como un *tarruso*. ¿Qué ves tú en mí pa' estar dispuesto a jugártela?

Hubo un tiempo de silencio.

—Podría decir que vi tus ojos ayer. Sufres.

—No te tolero que me compadezcas.

—Los solitarios necesitáis ayuda. Nadie puede vivir sin los demás. Pero, si lo prefieres, pongamos que deseo conocer el ambiente legionario.

A la derecha, en lontananza, Ceuta se iba acercando pintada por el oro naciente.

—¿C'arás cuando te licencies?

—Terminar mis estudios y luego me iré a América.

—¿A América?

—Sí.

Mateo quedó silencioso, antes de continuar:

—Yo quizá me quede aquí.

—¿Aquí? ¿Haciendo qué?

—En las FAR.

Daniel tenía constancia de que venían emisarios ofreciendo a determinados cabos el paso a las incipientes Fuerzas Armadas Reales, tan necesitadas, como todo lo que empieza, de personal competente. A él mismo lo habían contactado. Buscaban —no se sabe cómo obtenían la información— soldados de nivel alto. En el caso de Mateo su imponente figura le hacía merecedor de interés. Era un ejemplo de mando y marcialidad. Habría unos cursos de adaptación y se entraría de teniente para, en fechas no lejanas y tras el paso por una academia, conseguir el grado de capitán. Se hablaba de la posibilidad de lograr un destino en puertos, aeropuertos, aduanas. Había muchos decididos a pasarse «al moro», incluso médicos, en cuanto se licenciaran. No sería una asimilación fácil pues, aparte del árabe, el idioma oficial elegido por el nuevo Estado sería el francés. Aunque lo más difícil…

—Dicen que es condición indispensable el nacionalizarse marroquí —dijo Daniel.

—Bueno, ¿qué más da ser español que moro? ¿Qué m'a dao España? Los que mandan mataron a mis viejos. ¿C'ai d'atractivo en nuestro país, con el atraso que tiene?

—Si es por atraso, Marruecos no es precisamente un modelo de modernidad.

—La milicia s'una élite. ¿Se dice así? M'importa tres cojones cómo vivan los pueblos. M'importa cómo vivo yo. Aquí tengo oportunidá de ser alguien, que allí no me s'ofrecerá.

—Tendrás que cambiar de nombre y de religión. Las FAR no admiten mandos cristianos y con nombres de tales.

—Pues me llamaré Mohamed, ¿y qué? ¿Qué coño m'importa la religión? Toas son una mierda. Eso de Cristo, Mahoma y alguno más es puro rollo y me los paso por los güevos.

—Hablas de someterte a una autoridad militar, cuando desprecias en la que estás. ¿Crees que te iría mejor en otro Ejército por el hecho de ser un oficial? Por encima de ti estarán todos los mandos superiores, que te obligarán a una disciplina que choca con tu personalidad. No tendrás la libertad por la que siempre estás clamando.

Mateo quedó pensativo. Un rato después, habló:

—Me llenas de dudas, cabrón. Cuando vine acá traía el propósito de largarme a Alemania, al licenciarme. Luego me convencí de qu'es bueno estar en las FAR. Ahora m'aces dudar.

—Lo de Alemania está bien. No tendrás que cambiar de nombre ni soportar jefes militares. Lo malo es el idioma. Y que siempre serías un currante.

—América está lejos —dijo Mateo, después de cavilar.

—Más lo está Australia y muchos van allá.

—¿En qué parte de América piensas?

—Venezuela. Allí hablan nuestro idioma. Sería como estar en casa pero en un país con grandes posibilidades para gente emprendedora.

—¿Qué quieres decir con eso?

—Que es tierra de oportunidades. Me han dicho que muchos se hacen ricos, porque allí no se va a trabajar de peón. Parece que la gente nativa es floja, por el clima. Los europeos que van montan negocios y se forran.

—¿Eso es verdá?

—Puedes creerlo.

El autobús llegó a la parada, bajaron y caminaron hacia el poblado legionario de Dar Riffien, que albergaba el Segundo Tercio, denominado Tercio Duque de Alba. Al ser festivo no había instrucción. El hermano de Mateo estaba en la Cuarta Compañía de la Segunda Bandera. Era un hombre menguado, cercano a la treintena, y los esperaba tras el portalón de entrada. Pasados los trámites de rigor, los dos hermanos se abrazaron con emoción. Mateo lloraba abiertamente, soltando agua como si quisiera deshidratarse, lo que asombró a Daniel. Ver llorar a un individuo tan notoriamente insensible era algo desconcertante.

—¿Por qué t'as vuelto a enganchar?

—Ya te lo dije. Puede que no sirva para otra cosa; como tú, creo.

—No. Yo me licenciaré con esta quinta y saldré adelante. Tengo planes. —Miró a su compañero.

Daniel fue presentado y luego pasearon por la población militar. Antonio les enseñó el teatro, la iglesia, la cantina de tropa, el economato, las naves de las compañías, la enfermería y los talleres, las caballerizas, el parque móvil y la unidad de carros ligeros. Pasearon un rato por los parques y jardines sembrados de palmeras. Tomaron unas cervezas y fueron presentados a otros legionarios. Había mucha gente de paisano, mujeres y niños que visitaban a familiares legionarios; muchos suboficiales estaban casados y vivían en familia con hijos en ese pueblo especial. Comieron opíparamente el espléndido rancho legionario y luego salieron a ver el campamento donde ambos regulares, en años diferentes, habían hecho la instrucción. Estaba desarbolado; sólo las calles apisonadas de arena recordaban que allí vivieron miles de hombres durante meses.

—A ver ese burdel que tenéis —dijo Mateo—. Quiero hartarme a follar con estas putas que no dejan marcas.

Daniel sabía que las mujeres estaban muy vigiladas médicamente, que les hacían controles periódicos, que las reemplazaban con regularidad y que tenían asignación económica del cuerpo, lo que permitía que los legionarios pagaran muy poco por el servicio.

La mancebía estaba matizada en sombra. Una gran sala circular donde las mujeres permanecían sentadas en bancos junto a las paredes. La seguridad de tener cubiertas sus necesidades económicas les permitía no exhibirse como en un mercado libre. No tenían que buscar clientela. Unos ventanales de diseño árabe situados en la parte alta de los muros permitían apreciar borrosamente los rostros y los cuerpos, sin descripción de detalles. Los dos hermanos se decidieron por sendas chicas evidenciadas de carnes. Daniel buscó un asiento en un rincón. Sus ojos fueron acostumbrándose a la penumbra y pudo divisar entonces a una joven esquivada por los hombres, desprotegida de curvas y cuyo rostro tenía un aire al de Audrey Hepburn, la artista que le encantó en *Vacaciones en Roma*. Incluso sus tímidos modales invitaban a la comparación. La estuvo mirando un rato, apreciando su delgadez. Ningún soldado la requería. Se levantó, se acercó a ella y le dio la mano sin decir nada. La chica se levantó y le condujo por un pasillo hasta una habitación, también en penumbra, de mobiliario ajustado: cama, dos sillas, perchero, evacuatorio, una jofaina y un jarro. Él se acercó a la ventana y apartó las cortinas. La luz entró como un invasor y mató las sombras. Al otro lado, a unos trescientos metros, la playa y el incalmable mar serenaban el sol. Miró a la chica. Tenía el pelo negro y los ojos grises. La vio desnudarse, echar agua en la palangana y lavarse con esmero. Luego se le acercó. Su delgadez no estaba exenta de incipientes formas y sus pequeños pechos parecían firmes, como mitades de cocos invertidas.

—Ven que te lave.

—¿Qué años tienes?

—Diecinueve.

—¿De dónde eres?

—De Salamanca. ¿Y tú?

—¿Cuánto llevas aquí? —dijo él, sin contestarle.

—Cinco meses. Dentro de un mes termina mi convenio y vuelvo a la Península.

—¿Cómo te llamas?

—María.

Él se sentó en una de las sillas y la miró largamente, indeciso. Ella se le acercó y le acarició el rostro. Olía a lavanda y tenía el cuerpo bronceado de playa. Su sexo parecía querer desaparecer entre sus débiles muslos. Daniel se levantó, se quitó la ropa y no permitió que ella le lavara; lo hizo él mismo. Luego la cogió en brazos, la llevó a la cama y se dejó hacer.

Más tarde, él preguntó si tenía alguna fotografía. Ella buscó en su bolso y sacó varias. Daniel las miró detenidamente y luego escogió una.

—¿Me la das?

—¿Para qué la quieres?

—Para tenerte no sólo en el recuerdo.

Ella accedió y ambos procedieron a vestirse.

—¿Cuánto por el servicio?

—Nada. —Ante su mirada desconcertada, añadió—: ¿De dónde vienes? ¿Quién eres?

—¿Qué quieres decir?

—Llevo en esto dos años y nunca encontré a nadie como

tú, con tanta delicadeza. Y no he visto en ti la mezcla de compasión y superioridad de casi todos. Nos desprecian pero nos necesitan. Somos útiles a una sociedad que nos repudia. Tú me has tratado como a una mujer normal. No has intentado salvarme. Es extraño. Por un hombre como tú dejaría esto.

Daniel miró sus ojos desmesurados, como girasoles desperezándose.

—¿Cuánto cobras normalmente?

—Diez pesetas.

Él le dio veinticinco y le obligó a cogerlas. Luego se aproximó a la ventana y contempló la espuma y los brillos cambiantes cabalgando sobre la cima de las olas, naciendo y deshaciéndose en el movimiento interminable. Ella se le acercó y miró su perfil abstraído, enmarcado en el cristalino azul. Alzó una mano y acarició la mejilla del soldado, que se volvió a mirarla.

—Nunca nos dejamos besar por los clientes —dijo ella—. ¿Puedo besarte?

Lo hizo, abandonándose y cerrando los ojos. Cuando los abrió, luces acuosas mostraron un paisaje infinito de inocencia intocada.

—Tardaré en olvidarte, soldado.

Avanzada la tarde, los dos regulares subieron al autobús de vuelta. No dijeron nada durante un buen rato.

—¿Qué t'a parecío? —dijo Mateo.

—¿El qué?

—Joder, to' lo qu'emos visto.

Daniel recordó a María.

—Bien. Está todo muy organizado. Lástima que tenga que desaparecer cuando el Protectorado vuelva a Marruecos.

—Será lo último que s'entregue, si es que s'entrega.

—¿Sabes qué? Deberías esforzarte en hablar mejor. Te comes las sílabas.

—Eso no's importante. M'importa un güevo. No soy un finolis.

—No me vengas con ésas. Intentas destacar siempre. Si

hablaras bien, caerías mejor. Al fin, eres de Madrid, no un gañán.

—M'importa… —El gigantón hizo una prolongada pausa. Luego dijo—: Sólo hice dos años de escuela. Lo que sé me lo curré a pulso. —Hizo otra pausa—. ¿Tú m'enseñarías?

—Sí. Eres listo y voluntarioso. Haremos un curso intensivo de dicción.

Llegaron a Tetuán al anochecer, con tiempo de pasar lista, y cada uno desanduvo el camino de la mañana. Daniel llegó al pie del muro y gritó quedamente. El centinela se asomó.

—Voy a subir.

—No te veo bien, ¿quién eres?

—De la décima, el cabo escribiente. Salté esta mañana.

—¿Vienes solo?

—Sí.

—Apártate un poco que te vea bien. —Miró y luego dijo—: Espera un poco.

Desapareció y él se agazapó entre los arbustos. Al poco, el centinela asomó la cabeza y le hizo una seña. Daniel subió con agilidad agarrándose a los salientes y a los huecos de la muralla. En un momento estuvo arriba.

—Gracias. —Le observó. Era un tipo muy alto. Lo reconoció. Martínez, que jugaba en la Liga Española de Baloncesto con el Barcelona y que cumplía en la Dieciocho Compañía. Eran compañeros en el equipo del cuartel—. Alfonso. No sabía que hacías guardias. Los campeones están exentos.

—Es para que no nos aburramos, según el teniente Alemparte, tu «amigo». Ya sabes cómo es. Además, no quiero privilegios.

—Debiste haberte hecho cabo.

—No importa ya. Queda poco.

Daniel bajó a las terrazas y subió los escalones que llevaban a la compañía. Más tarde pasaron lista. José y Juan se le acercaron.

—¿Cómo te ha ido?

—Bien.

—Hiciste mal en ir con ese tipo. ¿Por qué lo has hecho? Te has jugado mucho.

—¿Qué es la vida sin riesgos?

Diez

Julio 1959

La avioneta sobrevoló los inmensos tepuyes que brotaban de la umbrosa selva como ciclópeos centinelas de un mundo extraño implantado por fuerzas externas. Las corrientes de aire bamboleaban el frágil aparato. El experto piloto, de unos cincuenta años y procedente de la fuerza aérea, hizo un guiño a su pasajera.

—No se me apure, joven; como que es lo normal en estas fechas.

Era la temporada de lluvias en la Guayana venezolana y, aunque la mejor para ver las cataratas en todo su esplendor, las nubes, como inmensas bolsas de algodón, se enganchaban en las cimas planas ocultando el paisaje. Sobrevolando el Auyantepuy, el Churun Merun en aborigen, que significa la Montaña del Diablo, porque allí habita Canaima, el genio del mal, el aviador dijo:

—No es posible ver bien lo que hay abajo, en la cima. Es la tercera vuelta y no hemos avistado ninguna tienda ni humo de fogata. Ahorita sí que agotamos el tiempo. Hemos de volver. Tendrá usted que subir por tierra, señorita. Una buena caminata.

—¿Cómo se puede subir por esos acantilados cortados a pico?

—Hay uno o dos caminos intrincados. Los nativos los conocen. Pero la escalada es arrecha.

Catia Pertierra siguió mirando con los potentes prismáticos checos, intentando encontrar indicios de algo ajeno a las fantasmagóricas formas naturales.

—¡Allí! —dijo, señalando.

La blanquecina estructura de un pequeño avión apareció como una mota disconforme con el paisaje antediluviano para ser tapada enseguida por una nube impertinente.

—Es el Flamingo de Angel, el gringo que descubrió el Salto. Algún día alguien tendrá que sacar ese trasto de ahí. Ahora hemos de revocar la búsqueda.

Catia recordó que Jimmie Angel, quien en 1935 había visto la catarata mientras buscaba un fabuloso río de oro, intentó aterrizar en la mesa con su monoplano de nombre *Río Caroní*, en otoño de 1937. El aventurero lo consiguió, pero el avión se clavó en un lecho pantanoso. Él y sus acompañantes tuvieron que bajar caminando hasta la misión Kamarata en un viaje arriesgado y fatigoso que les llevó dos semanas. El aparato quedó ahí desde entonces. Catia miró cómo el tepuy desaparecía debajo de ellos y se encontraron volando sobre el aterrador abismo donde el verde negruzco se protegía con soplos de algodón. El avión dio una vuelta delante del Salto de Angel, el chorro de agua más alto del mundo, más de veinte veces las cataratas del Niágara, casi un kilómetro de caída. Era un espectáculo soberbio, con el rugido de la tromba amplificado por las paredes de la tremenda y plana montaña. La cola del salto se perdía en la niebla, pero ella sabía que caía sobre el río Carrao, aguas que navegaban hacia el norte para unirse al Caroní por su margen derecha y formar el inmenso lago Canaima, nombre tomado por el pequeño pueblo donde se bañaba y a cuyo aeródromo se dirigían ahora. Como había dicho el piloto, tendría que buscar a Chus por tierra. No sería fácil porque no había caminos ni estructura para el turismo. Esas selvas impenetrables, casi en penumbra porque el dosel de ramas impedía el paso de la luz solar, donde siglos atrás los descubridores españoles y los piratas ingleses de Jack Hawkins se extraviaron y enloquecieron buscando El Dorado. Sólo los aventureros se empeñaban ahora en parecidas hazañas físicas, prácticamente sin medios y a base de tesón. Como Chus, que llevaba meses sin dar noticias. ¡Qué hombre tan diferente! Sólo ese otro loco, Daniel, se atrevía a retos que no conducían a ninguna meta práctica. Los amigos ejemplares, tan parecidos físicamente e inseparables, que, sin embargo, habían buscado diferentes frentes de aventura. Le hubiera gustado que Daniel estuviera ahora a su lado, con ella, buscando a su amigo. Pero estaba en África, haciendo el idiota, como su hombre. ¿Su hombre? ¿Por qué insistía en llamarle así? ¿Dónde estaría? Habían pasado diecinueve meses y sus familiares no parecían estar preocupados, extrañamente, por la falta de noticias. Lo mismo ocurría con sus hermanos y primos, amigos todos. ¿Por qué esa aparente despreocupación? Ambos estaban en lugares de peligro, sobre todo Chus en estas profundas selvas donde podía haber caído en un barranco y permanecer oculto y muerto durante años o ser devorado por el tigre. ¿Qué penitencia era ésa? ¿Por qué no se fue con Daniel y ahora estarían juntos? Era otro de los misterios que tendría que aclarar. Bien. Ella lo había buscado por Mérida, Barinas, San Fernando de Apure, sin éxito. Le hubiera gustado intentarlo en Los Llanos y en El Dorado, pero era un reto desaconsejado por el bandidaje. Ya tentó la suerte con aquellos violadores cuando bajaba de Mérida. Aquí era distinto. Y tenía una pista que podía ser fiable: un confidente le aseguró que por esas fechas su hombre estaría ya en la Gran Sabana. Esperanzada, había llegado en vuelo regular desde Caracas a Canaima, donde le dijeron que tres semanas antes un catire había partido en expedición con dos guías hacia la cima del Auyantepuy. Confiando que fuera Chus, había contratado el servicio de la avioneta para emprender esta fallida búsqueda por aire. Ahora tendría que indagar por tierra, como dijo el aviador. Mañana mismo organizaría una expedición con guías pemones desde el campamento Ucaima, donde llevaba residiendo dos días, e iniciaría la escalada al macizo, no para admirar el prodigio de la naturaleza sino en busca del hombre esquivo. Si no estaba allí, subiría al alto

Caroní, otro de los sitios que le dijeron visitaría Chus. Todavía no lo había buscado en ninguno de esos dos lugares. Pero estaba dispuesta a todo. Sería un examen de sí misma y de sus aptitudes. Y encontraría a ese fantasma.

Mateo detectaba el olor a carne. Percibía ese aroma espeso y embriagador aunque intentaran disimularlo con perfumes. Era una huella intangible e inconfundible para él, que podía definir si el efluvio provenía de porcino, ovino, bovino, caballar o de ave e, incluso, de humano. Además estaban las manos, esos dedos con hinchamientos característicos en las partes donde las uñas se guarecen. Era como un sello. Mucho tiempo habría de pasar para que él no pudiera distinguir sin dudar a quien hubiera tenido relación con el oficio de sacrificar animales. Por eso supo que el Paco Carapeto no era lo que decía.

Había reflexionado sobre los dos atentados que había sufrido recientemente, el del cafetín y cuando la marcha por los barrancales. Iban a por él. No fueron simples agresiones de nacionalistas exaltados a soldados de ocupación. Alguien pagaba a un grupo de moros para matarle. Siempre desconfió del Daniel Molero, ese estudiante de Periodismo enterado. Se le hacía sospechoso por absurdo que viniera de voluntario. No le encajaba. En toda tierra de garbanzos lo de voluntario era para elegir cuerpo cerca de donde se vive, dormir en casa pasado el periodo de instrucción e, incluso, poder trabajar. No para irse al quinto coño. Claro que siempre hay tíos raros. Pero si él hubiera provocado esas agresiones, con fines asesinos, ¿por qué defenderle luego? En ambos casos se batió bravamente, salvándole la vida con riesgo de la suya. Mas ¿no era sospechoso que siempre estuviera ejerciendo de salvador, a pesar de su aparente falta de interés por él? Esa ambigüedad le resultaba molesta como un grano en el culo y preocupante como una fiebre. Por eso le llevó a Dar Riffien, para estudiarle y para que su hermano diera su opinión sobre él, que fue muy favorable. No. El Molero no era el asesino desconocido, aunque convino consigo mismo que era raro de cojones.

Dirigió entonces su búsqueda hacia otro lado. El Paco Carapeto, otro voluntario que llegó con un argumento extraño, procedente de Ceuta, donde se vivía mejor, y con la instrucción hecha. En su día le sonó raro, pero al no tener contacto con él su extrañeza se disipó. Recordó que en la pelea del cafetín el tipo desapareció rápidamente. Y no estuvo en la emboscada del monte. Eran indicios. Además, su destino en la enfermería, exento de todos los servicios, le mantenía distante del resto. Desaparecía del cuartel con demasiada frecuencia y parecía manejar pasta. Sólo se le veía en algunas comidas y, en ocasiones, charlando con el Molero, el Couce y ese Jiménez hinchado de músculos que no aguantaría una de sus hostias. ¿Qué hacía realmente cuando iba a la ciudad? Sin duda que robaba los antibióticos, como parece era tradición, según le dijeron aquellos de su quinta que estuvieron anteriormente en ese puesto. Y ¿qué si lo hacía? Maricón el último. Otros robaban en las cocinas y en los suministros. Y también se robaban entre los propios soldados, en cuanto uno se descuidaba, por más que los sargentos proclamaran que el robo y la milicia son incompatibles. Se rió. Le habían asegurado que el Ejército era la mayor escuela de corrupción existente en la sociedad. Y él suscribía esa afirmación. En cuanto a intentar obtener pruebas que vincularan al Carapeto con las agresiones, sin que se evidenciara su interés, era misión difícil. Obtuvo noticias de que le habían visto en tugurios de la Casbah donde se fumaba yerba. Había que actuar. Se hizo un corte en el brazo izquierdo y fue a la enfermería. Nunca había estado allí, nunca había estado malo. Su salud era de hierro. Notó auténtica sorpresa en el rostro del enfermero al verle.

—Hombre, Morante; raro verte por aquí.

Cuevas, enfermero sin galones de cabo, estaba trasteando en la vitrina de utensilios y medicamentos. La enfermería, situada en la parte alta del cuartel, era una habitación pequeña, con una cama a un lado, una mesita metálica y dos taburetes. Estaba limpia, silenciosa y razonablemente llena de humo. Al fondo, una mesa con el cuaderno de incidencias encima. Paco se había adueñado de la única silla, como si fuera el médico, y estaba leyendo un *Marca* de hacía una semana.

—Ya ves; me jodí el brazo con el machete —dijo Mateo que, viendo a sus compañeros con sus lustrosas batas blancas, comentó—: Joder, vaya mili que os pegáis. Par de maricas. ¿A quién se la habéis mamado para estar aquí?

—Deja —indicó Carapeto a Cuevas, levantándose—, le atiendo yo. Siéntate aquí, Morante. Veamos.

El olor a desinfectante y el ambiente aséptico impidieron a Mateo servirse de su olfato. Pero vio sus manos y notó la peste agazapada y el nacimiento de las uñas intentando liberarse de labores del pasado. Y supo que era él. Sin embargo, el capullo tenía que haber estado matando desde hacía tiempo y no lo había visto nunca. ¿Cómo podía ser? ¿En otro matadero? Claro, en el de Vallecas. Esa comprobación no sería factible hacerla porque en cuanto preguntara, insinuara siquiera, el otro se pondría en guardia. Pero ¿qué más daba dónde hubiera currado? Era él y bastaba. ¿Practicante? Le habrían dado un cursillo rápido para curar y poner inyecciones, lo que se venía haciendo cada año con los destinados a enfermería. Despejadas las dudas en cuanto a la identidad del traidor, urgía buscar la forma de que se relajara y pudiera neutralizarle. Empezó por aprovechar las curas diarias para eliminar el mutuo rechazo. Y palique circunstancial. Y asientos juntos en el comedor y encuentros casuales en los paseos, tratando de que nadie reparara en esa relación. Procuró no mirarle nunca a los ojos fijamente. No podría disimular. Y sembró el camino para llegar al momento de actuar. El cabrón no iba a tener una tercera oportunidad.

A las tres semanas habían caído todas las barreras. Carapeto era un tipo abierto, chistoso, mujeriego. Pero había algo más: solapadamente intentaba ganarse su confianza, lo mismo que hacía él. Tan así, que fue sustituyendo a sus colegas de juergas y fumeteos, moros casi todos, por Mateo.

Eran dos zorros contendiendo. A instancias de Mateo, cambiaron los folladeros anestesiantes de la Casbah por otros más respirables en la zona europea. Estuvieron en las putas de doña Perla, la hebrea de los tiempos románticos que sostenía su elegante decadencia en un hermoso y discreto lupanar de la calle de la Luneta: una puerta estrecha a pie de calle, seis escalones, por los que se llegaba, pasillo desnudo de adornos, a un increíble jardín arbolado lleno de flores y aromas donde las heteras, árabes, judías, españolas, francesas, dejaban adivinar las turgencias a través de tules de colores mientras repartían té mentolado a la elegida clientela. En tardes sin nombre se pusieron pedos de grifa y quifi en hediondos fumaderos morunos, y hasta cantaron con voz desafinada la canción inevitable, que empezaba.

> *Las putas de la alcazaba*
> *le han pedido al coronel*
> *si se van los veteranos*
> *con quién vamos a joder.*

Y cuando el vino les vencía, cantaban, con música de la Raquel Meyer e intentando compadecerse:

> *Nena,*
> *no me llores nena mía*
> *que este regular un día*
> *a tu lado ha de volver...*

Una tarde en que el cielo se deshacía en amarillos y rojos, Daniel le preguntó, levantando la mirada de su libro:

—Te has hecho muy amigo de Carapeto.

Estaban solos en la oficina y Mateo se limpiaba las botas concienzudamente. Era muy cuidado con su persona y uno de los más arrogantes del tabor.

—Supongo que eso te importa tres cojones. ¿Es que me estás jipiando?

—Era una simple pregunta.

—Pues cómete una mierda. Hemos coincidido en ocasiones. Eso es todo. Ya sabes que no tengo amigos.

—¿Sabes? No creí que aprendieras tan pronto a modular tan bien. Me asombras.

—Más te asombrarías si supieras de lo que soy capaz.

A partir de la firma de los acuerdos con el futuro jefe de la monarquía alauita, dos años antes, por los que España cedía la soberanía sobre el Protectorado a Marruecos, pequeños grupos de exultantes musulmanes recorrían las calles enarbolando banderas y cantando consignas. Algunos, más impacientes y exaltados, increpaban a los soldados y, cuando los veían solos, los apedreaban, dándose casos esporádicos de agresiones con arma blanca. Ello preocupaba a las autoridades militares españolas, y más después de lo de Ifni hacía dos años, por lo que el Mando, aunque oficialmente valoraba los hechos como aislados y motivados por el ambiente de euforia que agitaba los sentimientos nacionalistas, inclusive el ataque al grupo comandado por el teniente Alemparte, tuvo cuidado en ordenar a los soldados que extremaran las precauciones, que no deambularan solos y que no se atravesara la medina al anochecer. Pero siempre había algunos fiados de su suerte, como Mateo, además de que el paso por la alcazaba evitaba el largo desplazamiento por la carretera que, bordeando el barrio moro, conectaba el cuartel con la parte europea.

Aquella tarde salieron y abandonaron su tiempo en diversos lugares. Estuvieron en el cine Avenida para ver *La isla de las mujeres desnudas*, que no era una película sino un documental danés sobre playas nudistas. Pero eso no desconsoló a los soldados que atiborraban la sala y que gritaban alborozados al ver los cuerpos al natural. Mateo, al notar que su compañero no bebía tanto como otras veces, intuyó que ése podía ser el día elegido. Él no tenía límites en cuanto a eso. Aguantaba como un esquimal. Ya al anochecer iniciaron el regreso por la medina. Caminaron charlando banalidades por las estrechas callejuelas llenas de orín y basura que, a través de túneles y arcos, desembocaban en la algo más ancha vía general que subía hasta la puerta trasera del fortín. Los *bacales* estaban cerrados, y por los angostos y precariamente iluminados callejones pasaban de vez en cuando, como fantasmas, algunos hombres sin rostro, ninguna mujer, ningún europeo. A derecha e izquierda surgían lóbregos callejones que terminaban en la entrada de una vivienda misteriosa o en pequeñas plazuelas sin salida, con puertas cerradas y ausencia de ventanas en muros desconchados.

—Joder, qué solitario está esto —comentó Carapeto.

—No más que ayer. Siempre cantas lo mismo.

Continuaron subiendo, ya por el serpenteante callejón principal emparedado entre muros desiguales, con minúsculos tragaluces situados en las partes altas. La luz languidecía por momentos. Ocasionales chilabas se cruzaban con ellos.

—¡Qué lúgubres son estas callejuelas! De los cuatro barrios que tiene la medina, éste es el más sombrío. Quizá debimos hacer caso a las órdenes de no subir por aquí. Da la sensación de que el Yenun va a aparecer de un momento a otro.

—¿De qué coño hablas?

—De los espíritus malignos, crueles y vengativos, que rondan en la oscuridad. Son creencias de aquí.

—Me paso por los huevos a esos espíritus. Lo que realmente hay es mugre. Estos moros son unos cerdos. Jalufo les daría yo a todas horas.

—En realidad viven mejor de lo que se cree. ¿Estuviste en alguna de esas viviendas?

—No.

—Yo sí. ¿Sabes? Están llenas de alfombras. Por dentro son luminosas, con grandes terrazas. Hay un patio central lleno de flores, higueras y naranjos. Todas las habitaciones rodean el patio, como en Córdoba. Hay un aroma grato y todo está muy limpio.

—Me importa una mierda cómo viven. No te esfuerces.

Carapeto se echó a reír. Luego miró hacia atrás. Nadie a la vista. Se aproximaban a un callejón lleno de sombra.

—Espera —dijo Carapeto, sacando una cajetilla—. Echemos un pito. Dame fuego.

Mateo metió la mano derecha en un bolsillo de su guerrera. Abrió la navaja de muelle nada más sacarla y, mientras que con su mano izquierda sujetaba el brazo derecho del otro, se la hundió en el vientre. El impacto anuló el sonido que deseaba salir por la boca sorprendida. Mateo lo arrastró hacia el interior del callejón y lo apretó contra la pared. Carapeto se escurrió hasta el suelo. Mateo se agachó y le cortó la yugular en silencio, como si el hombre derribado fuera uno de aquellos corderos que había sacrificado. Luego secó bien el arma en las ropas del muerto y recogió de su mano la navaja que no había podido usar. Llevó el cuerpo hacia el fondo del callejón, lo registró y afanó todo lo que el otro llevaba en los bolsillos. Se desharía de lo innecesario una vez examinado. Regresó a la entrada, miró con precaución y, al no ver a nadie, desanduvo el camino a grandes pasos sin dejar de vigilar en torno, caminando por el centro de la vía. Salió de la medina a la plaza de España, muy animada de transeúntes. Distraídamente miró la iglesia de los Cristianos, con su fachada ocre, su torre lateral y su cimborrio octogonal. Pero no se fijó en un soldado que salía. Echó por la avenida de España y se mezcló con más soldados para subir con otros regulares al cuartel por la vía principal. Llegó a la compañía. La puerta de la oficina estaba cerrada y no se filtraba luz por las rendijas. No estaba Daniel. Entró, y también en el cuarto adyacente, almacén de la compañía. Tampoco estaba el chico-cuarto. Se inspeccionó. Había leves manchas de sangre en sus botas, pantalón, guerrera y manos. Mojó una toalla con agua de una cantimplora y se lavó, quitando luego la sangre de sus botas. Se cambió a la ropa de faena y guardó el uniforme y la toalla en su armario. Esa noche después de la cena lavaría todo.

Cuando Daniel llegó le encontró designando los nombres para los servicios del día siguiente. A la hora de pasar lista para retreta, se echó en falta a Francisco Carapeto. El cabo de guardia de la compañía hizo la anotación correspondiente, que no pudo entregar al sargento de guardia porque estaba ausente.

El cadáver del cabo Carapeto fue hallado esa misma noche, de madrugada, por tetuaníes de la zona, que informaron, a voces, desde abajo, al centinela apostado en la garita que cubría la entrada por la alcazaba. El soldado dio la alarma de la única manera posible, ya que no podía abandonar el puesto: disparó un tiro, que dejó sin sueño al cuartel. El capitán de guardia destacó a uno de los tenientes al mando de una patrulla armada. Bajaron con linternas, un soldado médico y una camilla hasta un numeroso y gesticulante grupo de marroquíes arremolinados en el lugar. El cadáver fue subido al cuartel, en cuya enfermería fue depositado. El coronel del regimiento, con domicilio en la ciudad, fue informado y éste dio noticia al comandante general de la plaza. El capitán de guardia y el oficial de día llamaron a consulta a varios soldados. En el cuarto de oficiales, Juan, Daniel, Mateo, José y varios otros fueron interrogados. ¿Habían estado con el cabo muerto? ¿Cuándo, la última vez? ¿Por qué iba solo el cabo a pesar de la prohibición? Todos afirmaron desconocer las respuestas. Mateo dijo que había tomado unos tragos con él pero que se despidieron a media tarde cuando salieron del cine.

Más tarde, en la compañía, Juan Couce fue a la litera de Daniel, situada junto a la cerrada oficina. Aunque se había dado el toque de queda pocos durmieron esa noche. En la compañía no había más luz que la débil de la mesa del puesto de imaginarias, en el pasillo, frente a la entrada. Y, al fondo, otra donde las letrinas. La oscuridad tapaba las filas de literas, de donde surgían apagadas conversaciones y el brillo de los cigarrillos.

—¿Podemos hablar un momento a solas? —susurró Juan.

—Habla.

—No aquí. —Hizo un gesto señalando la litera de abajo—. Es importante.

Daniel bajó al suelo y fueron al cuarto-almacén. Cerraron la puerta por dentro.

—No enciendas la luz. Tengo linterna —dijo Juan yendo hacia el fondo del almacén. Puso la linterna sobre un armario y la enfocó a la pared. A la luz indirecta, Daniel vio el nerviosismo de su amigo.

—Fui a la iglesia a llevarle una botella de coñac al cura. Es del mismo pueblo que una vecina de casa y gracias a él pude ir de permiso, como sabes, el mes pasado. —Carraspeó—. Vi a Mateo y a Paco. Iban juntos, como en ocasiones. Los vi ir hacia la medina como para subir al cuartel por allí. Estuve un rato charlando con el cura, que es hombre conversador y ameno. Al salir vi a Mateo otra vez. Él no me vio. Iba solo y caminó delante de mí hacia el cuartel por la vía principal.

Daniel le miró un rato.

—Si Mateo y Paco iban juntos por la medina, ¿cómo es que luego aparece subiendo solo por la vía principal? Además, dijo que al salir del cine se despidieron, lo que no es cierto.

—¿Se lo contaste a alguien?

—No. Y no sé qué hacer. Necesito tu consejo.

Daniel dio unos pasos y se detuvo mirando la oscuridad. Luego retornó a Juan.

—Lo que sospechas es sólo eso: sospechas. Si lo largas al capitán, tendrás problemas. Interrogatorios, careos…, ve a saber. Te acojonarán. Y sin pruebas, no hay nada, salvo el seguro sentimiento de venganza posterior de Mateo hacia ti. Él no te dejará en paz, puedes creerlo. Además, ¿por qué Mateo iba a matar a su colega de juergas, con lo bien que se llevaban? Así que es mejor que lo olvides. En cualquier caso, ¿qué te va en este entierro? Paco no era precisamente amigo tuyo.

A la mañana siguiente todo el cuartel, salvo los soldados de servicio, fue convocado en la gran explanada. El Mando decidió que el cabo había sido asaltado por algún fanático marroquí y ésa fue la versión que se transmitió a la soldadesca. El coronel lanzó un enardecido discurso de advertencia. El Ejército español cumpliría con el mandato hasta sus últimas consecuencias. No les iban a acobardar acciones como ésa. Pero las precauciones habrían de extremarse. Se cancelarían temporalmente todos los permisos y los paseos, y nadie no autorizado expresamente abandonaría el cuartel. Y los autorizados para ir al hospital, al aeródromo, a las oficinas generales, a los mercados para la compra de alimentos, etcétera, irían con patrullas armadas. Se hizo hincapié en que los centinelas del inmenso recinto vigilasen constantemente los alrededores, que si veían a alguien sospechoso merodear hicieran disparos de advertencia.

Los familiares del soldado muerto fueron avisados y llevados desde la Península hasta el cuartel por cuenta del Ejército, que también se hizo cargo de los gastos del traslado del cadáver hasta su lugar de enterramiento. El domingo siguiente se celebró una misa especial y una vistosa parada con el Tabor número uno al completo, salvo los hombres de servicio, más parte de otros tabores venidos de plazas ya entregadas a Marruecos. Varios miles de hombres en líneas compactas, fusiles refulgentes. Se interpretaron los himnos de infantería y de Regulares y hubo vibrantes discursos. Y ante esa concentración de fuerza y de unidad los soldados se sintieron más seguros y hermanados. Todos menos uno, que valoró los hechos desde una posición diferente porque era el único que sabía que los marroquíes no tenían nada que ver en los acontecimientos de esa actualidad emotiva.

Once

Agosto 1959

Catia Pertierra subió los últimos metros que le faltaban para alcanzar el borde del Auyantepuy, después de unos dos mil quinientos metros de ascensión desde el llano. Ya en la cúspide se apoyó en el palo para recuperar el resuello. La cima de la montaña, al igual que la de todos los enigmáticos tepuyes, era plana, como si una gigantesca sierra la hubiera descabezado. La meseta, abandonada de árboles, mostraba su desolación. La lluvia, compañera inseparable en tantas jornadas, se escurría por su sombrero y le nublaba la vista, impidiéndole ver más allá de unos pocos metros. Habían ascendido por la vertiente sur, contraria a la parte donde se despeñaba la catarata de Angel, y sabía que el altiplano tenía unas medidas aproximadas de cincuenta por quince kilómetros. Tendrían que caminar para ver si el catire mencionado estaba allí y era el hombre que buscaba. Con suerte lo hallaría y averiguaría si su pasión era amor o un reto ancestral. Llevaba un anorak, prenda de nylon recién importada de Estados Unidos, que le protegía el cuerpo del frío. No dejaba de maravillarse al ver a los tres indios pemones, de la tribu de los kamaracoto, caminar con sus chaquetones simples y las piernas desnudas, acarreando los bultos e inasequibles al cansancio, en comparación con el evidente agotamiento que ella sentía. Llevaban quince días de marcha desde el campamento Ucaima, a cincuenta kilómetros del tepuy que ahora coronaban. El viaje hasta el campamento Kavac, en la base de la inmensa montaña, les llevó tres días y lo hicieron remontando el río Carrao en curiara, para bordear el macizo hacia el sur, y descansar luego en la isla Orquídea, que estallaba con el color de esas misteriosas y floridas especies. Luego, la subida entre inmensas moles pétreas, sin senderos, haciendo camino salvaje, inmersos en una vegetación de gigantescos helechos, musgos desbordados y plantas endémicas, con decoración apabullante de orquídeas y bromelias. Atrás fueron quedando los días de caminatas retadoras, las noches de acampadas en las frías tiendas de lona bajo la implacable lluvia constante y las bolsas de niebla.

Se esforzó en ver a través de la cortina de agua. Especies vegetales extrañas que se aferraban a las piedras desnudas en su afán de pervivir en el clima atroz; centelleantes cristales de cuarzo; enormes piscinas naturales; extrañas formaciones rocosas parecidas a torres desmochadas de fortalezas medievales. Y la soledad de siglos. Era estar en un mundo perdido en el tiempo, fuera de lógica, esperando ver aparecer de repente un dinosaurio o a un Neanderthal. Recordó a su amiga Marta. «Eres la más deseada de las féminas del estado Carabobo y de esta universidad. Tienes corte de aduladores, situación familiar sin problemas económicos, ambiente social envidiable y una vida conducida al bienestar y al placer. ¿Por qué, pues, no cejas en el empeño de cargarte de incomodidades, ah?» No le respondió. No lo hubiera entendido. Ella no estuvo en la noche mágica de los montes iluminados. Miró a los pemones, parados, esperando instrucciones.

—Buscaremos hasta el borde del Salto de Ángel. Si vemos la tienda, montaréis las nuestras al lado. Si no está, las montaremos en cualquier sitio para pasar la noche, antes de bajar.

Ellos no respondieron. Catia echó a andar detrás de uno de los guías, venciendo el agotamiento. Fueron progresando lentamente. Sus botas aguantaban bien pero su peso la iba debilitando. «Dios, que esté. No resistiría haber subido hasta acá y no encontrarlo.» Pero dos horas después vieron dos diminutas tiendas color azul en una gran oquedad, al abrigo de la lluvia. Por eso fue imposible verlas desde el aire. Catia sintió palpitar su esperanza. Ya cerca vio que de una de las tiendas salían dos indios. Los habían oído y los miraban.

—¡Chus! ¿Estás ahí? —gritó esperanzada.

De la otra tienda salió un hombre alto, delgado. Ambos se contemplaron llenos de sorpresa y admiración. Y todo desapareció salvo sus miradas.

Doce

Septiembre 1959

Daniel ayudaba en el desmontaje y empacado de las camas mientras otros empaquetaban colchonetas y agrupaban las mesas, los armarios y los bancos. El zafarrancho había empezado poco después del desayuno. Todos los enseres eran amontonados para un traslado que estaba siendo ordenado y eficaz. Había que dejar el cuartel totalmente vacío, sólo las paredes desnudas. La compañía parecía una jaula de locos, llena de risas y gritos. El teniente Alemparte Barbero entró. El soldado de guardia gritó y se cuadró militarmente.

—¡Compañía, el teniente!

El oficial devolvió el saludo y miró a la tropa, que había quedado en silencio y en posición de firmes. Daniel vio al cabo de guardia acercársele y cuadrarse.

—Sin novedad, mi teniente.

—Que sigan. —Indagó con la mirada en busca de Daniel. Le hizo seña de que le siguiera. Mateo echó tras él también, pero el teniente le detuvo—. Tú no.

En la oficina ya no estaban las mesas, ni las sillas, ni la máquina de escribir, ni el armarito de los útiles.

—Estáis sin ninguno de los oficiales de la compañía.

—Se despidieron ayer. Pero todo está bajo control.

El teniente miró el enorme armario empotrado donde el brigada, de vacaciones en ese momento, guardaba sus secretos. Pidió la llave.

—No está, mi teniente. Sólo hay una y la guarda él —dijo Daniel, sobre el fondo de algarabía que llegaba desde la sala.

—Romped la cerradura.

—Las órdenes…

—Rompedla.

Daniel miró al chico-cuarto, que permanecía agazapado tras él. Con una palanqueta forzó la puerta. Aparecieron pulcramente ordenados sábanas, mantas, almohadones, alpargatas, camisas, fajas, guerreras, pantalones, gorros, gorras, monos, botas, correajes, capotes, todo nuevo, sin usar. También cajas con trozos de jabón y bolígrafos, papel, libros, manuales de uso y conservación de armas, cuarterones de tabaco negro, botellas de coñac, vino, anís y güisqui. El espacio estaba atiborrado. Parecía la Cueva de Alí Babá. El teniente miró a Daniel y al chico-cuarto. Vio sus camisas agujereadas, sus pantalones zurcidos, sus zapatillas rotas mostrando los dedos de los pies. En todo el curso de esta quinta sólo se había dado un uniforme y un mono de trabajo a cada soldado, que habían quedado destrozados tiempo atrás, por lo que los quintos ofrecían el aspecto de partidas de bandoleros más que de miembros de un Ejército moderno. En las formaciones para las revistas, los soldados habían de ingeniárselas para mostrar uniformes que resistieran las inspecciones, bien planchados los desgastados pantalones, disimuladas con las fajas las roturas de las guerreras. El cuello de la camisa, que sobresalía de la guerrera, era sólo eso: un cuello, hilvanado a la guerrera porque no había camisa. Cuando los arreglos no eran posibles, la única solución era comprar las prendas en los mercados de la morería. Nunca entendieron los soldados que, mientras ellos estaban desvalidos de vestimentas, los mercaderes morunos exhibían montones de ropas y uniformes nuevos. En los tenderetes de los marroquíes había mantas, capotes, botas, zapatillas, uniformes, todo del Ejército, algo de lo que desde hacía muchos meses carecían los soldados. ¿De dónde sacarían ese vestuario? ¿Cómo lo obtendrían? Ahora comprendieron. Los brigadas tenían su propio mercado negro. El teniente Alemparte Barbero dijo:

—Que formen los soldados. Repartid todo esto de la forma más equitativa.

Fue un momento de alegría y jolgorio. En la vida civil ya no les servirían esas guerreras anheladas, esas camisas necesitadas, esos pantalones deseados. Ni las gorras ni los *tarbus*, ni las fajas ni las chilabas. Pero sí las zapatillas, las botas, los faroles, los monos, las sábanas y el jabón, que llevarían a sus casas como regalo. Y brindarían con el coñac, el vino y el güisqui. El teniente añadió:

—Que se repartan también los vasos y los platos.

Nueva explosión de júbilo. Se abrieron las cajas, ya preparadas para el traslado, y se distribuyeron las vajillas de cristal transparente, Duralex, francés, inexistentes en España y que tanto les había sorprendido cuando los usaron al llegar al cuartel. Daniel miró los libros. Entre ellos había una colección de cuatro tomos encuadernados a la antigua: *Vidas paralelas*, de Plutarco.

—¿Puedo quedármelos?

El teniente asintió y luego le dijo que le acompañara. Hacía calor y ambos llevaban la camisa color garbanzo de manga corta, con los distintivos colgados en el lado izquierdo del pecho. Las dos estrellas del teniente refulgían en su impoluta prenda. Ninguno iba cubierto y el pelo negro del oficial contrastaba con el castaño claro del cabo. Salieron y caminaron por el pasillo abierto sobre los fosos. El teniente se paró y miró hacia abajo, por encima de la balaustrada de piedra. Docenas de camiones estaban en la explanada y eran cargados con el mobiliario y los enseres. Había gran actividad, los sargentos dando órdenes, los soldados portando bultos. Parecían hormigas contemplados desde allí arriba. En la parte alta del cuartel, enfrente, al otro lado de la explanada, una fila de camiones ocupaba toda la rampa de salida y se perdía más allá del portalón de acceso al recinto militar.

—Te preguntarás a qué he venido si no soy de esta compañía.

Daniel hizo un gesto ambiguo pero no contestó.

—Esto es el fin del mundo —siguió el teniente, sin mirarle—. Una nueva era. Un final. Un comienzo.

Daniel permaneció en silencio.

—Contemplas algo histórico. No todo el mundo tiene la oportunidad de vivir un hecho semejante. Nuestro Ejército y España abandonan el Protectorado. Les dimos la independencia en 1956, pero es ahora cuando se procede a la evacuación de Tetuán. Los franceses ya lo han hecho en su zona. Aunque seguirán ejerciendo su protectorado de otra manera más sibilina, a través de empresas comerciales y asesores militares. Nunca se irán de Marruecos, de un modo u otro. Esos cabrones saben hacer las cosas.

»No es sólo la evacuación de todo un Ejército, que arrastra al sector civil, que se nutre de él: población, negocios, comercio... El éxodo de miles de personas, el abandono de un territorio, de un país, de una civilización. Para muchos implicados emocionalmente, es un sentimiento, algo traumático, irreemplazable, más que la pérdida de un ser querido; es la derrota de una nación. Tiene que ver con la conmoción que produjo nuestra última evacuación de Cuba y Filipinas, la pérdida definitiva de nuestra secular presencia en América, la que descubrimos. El Mando superior creía, e hizo creer al Ejército y a los civiles, ingenua o interesadamente, que, a modo de compensación providencial por la América perdida y por tanto esfuerzo gastado en esta tierra infame, nuestra permanencia se eternizaría aquí porque los moros de nuestro Protectorado, al menos el que nos interesaba, el llamado Protectorado Norte, nos preferirían al sultanato de Mohamed Quinto. Confiaban en que se escindirían del Gran Marruecos proyectado para constituir un sultanato propio donde España tendría cabida, en ese utópico destino común, como asociado o protector. Sería el bálsamo por las retiradas del pasado. De tal modo se lo creyeron que sintieron el Protectorado como si de una provincia española más se tratase. Hay varias generaciones de españoles nacidos aquí. Todos creen que ésta es tierra española.

Daniel miró su rostro serio y sus modales suaves. Tendría unos treinta años.

—Sueños. Porque la realidad es otra. El jalifa El Mehdi y los cabecillas que se valieron de la candidez española, de la «tradicional amistad hispanoárabe» y del estímulo económico que la idea requería, cuando llegó el momento se declararon sumisos a Mohamed V, dejando en ridículo al general García Valiño y otros, que tanto trabajaron y se esforzaron por esa idea insensata. Así que perdimos el oro y el moro. —Hizo una pausa para que lo denunciado penetrara en la mente de Daniel—. España lleva aquí muchos siglos, sin deseos de dominación efectiva. Sólo la hubo con los militaristas de ahora, entre los que desgraciadamente me encuentro, y después de que en 1912 se nos otorgara la pesada losa del Protectorado por presión de Inglaterra, que nos obligó a asumir esta absurda responsabilidad para evitar que esta parte de Marruecos cayera en poder de los alemanes. Para ellos era mejor tener aquí a una potencia controlable de segundo orden que a la poderosa Alemania. Y España, a tragar con ese disparate. —Movió la cabeza—. Y ahora otra potencia, en la sombra, nos obliga a hacer lo contrario. Esta vez es Estados Unidos quien, para frenar el peso que la Unión Soviética viene ejerciendo en el norte de África, se ha instalado en Marruecos desde su desembarco en 1942, tutelando y acelerando su independencia. Claramente ha dicho a Francia y a España que hagan las maletas y se larguen con viento fresco. No hay dudas al respecto. Y entre ambas fechas ¿qué? Atrás han quedado tragedias como las de Annual y éxitos como el desembarco de Alhucemas. Ninguno de esos hechos sirvió para nada. Sueños frustrados de quienes querían prolongar las glorias de un imperio que jamás volverá. En esta tierra inhóspita y desagradecida quedarán cientos de miles de muertos desperdigados en cementerios que nadie cuidará. Restos no sólo de generales, oficiales y soldados sacrificados en las duras guerras, sino de fallecidos en los años de paz. Una aventura absurda que dejará profunda huella por su esterilidad. Encontramos ciudades adormecidas, hundidas en el atraso. Al lado de esas inmutables callejuelas laberínticas, construimos ciudades modernas, limpias, con calles rectas, plazas amplias, casas luminosas. Construimos infraestructuras: red de carreteras, de autobuses de línea, de ferrocarriles, puertos, servicio postal, red de telefonía y eléctrica, servicios médico sanitarios, canalización de aguas… Tantas cosas… Pero, al contrario que en América, no supimos o no pudimos dejar lengua, cultura y religión. Nada, como el humo de una fogata. La gente dejará sus lágrimas en los paisajes que creyeron suyos y que muchos de ellos no volverán a ver.

Sacó una cajetilla Camel y extrajo un cigarrillo, sin ofrecer al subordinado. Lo prendió con un mechero dorado. Fumaba con elegancia, cogiendo el pitillo entre los dedos índice y corazón de su mano izquierda mantenidos en posición recta, uñas hacia arriba. Cuando acercaba el cigarrillo a la boca aplastaba los dedos contra sus labios como si pidiera silencio. Luego expelía el humo azulado al compás de las palabras.

—Mohamed ben Yussef, cuarenta y ocho años, dinastía alauita, llamado *el Libertador* por haber instaurado el reino de Marruecos y acabado con la ocupación extranjera, ya ha trazado las líneas de su Régimen: monarquía que se dice constitucional y parlamentaria pero que en la práctica es absolutista, por derecho divino. Control territorial, total sometimiento del ELM y, en especial, de las tribus levantiscas del Rif, porque no olvidan que con Abd el Krim quisieron secesionarse de Marruecos. Y dos idiomas oficiales: el árabe y el francés. El español desaparecerá de estas tierras. Dentro de unos años nadie lo hablará. Dice el mandamás que las propiedades de los españoles serán respetadas pero que tendrán que adaptarse a la nueva legislación. O sea, a las exigencias impositivas del nuevo Estado. Como era de esperar, muchos comerciantes y agricultores avisados han ido vendiendo sus posesiones lo mejor que han podido, sabia medida, sin duda, y han vuelto a España. Saben que con el tiempo lo perderían todo. Otros están preparándose para hacer lo mismo. ¿Qué garantías pueden tener sin el Ejército que les proteja? Mohamed V y sus asesores crearán nuevas leyes que colisionarán con las coloniales.

No le miraba. Era unos veinte centímetros más bajo que él y sus botas relucían como espejos.

—Dentro de unos meses el general Galera Paniagua, que, como sabrás, es el comandante en jefe de las fuerzas españolas de Marruecos, tendrá el dudoso honor de anunciar la total evacuación de nuestras tropas en este país. Habrá discursos, más o menos altisonantes, para ocultar el absurdo y la decepción. Es cierto que la salida de unidades comenzó hace meses. Arcila, Larache, Xauen y otros hitos de nuestra presencia militar ya han sido traspasados a Marruecos. Cuarteles, oficinas, casas han cambiado limpiamente de manos. Todo entero, bien conservado, sin deterioros. Los millones que costó todo ello… Muchas unidades militares han sido disueltas. Otras, así como el personal civil adscrito, fueron concentradas aquí, en Tetuán. Supongo que el Cuerpo de Regulares será disuelto también. Fue creado como una fuerza de choque, integrado sólo por mercenarios indígenas, salvo la oficialidad, que siempre fue española. Desde hace unos años los moros fueron jubilándose y no se alistaron otros. Hubo que nutrir el cuerpo con quintos españoles. Desde los acuerdos de cesión, casi todos los soldados y suboficiales indígenas que permanecían han pasado a las FAR. Sólo quedan algunos viejos en las caballerizas. No tendrá sentido este cuerpo de infantes de reemplazo, independiente de las unidades de infantería normal. —Calló, buscando la adecuada pausa—. Y es ahora cuando llega el abandono definitivo de la capital, la evacuación final. Quedarán durante un tiempo el aeródromo y el hospital; unas instalaciones espaciosas y bien dotadas, de lo más moderno que tiene España. En realidad, como sabes, Marruecos, y en particular Tetuán, ha sido una puerta para que la modernidad entrara en España en los últimos años. Aquí se pueden comprar cosas imposibles de conseguir allá, como habrás comprobado. Ropas, coches, televisores, electrodomésticos, aparatos de radio… Y el cine… ¿Cuándo en nuestro país podremos ver estas películas de desnudos?, ¿a Brigitte Bardot en *Dios creó a la mujer*?

Fumaba con meticulosidad, mirando pero sin ver el trasiego de allá abajo.

—Todo esto desaparecerá como un suspiro en el viento. Y volveremos al silencio, a la censura, a la noche. En el hospital quedará durante tiempo indefinido, no mucho, parte del cuadro médico, aunque algunos soldados médicos ya han expresado sus deseos de integrarse en esta nueva sociedad, quizás adquiriendo la nacionalidad marroquí. La vida ofrece infinitos caminos. —Se volvió y clavó sus negros ojos en el soldado—. ¿No te han llegado ofertas para entrar de oficial en las FAR? Están reclutando cabos y suboficiales, y hasta oficiales, en el Ejército francés.

Daniel pensó en el viejo guarnicionero magrebí que tanto insistía en ofrecerle a una de sus hijas, casi niña, en matrimonio, con una dote de dos borricos y un baúl de sedas. Sonrió para sí recordando a los agentes de las Fuerzas Armadas Reales, creadas tres años atrás, que de paisano y en varias ocasiones le hicieron sus propuestas.

—Sí. Pero no me quedaré aquí.

—¿Qué harás una vez licenciado?

—Terminaré Periodismo. Luego, no sé.

—Yo sí sé qué haré. Dejaré el Ejército. No tengo vocación castrense y menos después de la experiencia vivida en estos dos últimos años. Siento vergüenza como militar y como español. La verdad es que debemos agradecer a los moros el que no nos hayan atacado. No podríamos haber resistido. Estamos sin municiones. Aunque realmente no sabemos si es que no hay o tenemos tan pocas que las guardamos para situaciones de extrema gravedad. No habéis hecho ningún ejercicio de tiro desde el campamento, donde para mayor vergüenza sólo se hicieron en contadas ocasiones. Hace más de un año. Fue un simulacro de instrucción. ¿Cómo es posible tener a un ejército de frontera, como es éste, sin hacer ejercicios de tiro? A muchos se os habrá olvidado disparar con puntería, o disparar siquiera.

—Siempre creí que el no ejercitar el tiro era prohibición expresa en los acuerdos de cesión.

—De ninguna manera. Nadie nos impide hacerlo dentro del cuartel, en esta explanada. O, en última instancia, en el Cuartel de la Legión, en Dar Riffien. Allí se hacen frecuentes ejercicios de tiro. Además, un Ejército debe imponer respeto. Y eso se consigue mostrando la máxima fortaleza y preparación, esté donde esté. —Dio una larga chupada y se esforzó en proyectar el humo de forma recta, como si fuera una lanza—. Sólo sabéis sacar brillo al mosquetón, arma que debería estar jubilada desde hace años, como los tanques que tenemos o la artillería, cuerpo tradicional que dejará de ser útil en el futuro cuando se generalice el uso de los misiles. Ésa es la realidad de nuestro armamento: obsoleto, envejecido y escaso. Lo más moderno que tenemos son restos del que se empleó en la Segunda Guerra Mundial, pura chatarra. Y no hablemos de la armada o de la aviación. Esto hace que el espíritu de los auténticos profesionales de la milicia esté por los suelos.

—El recuerdo que tengo del teniente Fernández es contrario a esa decepción generalizada que usted indica.

—El teniente Fernández era un romántico. Vivía una milicia fuera de su siglo. Los ejércitos modernos no son como los tercios del Gran Capitán. No es tiempo de cojones sino de buen armamento. El soldado de hoy no es el individual de la bayoneta, uno contra uno, sino el de la potencia de fuego: abatir desde lejos a cuantos más enemigos mejor. Debíais disponer ya de fusiles automáticos, arma que no es novedad porque fue utilizada por los soldados yanquis en la guerra no declarada de Corea, hace nueve años. El concepto de nuestro Ejército debe cambiar totalmente. Por lógica, los reemplazos forzados desaparecerán en España y la carrera de armas se profesionalizará en todas las escalas, lo que ahora no existe. Las Fuerzas Armadas, en cuanto a efectivos humanos, deberán bajar a la mitad, cuando menos. Hay exceso de generales, oficiales y soldados, que constituyen una carga insoportable para cualquier Estado. La milicia deberá ser un trabajo más, una profesión donde estén los soldados que quieran serlo, sin obligatoriedad. Ahora distáis de ser una fuerza entrenada para el combate, ni mental ni en equipamiento. En realidad, no sois soldados, porque esto de ahora es la negación, por no decir la degradación, de un Ejército. Es innegable. Cualquiera puede mojarnos la oreja. Vemos vuestro aspecto harapiento, vuestros gestos ausentes y sin motivación, esperando una licencia que no llega, hartos de ranchos agarbanzados. —Mantuvo una pausa prolongada y miró la hora—. Incluso los centinelas, aunque van armados, tienen órdenes de no disparar en caso de invasión. ¿Se puede entender tal disparate? Un cuartel es un lugar inviolable, donde están los soldados y los bienes del Ejército, su genuina representación. En cualquier lugar del mundo el que intenta colarse en un cuartel sabe a lo que se expone. ¿Recuerdas el follón que se organizó hace tres meses con el centinela que a pesar de la prohibición disparó a uno que se había colado de noche en el cuartel, matándolo? Las autoridades marroquíes armaron un gran alboroto y pidieron la entrega inmediata del soldado, para juzgarle.

—Se dijo que lo mandaron a España y que lo juzgaron allí —tanteó Daniel.

—Claro, ¿qué se iba a decir? Fue una farsa. ¿Cómo condenar a un soldado que cumplió con su deber? Hasta ahí podríamos llegar. Cuando el muchacho estuvo en España lo licenciaron y si te he visto no me acuerdo.

—Supongo que la explicación de todo lo que ha mencionado estará en nuestra provisionalidad. Si ya hubiéramos abandonado Marruecos, no estaríamos aquí para hacer instrucción de tiro y menos para disparar contra nadie.

El teniente lo miró fijamente.

—Ésa es exactamente la explicación, pero no la justificación. El hecho es que, por lo que sea, hemos seguido aquí hasta ahora. Y mientras se esté en un sitio, un Ejército debe disponer de todo su potencial y de toda su autoridad. O se está o no se está. Aquí hemos estado sin estar. Algo absurdo.

Apagó la exprimida colilla y la tiró. La vieron hacer una

parábola antes de perderse de vista en el profundo patio.

—El sueldo de un militar en España es de miseria. Yo no podría sostener a mi familia. Aquí los extras y pluses hacen que la paga final sea grande. Y, para muchos, están las posibilidades del contrabando a pequeña escala, aprovechando los permisos. Sabrás que, menos a los soldados, a todos los militares se nos permite pasar de todo por la aduana. La mayoría han hecho pingües negocios con la venta sin control en España de todo tipo de artículos, inexistentes, escasos o muy caros allí. Son prácticas que nunca he compartido. Como tampoco soporto la corrupción general del Ejército. Tú has sido cabo de cocina algunas veces y has visto cómo funciona. Según el capitán al mando, la tropa comía bien, regular o mal.

—Normalmente mal.

—La clave está en el equipo mandante que forman el capitán, el brigada y el sargento. Sabes que cada servicio de cocina dura un mes. Lo que quizá no sabes es que en ese tiempo la mayoría de los capitanes y brigadas se compraron un coche. Sisaban a lo grande en todas las compras de alimentos. Resultado: raciones escasas, inevitables garbanzadas, poca carne. El tema de los botes de leche condensada para los desayunos es descriptivo. ¿Cuántos viste echar en los calderos?

—Unos veinte. El cabo cocinero y los soldados de turno se quedaban unos cuantos.

—La orden al respecto era poner cien botes por caldero. Los que faltaban era dinero en los bolsillos de los desaprensivos compradores. Ocurría lo mismo con el café. Al final bebíais aguachirri. Eso sí, caliente.

—¿Puedo hacerle una pregunta, mi teniente?

—Sí, pero llámame teniente. Quita el «mi».

—Me está largando todo un discurso. ¿Por qué lo hace?

El oficial lo miró desde abajo. Daniel cayó en la cuenta de que nunca le había visto sonreír.

—Con mis compañeros no puedo hablar de esto. No todos piensan igual y siempre terminamos con fuertes discusiones. Eres de mi generación aunque tengas menos años que yo. Mañana volverás a ser civil y yo pronto también lo seré. No es momento ya de autoridad ni de grados. Es como si estuviéramos hablando dos civiles. Y no quiero que te lleves una imagen totalmente negativa del Ejército como institución, aunque sus principios hayan sido menoscabados. No todo es malo y no todos los militares son estúpidos. En realidad esta charla es como un examen de conciencia. Pero hay más. Por eso he venido a verte. —Mostró su perfil al soldado y habló como para sí—. Hay algo extraño en ti. Lo noto. Algo que, no sé…

—No le entiendo.

—Tu forma de ser, de comportarte. Te he venido observando desde el principio. Ganabas a todos en los juegos de habilidad, como el balón medicinal, el cruzar sobre el tronco móvil, el salto sobre el charco, el desequilibrar al contrario con un pie fijo, la subida a las cuerdas lisa y con nudos… Hasta en baloncesto estás al nivel de Martínez, aunque él es profesional. Siempre vencías. Igual en resistencia que en las marchas por el monte o en instrucción cargando con el equipo pesado y sacos de arena. Nunca te derrumbaste. Eres de los que destacan. Caes bien a los soldados y a los oficiales. Creo que fui duro contigo en ocasiones por esa cualidad. Me fastidiaba la seguridad que tienes en ti mismo y la aceptación estoica que haces de las situaciones duras que se te plantean. Nunca una queja. En realidad quiero pedirte disculpas si te herí. Me mojaste la oreja con lo de la velocidad de la Tierra y lo del guepardo. No sabía que existía ese animal. No está en los libros de naturaleza españoles. Lo encontré en uno francés. ¿Dónde lo aprendiste?

—En el *National Geographic*.

—¿Qué es eso?

—Es un magacín yanqui de investigación para el conocimiento geográfico. Se publica en inglés. Apenas se conoce en España. Tengo suscripción.

—¿Tú la lees? ¿Sabes inglés? —Le miró, admirado.

—Bueno, un poco —dijo el cabo, haciendo un gesto con los hombros para quitarle importancia.

—Eres un pozo de sorpresas. Y debo reconocer que, en aquella ocasión, me diste una lección. Y tu virtud: lo hiciste de forma respetuosa y sencilla, soportando mi mofa y mi abuso de mando. —Hizo un gesto evasivo—. Quizá le estoy dando muchas vueltas a mi petición de perdón. No estoy acostumbrado.

—No se disculpe, teniente. No le guardo rencor. He sufrido cosas mucho peores en la vida.

—Eres un solitario aunque estés rodeado de amigos. Lo veo porque sé lo que es eso. Y también esa extraña sensación que tengo contigo. Es como si…, como si hubiera en ti una doble presencia, que aparece y se desvanece. Algo que quizá podrías explicarme.

—No entiendo lo que dice —dijo Daniel mirándole a los ojos—. Pero una cosa es cierta: me desvaneceré, como todos. Ya llegó el licenciamiento.

—Sí —convino el teniente, devolviéndole la mirada—; pero no es eso. —Siguió mirándole y luego movió la cabeza—. Tampoco entiendo que, entre tanta gente para escoger, te hayas hecho amigo de Mateo Morante.

—Él destaca de los demás.

—Pero en sentido negativo. Es cruel y arbitrario. Pega a los soldados. Nadie le quiere. No casa con tu personalidad. Le calé el primer día que le vi, cuando llegó al campamento, hace casi tres años. Ya entonces hizo demostración de abuso.

—Quizás es por la teoría de los polos opuestos. O porque él también es un solitario y necesita un hombro sobre el que llorar.

—Ése no llora nunca. Desconfía de él. No es bueno. Irá siempre a lo suyo tratando de eludir todas las normas. Reconozco que tiene dotes de mando. Haría un sargento impecable. Incluso hasta un capitán adecuado, si tuviera cultura. Nadie se le ha desmandado. Pero va a la vida civil y no dejará de tener ese poder, peligroso en un hombre como él.

—No estaremos juntos mucho tiempo.

—Lo celebro. —Apoyó las manos en el pretil granítico—. Para muchos todo empieza ahora. Acaba una década.

Un ejército de barbudos de un tal Fidel Castro ha tomado Cuba. El mundo está cambiando. Y cambiará España porque tiene que modernizarse, salir de la postración. No sé si sabes que estudio ruso, con textos en francés. No hay textos en español. La prohibición de viajar por los países del Este terminará pronto, por lógica. Hay un mercado enorme ahí, esperando, y cientos de empresas en ambos lados deseando contactos comerciales. Te doy una pista. El ruso será imprescindible.

Enmudeció y Daniel respetó el silencio durante una larga pausa. Luego preguntó:

—Ya que está en confidencia, teniente, ¿me puede aclarar lo que ocurrió realmente en el otoño pasado, cuando fuimos acuartelados sin salir durante semanas?

—Los rifeños, que con Abd el Krim hicieron correr tanta sangre en el pasado, siempre han deseado segregarse de Marruecos. En realidad no se consideran marroquíes, sólo rifeños. Nunca han sido parte del Imperio jerifiano. A principios del invierno pasado se manifestaron contra la marginación y la pobreza a que el gobierno central les tiene sometidos. Se levantaron en armas y uno de sus propósitos era el de expulsar a las tropas extranjeras; es decir, a nosotros, los españoles, porque los franceses ya se habían ido. Se planteaba un problema internacional, que Mohamed V solventó con El Mizzian, ex general español y ahora mariscal de sus Ejércitos. A principios de este año mandaron a las FAR con el ministro de Gobernación, general Ufkir, al frente. Treinta mil soldados, blindados, artillería y aviación que acabaron con la rebelión tras destruir aldeas y eliminar a familias enteras. Se habla de unas nueve mil personas matadas. Mulay Hasan, el príncipe heredero, treinta años, templó allí su ardor guerrero masacrando a su propio pueblo bajo el lema «Dios, patria, rey». Aprovechó para cepillarse también a demócratas, proletarios y sindicalistas. Todo ello se ha mantenido en el más absoluto secreto oficial. Fíjate que ocurrió en nuestra zona de Protectorado, a no muchos kilómetros de aquí, y es como si no hubiera ocurrido. Tanta es la censura para que nada oscurezca el nacimiento de esta monarquía. No deja de tener huevos el asunto. A los españoles nos acusaron de salvajismo cuando luchábamos contra las fuertemente armadas tropas de Abd el Krim. Y estos marroquíes asesinan sin contemplaciones a sus apenas armados y hambrientos compatriotas, y aquí no ha pasado nada. Todo muy instructivo, como ves.

—Mencionó a El Mizzian. Eso suena a moro.

—Lo es.

—¿Un moro, general español?

—Así es. —Miró a los lados—. Un capricho de Alfonso XIII y un protegido del Caudillo. Hace tres años era capitán general de Canarias. Cuando se firmaron los protocolos de la independencia, Mohamed V le llamó para que organizara las FAR. Aceptó encantado porque es marroquí. Pero sigue cobrando su pensión de general de nuestro Ejército.

—¿Eso es normal?

—Prefiero no hablar de ello y seguir con lo del Rif. —Volvió a mirarse las manos y continuó—: El asunto fue de una gravedad extrema para nosotros. Porque no sólo los rifeños tenían ansias revanchistas contra los españoles. Dentro del escenario político marroquí, el Istiqlal, por su pasado de lucha por la independencia de Marruecos, ha tenido y tiene un gran protagonismo. Es el mayor partido político. Su dirigente, Ben Barka, una mezcla de socialista, nacionalista e islamista con aspectos revolucionarios, no cesa de fustigar al Régimen. En el invierno pasado, al conocer el movimiento rifeño, arengó a las multitudes. Mohamed V se vio cogido entre dos fuegos. Nunca agradeceremos bastante al Rey su prudencia y sensatez al conducir el conflicto al terreno interno. Podía haber corrido mucha sangre española. Todavía tenemos muy cerca lo de Ifni, con la muerte de unos cien soldados y varios oficiales, provocada por el Ejército de Liberación, la rama armada del Istiqlal. Más vale que viva muchos años para bien de los cientos de españoles que se están integrando en la incipiente administración marroquí ante el cambio de poderes.

—También pudiera ser —apuntó Daniel— que esa prudencia del Rey no saliera de él sino que, en línea con lo que ha dicho, fuera impuesta por Estados Unidos, a quien no le interesaría un foco bélico de grandes dimensiones que se sabe cómo empieza y nunca cómo puede acabar.

—Veo que no te falta perspicacia. Es posible que tengas razón. Con tan conspicuo amigo detrás, el moro puede mostrarse generoso perfectamente. Pero no le va a ser fácil conducir este país, ingobernable durante siglos. Tendrá que dominar al ELM, a las tribus levantiscas, a los comunistas; a los partidos políticos, sindicalistas y organizaciones estudiantiles; todas surgidas de la nada y con la intención de mangonear en el Régimen. Muchas piedras en el zapato. Claro que cuenta con su hijo, que está mostrando una dureza de la que él carece.

—Tiene usted un gran conocimiento de la historia y de la actualidad política de este país. Incluso parece que le obsesiona.

El teniente se rodeó de un meditabundo silencio.

—Llevo aquí cinco años. Estudiar este momento histórico de España y Marruecos es lo menos que puedo hacer. Y no es exactamente obsesión, sino decepción por tanto tiempo perdido.

—Es su país. Que hagan con él lo que les parezca.

—Sí. —Se pasó una mano por los ojos como para ahuyentar imágenes negativas. Añadió—: Tengo esposa y dos hijos en Madrid. Los echo mucho de menos. —Buscó en uno de sus bolsillos—. Toma mi tarjeta. Si me necesitas, cuando sea, localízame. Y no lo olvides: sois los «Últimos de Marruecos», la última quinta, quizá no tan famosos como los «Últimos de Filipinas», pero vivís un mismo hecho histórico: el abandono de unas tierras por las que tanta sangre se vertió. Podrás presumir de ello.

—Nos faltará algo. —El teniente enarcó una ceja. Daniel continuó—: Una habanera-bolero como *Yo te diré*.

—Sí —asintió el oficial, haciendo una pausa—. Aunque para ello se necesitaría que hicieran una película. —Movió la cabeza—. Nunca se hará. Al contrario que en Filipinas, no hay nada heroico en esta retirada.

—Nos queda la «recompensa» por tan alto designio —agregó Daniel—: Seis meses más de mili que la quinta normal.

—La gloria tiene siempre costos adicionales.

Convinieron un silencio y miraron más allá del paisaje. Luego, el oficial se volvió al soldado. Daniel descubrió temblores en sus ojos intensos.

—Quizá nos encontremos algún día por la vida.

No le dio la mano. Daniel lo vio bajar por la cuesta hacia el barullo hasta que empequeñeció en la distancia, antes de desaparecer por entre los camiones.

La Gran Vía, rebautizada sin éxito en 1939 como avenida de José Antonio, estaba tan concurrida como siempre. Era la arteria donde se concentraba la mayor parte de las salas de estreno y la más ruidosa de coches y tráfago de la ciudad. Como cada domingo, las aceras estaban llenas de gente que hacía cola ante los mágicos y suntuosos cines. Enormes lienzos perecederos surgidos del artista Jano colgaban de las carteleras y mostraban los rostros imborrables de los ídolos del *star system* americano. Pili rió obligadamente un chiste de Federico, que pareció habérselo dedicado a ella sola. Conchita salía con Juan desde un mes antes y, para animarla, había insistido en que conociera a un buen amigo de él, y salieran juntos. Y allí estaban los cuatro ahora en la cola del cine Imperial para ver *La colina del adiós*. La película se emitía por sesiones y había que acudir con tiempo para conseguir buenas entradas. Llevaban más de una hora de pie soportando el calor, ellas con sus vestidos blancos acampanados mientras ellos se asaban dentro de sus trajes y los dogales de sus corbatas. Federico era atlético, jovial, atractivo, un poco pagado de sí mismo y estaba haciendo lo imposible por caerle bien.

A las siete menos cuarto empezaron a salir los de la sesión anterior. Un barullo de gente, porque los cines se llenaban en todos sus niveles. Ellos consiguieron asientos en la parte de atrás del patio de butacas. Antes de que se apagaran las luces, Pili notó que estaban rodeados de parejas jóvenes. Eran «las filas del amor». A menos de la mitad de la película notó que el brazo de Federico se apoyaba en el respaldo de su butaca. Miró de reojo. Conchita estaba concentrada en un besuqueo con Juan, al igual que hacían todas las parejas del entorno. Nadie estaba viendo la película. Se sintió incómoda, pero el ambiente pasional y el tema de la película invitaban a la comunicación sensual. Por eso, cuando él la atrajo hacia sí y la besó en los labios, ella cerró los ojos y no se resistió. Una fría sensación le recorrió las piernas. Ningún hombre la había besado antes. Estaba descubriendo lo que era vedado y deseado a la vez por las chicas. Se sintió llena de palpitaciones mientras la melodía *Love is a many-esplendored thing* deshacía sus defensas. De pronto una alarma se le encendió. ¿Qué estaba haciendo? Cerró la boca y le apartó con fuerza. Él insistió.

—¡No!

El grito sonó destemplado en la atmósfera intimista. Las parejas cercanas se volvieron a mirar, al igual que Conchita. Pili se escudó en la pantalla y el tiempo siguió su curso sin que Federico volviera a tocarla. Cuando al final, Jennifer Jones, con la inolvidable banda sonora atronando, sube la colina en busca de William Holden y lo ve, para luego desaparecer de la realidad, Pili, como la heroína, sintió que flotaba en una inmensa soledad.

Cuando salieron, la situación de desencuentro matizó los ánimos del grupo. Eran las nueve. Apenas se podía dar un paso. Del vocerío destacaban los gritos de los vendedores de *La Goleada* con los resultados de los partidos de fútbol. Ella quería irse a casa pero cedió a las circunstancias. Fueron a un bar y los demás tomaron un bocadillo de calamares mientras ella se conformaba con un café. Más tarde tomaron el metro hasta Legazpi. De allí salían los autobuses para la Ciudad de los Ángeles. Eran las diez pasadas cuando se bajaron. Los grandes pinos sombreaban las luces y deshacían el calor. Mientras Conchita y Juan se despedían, Federico preguntó:

—No querrás verme más, ¿verdad?

—No es por ti.

—Fui un estúpido. Quise ir demasiado rápido. Perdóname.

Ella miró a lo lejos, tanto que le dolió la vista.

—Tengo un novio en algún lugar. Pero vendrá. Perdóname tú. No debí haber salido contigo.

—Conchita me habló. ¿Le esperarás siempre, aunque tu vida se escape?

—Él vendrá.

Luego, en su habitación, tardó en conciliar el sueño. El roce con Federico la había trastornado. «Luis, Luis, ¿vendrás algún día?», preguntó a la noche antes de dormirse agotada por el calor y la desolación.

Trece

Octubre 1959

Daniel se ajustó el correaje en el uniforme, se colocó las cartucheras sobre la roja faja, cogió el mosquetón y se dirigió hacia el pelotón de soldados que le habían asignado. Todos estaban con sus uniformes completos aunque no lucieran como era menester debido a sus gastadas ropas y a sus botas deformadas y rotas en algunas partes. Sí brillaban los correajes y los fusiles. Con sus rostros fieros los hombres parecían un Ejército formidable. Pura apariencia, porque en las cartucheras no había cartuchos, sino bolas de papel, y las armas no estaban cargadas. Daniel recordó al teniente Alemparte. ¿No llevaban munición porque no había suficiente o porque no podrían usarlas en caso de algarada? Sólo unos pocos sabrían la verdad y nunca lo dirían. Era una fuerza que impresionaba, pero inútil. Antes habían sorteado y repartido la escasa munición entre algunos cabos. Sólo los pocos elegidos, además de los suboficiales, podrían defender a tantos en caso de ataque. Probablemente el mando español no esperaría encontrar dificultades ni emboscadas porque los marroquíes estaban felices con la evacuación que, por otra parte, suponía una importantísima pérdida en su economía. Así lo expresaba el gran sector comercial, sabedor de que la mayoría de las tiendas tendrían que cerrar.

Daniel los hizo formar, los inspeccionó y luego dio la orden de salida. Todos, él mismo también, cogieron sus maletas. Se dirigieron hacia la salida de la compañía donde otros cabos estaban inspeccionando a otros pelotones. Al cruzar vio a Mateo frente a otros soldados, imponente en su bien conservado uniforme. Tuvo que admitir la prestancia de su apariencia.

—¿Qué rollos te traías con el teniente?

—¿Me espiabas?

—Estuvisteis largando mucho. ¿Qué te decía?

—Te veo en Ceuta —dijo Daniel.

Condujo a los soldados hacia la explanada y los fue distribuyendo en los camiones según las instrucciones. Luego cruzó el portalón principal de acceso al cuartel y se volvió un momento. Septiembre había acabado y el sol deslumbraba. Se bajó la visera hasta las cejas. El viejo Cuartel de Regulares, solar de muchas quintas y donde había pasado casi dos años. Sintió una emoción desconocida, como si seres invisibles estuvieran gritando en silencio. Tres generaciones, cuarenta y seis reemplazos, un cuarto de millón de soldados que estuvieron allí, como él ahora. Habían vuelto. Estaban ahí delante, despidiéndose también de ese hogar lejano y jamás olvidado. Retuvo la imagen, se giró y siguió hacia abajo hasta encontrar el camión que le habían asignado, el 34, más abajo de la curva terrosa. Montó y saludó al conductor, un soldado desconocido, y esperaron la orden de partida. Era una mañana de cielo diáfano, sin viento. A lo lejos, el macizo del Gorges mostraba su inmutabilidad. En los días anteriores la caballería animal había abandonado la ciudad, al igual que las artillerías pesada y ligera. Sólo quedaba la infantería como fuerza básica. A una orden los camiones encendieron los motores. El retumbar múltiple absorbió los demás ruidos y se hizo ensordecedor. La tierra retemblaba, los ánimos se exaltaban. ¡Se iban de verdad! Un tiempo después, que se les hizo interminable, vieron moverse al camión precedente. El conductor arrancó el suyo. El convoy fue circulando lentamente por entre las calles repletas de gente, la mayoría de los cuales saludaba. Salieron de la ciudad sin incidentes y la fila siguió circulando a velocidad lenta. Daniel veía al soldado armado sentado en la lona que cubría el cargamento en el camión de delante. Eran tantos los camiones que en los tramos de carretera despejados y de curvas de amplio radio no se veía ni el comienzo ni el final de la expedición. Fueron pasando los indicadores y las localidades que nunca se desvanecerían en su memoria y donde posiblemente no volvería. Cabo Negro, Rincón el Medik, Cudiataifor, Mezrah, con la vista de Ceuta a la derecha, sobresaliendo del calmado mar en la distancia. Al cruzar por Dar Riffien, cuna de la Legión, vieron una sección del Tercio en el borde de la carretera. Mientras duró el paso del convoy, los legionarios permanecieron firmes saludando y cantando *El novio de la muerte*, una y otra vez, acompañados por una fanfarria. Ellos también se irían pronto, dejando el poblado y sus recuerdos. Nadie les despediría.

Llegaron a Ceuta y procedieron a la entrega de los camiones y de las armas. Cuando terminaron, la noche se había cernido. Juan, José y Daniel se encontraron y cenaron juntos en las largas mesas, en un ambiente general exultante. Estaban licenciados, por fin, seis meses más tarde que los de su quinta de toda España. A la mañana siguiente entregaron los uniformes y se pusieron las ropas de paisano. Después del desayuno fueron al muelle, abarrotado de soldados, licenciados y gente de civil, hombres y mujeres. No se oían voces de órdenes porque no había ningún recluta que conducir. Los amigos abordaron el barco y se instalaron en cubierta junto a los demás. El mar estaba en calma y circulaba un ligero viento. Mateo se les acercó e hizo una seña a Daniel. Se apartaron y tomaron asiento en unos salientes. Difuminado en la distancia, el peñón de Gibraltar parecía dirigirse hacia ellos.

—¿Sabes? Creo que iré contigo a Venezuela —dijo Mateo—. He estado pensando y tienes razón. ¿Qué hay que hacer?

—Bueno. Lo primero es conseguir los pasaportes y los visados. ¿Tienes pasaporte?

—No, ¿y tú?

—Tampoco. Pero es sencillo. Se hace la solicitud y hay

que esperar unos diez días. Lo más complicado es lo de los visados. —Hizo una pausa—. Luego falta el dinero del pasaje, que lo conseguiríamos a través de una agencia de viajes.

—¿Cómo iríamos?

—Por avión es muy caro. No hay prisa. Mejor ir por barco.

—¿Cuánto se tarda por barco?

—Unos once días. Habrá que hacer escala en Canarias y en Puerto Rico.

—¿Qué cuesta el billete?

—Unas seis mil pesetas en tercera clase.

—¿Tienes esos talegos?

—No, pero los obtendré de alguna manera.

Mateo calló durante un rato mientras contemplaba la costa ceutí, que iba empequeñeciéndose.

—Puedo conseguirte el dinero. Pero tienes que hacer algo por mí.

—Siempre pones precios demasiado altos —dijo Daniel, moviendo la cabeza.

—¿Eres o no un amigo?

—¿Qué pregunta es ésa? Te lo he demostrado. Pero depende de lo que pidas.

—¿Recuerdas a Carapeto?

—Claro. Y creo que te lo cargaste.

—Joder, ¿cómo lo adivinaste? —Miró con sorpresa a Daniel, que no respondió ni esquivó su mirada—. Me lo cargué, claro que sí. Porque lo enviaron para matarme. Era él o yo.

—¿Qué dices? ¿Quién lo envió?

—Uno que no cejará hasta verme muerto.

—¿Por qué quiere matarte?

—Sé de acciones que le comprometen. Te lo explicaré si me ayudas en este caso.

—¿Qué ayuda pretendes de mí?

—Tengo que matar a ese hombre. No me lo quitaré de encima de otra forma.

—¿Quieres que te ayude a matarle? —Daniel entrecerró los ojos.

—Sí.

—Olvídalo. ¿Cómo eres capaz de pedirme tal cosa? Además, si te vas a Venezuela, habrá suficiente tierra por medio. No te encontrará.

—También la hubo en África y me encontró.

—Es diferente. Allí estabas situado. En América, no.

—No podría vivir con esa incertidumbre.

—Lo siento. No voy a hacer lo que pides.

Mateo le miró fugazmente y luego concentró su mirada en un punto inconcreto. Al rato, dijo:

—¿Y si te digo que ese tipo mató también a unos niños?

Daniel se volvió y Mateo vio algo nuevo y frío en sus ojos.

—¿Cómo que mató a unos niños? ¿Qué cuentos me cuentas?

—La verdad. Mató a tres niños.

—¿Cuándo fue eso?

—Hará unos trece años.

—¿Cómo lo sabes?

—Él me lo dijo.

—¿Por qué no avisaste a la policía?

—¿Estás loco? ¿Sabes el poder que tenía esa gente en la sombra? Todavía lo tienen. Cualquiera se chivaba.

—¿De qué gente hablas?

—En su momento. Ahora los niños. Hablemos de ellos.

—¿Cómo los mató?

—Les rompió el cuello.

Seguían mirándose a los ojos. Mateo sintió un escalofrío de repente. Se volvió y observó las calmadas aguas. Sería por el viento.

—¿Qué habían hecho esos niños?

—Fueron testigos presenciales del asesinato de otro hombre, amigo del asesino.

—Vamos a ver. ¿Qué película me estás contando? Con tal de buscar mi ayuda eres capaz de inventarte unos rollos increíbles.

—Es la pura verdad. Debes creerme. Y hubo otro hombre más, asesinado también años después. Y un tercero, que murió atropellado hará unos tres años. Sé que en el atropello participó el que me persigue. Los cuatro pertenecían a una organización secreta muy importante.

Daniel se levantó y se apoyó en la barandilla. El viento hizo revolotear sus cabellos. Mateo se colocó a su lado.

—Matar a ese tipo es un acto de justicia. —Ante el silencio del otro, añadió—: Está bien, lo haré yo solo. Pero necesito tu ayuda para trasladar el cuerpo.

—Seguiría siendo cómplice de un crimen.

—Eres un cobarde. Te digo que ese tipo debe morir.

Daniel miró las olas y dejó que el tiempo se escurriera.

—Trasladar el cuerpo ¿adónde?

—Te lo diré en su momento. ¿Qué me dices?

—¿Qué sacaré de todo esto?

—¿Le pones precio? Un amigo actúa con desinterés.

—Déjate de moralidades. No va contigo. Esto trasciende la amistad. Si tú ganas, yo debo ganar también.

—Te daré diez mil claudias.

—Ni hablar.

—Quince mil. Ni un duro más.

—Veinte mil —dijo Daniel, tras una pausa.

El gigante le miró con ira.

—Eres un cabrón, pero acepto —dijo, ofreciéndole su mano.

—No hemos terminado —dijo Daniel, sin estrecharla—. Cuéntame qué hiciste. Si no, no hay trato.

Mateo recogió la mano y su gesto se ensombreció de disgusto por el rechazo. Luego movió la cabeza como para ahuyentar fantasmas.

—Bueno, fui testigo, como los niños, del asesinato del primer hombre. Y también del segundo.

Se miraron largamente. Mateo exploró los ojos del otro. La extraña frialdad ya no estaba en ellos. Vio la falta de emoción de siempre.

—¿No hubo investigaciones? ¿Es que los familiares se cruzaron de brazos?

—Hubo investigaciones. Pero el caso no prosperó porque nunca aparecieron los cadáveres. Y nunca aparecerán.

—¿Por qué estás tan seguro?

—Porque los enterramos entre el fulano que me persigue y yo. Y nunca diremos dónde.

—¿Enterrasteis? Eso no es ser testigo. Es participar. —Mateo se encogió de hombros—. ¿Dónde los enterrasteis?

—Nanay. Sólo lo sabrás cuando hagamos el trabajo. Porque lo enterraremos en el mismo lugar.

—¿Por qué se inició esa cadena de muertes? ¿Qué ocurrió? Dímelo ya.

Mateo se lo explicó fríamente y con prolijidad. Hablaba lentamente, como el goteo de un grifo mal cerrado, mientras Daniel se diluía en un piélago sin bordes, como si una dimensión desconocida lo hubiera atrapado. Allí estaba todo el secreto del niño Luis. Cuando el sonido de las gaviotas y las sirenas de los buques explotaron en sus oídos, abrió los ojos. El puerto de Algeciras estaba encima, de golpe, como si los dos años de África hubieran sido una ilusión. Miró al calmoso compañero, que fumaba con despreocupación.

—¿Cómo pudisteis hacer una cosa así? Unos niños…

—Se hizo y basta. Eso es el pasado.

Más tarde desembarcaron y abordaron el tren con destino a Madrid junto al numeroso grupo de licenciados. Había una sensación de tristeza e inadaptación en todos, a pesar de las risas. Lograron asientos en el atiborrado tren, en el que hasta los pasillos estaban llenos. Durante un tiempo Mateo facilitó a Daniel datos adicionales, completando la magnitud de la conspiración culminada con la desaparición de los niños trece años atrás. Pero omitió el lugar donde los enterraron.

—¿Acaso te interesa por algún motivo especial?

—¡Qué tontería! Me da igual. Es sólo curiosidad. Lo único que me mueve es el dinero.

Luego Daniel cerró los ojos y se refugió en el silencio. La noche fue larga y llena de hollín. Los licenciados fueron bajando a lo largo de la ruta en un viaje con frecuentes paradas. No hubo novedades hasta Madrid. La vetusta estación de Atocha recogió los restos de los ex soldados, muchos de los cuales tendrían que ir a la estación de Príncipe Pío para seguir hacia sus destinos del norte. José y Juan se despidieron emocionados de Daniel, mientras Mateo los miraba algo apartado, con cara de pocos amigos.

—Nos escribiremos.

—Sí.

Los vio marchar y luego miró a Mateo, que dijo:

—Nos veremos aquí mismo en diez días.

—Si no estás me iré —apercibió Daniel.

—No seas mierda. Nos necesitamos. Sacaremos el pasaporte y el visado en este tiempo, cada uno por su lado. Trincaré la pasta para los dos e iremos a una de esas agencias que dices para sacar los pasajes. Y cuando los tengamos, haremos el trabajo que hemos convenido.

—¿Cómo piensas hacerlo? Lo de matarlo.

—Está chupado. Será coser y cantar. Lo tengo muy estudiado. Venga. Cogeré ese tranca.

Daniel lo vio cruzar la destartalada plaza por en medio, sorteando los coches y los carros con mulas, para abordar en marcha el tranvía 45, cuadrado y sin puertas, que circulaba traqueteante por el centro de la adoquinada calzada del paseo de las Delicias. Siguió con la mirada el tranvía hasta verlo difuminarse en la prolongada bajada. Tuvo una visión de niños, y de él mismo, cabalgando en los topes traseros de esos vehículos. Tantas veces… Estuvo un rato quieto, como si no supiera qué hacer. Miró a la gente. La mayoría de los hombres vestía con traje y corbata. Todavía algunos llevaban sombrero. Apenas se veían con monos de trabajo. Las mujeres jóvenes llevaban conjuntos de faldas acampanadas o plisadas, con rebecas, o trajes de chaqueta. Se veían gabardinas y el color general era el negro o el gris. Como el cielo. Alzó la mirada. ¿Dónde estaba el azul de Madrid, tantas veces recordado? Empezaba una nueva vida, como había dicho el teniente Alemparte. Pero quedaba todo por hacer. Agarró la maleta y cruzó hacia el Hospital General. No había cabinas telefónicas, que él había visto en otros países, lo que era un signo más del atraso en que estaba España. La acera estaba animada de gente. Pasó por delante del hotel Mediodía y entró en el bar El Brillante. Pidió una limonada y solicitó un teléfono. Ante él dudó un momento. Luego hizo dos llamadas, una local y la otra de larga distancia. Después cogió la maleta y entró en el metro.

—Adelante.

La puerta del despacho se abrió y la sólida figura de Boves se enmarcó en ella.

—Vengo llegando, patrón.

—Pasa —dijo Juan Manzano. Junto a él estaban su hermano y Miguel Molero—. Lee esto.

Boves se quitó el sombrero de paja, cogió la carta y la leyó lentamente. Luego miró a los tres hombres.

—Haz lo que dice ahí. Sigue todas las instrucciones. Marisela te ha hecho reserva de vuelo. Tiene el billete y el dinero preparados. Déjalo todo como está y apúrate, pues. Confiamos en ti.

—Brindemos por que todo salga bien —señaló Jesús Manzano.

Miguel Molero sacó cuatro botellines de cerveza Polar de un frigorífico y los chocaron antes de echarse al coleto un trago prolongado. Luego, Boves les dio la mano y ellos sintieron la garra poderosa de su cobrizo empleado. Minutos después, a través de la ventana, le vieron entrar en su Ford Falcon, calándose el sombrero con su aire felino. Miguel tuvo una punzada de envidia. Le hubiera gustado ser él quien viajara. Pero sus cincuenta y cinco años eran una barrera insalvable. Además sabía que no había nadie mejor que ese hombre fiel para la misión.

Boves tenía poco que llevar. Alguna ropa de abrigo porque en España empezaría pronto el invierno y le habían dicho que en Madrid hacía mucho frío por esas fechas. Lo mínimo. Sólo ropa cómoda. No necesitaba el flux porque no iría a ninguna fiesta. Miró a Esmeralda, tan sabrosa en sus veintisiete años, tres menos que él. Echaría de menos el fuego de su cuerpo.

En el Ford Falcon bajaron a Maiquetía por la atestada autopista, estrenada pocos meses antes, y atravesaron la tremenda cordillera por los también recientemente construidos túneles de El Boquerón. Llegaron al aeropuerto e hicieron los trámites.

—¿Dónde es que vas ahora, mi yave?

—A España, ya tú sabes.

—Sí, pero adónde; no me lo hablaste.

—¿Ya me estás rascabucheando, pue?

—No, mi amor. Pero como que estás demasiado secreto.

—Olvídate de esa vaina. —La miró, sintiendo los gritos de la carne—. Aguárdame el Falcon. Y guárdate, mi bella.

Ella tenía los ojos llenos de todo.

—Se me ahoga el alma, mi bravo.

Él pasó su mano fuerte por los cabellos de la mujer.

—Ta güeno, deja esa vaina, ¿oquei?

—Vuelve sano. Sin ti no estoy completa.

Se dieron un beso mordido, los ojos abiertos para llenarse de promesas. Luego él se quitó el sombrero, se lo entregó y se alejó hacia el control de pasaportes. Sólo se volvió una vez. Notó en ella el clamor de su pasión. Se giró y se mezcló con la gente.

Cuando el avión de Viasa llevaba un vuelo sostenido, sacó el sobre y estuvo leyendo las instrucciones. Luego lo guardó y cerró los ojos. Tenía ocho horas de vuelo. Y luego procedería.

Rafael Alcázar salió del edificio de Sindicatos, frente al Museo del Prado, junto con otros directivos y amigos. Eran las tres de la tarde, final de la jornada. Entraron en la cafetería Dólar, justo en la esquina del paseo del Prado, en la conjunción de las calles de Huertas y de Moratines. Tomaron unas cervezas y luego se despidieron. Rafael Alcázar caminó hasta el solar situado detrás de Sindicatos. Había muchos sitios donde aparcar, las aceras casi vacías de coches. Buscó su Seat 1.400. Al poner el motor en marcha, alguien se introdujo en el vehículo por la otra puerta delantera. Mateo le puso un cuchillo en su costado derecho.

—Avanza.

Rafael Alcázar salió a la plaza de Neptuno.

—¿Adónde vamos?

—A tu casa. ¿No te alegras de verme? ¿Así se recibe a un amigo?

—¿Amigo, con un cuchillo en la mano? ¿Piensas matarme?

—Debería hacerlo, pero depende de ti. Sigue.

—¿Cómo me has encontrado?

—¿Creías que cambiando de curro te libras de tu pasado?

Subieron a la plaza de Colón y luego hasta la de Alonso Martínez.

—¿Qué camino es éste? He dicho que a tu casa.

—A ella vamos.

—¿Cambiaste? ¿Qué hay de tu chalé del Viso?

—Ahí vive mi hija. Era muy grande para nosotros solos, después de que todos se casaran y se fueran.

—¿Y tus hijos varones?

—Tampoco viven con nosotros.

—¿Quién está ahora en tu casa?

—Nadie.

—¿Y tu mujer?

—Está veraneando con mi hija y los nietos en Santa Pola.

—¿Y la criada?

—Con ella. Estoy de Rodríguez.

—Entonces todo será más fácil. —Sin dejar de mirarle, dijo—: Aparca cerca de tu calle.

Rafael estacionó el coche en la calle de Covarrubias, en uno de los muchos espacios que había en los bordes de las aceras.

—Y ahora, ¿qué coño quieres?

Mateo cogió la llave de contacto y abrió la portezuela.

—Subiremos y me darás veinte mil duros.

—¿Qué? Estás loco. ¿A santo de qué? No te debo nada.

—No te hagas el chulo o te parto la cara, cabrón. Claro que me debes. Lo sabes. Es hora de equilibrar la partida.

—¿Te refieres a todo aquello? Sabes que acabó hace años. Hay un principio y un fin para todo. No iba a durar toda la vida. Olvídalo.

—Lo olvidaré cuando aflojes la pasta.

El otro lo miró pensativamente y luego dijo:

—No tengo esa cantidad. Para eso está el banco.

—Mientes. Sé que tienes costumbre de guardar cantidades en tu casa. Así que no me jodas.

Salieron. Mateo pasó un brazo por encima de los hombros de Rafael y caminaron como amigos.

—Estás gordo como un cochino para la matanza. Tres años sin vernos y casi no te reconozco. ¿Todavía no te han desenmascarado? ¿Cómo lo consigues? —Ante el silencio del otro, Mateo continuó—: Bueno, a lo nuestro. Si haces algo contrario a la lógica, te mataré como al capullo que enviaste a África a liquidarme.

—No sé de qué me hablas.

—Lo sabes de sobra, mamón.

Giraron hacia la calle de Manuel Cortina.

—¿Conoce tu mujer lo de nuestras antiguas actividades?

—Ella nunca supo nada. Y no debe saberlo.

—¿Y tus hijos?

—Tampoco. ¿Crees que algo así se puede pregonar?

—Bien. Entraremos en tu despacho. Abrirás la caja y me darás la pasta. Me voy a Francia, así que no volveremos a vernos. El asunto queda terminado para siempre.

—¿Crees que puedo confiar en ti?

Mateo presionó con su brazo y fueron apartándose de la línea de viandantes hasta un portalón cerrado.

—Escucha, pedazo de cabrón. Yo nunca anduve corriéndote, sino tú a mí, hijoputa. Me enviaste matones y asesinos. ¿Por qué? Tuve que irme lejos y hasta allí mandaste a joderme.

—No puedes probarlo.

—No lo necesito. Los dos lo sabemos.

—No has cambiado. Todos hemos evolucionado menos tú.

—¿Qué me estás contando? Hablas con el lomo bien cubierto. Y yo ¿qué? Trabajé para vosotros como un perro, por una miseria. Y encima tenía que llamaros de usted.

—¿Una miseria? ¿Acaso querías llevarte lo mismo que nosotros, que cargábamos con el peso de la organización y el mayor riesgo? Tú no eras nadie. Con nosotros fuiste algo ¿Qué eres ahora? Mírate.

—Maldito cerdo. ¿Cómo puedes vivir con esa farsa? Mataste a Andrés y a dos chicos. Eres tú el que tiene que mirarse al espejo.

—Hablas de cosas que pasaron hace mil años. Tú mataste al chico largo y a Facundo.

—Lo hice porque me lo ordenaste.

—¿A quién quieres engañar? Te llevaste un buen dinero. Y te gustó hacerlo.

—Está bien. Si tengo que matar, mato. Así que no me toques más los huevos y terminemos de una puta vez.

Entraron en uno de los señoriales edificios de la calle Manuel Cortina y subieron en el artístico ascensor con asiento.

—Ni un guiño, ni un gesto. Si sorprendo algo parecido a una contraseña, te mato y mato a quien sea. No te la juegues. Sólo es biyiyi a cambio de tu asquerosa vida.

Media hora después, Mateo dijo, en la puerta de la casa:

—Es mejor que me olvides. Has hecho un buen negocio. Compraste tu vida. Por si acaso y hasta que me vaya estaré vigilante.

El otro le vio bajar por la escalera y permaneció en silencio hasta que dejó de oír el retemblar de sus pasos en los anchos escalones de madera. ¿Habría terminado el asunto? Ojalá fuera verdad lo de Francia; ojalá lo fuera porque no sabía cómo conjurar la amenaza latente de ese salvaje. Nada podían hacer con carácter oficial. ¡Ah, si hubieran podido…! Cogió el teléfono y marcó un número.

—Mateo Morante acaba de salir de mi casa —dijo, al establecerse la comunicación.

—¿Qué ha ocurrido? —transmitió el aparato.

Rafael explicó lo acontecido. Luego añadió:

—El cabrón apareció de repente. Me dio un susto de muerte. Dice que se va a Francia y kaputt. Ese tipo es una fuerza de la naturaleza. Fíjate cómo despachó al que enviaste a África. Se ve que ese Carapeto no era tan bueno como dijiste.

—Claro que lo era. Ya ves cómo se ocupó de Roberto y de ese Fernando León de Tejada. Fueron trabajos perfectos.

—Pues con este animal falló. ¿Qué hacemos ahora? Tú eres el cerebro.

Tras un rato de silencio la voz dijo:

—A él no le interesa que esto trascienda. Está implicado. Lo que te ha hecho no es un chantaje, por la misma razón. Y hay un dato: pudo quitarte más dinero pero sólo se llevó lo que te pidió. Puede que realmente desee empezar una nueva vida. Tiene verosimilitud. Al fin, en tantos años nunca intentó nada contra ti. Ni contra mí, obviamente, porque no sabe que estoy en el ajo. Hicimos caso al loco de Roberto cuando nos sugirió que Mateo podría cantar. Quizá no debimos creerle y no caer en sospechas desafortunadas. Dejemos que pase el tiempo y veremos. Lo importante es que salvo ese bruto no hay testigos ni pruebas.

—¿No crees que puedan hablar alguno de los peones que utilizamos?

—¿Lo han hecho en tantos años transcurridos? Ellos tienen los mismos motivos para mantener el secreto.

—¿Y la cartera de Andrés? ¿Qué hiciste con ella?

—La quemé, entera, con todos los papeles dentro. Por ese lado podemos estar tranquilos.

—¿Y si Roberto, según dijo que haría, escribió una confesión?

—No creo que hablara en serio. Nos mentiría, como cuando nos apercibió contra Mateo. Se había vuelto muy inestable. Por eso decidí su eliminación.

—Pero ¿y si realmente lo hizo y, como amenazó, se lo dio a Fernando León?

—¿Iba a delatarse a sí mismo? De todas maneras Carapeto hizo un registro minucioso en el estudio del arquitecto, cuando lo mató. No encontró nada.

—Podía haberla guardado en cualquier sitio. En su casa.

—Fernando buscaba al asesino de su amigo Andrés. Si hubiera tenido un documento semejante, nos habría denunciado de inmediato.

—Entonces, ¿hemos matado a Roberto y al arquitecto por nada?

—No por nada. Eran potencialmente peligrosos para nosotros, como Facundo, cada uno por su circunstancia. Mejor así.

—Bueno, si este cabrón de Mateo se esfuma de nuestras vidas, sólo quedamos tú y yo conocedores de las desapariciones.

—Exacto. Y nosotros no nos desmoronaremos. ¿Estamos de acuerdo?

—Claro. Por fuerza.

La 1.10 de la madrugada de un domingo. Las calles estaban desiertas. Esperaron a que el sereno se alejara para atender una llamada en una calle lateral. Anduvieron con rapidez hacia el portal. Mateo hurgó expertamente con una ganzúa en la cerradura simple y antigua. Entraron, cerraron y subieron por la escalera hasta la vivienda. Mateo procedió con la cerradura como con la del portal. La puerta cedió. Pasaron y escucharon. Todo estaba en silencio. Avanzaron por el pasillo en la semioscuridad y buscaron el dormitorio principal. Rafael Alcázar dormía profundamente. Miraron con sigilo en las otras habitaciones y comprobaron que no había nadie más en la casa. Mateo volvió al cuarto de Rafael y le quebró el cuello. Se volvió hacia su compañero y quedó sorprendido. Daniel parecía haberse desvanecido en el aire. Mateo miró nerviosamente a los lados.

—Daniel —susurró.

De entre las sombras surgió una voz extraña.

—Qué.

Miró hacia el sonido y sintió algo parecido al pavor cuando en la zona más oscura vio dos ojos refulgentes clavados en él. Había algo sobrecogedor en su posición, como si no pertenecieran a un cuerpo y estuvieran flotando en la nada.

—¿Qué…, qué…? —balbuceó.

Los ojos estaban fijos como si fueran mecánicos. Luego se movieron. Una sombra sigilosa, como el vuelo de un murciélago, tomó cuerpo. Daniel se acercó sin que la sensación fantasmal desapareciera.

—Qué quieres.

—Joder. ¿Qué haces ahí? Ayúdame.

Quitaron el pijama al cadáver y le vistieron con las ropas que vieron colocadas en un perchero, sin olvidar calzarle los zapatos. Mateo hizo la cama, dejándola como si no hubiera sido usada. Puso el pijama y las zapatillas en la mesilla de noche y se quedó con todo lo que había en el cajón del mueble. Cogió una maleta y echó dentro unas mudas, dos trajes, zapatos, útiles de aseo y una gabardina. Fue al despacho con la maleta y vació en ella todos los papeles de los cajones de la mesa, sin olvidar la cartera de trabajo. Luego se acercó a la caja fuerte y hurgó en la cerradura.

—¡Joder, su puta madre! —dijo, al rato.

—¿Qué te ocurre? —dijo Daniel, desde la puerta.

—Nada. —Dio una patada a la caja—. Revisemos el salón, la cocina y el baño. Hemos de eliminar cualquier indicio de que el cabrón durmió aquí.

Más tarde sacaron el cadáver a la escalera, después de mirar y de escuchar. Cerraron la puerta y bajaron por los escalones los cinco pisos hasta el portal. Mateo abrió con cuidado y sacó la cabeza, oteando. Todo estaba en silencio. Vio al sereno en la esquina de la calle de Luchana, junto al apagado cine del mismo nombre. Las farolas iluminaban la calle vacía. Esperaron hasta que oyeron alejarse el sonido del chuzo. Colocaron el cadáver entre los dos como si fuera un hombre embriagado, salieron y caminaron hacia la esquina, doblándola. El Seat 1.400 alquilado por Daniel estaba aparcado cerca. Una vez dentro todos, Daniel se colocó al volante y arrancó con las luces apagadas. Prendió los focos en la calle de Santa Engracia y bajaron al paseo del Prado. Mateo miró la hora: 1.40.

—Terminaremos pronto, haremos nuestras cosas y nos veremos en la estación esta noche. El barco sale pasado mañana, ¿no?

—Así es.

—Este trasto es muy lujoso. Te habrá costado un huevo.

—Sólo había Simca Mil y Seiscientos. Eran muy pequeños para meter el cuerpo.

—¿Cómo es que sabes conducir? Poca gente sabe hacerlo.

—Para ayudarme en los estudios necesité trabajar. Los empleos de repartidores son los mejor pagados, precisamente por la escasez de conductores. Así que conseguí el carné.

—Eso es caro, ¿de dónde sacaste el dinero?

—¿A ti qué te importa?

—¿Cómo funciona lo de alquilar un coche?

—Te piden la documentación y un depósito alto. Lo cubrí con el dinero que me diste. Por cierto, ¿te dio el dinero sin protestar?

—Intentó roñear, pero al final accedió.

—Era lógico que se resistiera. Es mucho dinero.

—Él tenía mogollón en la caja.

—¿Y se lo dejaste? —Daniel lo miró fugazmente—. Me extraña.

—Sé hacer las cosas. Quise que viera un acuerdo serio. Así no sospecharía lo que le esperaba. Gracias a ello le pillamos en pelotas. Pero memoricé la combinación para cogerlo más tarde.

—¿Y?

—Ya me viste jurar. El cabrón cambió la clave. No pude abrir la puta caja.

Guardaron silencio durante un tiempo. Mateo dijo:

—Sabes conducir, sabes alquilar coches, sabes que es mejor viajar por agencias, sabes lo que cuesta un pasaje a Venezuela… Eres una puta enciclopedia. Un día te pregunté quién eres. No me lo dijiste.

Daniel se encogió de hombros.

—No te importa mi vida como no me importa lo que tú hiciste antes. ¿Te he preguntado alguna vez?

—Es cierto. Pero eso tampoco es normal. Todos hablamos de nuestro pasado menos tú. Eso es lo extraño.

—¿Hablaste de tu pasado? Bien escondido tenías todo este lío.

—Era lógico. Pero salvo eso te dije todo de mí, dónde trabajé, dónde me crié, qué familia tengo, las novias que tuve. Tú, chitón.

—Aproveché para aprender cosas. A eso dediqué mi tiempo mientras tú lo perdías en bares y putas.

Mateo le miró un largo rato.

—¿Sabes? Nunca tuve miedo a nada. Pero cuando vi tus ojos después de estrangular al cabrón, se me heló la sangre. Parecías un fantasma viniendo del otro mundo.

Daniel no contestó.

—Cuando cruces el puente gira hacia la derecha, luego a la derecha otra vez y pasa por debajo del puente.

—¿Adónde vamos?

—Ya lo sabrás, tú sigue.

Daniel apreció que su compañero miraba hacia atrás continuamente.

—¿Qué haces?

—Lo que tú debías hacer también. Ver si alguien nos sigue.

—¿Quién nos va a seguir?

—Nunca se sabe. Hay que tomar precauciones. Y estoy viendo un coche que me parece haber visto antes.

—Lo que creo es que se te hacen los dedos huéspedes.

Estacionaron el coche al final de una calle corta, perpendicular a la de Antonio López, junto al enorme Instituto Ibys, que terminaba abruptamente en un terraplén. Al otro lado estaba la larga pradera sin árboles que ocupaba todo el espacio a lo largo del pretil canalizador del río. Enfrente, más allá del Manzanares, la oscura mole del Matadero se diluía en la noche. No muy lejos, hacia el puente de Toledo, vieron el viejo teatro Curva de Zésar, una casa solitaria cubierta de pinturas coloristas y construida sin permiso municipal por un excéntrico personaje que parecía la reencarnación de Don Quijote, según Mateo. Vigilaron un tiempo y, al no ver a nadie, cogieron los monos de los asientos traseros y se los pusieron. El otoño estaba siendo templado y sólo llevaban unos ligeros jerséis. Mateo buscó una palanqueta, que dio a Daniel. Luego sacó el cadáver, se lo echó al hombro y caminó en la oscuridad hasta llegar a una boca de alcantarilla que, como todas, alzaba su cuadrada estructura de granito a unos treinta centímetros del suelo. Daniel se colocó a su lado.

—Dicen que van a construir dos pistas para que circulen los coches, una a cada lado del río. Cuando las hagan todo esto desaparecerá, también las alcantarillas. —Luego ordenó—: Ponte los guantes y abre la tapa con la palanca.

Daniel apalancó y levantó a un lado el disco de piedra.

—Ayúdame. Bajaré por las escalerillas, sujetándole por las piernas mientras tú lo agarras por los brazos.

—Me extraña que seas tan comedido y que no lo dejes caer abajo desde aquí.

—No te enteras. Quedarían rastros de carne y sangre. Y hay que evitar dejar huellas. Venga, hagámoslo rápido. —Ya abajo con el cuerpo, urgió—: Baja y acopla la tapa.

Daniel arrastró la pesada piedra y con esfuerzo la encajó en la boca de la alcantarilla, sobre su cabeza. Mateo encendió una linterna. A un lado del pozo se abría un conducto de baja altura. Mateo se agachó y abrió la marcha a cuatro patas, tirando del cuerpo inanimado, mientras Daniel cerraba la marcha empujando. El conducto estaba lleno de arañas y ojos malignos los contemplaban desde la oscuridad. Salieron a una galería de techo más elevado, con un canalillo en el centro. Cargaron el cuerpo entre los dos y avanzaron con las cabezas agachadas. Desembocaron en la galería general, de mayor altura, que les permitió ir erguidos. Avanzaron viendo a las ratas huir de ellos. Unos metros más adelante, Mateo paró e iluminó la pared, a la derecha. A unos 1,70 metros del suelo el muro presentaba una discontinuidad.

—Es un respiradero inutilizado. Lo tapiaron por eso —dijo Mateo.

Cogió la palanqueta y hurgó, mientras Daniel iluminaba. Fue sacando cuidadosamente los ladrillos, que depositó en el suelo. Dejó la faena cuando el hueco tuvo la suficiente anchura. Se quitó el cinturón y rodeó con él el cuello del cadáver, pasándolo por la hebilla. Tiró de la punta.

—Yo subo primero. Me ayudas a encaramarlo. Iré tirando de la correa. No le importará que le estrangule. Tú irás detrás, empujando.

Procedieron. El conducto era estrecho y estaba lleno de pedruscos. Se arrastraron con esfuerzo unos diez metros. Daniel notó el forcejeo de Mateo hasta verlo desaparecer con el cadáver. Se asomó al final del túnel. A la luz de la linterna vio una gran cueva. Bajó. Las luces conjuntas de las dos linternas mostraron un espacio de unos cinco por quince metros y unos dos y medio de altura. Sorprendieron miles de arañas y montones de ratas que se escabulleron rápidamente. Había paredes enladrilladas, algunas desmoronadas y con huecos, como un enorme queso gruyer.

—Esto fue al principio parte de la red de cloacas —comentó Mateo—, pero estaba cerca de los cimientos de las casas de Antonio López. Decidieron hacer la galería general más hacia el río. Es por la que hemos llegado. Por eso taparon esos conductos. La boca de alcantarilla de arriba la cegaron también.

Mateo se acercó a una de las paredes cuya superficie presentaba unas zonas con pedrería desigual. Con la palanqueta desmoronó una de esas zonas hasta descubrir un hueco estrecho a 1,80 metros aproximadamente del suelo.

—Lo meteremos en este nicho y luego lo cubriremos.

Subieron el cuerpo y lo introdujeron con los pies por delante, tras la maleta y los bultos. Mateo sacó cemento de una bolsita de plástico e hizo una mezcla con tierra y agua encharcada. Luego colocó los cascotes, ajustándolos con la mezcla, hasta tapar la entrada. Cuando terminó examinó la obra y pareció quedar satisfecho.

—Sin ti no hubiera podido hacerlo —dijo—. Se requerían dos personas. Ahora comprenderás por qué te necesitaba. Las otras veces lo hicimos entre este cabrón y yo.

Daniel pareció no oírle. Tenía la mirada puesta en otros nichos.

—Están ahí, ¿verdad?

—¿Quiénes?

—Los niños.

—¿Por qué te interesa? —dijo Mateo con suspicacia, sin obtener respuesta.

—¿En cuál de ellos están?

—No lo recuerdo. ¡Bah! Hace mucho tiempo de ello —dijo, alejándose hacia el fondo de la cueva. Llamó—: Mira.

Daniel se acercó cautelosamente. Había un pozo de algo más de un metro de diámetro. Mateo iluminaba el fondo con la linterna. Daniel se asomó. Varios metros más abajo las negras aguas reflejaban las luces.

—Dicen que ahí, en el fondo, hay una fortuna. Yo bajé una vez pero tuve que desistir porque es muy hondo y el agua está jodidamente fría.

—¿Por qué no echar ahí los cadáveres? —dijo Daniel—. Era más fácil.

—Flotan. La peste saldría por algún sitio y alguien hubiera bajado a investigar. —Movió la linterna—. Si te fijas bien verás como un brillo. Dicen que es oro guardado por los rojos al final de la guerra.

Estaban los dos en cuclillas, en el borde. Mateo golpeó con un puño la cabeza de Daniel, que cayó como un fardo. El pozo se llenó de estrépito con el chapuzón. Mateo iluminó el agua durante varios minutos viendo cómo la superficie se encalmaba lentamente. Se apartó, cogió la bolsita del cemento, miró en torno y luego se subió al respiradero por el que habían entrado. Desanduvo el camino y bajó a la galería. Hizo una nueva mezcla con el cemento y colocó los ladrillos hasta taponar el agujero. Caminó por las galerías hasta salir por la alcantarilla que les había servido de entrada. Tiró la palanqueta, subió las escalerillas y empujó la pesada tapa a un lado, colocándola en su sitio una vez hubo salido. Por el este seguía la negrura. Abandonó el coche donde estaba porque no sabía conducir y tampoco tenía las llaves. Se quitó el mono, lo colocó plegado debajo de un brazo con las dos linternas dentro y se alejó con presteza. Había eliminado para siempre la inquietud. Sin testigos ni pruebas. Limpio, libre. Y ahora a Venezuela, a forrarse. Si otros lo habían logrado él también lo conseguiría. Eso dijo Daniel. Ese panoli le había servido de ayuda y le había enseñado muchas cosas. Un tipo raro. ¿Quién sería realmente? ¿Y esos ojos? ¿Por qué buscaría su amistad, pasando por los desprecios que le hizo? ¿Y cómo es que un tipo tan ilustrado y diferente a él le estuvo dando tanta cuerda? No era normal. Un momento. ¿No sería que, en el fondo, estaba enamorado de él, el muy cabrón? Podría ser, porque esos maricones siempre están agazapados hasta que salen de su escondrijo. ¡Claro, eso era! ¿Por qué si no lo de ir a Venezuela y compartir el futuro juntos? Gilipollas. Lo hubiera tenido crudo con él, no te jode. Además estaba empezando a ponerle nervioso. Que le den por el culo.

Ahora dormiría hasta la tarde para quitarse el cansancio. La jornada había sido de cojones. Pero tenía el día por delante, porque el expreso a La Coruña salía a las diez de la noche. Y luego, a otra cosa mariposa.

PARTE CUARTA

Septiembre – Octubre 2000

Uno

Entré en la oficina y fui atrapado por los ojos y la sonrisa de Sara.

—¿Todo bien?

—Sí. Te decidiste al fin. Ella está en el despacho de David.

David se levantó al abrir la puerta. Frente a él, al lado de acá de la mesa, una mujer se volvió a mirarme. Era de edad madura, delgada, de rasgos agradables. Tenía el empaque de las personas que han vivido sin agobios económicos.

—La señora Clara Ocaña Nuevo. El señor Corazón Rodríguez —presentó David.

Estreché su mano suave antes de tomar asiento junto a ella. David ocupó el suyo. Después de un breve silencio valorativo, expuse:

—Parece que ha conseguido entusiasmar a mi ayudante con su caso, aunque él sabe que supera nuestras posibilidades. Es un asunto estrictamente policial y han pasado cincuenta y cuatro años. Mucho tiempo. Más de medio siglo. Entiendo que usted es consciente de ello.

—Escúchala —sugirió David.

—No le reprocho si no acepta el encargo. En realidad dudo de que nadie pueda resolverlo a pesar de las incontables horas que mi padre le dedicó durante su vida. Pero sé, en contra de su aseveración, que no es un caso que pueda resolver la policía.

David y yo nos miramos. Ella captó la mirada.

—No les dije que mi padre era el comisario que se encargó del caso.

—¿Él se encargó todo este tiempo? ¿Siempre?

—Bueno, no exactamente. Los hechos ocurrieron en su jurisdicción, y su departamento era el indicado. Él inició las pesquisas.

—¿Y no pudo conseguir ninguna pista en tantos años, con todo el poder que debió de tener como jefe de un departamento de policía?

—Conviene matizar. Mi padre era un buen policía. Comenzó la investigación pero fue frenado por una instancia superior que, de forma muy confidencial, él señala en sus informes personales, que ustedes podrán leer si aceptan el caso. Oficialmente el tiempo asignado duró unos días. Pero extraoficialmente él siguió indagando durante años con las escasas posibilidades y márgenes de maniobra que la prohibición le dejaba. Y las barreras que el tiempo iba creando tampoco ayudaban, como tampoco facilitó la tarea el que sus ayudantes fueran cambiados a otras comisarías. Luego llegó la jubilación y… —Se interrumpió y miró sus manos—. Mi padre murió hace un año pero su mente hacía tiempo que se había ido. Tenía noventa y cuatro años. Fue perdiendo poco a poco la razón, comido por una pena infinita, con intervalos de una gran lucidez. En uno de esos periodos decidió su herencia emocional. Me dijo que no había sido un buen policía por no haber podido resolver aquellas desapariciones, con trabas jerárquicas o sin ellas. Me pidió que rindiera el mejor tributo a su recuerdo aceptando una obligación que me imponía: la de resolver el caso. Para ello debería buscar un buen detective al que apasionar con la historia, lo que él no pudo lograr con sus superiores. Sin trabas oficiales, ese detective podría conseguir lo que él no fue capaz. Indagué en el mercado y oí hablar de esta agencia. Parece que resuelven todos los casos.

—Habría que decir que resolvemos las misiones que aceptamos; no cualquiera sino las que vemos con posibilidades. Jugamos con esa ventaja —dije.

—No se esfuerce en ser frívolo. No es eso lo que dicen mis informes sobre ustedes. Han resuelto casos increíbles y el hecho de que me estén escuchando desmiente su aseveración.

—No lo hemos aceptado todavía —dije, intentando adoptar una actitud neutra. Añadí—: ¿Por qué su padre no buscó él mismo a un detective para no dejarle tan pesada misión? Su profesión le concedía más posibilidades.

—Él siempre creyó que podría resolverlo. Al jubilarse, pensó que podría actuar como detective. Pero nunca fue hombre de acción sino de despacho. No servía para andar de allá para acá. Así que recurrió a algunos amigos investigadores cuando vio que los años se le echaban encima. No se lo tomaron muy en serio. Parece que nadie quiere cosas hundidas en el pasado. Creen que no son temas que venden periódicos ni llenan bolsillos.

—Esos niños, ¿qué parentesco tiene con ellos?

—Ninguno. No los he visto nunca en persona. Sólo en las fotos que constan en el expediente.

—¿Por qué su padre tenía tanto interés? Lo lógico era haber tomado el trabajo como uno más. Todos, desde los médicos hasta cualquier otro profesional, debemos esforzarnos en que los casos que caen en nuestras manos no nos conciernan personalmente.

Sin mirarle, supe la expresión que David puso en su cara. Al fin, el caso de Prados no estaba tan lejano y hacía que para él mis palabras no fueran sinceras.*

—Permítame no estar de acuerdo —dijo la mujer—. Supongo que dependerá de los casos. Algunos dejan huellas imperecederas. No todos los asuntos criminales son tan terribles. Cuatro niños y un hombre desaparecidos, que nunca dieron señales de vida. Esos cuatro niños… Miren, mi padre era un hombre fuerte y vitalista, con el añadido de la parcela de poder que le concedía su condición de policía. Quería mucho a mi madre y cuando ella murió el mundo no fue

* Véase *El tiempo escondido*, del mismo autor y en la misma editorial.

igual para él. Sin embargo, cuando se encerraba en su despacho y oía su amargura, sabía que estaba repasando los viejos informes, buscando alguna pista perdida. No era el recuerdo de mi madre lo que le consumía, sino la impotencia de ver que se iba apartando de la vida y que lo que hicieron con aquellos niños quedaba impune. ¡Me rompió el corazón tantas veces…! Era como si hubiera vivido una existencia frustrada. Y deseo fervientemente contradecir esa sensación, si es que él me ve desde donde esté.

—Un caso así requerirá, aparte del precio del trabajo, unos gastos que pueden ser elevados. ¿Ha pensado en ello? —dijo David.

—Mi padre dejó una cuenta de ahorro para este encargo. Hay exactamente un millón de pesetas. Creo que para los gastos servirá.

David y yo contemplamos a la mujer.

—Puede que no llegue para los gastos si el asunto se prolongara.

—No hay más, señor Corazón. Usted debe aceptar el caso como un reto, a la vez que como un acto de justicia universal. Si lo resuelve, ése sería su premio y su satisfacción. Ya sé. Es obvio que no son buenas condiciones para un trabajo, si lo miramos desde el prisma de los tiempos actuales y sabiendo que su dedicación debe de generarle ganancias concretas. Pero antes de que comprometa su negativa, le ruego que escuche algo. —Sacó una cinta de su bolso—. ¿Tienen un radiocasete? Por favor, póngala. Es la voz de mi padre.

David procedió. Escuchamos con atención mientras la mujer me miraba fijamente, como si sus ojos fueran de cristal. Al terminar, sólo el zumbido de la máquina se batía contra el silencio. La señora dijo:

—Algo en mi interior me dice que lo estudiará, al menos.

Cuando salió dejó un aroma cautivador: la mezcla de suave perfume y la carga de sentimientos expresados. David me miró y supimos que aceptábamos el caso.

Me quedé a comer con ellos. Nos pusimos al día en los asuntos en curso y dejamos el de los niños para el final.

—¿Qué tal con Javier? —pregunté a Sara.

—Muy bien, de verdad.

—Debe de ser un tipo muy especial para haber hecho vibrar tan sensible corazón —dijo David.

—Lo es. Me encuentro a gusto con él, deseo su compañía. En realidad, si no es amor me llena de la misma sensación. Es un hombre como los de antes, muy difíciles de encontrar. —Al mirarme, un brillo aleteó en sus ojos sonrientes.

—¡Ya estamos! ¿Qué pasa con los hombres de antes? Yo soy de ahora y me tengo por cojonudo.

—Lo más fiable que tienes lo has heredado de tu jefe.

—Él no es de hornada vetusta. Además, lo de antes no es sinónimo de bueno. La sociedad ha cambiado a mejor.

—¿Seguro? ¿Como qué?

—El matrimonio, por ejemplo. Os casasteis impelidos por conceptos anticuados; el rito religioso, por ejemplo. Y ¿qué os pasó? El fracaso. Eso no ocurre ahora.

—No ejemplarices con nuestros casos. Mira las estadísticas. Hay muchas parejas que llevan treinta, cuarenta o más años casados. ¿Cuántas de las de ahora durarán tanto tiempo?

—Y ¿cuántas de ellas perduran por inercia o comodidad? Ahora tenemos libertad de elección. Si se acaba el amor, ¿para qué seguir?

—¿A qué amor te refieres? ¿Al juvenil rebosante de ardores? Hay varias clases de amor. El tiempo marca el ritmo adecuado.

—Te casas el mes que viene, por lo civil —dije—. Te diré algo: la Iglesia no tiene nada que ver con que los matrimonios fracasen. Fracasan las personas, no las instituciones.

—He querido consignar un cambio radical en la sociedad.

—Hablamos del amor. Irás descubriendo esos cambiantes ritmos que dice Sara. Te afectarán, como a todos. Por cierto, ¿qué flechazo ha sido ése? No lleváis ni cinco meses.

—Es suficiente. La vida es rápida.

Le miré. Pronto se haría cargo de casos con mayor entidad. Pero el que la hija del policía había puesto en nuestro horizonte era para mí.

—Lo veo tan complicado como el de Prados, hace dos años. Protagonistas escondidos en el pasado —dijo David—. Otra historia que te llama desde el tiempo.

—Pero ésta, más tremenda: cuatro niños, sin duda asesinados —añadió Sara—. Requerirá muchas horas de trabajo.

—Él lo descifrará —aseguró David—. Aunque, en este caso, no podrá enamorarse de una de las implicadas.

Dos

La documentación facilitada por Clara Ocaña constaba de escritos, copias de expedientes, fotografías, dos cuadernos, algunos sobres con cartas y otros papeles, todo bien ordenado cronológicamente en dos archivadores. Las copias en calco originales de las declaraciones de los comparecientes estaban muy borradas, pero Ocaña había tenido la precaución de hacer fotocopias de todo cuando llegaron las fotocopiadoras, inexistentes en los años cuarenta. Dos de las fotografías, tamaño postal, eran de esas que se hacían en los colegios con todos los miembros de cada clase juntos. El grupo de niños miraba al frente. Los de atrás de pie; los de delante, en cuclillas, arrodillados y sentados en el suelo. Los originales estaban amarillentos y rayados pero había copias fotográficas que mantenían la calidad adecuada. Algunas de las cabezas estaban dentro de un círculo, con un número que, en el margen, aclaraba su nombre. Eliseo, Gerardo, Juan, Luis y Julián. Los dos hermanos Montero estaban de pie y sobresalían por su estatura. La foto en blanco y negro, bien enfocada, mostraba claramente los rasgos de los niños. Algunos sonreían con timidez. Los Montero estaban serios. Había una fotografía de dos hombres en bañador. Los círculos de sus cabezas señalaban a Andrés Pérez de Guzmán y a Fernando León de Tejada.

En los cuadernos, y a mano, el comisario compuso dos listas datadas en esos días iniciales de junio de 1946, donde había consignado nombres, edades, domicilios, a los que fue añadiendo, con fechas, el resultado de sus pesquisas, interrogaciones y reflexiones posteriores. La primera lista estaba dedicada a los desaparecidos y a los niños implicados. En la segunda constaban los familiares, vecinos, amigos de las familias, gente variada del Matadero, profesores del colegio Cervantes e, incluso, señoritas de Auxilio Social. Esta segunda relación había ido creciendo en comentarios, que describían en su mayor parte la desolación incalmable de los padres de los niños al apreciar que el paso del tiempo desvanecía sus esperanzas. «Dolor insufrible en estas familias humildes.» Felipe Romero Díaz y esposa, María Escobar Contreras, tutores de los niños Montero desde la muerte de la madre en 1944, de treinta y seis y treinta años respectivamente cuando los hechos, no volvieron a salir en los apuntes; apuntes que, al final, eran meras cogitaciones sin datos novedosos. Al terminar el estudio de toda la documentación, examiné mis anotaciones, que había ido apuntando en un bloc. Una de ellas destacaba por la densidad del subrayado. Miré la hora. Cogí el teléfono y marqué.

—¿Sí? —habló Clara Ocaña.

—Su padre escribió: «... y el SSS tampoco obtuvo resultados vinculantes al caso. Parece que en otras misiones sí funcionó; no en ésta.» ¿Tiene idea de lo que era el SSS?

—No. En eso no puedo ayudarle. Ya le dije que apenas leí sus escritos. Y él nunca nos participó a la familia de ninguna de sus investigaciones.

Colgué y de las dos listas establecí la mía, condensando los datos de ambas y de los informes posteriores.

A (5) Juan Barón Díaz, nueve años en 1946. Testigo del rapto de Gerardo. En 1952 se traslada con sus padres a un piso de la Ciudad de los Ángeles. Domicilio desconocido en 1965. Amplio dossier.

B (6) Mateo Morante Peña, once/doce años cuando las desapariciones de Eliseo, Gerardo, hermanos Montero y Andrés Pérez de Guzmán. Embaucador, vividor, peligroso. Matarife cuando su incorporación a filas en enero de 1957. Licenciado en octubre de 1959, con veinticuatro años. Vuelve a Madrid y se pierde su rastro. En noviembre de 1959 su hermano Antonio presenta denuncia por desaparición. El caso es plena competencia de Ocaña, que inicia unas pesquisas con circunspección y sólo por haber tenido al sujeto en el punto de mira. Ninguna orden de la DGS se lo impide. Pero no se hallan rastros ni testigos ni evidencias que avalen la teoría de Antonio de que su hermano ha sido secuestrado. Ninguna prueba al respecto. Según su tía, con quien vivió antes y después de su etapa en el Ejército, se iba a Venezuela con un amigo. Tenía el equipaje y sus cosas preparados para salir hacia el puerto el día 25 de octubre. Cuando la mujer se levantó en la mañana de ese día, no estaban ni él, ni los bultos, ni su ropa. Aparentemente se había ido. Pero la mujer aseguraba que nunca lo hubiera hecho sin despedirse de ella. Se comunicó con Antonio, que vino lo más rápido posible con un permiso y que, después de analizar los hechos, presentó la denuncia. Insistía de forma categórica en que su desaparición fue provocada. Avalaba las razones de su tía, añadiendo que, como hermanos con estrechos lazos emocionales, le hubiera dejado algún mensaje. Esos argumentos carecían de fundamentos probatorios para que la policía abriera una investigación razonada. El comisario dejó pasar el tiempo y ni siquiera una segunda visita de Antonio un año después, aprovechando otro permiso, hizo variar la idea que el policía se había formado de ellos. Escribió: «No son personas de fiar ninguno de los hermanos. Creo que están en comunicación y Antonio viene con el cuento para disipar las dudas que siempre tuve sobre Mateo en la desaparición de los chicos.»

C) Antonio Morante Peña. Veintiocho años cuando aparentemente desapareció su hermano. Salió del Tercio en 1963 de su segundo enganche. Emigró a Europa un año después. Al morir su tía en 1965, volvió y cerró el piso. Domicilio desconocido.

D) Fernando León de Tejada y Ortiz de Zárate, jefe local de Falange en 1946, treinta y tres años cuando denunció la desaparición de Andrés Pérez de Guzmán, amigo suyo y correligionario. Desconfianza manifiesta hacia la Social ante los nulos resultados. En septiembre de 1956 aparece muerto en su estudio de arquitecto de la calle de Tutor, frente a la iglesia del Buen Suceso. Ocaña se entera por la prensa y se pone en comunicación con el comisario Pedro Granados, de la comisaría correspondiente al distrito de Moncloa, sita en la calle de Daoiz. Actualiza sus datos y se informa. Casado, un hijo de veinte y otro de diecinueve años, con domicilio en la calle de Vallehermoso. Hombre muy familiar y respetado por los vecinos. Se quedaba con frecuencia en el estudio hasta tarde trabajando en los proyectos, por lo que su esposa nunca albergaba motivos de preocupación. Pero en la noche de aquel jueves se demoraba en regresar. Era demasiada la tardanza. Llamó al estudio y no obtuvo contestación, lo que la alarmó. Salió en su busca con uno de los hijos. Desde la acera vieron la luz encendida filtrándose por las ventanas, allá en el sexto piso. Subieron, acompañados por el sereno. Encontraron su cuerpo sin vida tirado sobre un charco de sangre. Los cajones de los armarios, librerías y estanterías estaban revueltos. No cabía duda de que había habido un registro. ¿Buscando qué? ¿Dinero? A Fernando le habían despojado de la cartera, el reloj, anillos, cadena, mechero y dinero. Faltaban las máquinas calculadoras, el aparato de radio y todos los estuches Rotring de dibujo nuevos, que se guardaban de repuesto. La policía determinó que el asesino debió de llamar a la puerta y, al ser abierta, lo llevó a la sala central y allí lo mató. Se valió de arma blanca, que no apareció, pues el cadáver estaba degollado. El sereno y los vecinos nada vieron ni oyeron. Ocaña se conmociona con la noticia y sospecha que el crimen podría estar relacionado con las desapariciones de 1946. Así se lo expone a Granados, aconsejándole que estudie los informes que obrarían en la DGS. Incluso le acompaña a la Puerta del Sol, con el consentimiento previo del comisario jefe de la Jefatura Superior, que ya no era el de 1946. Tampoco el subsecretario era quien había tomado el caso años antes. El sustituto se esforzó en aparentar su disposición a ayudar, tras expresar su total desconocimiento del caso que Ocaña intentaba exhumar. El expediente de los desaparecidos estaba catalogado en los archivos como confidencial. Vería lo que podía hacer. El asunto no produjo ninguna respuesta de la DGS vinculante con las tesis de Ocaña y siguió por los cauces policiales normales. El tiempo pasó y el comisario Granados concluyó en su informe final que la muerte de Fernando se produjo por robo, que es lo que sugerían las pruebas halladas. La conexión que Ocaña defendía quedó descartada por falta de elementos probatorios. No había datos de la familia León de Tejada ni de su domicilio actual.

Había otro nombre que presentaba hechos diferenciales y que el comisario unió a la investigación, no de forma plena al principio, por considerar que su implicación inicial con la cuestión era aparentemente circunstancial. Lo puse en la lista.

E) Rafael Alcázar Bengoechea, desaparecido de su domicilio de la calle de Manuel Cortina en 1959, a los cuarenta y nueve años. Ocaña se enteró en 1966 de esta desaparición, en una de las reuniones que anualmente hacían los policías, donde se mostraban las innovaciones técnicas, las dotaciones económicas y de medios, los programas y demás asuntos. En un aparte coincidió con el comisario Alfonso Iriarte, de la comisaría de Chamberí, situada en la calle de Juan de Austria. Policías antes que funcionarios, ambos comentaron sus casos inconclusos. Alfonso se enteró de las desapariciones de 1946 y Ocaña supo de la de Rafael Alcázar. Pidió datos a Alfonso. La mujer de Rafael había presentado denuncia a la vuelta de las vacaciones en el litoral mediterráneo. Se habían comunicado esporádicamente, según costumbre. Rafael no estaba en casa al llegar. No le dio importancia. Al caer la noche y ver que no aparecía, sintió inquietud. Llamó a los amigos. No estaba con ellos. Llamó a los hijos y a la mañana siguiente presentaron denuncia. Rafael desapareció entre el 15 de septiembre y el 15 de octubre, periodo entre su última comunicación telefónica y el regreso de la mujer. Faltaban dos de sus trajes, algunas mudas, camisas y útiles de aseo, y una maleta pequeña. Todo parecía indicar que se había ido de viaje. Pero no volvió a llamar. ¿Se marchó voluntariamente? No había huellas de violencia, ningún testigo. Y un dato: al abrir la caja fuerte detectaron la falta de cien mil pesetas, según apuntes. Si se había ido de casa voluntariamente, ¿por qué no se llevó más dinero del que todavía quedaba en la caja? Iriarte no pudo seguir la investigación por falta de pistas. Rafael era primo hermano del subsecretario que trece años antes había desautorizado a Ocaña, quien anotó la coincidencia de las fechas de las desapariciones: mismo mes y año las de Mateo y Rafael. Como en el caso de Fernando León de Tejada, tuvo la convicción de que había relación con el de los desaparecidos del 46. Y más al saber que Rafael había trabajado en el Matadero hasta 1957. Esa coincidencia le hizo prestar más atención a la denuncia de Antonio Morante. Rescató un nombre: Daniel Molero Pérez, el amigo que se iba a Venezuela con Mateo. Aunque habían pasado siete años desde entonces, el comisario consiguió la dirección de Daniel por medio del Gobierno Militar: calle Hachero, en el Puente de Vallecas. Envió allí a un hombre. La familia Molero no vivía en la casa desde 1946 o 1947. Los vecinos dijeron que se habían ido a América. ¿Cómo podía ser? ¿Dónde estuvo esos años, entre su aparente marcha a algún lugar de América en 1946 y su ingreso en el Ejército en 1958? ¿En Venezuela? Intentó averiguar en el Consulado si en 1959 o después habían expedido visados a nombre del tal Daniel y de Mateo. Incluso, y no cita por qué razón, si lo había a nombre de Rafael. No tenían ya registros de aquellos años. Y averiguar si estaba en aquel país era imposible sin conocer su cédula personal.

Anoté su nombre en la lista.

F) Daniel Molero Pérez. Hizo el servicio militar en Marruecos de voluntario, ingresando a los diecinueve años, según el Gobierno Militar. Licenciado en 1959. Aparente amigo de Mateo y desaparecido en la misma fecha que el otro. Ningún dato sobre su paradero.

Dejé los papeles y fui a la ventana. El sol de la tarde se reflejaba en los cristales del Palacio de Oriente. De mi relación, los únicos para investigar, obedeciendo a la lógica, eran A y C, y familiares o conocidos de los demás, que pudieran vivir todavía. Busqué en la guía telefónica. En la calle de Fernando el Católico aparecía un Pérez de G., justo en el número en que vivió Andrés. Llamé. Allí había un familiar aún. Establecí mis prioridades.

Tres

El día estaba gris y quieto, como resignándose a pasar desapercibido. La finca tenía portero, que me indicó el piso. Me abrió la puerta un hombre cercano a los setenta, de osamenta grave y el pecho caído sobre el cinturón.

—Pase, señor Rodríguez; mi esposa le espera.

Me condujo a un salón confortable, me ofreció asiento y algo de beber. Desapareció y al rato entró una mujer aún atractiva, de unos sesenta años, con una bandeja: servicio de café, pastas y agua. Me regaló su mano mientras me contemplaba con precaución.

—¿Ahora, al cabo de los años, alguien se interesa por lo que ocurrió? —dijo, brindándome un asiento.

—Nunca es tarde mientras alguien tenga recuerdos.

—¿Quién tiene esos recuerdos?

—La hija del comisario Ocaña, que llevó el caso al principio. —Dejé flotar una pausa—. Me dijo por teléfono que su madre murió.

—Sí; hace veinte años. Hicimos un arreglo entre mis hermanos y yo, y me quedé en el piso donde nacimos.

—Ustedes tenían posibilidades de investigación por la adscripción de su padre a Falange. Sorprende la falta de resultados.

—No sirvió de nada. Los de la Social desarticularon unas células izquierdistas y dijeron que habían reconocido haber matado a mi padre.

—¿Quiénes reconocieron eso?

—Los aprehendidos, quiénes iban a ser.

—¿Realmente lo confesaron?

—Eso dijeron.

—¿Se lo creyó?

Ella rehuyó sus ojos.

—No se lo creyó —dije— porque no fueron ellos.

—Tiene razón. Nunca creímos esa versión. No hay que tener mucha imaginación para intuir las torturas a que debieron de ser sometidos esos pobres diablos. Hubieran indicado dónde estaba el cadáver, de haberlo sabido. Pero el asunto quedó así. Luego fue cerrado por prescripción. Sólo el hallazgo del cuerpo abriría el caso.

—Doy por seguro que sabe de las desapariciones de unos niños, ocurridas cuando la de su padre.

—Por supuesto. Mi madre visitó a menudo a las familias de Eliseo y Gerardo hasta que el tiempo diluyó los recuerdos. Me llevaba con ella a verlas. Eran gente humilde. También a la señora Romero, llena de amargura por la desaparición de los hermanos Montero. No lo soportó. Se recriminaba por no haberse enfrentado al marido cuando éste decidió interrumpir la tutela sobre los niños. El matrimonio Romero… Ella era una mujer apacible y sensible. En la última visita que le hice se pasó el tiempo llorando desconsolada. Él, un maltratador. Siempre ha habido maltratadores. Ya ve usted cómo estamos ahora con esa lacra. Pero entonces los maltratos a las mujeres eran casi generalizados. La sociedad lo aceptaba, quizá por viejos atavismos que mucho tenían que ver con la religión. En general el hombre no era sólo el marido sino el amo. Pero en el caso de los Romero el comisario Ocaña puso las cosas en orden, lo que fue muy raro, porque la policía no consideraba delito pegar a la mujer. Quizá se debió al añadido de que Felipe tuvo mucha responsabilidad en la desaparición de los Montero al haberles echado de casa y despreocuparse de su suerte, lo que, a los ojos del funcionario, le hacía tan criminal como sus raptores. El caso es que actuó sobre el maltratador. Ojalá que la policía actuara hoy como aquel hombre. ¿Sabe lo que hizo?

—Buscó mi interés—. En la visita que volvieron a hacerle dos de sus hombres para obtener noticias de los chicos, semanas después, encontraron a la mujer con el rostro tumefacto. El comisario envió por él en un coche, lo que en sí mismo suponía una publicidad negativa para el canalla ante sus vecinos: verle entrar en un coche de la policía, en aquellos tiempos. Le metieron en los sótanos y los inspectores enseñaron a Felipe la diferencia que hay entre dar y recibir palizas. Cuando lo subieron parece que su rostro no tenía señales de violencia pero el gesto era de gran sufrimiento. Estaba destrozado y casi no se tenía en pie. El comisario le advirtió que volvería a buscarle si persistía en su afición al maltrato.

—¿Qué le hicieron?

—No lo sé. Supongo que le aplicarían su propia medicina.

—¿Y volvieron a dársela?

—Parece que no, por la sencilla razón de que ella, más por la pena de no volver a ver a los niños que por el trato reiterado del marido, porque dicen que a eso llegan a acostumbrarse las desgraciadas, le dejó plantado en 1948 y se fue a su pueblo con su familia. No volví a saber de ninguno de los dos.

—Sus hermanos de usted ¿qué opinan?

—Han preferido olvidar. Tienen más de setenta años. Optaron por interpretar esos hechos como si hubieran ocurrido en guerra. Y, ¿sabe?, al igual que ellos siento que aquello está muy lejos.

—Trece años después desapareció también otro hombre, Rafael Alcázar Bengoechea, ¿lo recuerda?

—Tengo su recuerdo de cuando era niña.

—Parece que él trabajaba en el Matadero cuando lo hacía su padre.

—Sí, pero no cuando desapareció a su vez.

—En la fecha de la desaparición de Rafael Alcázar, ya no era usted una niña —dije, tras un rápido cálculo—. ¿No guarda un recuerdo más cercano?

Me miró con fijeza.

—Vino a vernos cuando lo de mi padre, intentando consolarnos. Nunca volví a verle. No volvió; no era bien recibido en casa. Ellos habían dejado de ser amigos hacía tiempo.

—Eran falangistas ambos. ¿Por qué dejaron de ser amigos?

—¿No es una simplificación creer que por ser falangistas todos debían ser amigos? —Sonrió y movió la cabeza—. Qué puedo decirle. Después de tantos años de dictadura y del revisionismo actual, la imagen de Falange no hay por dónde cogerla; pero no es del todo exacta.

—¿Puede explicarse?

—Se tiende a considerar a Falange como un bloque y, tras la guerra, como un partido realizador de tremendas barbaridades.

—¿Las hizo?

—Sí, demasiadas para que su nombre pueda salir del fango. Pero conviene aclarar las actuaciones y sacar la verdad a la luz.

—¿Qué verdad?

—Toda. Durante la guerra, en las zonas liberadas, y después de terminado el conflicto, miles de personas se apuntaron a Falange. Fue un aluvión de gente atropellándose para inscribirse en el partido. Tantos que se les daba un carné provisional de «adherido» hasta que les llegaba el de militante. Había de todo menos verdaderos falangistas: los que buscaban eludir u ocultar antiguas concomitancias con el liberalismo; los que deseaban asegurarse buenas posiciones en la nueva España, y, sobre todo, los que buscaban venganzas personales. Todos ellos se esforzaron en patentizar sus adhesiones denunciando a cuantos les parecía y participando ellos mismos en las ejecuciones sumarias. Esa pléyade de oportunistas adulteró el espíritu falangista auténtico. La prueba está en la actualidad. ¿Cuántos quedan de los miles que había durante el franquismo? Sólo unos pocos infatigables herederos de aquellos del Teatro de la Comedia. Pero tan divididos en grupúsculos, reclamando cada uno la autenticidad falangista, que es como si no existieran. Aquella gentuza de aluvión mató, medró y se esfumó.

Seguí mirándola sin decir nada.

—Sí, ya sé —prosiguió—; ésa fue la gran culpa de Falange, porque se hizo bajo su nombre y, fuera por desconocimiento, permisividad o colaboración, la responsabilidad le correspondía. Los mandos debieron haber mediado para frenar las matanzas. Así hicieron Manuel Hedilla y otros, que fueron apartados violentamente. Los demás, como Serrano Súñer, Fernández Cuesta, Girón, Arrese y tantos otros, cerraron los ojos. Lo permitieron y apostaron por el poder franquista. Lo de Súñer y Fernández Cuesta es tremendo, porque fueron los albaceas testamentarios de José Antonio y traicionaron su legado. Igual hizo Arrese, que, de condenado a muerte por ser fiel a Hedilla, pasó más tarde a ser un eficaz azote contra sus compañeros programáticos y una pieza activa en el Régimen, ocupando diversas carteras ministeriales. Ya ve, sin embargo, cómo la historia ha englobado a todos en el mismo saco. Pero, puede creerlo, muchos falangistas de los primeros tiempos deploraron esas actitudes represivas. Del mismo modo que no comulgaron con la posición de cipayos que Franco les asignó. Vuelvo a recordarle el caso de Hedilla, segundo jefe nacional de Falange tras la muerte del Fundador. Por su rechazo frontal al Decreto de Unificación, fue condenado a muerte por el dictador, quien además le despojó del cargo para quedárselo él. Luego le conmutaron la pena. Estuvo en prisión varios años y, finalmente, fue desterrado. Igual que Dionisio Ridruejo y otros, como Gerardo Salvador Merino, un joseantoniano puro, que fue el primer jefe de la Delegación Nacional de Sindicatos y a quien Franco expulsó a Baleares; todos silenciados por disentir. Mi padre y su amigo León de Tejada eran de ésos.

—¿Su padre fue un disidente?

—En realidad, no; lo fueron quienes se adhirieron a la doctrina oficial del Régimen y olvidaron los valores fundacionales. Mi padre soportaba este cambio en silencio.

—¿Qué valores eran ésos?

—¿No conoce el ideario de Falange, el verdadero?

—No.

—Entre otras cosas propugnaban la separación Iglesia-Estado, aunque no el laicismo en la educación; la transformación de la sociedad a una moderna y dinámica; el fin del clientelismo, la oligarquía, el latifundismo y el oligopolio; la nacionalización de la banca; la renovación del espíritu, la superación del fatalismo, la justicia social, el amor al trabajo, el fin de la corrupción...

—Dígame adónde quiere ir a parar.

—Lo que no podían soportar eran los reincidentes y trasnochados nacionalismos, las patrias tribales, a esos gurús que se emperran en destacar una diferencia que no existe. ¿No producen dolor, enfrentamientos, muertes y odio entre hermanos, sin ninguna auténtica necesidad? Al final, esos absurdos movimientos no son la realización de un sentimiento colectivo, como dicen los abanderados de esas emociones que antes supieron inculcar entre sus seguidores, sino el puro y simple egoísmo personal: poder, dinero y la gloria de pasar a la posteridad como presidentes, jefes de Gobierno o ministros de algo que, de otra forma, nunca conseguirían. ¿Cree usted que alguna vez Europa será como Estados Unidos, con un solo país para todo el continente? Es una reflexión en clave de futuro. Ni hablar. Cada país querrá seguir teniendo sus propios personajes cavernícolas, esos nacionalismos heredados de los reinos de taifas, haciendo ruido político por motivos simplemente egoístas. Y ¿qué me dice de los asesinos terroristas? Ellos sí que son fascistas, en el peor sentido de esa doctrina. ¿Se vive mejor con esa lacra? —Movió la cabeza como si fuera el péndulo de un carrillón—. No intento borrar lo que hizo de malo la Falange después de la guerra; sólo quiero destacar lo bueno de su programa, que, desgraciadamente, nunca pudo ser aplicado. —Volvió a recrearse en sus recuerdos—. Mi padre nunca se apartó de la ortodoxia. Era muy amigo de Alejandro Salazar, que fue jefe nacional del SEU y que murió fusilado en Paracuellos del Jarama en noviembre del 36, a los veintitrés años de edad… ¿Cómo era?… «Siempre sonriente, los ojos melancólicos de los que saben que van a morir jóvenes.» Así era mi padre, idealista, íntegro.

—Exactamente qué quiere decir. Él no fue fusilado.

Ella siguió empecinándose en su recuerdo.

—Fueron juntos al entierro de un camarada, Jesús Hernández, asesinado en 1934 por uno de las Juventudes Socialistas, con sólo quince años. Mi padre decía: «¿Por qué nos matamos entre nosotros si el enemigo es otro? ¿Cuándo vamos a entenderlo?» —Tras un silencio, volvió a mí como si regresara de un viaje al centro del mundo—. Nunca abjuró de aquellos ideales. Al final, murió con ellos intactos.

—No entiendo mucho de política, pero creo que Falange era, no sé si es, un partido paramilitar; usaban uniforme, se subordinaban a un jefe. La democracia no estaba en su ideario. Creo que la diferencia con los socialistas era evidente.

—¿Usted cree eso? La expresión máxima del socialismo es lo que en Rusia instauraron Lenin y Stalin, y Mao en China. ¿Qué democracia había allí? Y sin irnos tan lejos, ahí tenemos a Corea del Norte y a la patética Cuba. Socialismos.

—Eso es un extremo. Los socialismos europeos no son así.

—Está equivocado. La socialdemocracia europea nada tiene que ver con el socialismo de aquí. Estos socialistas todavía cantan la Internacional con el puño en alto y desfilan con pancartas. Y es una ingenuidad creer que entre ellos existe la mínima democracia interna. ¿Sabe cómo funciona una comunidad de vecinos? Siempre hay tres o cuatro que van juntos y llevan la voz cantante. Ellos son siempre la mayoría. En el socialismo español, es igual. Esa cúpula, con el jefe supremo como gran hermano, es quien corta el bacalao. Nadie se aparta de lo que dice este grupo por repugnante que sea, aun en contra de sus convicciones y de su compromiso ético. El que no se prosterna se queda sin empleo. La Falange, en ese sentido, era sincera. Ahora, si lo que usted quiere es encontrar la democracia pura en una organización, sólo la hallará en los antiguos sindicalistas sin partidos guardaespaldas: los libertarios de la CNT.

Nos miramos en profundidad y sentí como el latido de una presencia invisible. Manín y Pedrín.*

—José Antonio Primo de Rivera estaba creído, precisamente, de que el viejo sindicalismo revolucionario español, la CNT, cuando conociera que el nacionalsindicalismo es anticapitalista, buscaría conexión con Falange. Así lo confesó al periodista Ramón Blardony en su prisión de Alicante, un mes antes del estallido bélico.

—Supongo que la CNT tendría otra opinión —apunté.

—Suponga lo que quiera. Le digo cosas que pueden comprobarse. Hay otra entrevista, esta vez de un periodista yanqui, Jay Allen, publicada en el *News Chronicle*. En ella aparecen sus llamadas a los trabajadores y sus puntos de coincidencia con el mundo obrero. Añadía que sería un error que el Alzamiento sirviera sólo para restaurar privilegios seculares, e insistía en que la regeneración de España debería basarse en la Patria común, el Pan y la Justicia. Y no debe olvidarse que los colores de Falange eran el rojo y negro de la CNT y la camisa azul de los obreros.

—Lamento reconocer que he sido muy desconsiderado con nuestra historia reciente. Pero creo que los falangistas y los anarquistas partían de supuestos diferentes. Los de la CNT y FAI eran proletarios, pobres de tradición, lo contrario que los falangistas.

—¿Eran ellos culpables de haber nacido en buenas cunas? ¿Hay que estigmatizar a la gente por sus orígenes? Su grandeza fue que, por conseguir una España equitativa, hicieron decidida renuncia de sus privilegios, atacando a las clases altas y oligarcas a las que pertenecían. ¿No lo ve? Es eso lo que importa.

—Mi conocimiento de los temas que usted esgrime no llega a tanto. Pero hay un hecho diferenciador. ¿Por qué los

* Véase *El tiempo escondido*, del mismo autor y de la misma editorial.

pobres se afiliaban a la CNT y no a Falange, si también era un movimiento sindicalista y, según sus defensores, abierto a todos? ¿No es una evidencia significativa de los modelos que ambas representaban?

—No era una diferencia de concepto sino de estilo, de forma. Más del noventa por ciento de los falangistas eran asalariados: campesinos, obreros, empleados… La diferencia estaba en que había muchos estudiantes en la parte falangista, algo elitista en aquella época. Ello no acontecía, es cierto, en la CNT. Pero de eso, vuelvo a repetirlo, no tuvieron la culpa aquellos muchachos. Muy pocos falangistas vivían de sus rentas.

—Mire. Yo sólo busco pistas para unos crímenes no resueltos. Usted me enreda en una madeja para la que no estoy preparado. No sé…

—… ¿por qué le cuento estas cosas? —concluyó—. Por mi padre. Él se merece que salga a la luz algo que ahora es anatema: reclamar que Falange tiene pendiente de alcanzar sus objetivos, brutalmente frustrados. El libro *España, una revolución pendiente*, de Sigfredo Hillers, publicado audazmente todavía en vida del dictador, expresa esa reivindicación.

Hizo nueva pausa como para darme tiempo a asumir lo que contaba.

—Sí, usted estará pensando que todo son gaitas. Pero le diré más al respecto. Cuando terminó la guerra y se generalizó la represión, falangistas como mi padre decían: «¿Hemos de matar a media España sólo porque lucharon contra nosotros? Necesitamos esa media España, españoles también, que sufrieron por sus ideas. ¿Por qué no conjugamos el perdón con la habilidad necesaria para que abracen nuestros ideales de lograr una España grande, donde todos quepamos? En todo caso, ¿quiénes somos los falangistas para arrogarnos el ejercicio de la justicia, de tan primaria forma que deviene en pura injusticia? ¿Qué juez o corte nos dio la autoridad para hacer de represores? Sólo somos un partido político, sin licencia para hacer de verdugos. No es nuestra misión ni nuestro trabajo. No somos ninguna Ley.»

Su mirada estaba perdida en sus reflexiones. Luego me miró.

—¿En qué está pensando?

—Me recuerda al personaje de *El jugador de ajedrez*, de Stefan Zweig. ¿Lo conoce?

—Sí —dijo, echándose a reír—. Me respondo a mí misma, como hacía ese personaje jugando consigo mismo.

—Pero él estaba incomunicado en una celda. Usted no está en esa circunstancia.

—Para estos temas sí, desgraciadamente. Cuando intento hablar de ello con mi marido y mis hijos, cambian de tercio. Así que de todo esto sólo hablo con mi padre; o sea, conmigo. En cualquier caso, usted ha venido a saber de él. Busca sus hechos para conocer su destino. Pero sus hechos los motivaron sus ideas. Supongo que lo que le he contado no habrá sido en vano.

—¿Qué era el SSS? —solté.

Ella me miró, admirada.

—¿Cómo sabe de la existencia de ese servicio?

—Si se lo digo descubriré mis artes. Es como pedirle a un mago que muestre sus trucos.

—La verdad es que no tiene sentido ocultarlo a estas alturas. —Miró un gran retrato de su padre instalado en la pared, como pidiéndole autorización—. El SSS era el Servicio Secreto de la Social, una sección dentro del cuerpo. Pocos tenían conocimiento de él. Mi padre lo supo casualmente.

—¿No era una reiteración? La Brigada Social ya era secreta en sí misma.

—Lo era en su actuación pero todo el mundo sabía de su existencia. Del SSS se ignoraba todo, hasta el nombre. Le enseñaré algo al respecto. —Se ausentó de la sala y, al cabo, regresó con una voluminosa carpeta. Se caló unas gafas, buscó un papel y leyó: «... investigar no sobre organizaciones o personas de izquierdas camufladas, ni sobre altos cargos militares pues éstos quedan bajo la jurisdicción del SIM, sino en los actuales órganos de decisión, gentes de derechas que no gustan de nuestro régimen de esperanza aunque sean notables conservadores: la CEDA, los monárquicos impacientes de Renovación Española, los carlistas, los falangistas contumaces y otros, sin olvidar a intelectuales que no escarmientan. Vigilar a aquellos que soterradamente se atreven a pedir elecciones, influenciados por lo que la ONU nos hace, olvidando los sacrificios que hemos pasado, los muertos que costó nuestra guerra para construir un país fuerte, unido y respetado. Olvidan que gracias al Ejército salvaron sus cabezas y sus propiedades. Gentes que no escarmientan y que quieren volver a las andadas sin ver que el comunismo está siempre acechante. Descubrir al enemigo donde creemos que están los amigos, la Quinta Columna al revés. Esforzarnos para que el Movimiento permanezca por generaciones porque es la regeneración de nuestra Nación, el impulso que necesitábamos para que los españoles volvamos a sentirnos grandes en el mundo. Nos compete la misión de asegurar que así sea. Esos supervivientes de causas perdidas, peores que los rojos, porque ellos son consecuentes con sus ideales, quieren capitalizar lo que el Caudillo nos ha dado; quitarle la gloria y el mando como los cortesanos de Carlos Primero hicieron con Hernán Cortés, usurpando el esfuerzo de la conquista de Méjico. Evitar que los agentes del de Estoril y los que van y vienen a Suiza y Bélgica consigan que sus contubernios contaminen a más crédulos predispuestos a escucharles…»

—O sea, que su padre buscaba renegados de derechas.

—¿Por qué dice eso? —dijo, mirándome asombrada.

—¿Su padre no era de la SSS?

—¿Mi padre? No, qué va. Para nada. Ya le dije que sus ideales traicionados fueron decantándole hacia posiciones cercanas a las de los que debía investigar. Rafael Alcázar sí era de la SSS.

—Perdone, pero no es eso lo que he leído en los informes.

—Lo que le digo es la verdad. Puede creerme.

—¿Por qué su padre no se salió de ese entorno falangista adulterado?

—¿Cree que era fácil abandonar? Existían razones emocionales. La Falange verdadera era su razón de ser.

—¿Fue muerto por eso, por su resistencia a ser moldeado?

—Quién sabe...

—Quizá debería dejarme esa carpeta.

—¿Para qué? Son documentos personales. No hay nada que pueda servirle.

—Lo que me leyó es una posible pista. Puede haber otras.

—Cree equivocadamente. Los del SSS investigaron durante años y cubrieron todas las posibilidades. Pero el cuerpo no apareció. Es hora de que descansen los recuerdos.

—¿Qué impresión tiene usted de la desaparición de Rafael Alcázar?

—Era primo hermano del subsecretario que ordenó a Ocaña apartarse del caso y que, al parecer, siguió pensando en la mano negra de un poder comunista oculto. En realidad, no les faltaban razones a quienes así pensaban. Por si no lo sabe, le diré que en 1946 España quedó aislada del mundo al decidirse en la Asamblea General de la ONU, por mayoría de votos, que los países integrantes retiraran sus embajadores de nuestro país. En esa Asamblea el representante de Polonia se atrevió a decir que España era un peligro para la paz mundial. ¿Qué le parece tamaña desfachatez? Abochorna que lo dijera alguien de un país casi inexistente debido a la ocupación rusa, y con un régimen soviético ferozmente contrario a las libertades, como luego se demostró... El Régimen pagaba así el precio por haber estado al lado del nazismo alemán y del fascismo italiano, quienes ayudaron a su implantación. Agentes clandestinos pasaron a España para organizar movimientos que dieran como fruto la caída de la dictadura franquista. El Ministerio de Gobernación aumentó su presupuesto y toda la policía se dedicó casi en exclusiva a conjurar aquella amenaza. Fueron capturados y fusilados miembros relevantes, como Cristino García Granda, afiliado al partido comunista francés y héroe de la resistencia gala durante la ocupación alemana, lo que conmocionó a toda Europa. Para entonces, la Falange auténtica estaba muerta y la apócrifa tampoco existía, en la práctica. No olvide que las grandes potencias pidieron la disolución de esa organización, nada más acabar la guerra mundial. Y Franco, atento a cómo sonaba la música y con el deseo de eternizarse en el poder, la fue relegando, sobre todo desde la aplicación del Plan de Estabilización, que dio entrada a los tecnócratas del Opus en el Gobierno. Con el apoyo de Estados Unidos y de Inglaterra, y con la guerra fría marcando la política mundial, el Régimen, eficazmente conducido en el interior por los sabuesos de la Política-Social, estaba más fuerte que nunca y continuó haciendo gala de la mayor contundencia al aplicar sus métodos represivos. Pero seguía teniendo miedo de sus propios fantasmas. Sólo así se explica que todavía en 1963, veinticuatro años después de terminada la contienda civil, siguieran las ejecuciones. Como ocurrió con dos jóvenes idealistas, Joaquín Delgado y Francisco Granado. ¿Oyó hablar de ellos?

Negué, con sentimiento de culpa por mi ignorancia.

—No tuvieron publicidad esas muertes porque eran humildes anarquistas. Todo lo contrario que con Julián Grimau, matado en el mismo año. Grimau era comunista y el partido puso en marcha su potente aparato propagandístico. Provocaron un escándalo internacional, que sólo quedó en ruido. —Sonrió sin alegría—. ¿Sabe cuál fue el cargo principal que aplicaron a esos activistas? «Por la perpetración continuada del delito de rebelión.» ¿Cabe disparate mayor que esa argumentación, cuando los verdaderos rebeldes condenables por haberse alzado en el 36 contra el Gobierno legítimo eran los ahora condenadores y verdugos? Y mire usted: en esas ejecuciones, quien actuaba era ya el puro régimen dictatorial al desnudo. Ya no tenía la tapadera de Falange porque desde hacía años, como le dije, a ésta se le había acabado la pintura. —Volvió a tender una pausa—. Muy pocos se paran a pensar que las dos únicas fuerzas que deseaban un cambio profundo en España fueron barridas

por el franquismo: los anarcosindicalistas y los nacionalsin-
dicalistas. Falange y CNT desaparecieron, a pesar de contar
con cientos de miles de afiliados cada una. Sólo dejaron recuerdos pero no herencia. ¿Qué es lo que ha quedado? Una
derecha recalcitrante que reclama el centro y una izquierda
burguesa que pide lo mismo. Sus diferencias son semánticas,
porque lo único que les interesa es el poder. ¿Y los comunistas? Totalmente fuera de su tiempo. Agraviados por los socialistas pero lamiéndoles el culo siempre.

La conversación había derivado a un cuasi monólogo
histórico-político y a una reivindicación con destinatario
equivocado. Estaba claro lo mucho que esa mujer necesitaba que la escucharan y su esfuerzo por vindicar la memoria
de su padre. Tuve por cierto que decía lo que sentía, que su
discurso no buscaba eximente a connotaciones que la historia había vuelto indignas. Esperé mientras ella consumía otra
pausa.

—Rafael Alcázar, primero falangista y luego de la Político-Social, como le dije, había ayudado a desarticular células comunistas y siguió haciéndolo hasta su extraña desaparición. Su primo y sus correligionarios siempre creyeron que
fue víctima de venganza por sus delaciones. —Me miró de
forma extraña—. La jurisdicción judicial en el caso de Rafael
era la del distrito de Chamberí. Al comisario le ordenaron su
traspaso a la DGS y le impidieron seguir con la investigación. No encontraron nada sospechoso que concerniera al
asunto y siguieron con sus manidas tesis, sin apreciar coin-
cidencias que, a muchos que conocían los hechos anteriores,
les parecerían causadas por algún tipo de maldición, pero no
a mí ni a otros.

—Va muy por delante de mí.

—Hubo otro amigo que trabajaba en el Matadero con
mi padre y con Rafael Alcázar, falangista también. —Sin
dejar de mirarme, añadió—: Murió atropellado por un camión en 1956. Los tres tuvieron el mismo destino trágico.

—¿Qué quiere insinuar?

—Usted debe sacar sus conclusiones.

—¿De qué trabajaba ese amigo?

—Era liquidador, como Rafael Alcázar.

—¿Qué es eso?

—Un puesto de trabajo. Eran los que controlaban los animales que se mataban. No sé cómo los denominarán ahora y si esa función sigue realizándose como entonces.

—¿Cómo se llamaba ese amigo atropellado?

—Roberto Fernández García. Pero hay más, y no de menor consideración. En ese mismo año apareció asesinado un íntimo amigo de mi padre y de la familia, que antes mencioné: Fernando León de Tejada. Nunca descubrieron al asesino.

—Lo leí en los informes. Pensaba llegar a ello ¿Qué pasó con su familia? No encontré sus datos, ni en la guía telefónica.

—¿No? Pero si los hijos son los famosos oftalmólogos León de Tejada… Quién no los conoce. Seguimos siendo familias amigas.

—¿Qué recuerda de Fernando?

—Era un buen hombre, con planteamientos políticos y morales cercanos a los de mi padre. Deportista, trabajador, cariñoso. Siempre estaba diciendo aforismos. Después de vencer la tentación de salirse de Falange, se esforzó en hacer del Frente de Juventudes lo que su creador, Enrique Sotomayor, deseaba: un movimiento juvenil que integrara a todos los niños y jóvenes españoles, y no sólo a los de un bando. —Se dejó vencer por otro recuerdo—. Sotomayor… Otro impulso desperdiciado. Fundó el Frente de Juventudes y Franco le prometió nombrarle delegado nacional del SEU. No cumplió su promesa. Sotomayor tuvo poco tiempo para rumiar su decepción. A los veinticuatro años moría en el frente ruso y con él un espíritu insatisfecho por la ocasión perdida. En cuanto a Fernando, fuimos a su entierro y lloramos por los dos, como si también estuviéramos enterrando a mi padre en ese momento.

La habitación se había llenado de demasiados muertos. Los podía ver, allí, todos juntos, como cuando en una mortandad se los alinea antes de enterrarlos. Me levanté.

Cuatro

Tenía otros frentes para investigar.

G) Familia de Roberto Fernández García, que también era mencionado por el comisario Ocaña, con una nota simple: investigar.

H) Y otro frente no concretado en ningún nombre sino en una idea: el SSS. Los niños fueron eliminados por ser testigos de un asesinato. ¿Motivos? Estaba claro que los culpables no estaban en las células comunistas desarticuladas. Y aunque el comisario escribió que el SSS tampoco encontró culpables a otros niveles, lo cierto es que había una prueba que conducía a esa sospecha: Andrés fue asesinado en un horario imposible, casi la una de la madrugada. Significaba que no sólo se conocían sino que pertenecían al mismo grupo. Eran, por tanto, amigos o de cargos altos en el Matadero. Todo parecía indicar que, de una u otra forma, el asesinato había sido inducido por consideraciones políticas.

Miré la relación de nombres. Continuaría con Antonio Morante. Pero antes pedí una cita por teléfono.

La Casa del Reloj, en el distrito de la Arganzuela, me recordó mis visitas de hacía dos años a la señora María.* Un

---

* Véase *El tiempo escondido*, del mismo autor y en esta misma editorial.

sentimiento de tristeza cabalgó sobre mí. No la había olvidado. Encontré el número buscado de Jaime el Conquistador. Toqué el interfono. Al dar mi nombre, me abrieron. La casa era de construcción antigua pero presentaba la fachada restaurada, así como las escaleras, los descansillos y el portal. El ascensor era nuevo y me dejó justo frente a una puerta que lucía como si la hubieran barnizado. Después de una inspección por la mirilla, una mujer abrió, con la cadena echada, y mostró su rostro desconfiado.

—Sí.

—Perdone. En este piso vivieron hace años unos hermanos, con su tía. Familia Morante. Estoy indagando su paradero. No tema. Soy detective.

—Espere un momento —dijo, cerrando. Un rato después la puerta se abrió, sin cadena, y una señora bajita y de más de medio siglo se enmarcó, con una joven detrás.

—Siento no poder ayudarle. No tenemos idea de esas personas.

—¿Quién vivía aquí antes que ustedes?

—Compramos el piso en 1972 a un matrimonio, pero el piso estaba a nombre de ella, Higinia Trujillo Fonseca.

—¿Tiene idea de dónde puede estar?

—No. —Caviló un momento—. ¿Ha preguntado en el barrio?

—No, vine aquí directamente porque era el lugar donde vivían esos hermanos.

—Quizá puedan decirle algo en la parroquia de la Beata María Ana de Jesús —apuntó la hija—. La mujer que nos vendió el piso iba mucho a catequesis. La recuerdo porque yo también iba siendo niña. Pregunte allí.

En la parte sur del barrio de Aluche hay cuatro parroquias: la de Jesús y María, fundada en 1974, instalada en un sótano lleno de columnas y goteras; la de San Leandro, abierta en 1966 y que llama a los fieles con su blanca columna, como si fuera la vela de un barco; la de San Esteban, iniciada en 1972, ahora también iglesia, rodeada de jardín con verjería de hierro, y la de Alfonso María de Ligorio, también iglesia ahora. En esta última fui atendido con amabilidad por uno de los párrocos, joven, con barba discipular.

—No existen registros de catecúmenos. La catequesis es una actividad parroquial que instruye en cosas de religión, pero no es una actuación oficial de la Iglesia, como las bodas o los bautizos, cuyos nombres y fechas sí se guardan. El catequista guarda los nombres y las direcciones de las catecúmenas, porque en esta parroquia sólo son mujeres, mientras están en activo. Cuando no acuden, esos datos se destruyen.

Me presenté al catequista, que no era párroco sino laico, un hombre mayor que me miró de hito en hito. No conocía a Higinia. Me dijo que volviera el viernes, día de catequesis. Podría ser que una de las mujeres mayores la recordara, si perteneció a esa parroquia. Volví, con suficiente tiempo por delante. Le llevé un libro sobre los templos cristianos de Turquía, que le hizo mucha ilusión y permitió que se relajara.

—Esta parroquia se estableció en 1965, en un barracón. Con ayuda de Dios hemos conseguido construir esta iglesia. En aquellos años, según me dijeron, pues yo no estaba entonces, todo era campo y ahora es esto.

Estábamos sentados en la última fila de la iglesia, porque la sacristía es pequeña y había personas haciendo cosas. La nave es grande, triangular, con los bancos convergiendo hacia el altar, detrás del cual un retablo de vidrios emplomados y a colores subraya los modernos diseños de las iglesias. En la semipenumbra todo era quietud y su voz se ajustaba al comportamiento requerido en los templos.

—Todavía no sé si los terrenos eran del Ejército o libres y si hubo recalificaciones ilegales, lo que hoy está a la orden del día. ¿Quién preguntaba? Cuando empezaron las construcciones, allá por el 60, en la alcaldía de Madrid estaba el Conde de Mayalde. Entonces parecía lejísimos, más allá de la barrera de Carabanchel. A este lado del río nunca se le consideró Madrid. Carabanchel pasó a formar parte de la capital en 1948, pero siempre ha sido algo ajeno, con personalidad propia, como Vallecas, por ejemplo. Si entonces Carabanchel estaba lejos, imagínese lo que parecería Aluche. Lo cierto es que aquellos urbanistas fueron un desastre, pues, o tuvieron notoria falta de previsión, teniendo en cuenta lo que se conocía ya de otras ciudades del extranjero y que tarde o temprano habría una expansión de Madrid, o su trabajo estaba mediatizado por altos intereses. El resultado es este barrio tapón, con calles curvas, estrechas y cortadas. ¿Usted conoce Santa Fe? —Negué con la cabeza—. Está a pocos kilómetros de Granada. Era un campamento militar. La reina Isabel la Católica dijo que habría de ser el último que se construyera para el acoso a la ciudad musulmana. Estarían allí el tiempo necesario hasta su toma por los cristianos. Como prueba de su determinación, ordenó eliminar las tradicionales lonas. Emplearon bloques de piedra y ladrillo. Puede verse hoy, pues su perfección ha permitido que siga inalterable. Calles rectas, cruzadas. Como el tablero de ajedrez. Esa forma abierta de construir es la que llevaron los conquistadores a América. Casi todas las ciudades allí fundadas tienen el mismo esquema: calles anchas y rectilíneas. Ya ve: igual que se perdió el Imperio, a partir del 39 se perdió la forma de construir bien. —Interrumpió el susurro y se perdió en visiones internas—. Cuando a mediados de los 60 llega Arias Navarro de regidor, la iniciativa privada entra a saco. Muchos se forraron con la fiebre constructora. Ahí comenzó lo que ahora se llaman pelotazos urbanísticos. Había que construir mucho, rápido y donde fuera. Arias Navarro se preocupó de inaugurar parques pero no prohibió la naciente especulación, la sobrevaloración del suelo y la malísima construcción. Viviendas con bajísimas calidades, tabiques de panderete. El aire y la lluvia entraban por los intersticios de los ladrillos de las fachadas. Casi todo el mundo tuvo que hacer obras en sus casas y el concepto de ciudad se cambió. Torres de doce, catorce y hasta dieciséis pisos. ¡Rascacielos en el campo! La ciudad como algo armónico nunca llegó aquí. Esto no es Madrid, sino un lugar dormitorio donde la gente trata de acomodarse, inocentes de la especulación incesante.

Guardó silencio. Y entonces empezaron a llegar las mujeres y las niñas.

En la calle Maqueda pulsé el número indicado en una torre blanca de ladrillo visto, di mi nombre y los motivos de mi visita. El portal se abrió y subí al piso, donde una mujer me esperaba con la puerta abierta. Tenía el rostro desportillado y el cuerpo mostraba un aire fatigoso y propicio al desmadejamiento. Supuse que estaría en la mitad de los sesenta y tuve la seguridad de que nunca había sido bella. Me hizo pasar a un salón comedor recargado de muebles, en un extremo del cual había un hombre derribado en un sofá, viendo la televisión. Me señaló un sillón, brillante de grasa acumulada por el uso, y miró al hombre.

—¿Piensas estar todo el puto día viendo la maldita televisión, como siempre?

El hombre no contestó pero se volvió y me imploró con los ojos.

—¿No me oyes? ¡Apaga ese trasto y lárgate a dar una vuelta!

Él se levantó con torpeza y sostuvo su cuerpo quejumbroso y de pera sobre dos piernas en forma de paréntesis, como si hubiera estado montando a caballo toda la vida. Aparentaba ser mayor que ella y era feo, por más que yo intentase disculparle en mi interior.

—¿A qué hora puedo volver? —rogó.

—En Navidad.

Él fue bamboleándose hacia la puerta y desapareció.

—Coño de hombre —dijo, apagando el televisor. Intentó un gesto de connivencia—. No saque conclusiones equivocadas. No se compadezca de él. Es un maldito vago; simple y llanamente vago. Le cuesta trabajo hasta respirar, y no lo haría si ello no lo matara. Mientras yo me doblo haciendo unas cuantas casas cada semana, él está todo el día enganchado al aparato y a la sopa boba. A los cincuenta y cinco años dijo que no trabajaba más, que estaba enfermo. Y el pedazo de cabrón cumplió su palabra. Si no fuera por mi pensión y por lo que gano fregando y planchando, estaríamos muertos, porque con lo que le quedó de pensión no comen ni las moscas.

—¿Tienen hijos? —dije, para diluir el discurso.

—Tres, dos chicos y una chica. Vienen de higos a brevas y no a dar precisamente. Aparecen cuando menos se les espera, con esos terroristas que tienen por hijos, que todo lo rompen. «Eres una histérica, mamá; contigo no hay quien viva.» ¿Una hija puede decirle eso a una madre después de todo lo que hice para sacarles adelante? Les digo que se lleven una temporada al mastuerzo del padre, pero nanay del Paraguay. Si usted lo hubiera visto cuando desertó del trabajo… Parecía que se iba a morir al día siguiente. Ya, ya. Y yo, ¿sabe? Cáncer de ovarios. Me quitaron todo, me dieron radiaciones, esas inyecciones, me quedé pelona… Y él dale que dale a la televisión mientras yo no paro un momento.

Sacó un pañuelo, se hurgó en los ojos y me miró como si me viera por primera vez.

—Soy Corazón Rodríguez. Usted me invitó a subir —aclaré.

—Claro. ¿Por qué cree que le he dejado entrar? Yo soy Higinia Trujillo. Por el telefonillo dijo que necesitaba saber unos datos y que le envía Teresa Martínez.

—No me envía ella exactamente, sólo me dio sus datos. Su nombre no está en la guía.

—Quité el maldito teléfono. Ese hombre que usted ha visto salir me arruinaba, todo el día colgado. —Hizo un mohín—. ¿Qué quiere saber?

—Usted vivió en un piso de la calle de Jaime el Conquistador.

—Sí, se nos quedó pequeño. Tres hijos, mis padres y el cataplasma. Nos vinimos aquí aunque, la verdad, sólo es un poco más grande. Pero todo exterior, luz solar a diario, campo abierto, espacios verdes… Menuda diferencia entonces. ¿Sabe qué nos costó? Cuatrocientas mil pesetas. Claro que vendí el otro por doscientas cincuenta mil. Luego empezaron a hacer más y más torres, unas junto a otras, enfrente. Se asoma una y ve lo que hacen los vecinos, incluso las guarrerías. Todo. No hay intimidad. Y ya no hay campo ni espacios verdes. Una mierda, créame. Bien, no me haga caso, siga.

—Intento encontrar a Mateo y Antonio Morante. Me dijeron que usted es prima de ellos.

—¿Es eso lo que le interesa?

—Desearía saber el paradero concreto de Mateo. Nadie sabe adónde fueron esos hermanos. Alguien me dijo que vivió allí con ellos, pero no encontré quien supiera su dirección de usted.

—Y ¿cómo me encontró?

—En la catequesis de la parroquia de su antiguo barrio pregunté a Nieves López, una catequista, que tampoco pudo darme razón. Sólo recordaba que usted se había venido a Aluche. Indagué en las cuatro parroquias. Nadie la conocía. Pero una de las catecúmenas, su amiga Teresa, me dio su dirección. Dice que ya no va usted a la iglesia.

—Pues sí que ha dado usted vueltas. ¿Y tanto esfuerzo para saber de Mateo? Perdió su tiempo. Desapareció hace un montón de años. Además, no soy su prima. Pero ¿por qué quiere saber de él?

—¿Puede guardar un secreto? —incité. Ella puso gesto de colaboración—. Hay una mujer que dice ser su hija. Quiere comprobar si eso es cierto, y conocerle.

—¿Una hija? —Abrió mucho los ojos—. Y ¿por qué esperó tanto para averiguarlo?

—Cosas que pasan. Dijo que había desaparecido. ¿Qué quiso decir con eso? —recordé, intentando que mi gesto fuera de comprensión.

—¿Qué va a ser? Se eclipsó sin dejar rastro. ¡Fus! Lo raptaron o lo mataron o vaya usted a saber.

—¿Está usted segura?

—Claro, ¿por qué iba a mentirle? Nunca se supo de él. Bueno, no sé si Antonio habrá tenido noticias suyas más tarde; pero mientras nos escribimos, él siguió sin saber nada de su hermano.

—¿Usted le conoció?

—Nunca lo vi en persona.

—Y de Antonio, ¿qué recuerda?

—¿Que qué recuerdo? Me enamoré de él nada más verle. Yo era muy joven y él con sus rizos negros y su flamante uniforme de legionario… —Su mirada se volvió soñadora y luego iracunda—. ¡Y tuve que cargar con el Bartolo!

—¿Cuándo lo vio por última vez?

—En 1967, cuando vino para vender el piso en el que yo viví desde 1960 hasta 1965.

—Dice que Antonio vino, ¿de dónde?

—De Francia. Se había ido en 1964, uno de aquellos emigrantes.

—Antes me dijo que no era su prima. ¿Qué relación les unía?

—Soy del pueblo de la tía, que, en realidad, no era carnal sino la mujer del tío. Cuando ella enfermó al desaparecer Mateo, estando Antonio en la Legión, escribió a mi madre pidiendo ayuda, porque habían sido amigas y no tenía otra a quien acudir. Yo estaba loca por Madrid. Así que en 1960 vine y estuve cuidándola. Cuando él volvió de África, nos encontramos por primera vez. Yo tenía la casa como los chorros del oro. Y era joven. Él… ¿Sabe?, bueno…, me desvirgó y me dio mucha candela. Creí que éramos novios pero un día, meses después, dijo que se iba a Francia. Y se largó. ¡Oh, sí!; mandaba dinero para la mujer; la quería mucho.

—¿Usted le compró el piso?

—El piso era de alquiler, pero, al morir la tía en 1965, lo cerró aunque siguió pagando la renta desde Francia. Yo volví al pueblo. Cuando se hizo la división con aquella Ley de la Propiedad Horizontal, él tenía prioridad de compra por su derecho de tanteo y de retracto, pero el piso no le interesaba; ya estaba muy integrado en la vida francesa. Como sabía que yo lo quería, me escribió al pueblo, ofreciéndomelo. Él vino de París y yo regresé del pueblo con mis padres. Nos volvimos a ver y yo volví a abrirle mis piernas. ¡Ay, Señor! Hicimos un arreglo. Escrituramos a mi nombre con la aceptación del casero, que recibió, ¿sabe cuánto? Veinte mil pesetas. Y Antonio, bajo cuerda, se llevó otras quince mil. Fue muy generoso. En total me costó treinta y cinco mil pesetas, algo que parece mentira hoy día. Él cogió la pasta y no volví a verle. Nos escribimos durante algún tiempo y luego nos distanciamos. No somos gente de escritura.

—Quizás el recuerdo que conserva de él debería ser menos emocionado.

—¿Por qué? Era un hombre de una vez. Me volvía loca cuando me poseía. Lloré mucho cuando se fue. Lo maldije, vaya si lo hice. Pero más tarde, al compararlo con este galbanas, ¡qué diferencia! Me dio los momentos más felices de mi vida. Y eso es lo que queda en mi recuerdo.

—Me sorprende que me haya contado esas cosas íntimas y lo haya hecho de forma tan expresiva en los detalles.

Me miró y luego bajó la cabeza. Cuando la levantó, a su rostro mortificado había acudido una serenidad transformadora. No era ya la mujer agobiada sino una joven reclamando otro futuro.

—¿Sabe? Su forma de mirar inspira confianza. Y estoy segura de que no volveremos a vernos. Por eso le diré lo que nunca conté a nadie. Será como si me confesara al viento, como tantas veces hice a solas. —Permitió la huida de unos segundos antes de seguir—. Mi vida está lastrada por aquellos hechos. El haber sucumbido al encanto de Antonio me marcó durante años. Estaba desflorada. ¿Sabe lo que significaba en aquellos tiempos? Las mujeres honradas debíamos llegar puras al matrimonio o morir vírgenes en caso de soltería. Y las viudas deberían quedar como tales, sin buscar otra oportunidad, aunque no era pecado si se volvían a casar. La Iglesia prometía el mayor castigo divino para quienes abandonaran su virtud, identificando la virtud con el sexo. Caí en la tentación de confesárselo al cura. No salía de la iglesia, rezando el rosario a diario y haciendo penitencia con el velo puesto. Pero volvía a la seducción de Antonio, incapaz de prestar resistencia. Era sólo una chica de pueblo, llena de sueños y sin defensas culturales. Entendí lo que era una droga. Lloré ríos. Cuando él se fue a Francia, entré en caos. Seguía deseándole ardientemente aunque su ausencia me libraba del mal con que el párroco me satanizaba; no del todo, en realidad, porque había quedado embarazada. Se lo dije al cura. Sentenció que el niño era un ser inocente y no debía ser la víctima de mi frivolidad. Debía buscarle un padre para que tuviera apellido y, a la vez, salvara mi honra. Por supuesto, ni pensar en el aborto. Así que me casé con Hilario, a quien nunca he querido, aunque siempre le he sido fiel. Y la vida siguió. Los tiempos cambiaron y se abrieron todas las ventanas. Y me avergoncé de haber estado años avergonzándome en silencio. ¿Qué hay de malo en experimentar algo tan maravilloso como el sexo? ¿Qué mal hace a nadie? Y ¿qué ser madre soltera, qué un hijo sin padre? Lo mejor es enemigo de lo bueno. No fue Antonio quien arruinó mi futuro sino la religión, con su discurso de terror. La Iglesia hizo que en mi vida no hubiera más posibilidades que la marital borreguil. Por eso no piso un templo desde hace años. Ésa es la razón de que no me conozcan en ninguna parroquia. —Su forma correcta de expresarse contrastaba con la empleada al principio. Toda huella de chabacanería se había esfumado—. Contemplo ahora cómo ha cambiado todo respecto a tantas cosas. La emancipación de la mujer, sus logros… Tuve la desgracia de pertenecer a una generación que desperdició su juventud en los años cerrados.

—¿No le contó a Antonio lo de su embarazo? —dije, tras respetar otra larga pausa.

—Nunca. No estaba enamorado de mí. ¿Qué iba a conseguir? No era de los que curan los daños que causan. Me hubiera odiado. Así, al menos, cuando me recuerde lo hará con ternura hacia quien sólo le dio amor. —Movió la cabeza—. Hoy he querido, por primera vez en mi vida, aprovecharme de oídos ajenos. Me he pasado con usted en frivolidad y cinismo, porque ésa es mi vida desde hace muchos años. Es una venganza pueril: decir lo que entonces no pude, mostrar un pecado que no lo fue y por el que pagué tan caro. Ahora he liberado mi corazón. Usted, y aunque es algo que no concierne a su vida, puede opinar respecto a cuál es la Higinia verdadera. —Inició una sonrisa tenue y descubrí encantos guarecidos en sus rasgos—. Si ve a Antonio dígale que no tengo muertos los recuerdos y que se equivocó al no tenerme en cuenta. Él fue mi único amor. Seguro que, allá donde esté, se acuerda de mí. Puede que sea tan infeliz como yo; dos infelices que podían haber sido lo contrario.

Cinco

El edificio, toda la fachada en muro cortina, es como una enorme burbuja cuadrada de cristal, destacando de la línea de edificios de piedra y ladrillo. La recepción, similar a la de un hotel, hasta con hilo musical; un largo mostrador de mármol ocre y dos señoritas sentadas detrás, con un oído tapado por un pequeño auricular, como si estuvieran en una emisora de radio. Tenían mi nombre y cita para ese día con el doctor Francisco León de Tejada. En un gran panel estaban indicados los médicos y sus especialidades, cubriendo todas las posibles para el tratamiento de afecciones de los ojos, desde retinología hasta revisiones simples. Había doce nombres y de ellos siete llevaban el apellido León de Tejada. Una profesión con marchamo de constituirse en tradición familiar. Me enviaron al cuarto piso. Había bastantes pacientes, lo que significaba, aparte de que el equipo hacía bien su trabajo, que cada vez hay más gente con problemas en los ojos, enceguciéndose. Quizás en un futuro no muy lejano toda la humanidad necesite trasplantes integrales de ojos como ahora ocurre con las prótesis dentales. Tiempo después una señorita me hizo pasar. El hombre, de espigada estatura, ligero de carnes y cabello blanquecino, se adelantó y me dio la mano. Yo sabía que tendría sobre los sesenta y cinco años. Sin ceder en su gesto risueño, preguntó:

—¿Viene a que le examine realmente o a preguntarme sobre Andrés Pérez de Guzmán?

—Ya veo que la hija del finado le ha hablado de mí. Podemos hacer las dos cosas.

—Bien. Le miraré los ojos. Y las preguntas, si no tiene inconveniente, deberán esperar al término de las consultas. Los pacientes son lo primero.

Acepté y me hizo sentar en un sillón, tras la anotación preliminar de mis datos. Me miró por el autorrefractómetro automático, el foróptero, el oclusor y el agujero multiestonopeico para calibrar mi agudeza visual. Y luego me examinó con la lámpara de hendidura y el oftalmoscopio para el análisis del fondo del ojo, sin olvidar consignar la presión con el tonómetro. Finalmente concretó que los linces deberían tenerme como modelo, lo que dio lugar a que yo deseara mantener esa bondad visual durante años.

—«No pretendas que las cosas sean como las deseas; deséalas como son» —dijo.

—¿Qué?

—Es una cita. Pase por caja y espéreme en la sala, por favor.

—Procuraré quitarle el menor tiempo posible.

—Así será. «Hay que decir la verdad; no hablar mucho.» —Me miró y sonrió—. Otra cita.

Más tarde, cuando los pasillos y salas se habían vaciado, el doctor me hizo pasar a un despacho sin aparatos. Otro hombre, también con bata blanca y sobre la misma edad, me esperaba de pie.

—Mi hermano Fernando; el señor Corazón.

Tomamos asiento y Francisco dijo:

—«La medida del tiempo está en nosotros.»

—Quiere decir…

—Que «lo bueno, si breve, dos veces bueno» —apunté.

—Exacto. Usted dirá.

—Su padre murió asesinado. Nunca apareció el culpable. ¿Qué hicieron ustedes al respecto?

—¿Nosotros? Éramos unos adolescentes. Nuestra madre y nuestra familia estuvieron en comunicación con la policía mucho tiempo. Y el asunto murió por sí solo.

—En el informe se dice que el motivo fue por robo. Pero el estudio apareció revuelto, como si hubieran estado buscando algo. ¿Qué opinó su familia?

—No tiene ningún interés lo que opinara. Los profesionales de estos casos no lograron otras pistas, por lo que fue válida la versión del robo.

—Su padre y Andrés Pérez de Guzmán, que desapareció en 1946, eran muy amigos. Denunció el caso y lo siguió con interés durante años. ¿Creen ustedes que podrían tener relación ambos casos? No me digan que eran unos adolescentes. Eran ya adultos y se supone que con criterio.

—No trabajaban juntos. Nuestro padre era arquitecto y Andrés, contable. La policía no estableció indicios de similitud.

—¿Guardaba su padre documentos, que la policía no vio? ¿Encontraron ustedes algo posteriormente?

—Nada. Lo hubiéramos llevado a la policía.

—Su padre era falangista. ¿No pudieron…?

—Nuestro padre ya no era de Falange. Había dejado el partido en 1949. Decía que el sueño falangista, herido con la unificación forzada del 37, terminó al finalizar la guerra. Si hubiera vivido el Fundador, otra cosa hubiera sido. A Franco le vino muy bien que a José Antonio lo fusilaran. Parece que no se esforzó lo suficiente para cambiarlo por prisioneros nacionales.

—¿Y ustedes?

—¿A qué se refiere? No somos de ningún partido ni queremos saber nada de política.

—¿Por qué investiga este asunto? —dijo el otro—. Han pasado mil años.

—Por alguien que piensa en unos niños que desaparecieron con Andrés y que tampoco fueron hallados.

—¿Qué interés puede tener nadie por unos hechos tan lejanos? «La vida es un sueño que se disipa.» Vivámosla y olvidemos aquellas cosas que no tienen remedio.

Le miré con sorpresa.

—¿Nunca han tenido deseos de saber quién fue el asesino? ¿Ningún deseo de venganza?

—«Se puede vivir de muchos modos, pero hay modos que no dejan vivir.» La venganza obliga a una mala vida.

—«En la venganza, el débil es siempre el más feroz» —añadió su hermano—. No va con nosotros. No somos débiles pero tampoco feroces.

—¿Siempre hablan empleando aforismos? —dije.

—Nuestro padre nos enseñó. Nos dijo cosas como: «Soporta y resiste; ese esfuerzo te será muy útil un día.» Le hicimos caso. En vez de perder el tiempo en sueños de venganza y en investigaciones paralelas, sin duda estériles, hemos dedicado nuestro esfuerzo a algo positivo. Ya ve qué familia de profesionales hemos creado.

—¿Ninguna vez la sombra de lo ocurrido a su padre ha enturbiado su felicidad?

—«La condición por excelencia de la felicidad es no pensar en ella» —dijo Francisco.

—Disculpen, pero considero absurda y poco lógica la forma en que se toman el asunto. Al fin, a su padre lo mataron.

—Entendemos mucho de lógica y esto no tiene nada que ver con ella, en el caso de que exista, que no creemos —argumentó Fernando—. ¿Ha visto usted *El planeta de los simios*?

Le miré. Francisco aportó:

—A unos científicos al mando de Charlton Heston los envían a una misión de exploración al espacio profundo, que les ocupará varios siglos, según el cómputo terrestre, o varios meses de acuerdo con las teóricas leyes cosmofísicas en las que se verán envueltos. Ellos deberían ir preparados para, en la eventualidad de no volver a la Tierra y dando por hecho la imposibilidad de encontrar por ahí humanos como nosotros, llenar de progenie el mundo que pudieran hallar. ¿De acuerdo hasta aquí?

—Pero al margen de asegurar la descendencia humana —continuó Fernando—, está la necesidad sexual, casi diaria en personas jóvenes como ellos. No olvidemos que van a estar solos durante muchos meses y que, por las leyes del espacio-tiempo antigravitatorio del profesor Hasslein, apenas envejecerán. De hecho salen de Cabo Cañaveral en 1972 y cuando la nave choca es el año 3978 terrestre, pero ellos son sólo quince meses más viejos.

Me miraban con sus semblantes serios. Intenté encontrar chispas de la innegable burla en los ojos de ambos. Tarea imposible. Me enfrentaba a dos oftalmólogos, especialistas en miradas. Todas las ventajas estaban de su parte.

—Pues bien —habló Francisco—. Resulta que con Heston envían a dos hombres y una sola mujer, bella, por cierto, lo que compromete todo el sentido de la lógica que usted defiende. La tripulación del navío espacial debería haberse completado con otras dos o tres mujeres, al menos, con lo que los objetivos poblacionales, aparte del sexo necesario, se hubieran cubierto en armonía y sin riesgos de que la única mujer muriera, lo que también acontece en la película.

—Puede que los dos compañeros varones de Heston fueran homosexuales —añadió Fernando—. En ese caso la expedición era correcta respecto a lo del sexo. Pero en cuanto al otro objetivo... ¡Una sola mujer para humanizar otros mundos...!

—Supongo que lo que pretendía el guionista era que Heston se encontrara con Nova y ambos crearan una nueva Humanidad —dije, cayendo tontamente en su juego.

—Absurdo. Ese planteamiento carece de sentido porque lo que usted dice es inimaginable por ningún astrobiólogo, astrofísico, biogenesista o responsables de Proyectos Espaciales. Que los astronautas encuentren humanos en mundos perdidos es imposible. No lo es que aterricen en uno, lo habiten y procreen.

—Eso sí es absurdo y falto de lógica, señor Corazón Rodríguez, y no lo nuestro —añadió Francisco.

—¿Me están reclamando? ¿Creen que tengo algo que ver con la película?

—No, desde luego —concluyó Fernando, ni una sonrisa en su rostro relajado—. Sólo le hacemos ver que hay que tener mucho cuidado al aplicar el concepto de lógica.

Allí estaban los dos bribones con sus vaciladas, tocándome las pelotas de una manera descarada, como si yo fuera una bola de ping-pong. Y nada podía hacer yo al respecto.

—Ya veo que se lo pasan bien conmigo. Pero también tengo mis citas: «La huida no ha llevado a nadie nunca a ningún sitio.» Y otra más: «Nadie sabe de lo que es capaz hasta que lo intenta.» Quizá si no hubieran huido de sí mismos y hubieran intentado algo, tendrían un misterio desvelado.

—Quién sabe… Hemos empleado nuestras energías y nuestra tenacidad no en sueños irrealizables sino en cosas positivas. ¿Oyó hablar de Diego de Ordaz?

—No.

—Busque lo que hizo.

A pesar de la gravedad con que se expresaban, era notorio que iban de frívolos en un asunto que *debía* concernirles en lo más profundo. Hablábamos del asesinato de su padre. Racionalmente, esa indiferencia era inadecuada. Algo ocultaban. Lo presentía. Bien. Se equivocaban conmigo. Salí consciente de que, si no encontraba pistas ni soluciones, tendría que volver a visitarles. Y, desde luego, no para examinarme los ojos.

Seis

Hacía mucho frío y de vez en cuando un viento rachea-
do traía besos de nieve. El Sena barnizaba de humedad toda
la ciudad, gris monótono, y más de la mitad de la Torre
Eiffel estaba secuestrada por la niebla. Sólo se veían sus cuatro enormes patas de hierro protegiendo a un grupo de ate-
ridos turistas. Cogí un taxi y fui a Clamart, un pueblo-barrio
a las afueras de París, muy dinámico y en su día habitado por
muchos españoles. La carpintería que me dijo Higinia Trujillo estaba en la Rue P. V. Conturies. Era una casa vieja de
dos plantas con la parte de abajo dedicada a tienda de muebles.

—Sí —dijo el hombre, unos cincuenta años, en español
mascullado—. Aquí vivió Antonio. Trabajé con él en la carpintería. Pase, venga.

Tenía el cuerpo ramplón y desordenado pero su gesto
era animoso. Me llevó a través de un patio alargado abierto
al cielo. En el fondo, un almacén de muebles.

—Aquí estaba el taller. Mi abuelo y un tío de Antonio,
refugiado en Francia de cuando la guerra de ustedes, uno de
esos republicanos españoles que más tarde liberaron París
de los alemanes, me enseñaron el amor a la madera. El viejo
español fue siempre un carpintero excepcional y Antonio
heredó esa inclinación. A mí no me gustaba estudiar, así que
me metió en el taller, con mi padre y mis tíos. Para entonces
Antonio era un gran oficial, el mejor de todos. Tuvimos
muchos encargos. Venía gente de todos los lados. Luego lle-

garon los aglomerados. Los muebles ya no eran de madera sino virutas forradas. Pero la gente los compraba, por el precio. El trabajo decayó. El taller se cerró. La familia decidió poner tiendas de muebles. Ésta es una de ellas. Antonio estuvo aquí hasta que se jubiló. Mire, pase. —Me llevó al fondo y abrió una puerta. Allí estaban la escuadradora, la regruesadora, la sierra de cinta, la cepilladora combinada, la moldurera, la tupí-espigadora, la lijadora de bandas, el torno, el taladro de árbol, todas las máquinas limpias, como en un museo—. No quiero desprenderme de ellas. Tienen mucho valor para mí.

—¿Cuándo se jubiló Antonio?

—Hace seis años.

—¿Dónde vivió?

—Arriba. Aquí vivíamos mis abuelos, mis padres y tíos, mis hermanos y, luego, también, Antonio y su mujer. Y los hijos de todos.

—Mucha gente. Parece que habla del camarote de los Hermanos Marx. Creí que los franceses rehuían los amontonamientos, inevitables en los españoles.

—En todas las ciudades hay el mismo problema de espacio. Pero aquí había mucho sitio. ¿No ha visto el fondo que tiene la casa, y que son dos plantas? No vivíamos apretados.

—¿Cómo era Antonio?

—¿Que cómo era? Muy español, siempre de buen humor, cantando y haciendo bromas. —Rió, mostrando unos dientes puestos de cualquier manera.

—¿Les habló de su vida anterior?

—Claro. No era hombre de secretos. Nos contó que fue legionario, su niñez en un barrio marginal de Madrid, su hermano desaparecido…

—¿Qué les dijo de ese hermano?

—Cuando le recordaba, ya no era el hombre alegre. No tuvo noticias de él mientras vivió aquí. Como si se lo hubiera tragado la tierra.

—¿Ninguna noticia en tantos años?

—Al principio recibió cartas de algunos amigos y amigas

españoles, hasta que cesaron. De su hermano, ni cartas ni llamadas. Nunca.

—Y Antonio ¿vive aún?

—Claro que vive. ¿Sabe qué? El trabajo manual conserva a la gente. Las manos algo rotas, sí. —Me enseñó las suyas, nudosas, torcidas, como si intentaran atrapar algo—. Pero sanos de chola y cuerpo. Yo nunca he ido al médico. ¿Se fijó en lo de chola? Me lo enseñó Antonio, como otras muchas palabras del argot madrileño.

—¿Dónde está? —pregunté, cuando dejó de reír.

Siete

En la estación de Montparnasse tomé el tren, que en quince minutos me dejó en la estación de Chantiers, en Versalles, en el barrio del mismo nombre. Un taxi me llevó al barrio de Porchefontaine, en el sureste de los famosos palacios y de los no menos afamados jardines. En la Rue Pierre Corneille, cerca del gran centro municipal y del complejo hípico-deportivo, en una zona muy arbolada, estaba la casa, unifamiliar, como las de alrededor. El sol estaba a resguardo, aunque no llovía. El frío de París no me había acompañado. A través de la cancela vi a un hombre trastear en el florido jardín. Golpeé el hierro. Él se volvió y me apuntó con su rostro deshilvanado. Se acercó. Llevaba un jersey de cuello alto y andaba encorvado. Un trozo de cigarrillo humeante estaba incrustado en el centro de una línea que se suponía era la boca.

—¿Antonio Morante Peña?

Se tomó un tiempo antes de responder. De todos los de la lista, el único que ofrecía sombras de sospecha era ese hombre, no por sí mismo sino por la obviedad de su parentesco con Mateo.

—Sí —dijo, abriendo un espacio en la línea de su boca, al lado de la colilla, como Popeye. Su español era trabajoso, como si llevara años sin practicarlo. Tenía los ojos tan hundidos en las cuencas que podría haber pasado por ciego. Sólo unas finas rayas sugerían órganos de visión.

—Vengo de Madrid. Estoy siguiendo la pista de su hermano Mateo.

Era de estatura media. Costaba reconocer en él al joven hermoso que reflejaba la foto que me dio Higinia Trujillo.

—Pase —invitó, abriendo la verja. Me llevó al interior hasta un salón amplio. Toda la pared que daba al jardín era una vidriera transparente, al pie de la cual una fila de macetas mantenía infinidad de plantas floridas que parecían querer escapar al otro lado del vidrio para juntarse con las que estaban al aire libre. Una mujer rubia y delgada, algo más joven, dejó que sus ojos me indagaran.

—Mi mujer —indicó.

—Michelle Bernardeau —dijo ella, acercándose y avanzando su mano.

—Corazón Rodríguez —respondí, estrechándosela.

—¿Corazón? —dijo él—. ¿Ahora se llaman así los tíos en España?

—Vaya. Tienen un jardín aquí dentro —contesté, mirando las plantas.

—*Nous aimons les fleurs* —dijo ella—. *Elles sont amies plus fidèles que les personnes.*

—¿Sabes qué quiere este hombre? —inquirió Antonio sin quitarme sus ojos de encima. La mujer compuso algo parecido a un gesto de coquetería. Conservaba algún frescor en su cara pálida y se empeñó en desafiarme con la mirada—. Viene a indagar sobre mi hermano, ¿qué te parece? —Alzó la barbilla—. ¿Por qué? ¿Quién es usted?

Tenía claro que debía huir de mencionar a los niños, o algo que los relacionara, para evitar que pudiera cerrarse en guardia. La información obtenida de él podría ser muy importante y, para que hablara, debía conseguir que me tomara confianza.

—No importa. Lo que cuenta es que hay gente interesada en averiguar lo que ocurrió con su hermano.

—¿Quién es esa gente?

—No le puedo decir más, por ahora.

—Se acabó la charla. No voy a hablar con extraños sin saber antes qué les duele.

Iba preparado. Miré en torno buscando su complicidad.

—Bien. Se lo diré bajo secreto. Prometa que no lo divulgará.

—Hable.

—Trabajo para el Ejército.

—¿El Ejército? ¿Qué Ejército?

—¿Cuál va a ser? El español.

—¿Qué quiere el Ejército?

—Su hermano pertenecía al SIM.

Me miró como si le hubiera insultado.

—¿Mi hermano en el SIM? Imposible. Me habría dicho algo.

—¿Cómo se lo iba a decir? —Moví la cabeza—. Parece que no tiene idea de cómo funcionan los agentes secretos. Por eso son secretos.

Se quedó pensativo, como si estuviéramos en un concurso de televisión y le hubiera hecho una pregunta difícil. Desprendió la colilla y la sustituyó de inmediato por un cigarrillo *Gitanes*, que encendió ávidamente, esforzándose por cobijarse en el humo como si fuera su medio esencial.

—¿Fuma? —ofreció. Negué. Añadió—: Y ¿qué quiere ahora el SIM?

—Lo ignoro. Ni me interesa. Mi trabajo consiste en buscar huellas de su hermano.

—¡Mateo en el SIM...! No puedo creerlo —dijo, tras una pausa, mirando al vacío.

—Además, hay una gratificación de cinco millones de pesetas para quien facilite una pista fiable.

—¿Doscientos cincuenta mil francos? —estableció, tras un rápido cálculo—. ¿Cómo puedo creer lo que dice? ¿Cómo sé que no es una bola?

—No tiene forma de saberlo. Pero piense. ¿Por qué nadie iba a querer averiguar nada sobre su hermano a estas alturas?

—Podrían ofrecer mil millones de francos —reflexionó—. Porque no existen pistas ni existirán. Es un trabajo inútil.

—Qué serenidad hay aquí —señalé, cambiando de tercio—. Les felicito.

La mujer aprovechó para ofrecernos de beber. Noté que la desconfianza de Antonio se había diluido.

—Agua, por favor.

—Cerveza para mí —dijo Antonio. Me miró—. Siéntese y cuénteme.

—Vengo a que sea usted quien me cuente.

—Contarle, ¿qué?

—¿Sabe dónde está su hermano?

—Está muerto.

—¿Cómo lo sabe?

—Cuarenta años sin noticias suyas. Es la única explicación.

—¿Qué es lo último que supo de él?

—Desapareció de casa un día, como si lo hubieran raptado. Y ya no apareció.

—¿Desapareció? Querrá decir que se marchó.

—No. Mi tía, aunque algo sorda y despistada, no estaba loca. Todavía era capaz en esas fechas. Dijo que le sintió llegar tarde, cenar y acostarse en su habitación. Oyó algo, como si hablara con alguien, pero supuso que soñaba en voz alta, como otras veces. Temprano en la mañana, pues era madrugadora, fue al cuarto de Mateo. Creyó que se había ido sin despedirse de ella, porque lo encontró vacío y porque faltaba la maleta, la ropa y las cosas que tenía preparadas para el viaje.

—¿Se iba de viaje?

—Emigraba a Venezuela, con un amigo suyo.

—¿Qué amigo?

—Uno que se echó en la mili y con el que anduvo los últimos meses.

—¿Por qué su duda? La prueba de que se había ido era la falta de esas cosas.

La mujer trajo las bebidas y se apostó en un rincón, abriendo mucho sus ojos celestes. Había aprovechado para pintarse la cara y arreglarse el pelo.

—Eso es lo que sostuvo siempre aquel comisario, que incluso llegó a amenazarme por mi insistencia. Creo que no me hizo el menor caso. Ya ve para qué servía la bofia del Régimen. Sólo valían para amedrentar a la población. Pero a mi hermano le obligaron en contra de su voluntad. Estoy seguro.

—Según tengo entendido, él era muy fuerte. Si alguien hubiera intentado secuestrarle, habrían quedado señales de lucha, aparte de que habrían despertado a su tía. Pero nada de eso ocurrió. ¿No es una prueba suficiente para usted?

—Eso es lo extraño. Pero no tengo dudas: a mi hermano se lo llevaron.

—Es sorprendente su fe en esa sospecha. No lo entiendo.

Trasegó su *Stella Artois* y luego intentó separar los párpados, mientras soltaba humo como si fuera una tea a punto de ignición.

—Hubo un dato importante: en el cajón de la mesilla había un montón de dinero metido en dos sobres. En uno, pesetas; en otro, dólares.

—Podría haberlo dejado para su tía.

—No. A ella le había dejado una buena cantidad el día anterior, incluso también para mí. —Hizo una pausa y entrecerró aún más los ojos—. Ese dinero era el suyo, para el viaje. No se habría ido sin él.

—¿Qué dijo la policía de ese dinero?

—No se lo dije. Lo mantuve en secreto por motivos obvios. ¿Cómo podía justificar ese pastón?

—Ese dato, ignorado por el comisario, justifica la inacción que de él usted critica. Lo normal era creer que se fue, no que lo raptaran.

—Eso es lo que dijeron ellos. Pero el caso es que jamás apareció. Aunque cada uno hacía su vida, estábamos muy unidos desde pequeños. La orfandad une, ¿sabe? Nunca hubiera dejado de llamarme en tanto tiempo. Cuarenta años, ¿se da cuenta?

—¿De dónde sacó su hermano todo ese dinero que dejó en la mesilla? Acababa de salir de la mili.

—Ni idea. Llevaba con mucha reserva sus asuntos. Y ya

no está para decirlo. —Se encogió de hombros—. Nunca me metí en su vida. Él siempre manejaba pasta.

—Vamos, tan unidos, ¿cómo no saber algo tan importante? Dijo que dejó dinero para usted. ¿Nunca se hizo preguntas al respecto?

—Mire, déjelo. Él tenía sus trapicheos y cambalaches. ¿Y qué? Todo el que podía lo hacía. No sabe usted lo duros que fueron aquellos años. Me advirtió en su día que no me metiera en sus cosas; que cuanto menos supiera, mejor. Tampoco él se metió en las mías. Ambos éramos duros, pero ahí se acababa el parecido. Mateo era un chico especial, muy listo y emprendedor, lo que yo nunca fui. En verdad, éramos muy diferentes.

—Según mis informes su hermano no gozaba de buena fama. Dicen que era pendenciero y bravucón.

Meditó varios segundos su respuesta.

—Bueno, ya le dije. Eran tiempos jodidos. Nos criamos sin padres y lo pasamos mal de niños. Él no permitió que nadie le pasara por encima cuando tuvo fuerzas para defenderse. En eso sí nos parecíamos.

—En Clamart me dijeron que era usted un buen carpintero. ¿Dónde aprendió?

Me miró como dudando sobre su próximo discurso. Encendió un segundo cigarrillo y me afirmé en la impresión de que necesitaba la humareda para sobrevivir.

—Le diré algo. En la Legión le enseñan a uno a ir por el camino recto, ayudan a los hombres a ser útiles para la sociedad. Los que se licencian han aprendido a madrugar, a lo estricto del horario, a hacer sin desmayo la tarea encomendada. De todo hay, como en botica, pero la mayoría es activa y comprometida con los trabajos. No salen vagos ni delincuentes. Es como si lo enderezaran a uno. —Movió la cabeza y desparramó un aire de nostalgia—. Yo odiaba ese cuerpo. Los legionarios del carnicero Castejón mataron a mi tío en el frente del Manzanares. Y yo acabé siendo uno de ellos, ¿qué le parece? La vida manda. Allí, en el poblado legionario, había casi de todo para el automantenimiento. Hasta se editaba un periódico en la imprenta propia en el que se informaba de las órdenes, servicios, programas, nombramientos... Y estaban los talleres: de mecánica para coches y blindados; guarnicionería; herrería; carpintería... Se necesitaba alguien para aprendiz de carpintería. Yo había cavilado y entendí que la vida anterior no me llevaba a parte alguna. No tenía futuro. ¿Qué iba a hacer cuando me licenciara de ese segundo enganche? ¿Reengancharme otra vez o seguir de ladrón? Así que, a pesar de no ser ningún jovencito, me presenté. Me recomendó uno de los capitanes que tuve en mi primer enganche. Nunca se sabe cómo ocurren las cosas. Aprendí el trabajo de la madera en su expresión manual, a fondo, sin casi máquinas. Descubrí mi disposición hacia ese oficio.

—¿Cómo recaló en Clamart?

—Un primo lejano de mi padre, al que nunca había visto, pasó a Francia al terminar nuestra guerra. Combatió contra los nazis y entró en París con la Brigada Leclerc. Cuando Alemania fue derrotada, se instaló en Clamart. Allí había muchos españoles. Él era carpintero de oficio y montó un taller con un francés: el patriarca de la familia que le ha enviado hasta aquí. Como de vez en cuando se escribía con mi tía, supe de él y un día decidí irme a verle. Lo que aprendí en la Legión permitió que me hicieran encargado a las pocas semanas de llegar. Ésa es la historia.

—¿Necesitó usted dos enganches para entrar en la buena senda?

—Así ocurrió. Por etapas. Cuando me licencié del primer enganche, se me habían apagado los fuegos de la ira y el odio. Cinco años curan muchas heridas. En el Tercio me enseñaron a escribir bien y una cierta cultura. No volví al Mercado. Estuve de mozo en la estación de Atocha, cargando bultos, ganando una mierda. Así que volví a mi vieja afición de disponer de lo ajeno. Ingresé en un grupo que mangaba en los almacenes de mercancías. Con la corrupción de algunos vigilantes, entrábamos por las noches y abríamos las cajas y maletas depositadas en consigna. Abrigos, trajes, zapatos, sábanas, objetos de regalo... No se imagina la de cosas que se envían las gentes unos a otros. Lo hacíamos con habilidad. Los bultos quedaban perfectamente precintados, como si nadie los hubiera violado. Nos repartíamos los objetos y cada uno los pulía a su manera. Pero aquello no era un empleo, sino tentar la suerte. Empecé a dudar de mí mismo, algo que nunca me había ocurrido. ¿Qué estaba haciendo con mi vida? Necesitaba reflexionar. ¿Cuáles fueron los momentos más estables vividos? Volví la mirada a los espacios abiertos de África y me sentí lleno de nostalgia. Al día siguiente me reenganché. Otros cinco años.

—Me habló usted de la ira y del odio.

Me miró fijamente, dudando.

—¿Tiene idea de lo que es criarse en la calle, ir apenas a la escuela, buscando arramplar con lo que fuera cada día para llenar la andorga? Cientos de niños sin padres y sin casa, esparciendo su miseria por los putos barrios marginales. En nuestro caso tuvimos algo parecido a un hogar por obra de la tía, que nos cuidó hasta que pudimos valernos. Pero ni siquiera su presencia pudo quitarnos del submundo. Mi padre, fusilado al terminar la guerra; mi madre, muerta de tisis. ¿Hace falta algo más para odiar?

No contesté. Me miraba como si hubiera sido yo el que hubiera provocado esas muertes.

—Lo único que se podía hacer era lo que todo el mundo hacía, de una u otra forma: robar. ¿Sabe cómo se funcionaba en el Mercado Central de frutas y verduras? En aquella época el producto venía por tren, que entraba por la parte del río a un lateral del mercado, un edificio enorme, triangular, de dos plantas con un gran patio central. Las frutas y hortalizas normalmente llegaban ya adquiridas por los mayoristas en los lugares de producción, algunos en la doble condición de propietarios y asentadores. De la descarga se encargaba el personal a su servicio, que llevaba los frutos a los «puestos de situados», que así se llamaban los puntos de venta de los asentadores, donde los adquirían los detallistas antes de pasar a los *kileros*. El producto, mayoritariamente patatas, naranjas y tomates, venía suelto, amontonado, contenido por unas tablas, no en cajas como años después. Unos hombres llenaban sacos a mano y los aproximaban al borde del vagón, donde otros los recogían sobre sus espaldas o en carros para llevarlos a los «situados». Era una tarea dura porque los vagones venían llenos y había que darse prisa para descargar todo durante la mañana. Por eso, la chiquillería nos ofrecíamos para ayudar en esa pesada tarea de llenar los sacos y llevarlos al borde, a cambio de un poco de fruta.

»Como los asentadores lo tenían prohibido, los asalariados nos despachaban a golpes con una brutalidad desmedida. Reconozco que éramos una caterva de niños agobiando. Pero ¿qué podíamos hacer? Algunos obreros contravenían las órdenes y nos permitían hacer ese trabajo, en su propio beneficio. Pero eran los menos. Así que por fuerza teníamos que robar. Por las noches, sorteando la vigilancia, rompíamos los candados, entrábamos en los vagones que iban a ser vaciados al día siguiente y echábamos la fruta por las ventanillas enrejadas traseras, que otros de la panda recogían protegidos por el muro. Se puede imaginar la de veces que fuimos sorprendidos y apaleados como perros. Hubo chicos que quedaron cojos, tuertos y con las facciones rotas, cuando no muertos después a consecuencia de los palos de aquellos hombres que, por su condición de proletarios, deberían habernos ayudado. Fue muy difícil superar aquella tenebrosa etapa de la niñez. Sólo los fuertes lo hicimos. Y fuimos creciendo y nos hicimos más fuertes. Ya no nos escondíamos, salvo que estuvieran los municipales, lo que era raro, pues, imbuidos de su oficio de vagos, sólo merodeaban de día y de pasada. Nuestras bandas amedrentaban a los vigilantes y nos hacíamos con grandes cantidades, devolviendo la violencia guardada. Entonces los asentadores crearon sus propias bandas. Como en las películas del Oeste cuando llaman a un pistolero para acabar con los malos. Sólo que ¿quiénes eran los malos en realidad? Los asentadores-productores se volvieron mercaderes de la peor especie. Supongo que no todos, pero sí la mayoría. Con el paso del tiempo el camión fue sustituyendo al tren. La mayor demanda suponía comprar productos de otros agricultores, ya que su producción no bastaba. El mayorista, rodeado de sus matones y en connivencia con otros asentadores, ponía el precio que le daba la gana. Los agricultores, sobre todo en los meses de verano con las sandías y melones, no tenían otro remedio que tragar con el precio impuesto o perdían todo el cargamento perecedero. Un ejemplo. Pagaban un real por kilo de melón. Y nadie pagaba más. Lo aceptaban o les daban por el culo. Luego lo vendían a peseta a los minoristas. Así de fácil, en un momento, se forraban. Puede usted ver por qué se hicieron millonarios casi todos los asentadores. Eso sí que era robar al por mayor, sin ningún riesgo. Los pobres agricultores se desesperaban porque nada podían hacer, salvo bajarse los pantalones. Pero nosotros sí podíamos. Ya hecha la transacción en el paseo de Los Molinos y la calle de Maestro Arbós, y antes de pasar al Mercado, una parte de nuestra banda asaltaba los camiones en pleno día mientras la otra dirimía con los matones. Empleábamos, como ellos, barras, puños de hierro y chairas. Pero nosotros éramos feroces, incluso crueles, como lo habían sido con nosotros, y nos hicimos los amos. ¡La de crismas que rompimos! Llegamos a aterrorizarles de tal forma que hasta los municipales se ausentaban. Durante esas brutales peleas la circulación se paralizaba en toda la plaza de Legazpi y el paseo de las Delicias. Fuimos una verdadera plaga para el sistema. Por eso recurrieron a los grises. En las razias que hacían hasta disparaban sus armas al aire e intentaban bloquear todas las calles para atraparnos. La desbandada era general, porque la pasma no hacía distingos y zurraba también a gente que nada tenía que ver con nosotros pero que presentaba el mismo aspecto miserable. No eran policías sino torturadores.

—¿Habla en sentido general o lo asegura desde una perspectiva particular?

—¿Por qué lo dice?

—Porque si ustedes eran pandilleros y robaban con violencia y matonismo, no veo que, en esas circunstancias, fueran los torturadores que usted denuncia, sino sólo fuerzas del orden haciendo su trabajo.

—¿Usted cree? Le voy a decir cómo hacían su trabajo, porque a mí me trincaron en una de esas razias cuando escapaba con otros compis por la calle de Bolívar a la de Embajadores. Nada de lectura de derechos, ni retención en prevención, ni puesta a disposición de juez. Como si no hubiera existido la detención. Me metieron en los calabozos de la comisaría de Ribera de Curtidores. Sólo veía gestos de asco y caras de mala leche. «Te vas a enterar.» Me envolvieron el cuerpo en una alfombra de goma negra, y dos fulanos, uno por cada lado, comenzaron a golpearme con las porras. La goma absorbía los golpes y los repartía. El dolor era tan intenso que me desmayé. Los cabrones repitieron la operación varias veces hasta que deseé morir. No me tocaron la cara ni las piernas. Cuando me soltaron, mi cuerpo no mostraba señales de golpes sino coloración, como cuando se toma el sol en exceso; pero estaba machacado por dentro. A los pocos días, desde el cuello hasta el culo mi cuerpo estaba del color de la berenjena y luego pasó al negro carbón. Fue la hostia. Tardé semanas en recuperar el resuello. ¿Sabe de esos borrachos a los que les viene una congestión y ven llegar la muerte? Juran no volver al alcohol. Así salí yo de aquella paliza. Juré dejar de robar. Todo menos volver a sufrir esa tortura. Afortunadamente se me pasó y, como no sabía hacer otra cosa, seguí mangando. Pero no volverían a cogerme. Hubiera muerto matando.

Recordé a la hija de Andrés Pérez de Guzmán y supe cuál fue la medicina que el comisario Ocaña aplicó a Felipe Romero.

—Deje que le diga —señalé—. Una actuación policial semejante sería muy aplaudida hoy por la ciudadanía. No habría tanta delincuencia si a los transgresores les dieran una buena tunda al aprehenderles.

—Puede que tenga razón. Ahora la delincuencia es una preocupación social. —Tomó un trago de cerveza y miró la espuma en el cristal—. Pero entonces era diferente. Había pobreza e injusticias tremendas, como ahora en los países del África negra. Por eso, en el fondo teníamos un sentimiento de revolución en nosotros, como si fuéramos unos justicieros. Era una forma de lucha contra la desigualdad y la corrupción del sistema. Mucho de lo robado lo repartíamos entre gente sin recursos. Claro que, por lógica, aquello tenía que acabar. Cuando se produjeron los primeros muertos, la situación se hizo muy difícil.

—¿Mató usted a alguien?

—No lo sé. Yo era uno de los más fieros y posiblemente cascaron algunos a los que herí en las batallas. Pero no fueron asesinatos. Era como en el Oeste. Había que «sacar» más rápido que el contrario. Lo que siento es que palmaran gilipollas a sueldo y no los verdaderos sinvergüenzas, aquellos asentadores mafiosos. —Movió la cabeza—. Cuando empezaron las investigaciones en serio, me enganché a la Legión. Tenía veinte años.

Le contemplé durante un rato tratando de ver en él las imágenes que había proyectado. Era difícil visionarlas en la sosegada atmósfera de ese lugar.

—¿Su hermano mató a alguien? —dije, como al desgaire, procurando parecer muy interesado por unas plantas con flores pequeñas en forma de espiga, de colores azulado y blanco.

—¿Mi hermano matar? —Su mirada se llenó de sospecha—. ¿Qué pregunta es ésa?

—¿Cómo se llama esa flor? —señalé.

—*Heliotgopo* —dijo Michelle, y no volvió a hablar.

—Conteste —insistió Antonio—. ¿Por qué preguntó eso?

Puse gesto abstracto, como si estuviera esperando el autobús.

—Andaban en los mismos escenarios y supongo que él haría similares tropelías que las de usted.

—No. Él no robaba.

—Dijo hace un momento que todo el mundo lo hacía.

—Él traía a casa pedazos de carne y esquilaba a los corderos. La lana era muy apreciada. Pero eso no puede considerarse hurto. Era comúnmente aceptado.

—¿Usted cree?

—Bueno. Era diferente a lo mío, otros frentes. Lo que hacía no incitaba a la persecución. Además, no tenía enemigos que no pudiera abatir a golpes, sin necesidad de matar.

—¿Cuándo lo vio por última vez?

—En el verano del 59, en África. Fue a verme desde Tetuán, la capital del antiguo Protectorado de España en Marruecos, donde hacía la mili, a Dar Riffien, donde yo cumplía en la Legión. Usted sabe que España tuvo un Protectorado en Marruecos, ¿no?

—¿Por qué su hermano escogió Venezuela como destino?

—Se lo metió en la cabeza ese amigo del que le hablé.

—¿Tan amigos eran?

—Bueno. Era algo extraño, porque mi hermano tuvo pocos amigos y desconfiaba de las intenciones de la gente. Pero éste le caló hondo. Eso parecía, al menos.

—¿Pudo verle personalmente?

—Cuando vino a verme a Dar Riffien lo llevó con él. En realidad lo hizo para que yo le examinara y viera de reconocer en él a alguno del pasado.

Le miré fijamente intentando penetrar en esas rayas.

—¿Le fue conocido?

—Su rostro me recordaba vagamente a alguien inconcreto. Pero he visto miles de hombres y existen muchos parecidos. El nombre tampoco me decía nada. Tenía un acento raro. No hablaba el español como los demás.

—¿Recuerda cómo se llamaba?

Se volvió y le dijo a la mujer que trajera el álbum de fotos grande. Fue pasando las hojas hasta encontrar lo que buscaba. Me enseñó dos fotografías. Había dos hombres jóvenes en bañador en una playa de arena blanca. Ambos altos, fornido uno y delgado el otro.

—Aquí tiene a mi hermano con ese amigo. Mateo es el fornido.

—Tenía muy buena planta.

—Sí, era tan alto como usted, o más. Pasaba de los cien kilos y poseía una fuerza extraordinaria. La verdad es que no parecíamos hermanos. —Sacó una de las fotografías y le dio la vuelta. Leyó—: «Playa de Dar Riffien. Junio 1959. Mateo con Daniel Molero.»

Daniel era muy delgado aunque bien proporcionado. Tenía el gesto serio. A pesar del contraste, los rasgos estaban definidos.

—Se las hice sin que se dieran cuenta. Al oír el disparador, Daniel me dijo que no le gustaban las fotos y dijo que no le hiciera más. —Se percató de mi interés—. Parece que se interesa por ese chico.

—No, pero quizá si se le pudiera seguir la pista podríamos averiguar algo de su hermano.

—Olvídese. Yo hice mis deberes. Entonces, no sé ahora, para entrar a Venezuela había que solicitar visado. Cuando regresé de África fui al Consulado. Mi hermano y el tal Daniel los habían solicitado y estaban concedidos. Pero en las reiteradas consultas que posteriormente hice, siempre me dijeron lo mismo: no habían llegado a Venezuela ninguno de los dos, ni por barco ni por avión. Nunca encontraron registros de entrada a su nombre. No viajaron allá.

Era lo mismo que lo leído en los informes del comisario Ocaña. El misterio de Venezuela.

—¿Mateo era homosexual?

—¿Qué? ¡Qué disparate! ¿Cómo se le ocurre? —Me miró con el enfado de quienes consideran perversión esa inclinación.

—Debo explorar todas las posibilidades —dije. Su gesto se diluyó.

—Olvídese. Le gustaban las jais más que a las burras el agua. No va bien por ahí.

—¿Podría dejarme una de estas fotos? Haré una copia y se la devolveré.

—¿Para qué la quiere?

—No voy a dejar la investigación y ello me ayudará.

Se dirigió a la mujer en francés y le pidió que fuera a un comercio fotográfico cercano para que hicieran una copia. Luego encendió un nuevo cigarrillo.

—¿Cómo aguanta su mujer tanto humo? Noté que no fuma.

—Ella tiene sus vicios. A estas horas todos tenemos que aguantar. ¿Usted nunca fumó?

—No.

—Mi vicio viene de aquellos años del hambre, en Madrid. El tabaco era un alimento. Usted no puede ni imaginárselo.

Recuperó un silencio, que respeté.

—¿Ha visto los palacios? —dijo, instantes después.

—No.

—Merece la pena verlos. Están llenos de historia. Dicen que las paredes hablan.

—Mi tiempo es corto. ¿Viven solos?

—Esta casa es de mi hijo Antoine. Trabaja en la Biblioteca Municipal. Está separado, sin hijos. Es feliz teniéndonos con él. Tenemos otro hijo. Vive en París con su mujer y sus dos hijos.

—¿Qué opinan ellos de lo de su hermano?

—No han estado nunca por esa labor. Es lógico. Lo engloban dentro de una España cañí y degradada, de la que no quieren saber nada.

—¿Tan mala fue? —dije, para tirarle de la lengua.

Me miró como si me hubiera transformado en un marciano.

—¿Qué pregunta es ésa? ¡Ya lo creo! Puede jurarlo. Y lo peor es que duró demasiado. Pasaban los años y todo seguía igual en todos los aspectos. Vivíamos bajo las circunstancias impuestas, siempre con el agobio de la miseria. No pensábamos en otra cosa que en sobrevivir y divertirnos lo más posible.

—Así que se divertían.

—Joder, claro, a la manera de entonces y a pesar de la censura. La plaza de Legazpi era una miniciudad. Llena de puestos callejeros, camioneros esperando conseguir cargas, tabernas abarrotadas, gente por todos lados... Como un puerto de obligado atraque. Y es que el Mercado y el Matadero eran la hostia, la de personal que movían. Había un cine de sesión continua y programa doble, el Legazpi, siempre lleno, sobre todo de críos y mamás. Lo llamaban el Palacio de las pipas. Todos comiendo y alfombrando de cáscaras los pasillos del cine y la acera. Cada día sacaban bolsas llenas que se llevaban en carros. Lo que le digo.

Hizo una pausa para empalmar con un nuevo cigarrillo, en procura de que siempre hubiera humo a su alrededor.

—En los largos veranos, en un gran solar que había, ponían unas barcas de feria, de esas que cuelgan y oscilan de atrás adelante con el impulso de los músculos de las piernas. Siempre estaban ocupadas. Y por unos altavoces a todo volumen ponían música y la gente bailábamos los pasodobles, los tangos y los boleros, levantando nubes de polvo; eso sí, separados, nada de agarrarse. Hasta en eso se metían los cabrones de los guardias y los de la Moral, circulando por entre las parejas para evitar que el diablo entrara. De aquellos bailes salieron muchos matrimonios gracias a Antonio Machín, Juanita Reina y otros. Entonces éramos todos españoles. No había negros, ni moros, ni americanos, ni europeos, como llamábamos entonces a los de este lado de los Pirineos. —Cogió el vaso de cerveza vacío, movió la cabeza con frustración y volvió a dejarlo en la mesa—. Una vez llegaron los del cine con sus bártulos y cámaras para hacer *Surcos*, una película muy valiente y dura para la época. Denunciaba el éxodo rural al espejismo de las grandes ciudades, el estraperlo y la corrupción de la sociedad. Tuvo mucho éxito y recibió varios premios. Trabajaban Luis Peña y Maruja Asquerino, que era una gachí de cojones. Se me caía la baba al verla, aunque había otra chica, Mari Luz Galicia, creo que así se llamaba, que era un bombón. Se rodaron bastantes escenas en el Mercado, utilizando muchos extras. Pagaban cinco pesetas a cada uno y un vale para la comida al día. Aquello fue muy sonado e hizo felices a muchos. Yo participé con mis colegas, pues había que reproducir las escenas habituales, donde entraban los robos, las peleas y todo eso. Y en esas tareas éramos unos especialistas. Fue muy real. Ya ve: tiene delante de usted a un actor de cine.

Se reía con la boca cerrada haciendo sonar la risa dentro de él. Estuvo así un buen rato añorante, hasta que le desapareció el sonido y dejaron de chispearle las rayas de sus ojos. Le dejé en paz unos momentos y luego pregunté de golpe:

—¿Se acuerda de Higinia?

—Higinia, Higinia…, me suena. ¿Quién es?

—Le vendió su piso de Madrid. Cuidó de su tía.

—¡Ah, Higinia! Sí, claro, joder. ¿Qué fue de ella?

—No me diga que la olvidó, con el despliegue de memoria que ha hecho.

—Hay muchos de quienes me olvidé. Gente para recordar. Pero así es la vida. Unas cosas se recuerdan y otras no.

Le miré fijamente.

—¿Es usted feliz?

—¿Qué? ¿Qué pregunta es ésa?

—Lo es o no.

—Bueno, supongo que sí. Nadie lo es completamente. ¿Usted lo es?

Vino la mujer y me entregó la foto. Me despedí de ellos. Al girar la esquina de la calle, me volví. Me estaban mirando y agitaron sus manos.

Ocho

Sara me abrió su sonrisa.

—¿Qué tal por París?

—Puede que haya encontrado una pista o el principio de una. —La miré—. Estás magnífica.

—Si tienes tiempo podrías venir a comer con Javier y conmigo. Así os conoceréis.

—Hecho —dije, reflejándome en sus ojos—. Me encanta saberte tan feliz.

—Lo sé.

Durante el vuelo de vuelta a Madrid, recordé que se había echado en falta una cantidad de dinero de la caja fuerte de Rafael Alcázar. Ya en mi despacho releí los informes y medité. Había una coincidencia insoslayable: Mateo y Rafael trabajaban en el Matadero cuando las desapariciones del 46 y ambos se eclipsaron casi a la vez en el 59. Si Antonio hubiera mencionado lo de los billetes encontrados en la habitación de su hermano, Ocaña habría deducido lo que yo: que ese dinero podría haber sido todo o parte del que faltó en casa de Alcázar. Era lo más probable, porque ¿de dónde iba a sacar Mateo tanto dinero, recién licenciado? Se abrían varias incógnitas. ¿Se lo dio o prestó Rafael? Si fue así, ¿a cambio de qué? Y, si no, es que Mateo le obligó a dárselo. En esta suposición de forzamiento, ¿por qué no se lo llevó todo o más cantidad, de lo mucho que al parecer había? En ambas hipótesis, ¿qué ocurrió con Rafael? Si él y Mateo desaparecieron en días cercanos, ¿marcharon juntos? No era proba-

ble. Quedaba descartada la posibilidad de una huida senti-
mental conjunta, incluso aventurando que Rafael hubiera
descubierto tardíamente una pasión por los hombres, dada
la clara heterosexualidad de Morante. Tampoco eran plausi-
bles las pistas falsas de una escapada marital ya que, aunque
hay maridos que van por tabaco y no vuelven, Rafael parecía haber estado alejado de esa tentación, según los testimonios. No. Rafael no decidió su ausencia, porque, fuera cual
fuese el motivo, nunca se hubiera ido dejando tanto dinero,
necesario para emprender una nueva vida. Había que incli-
narse, por tanto, por la hipótesis de que hubiera sido raptado
por Mateo una vez hecha la entrega del dinero. Si lo hizo, la
hazaña desmentía su fama de burdo, ya que fue de gran pul-
critud al no dejar rastros ni testigos y sí la pista equívoca de
una deserción conyugal. Y si lo raptó fue para matarlo. No
había otro argumento. Pero ¿por qué matarlo? ¿Podía ser
por motivos de seguridad, para evitar la denuncia, en caso de
haber sido sólo una acción de simple robo? En ese supuesto, ¿por qué Morante no escogió a otra víctima y sí precisamente a ésa? Porque mantendrían algún tipo de relación.
Mateo se agazapaba en mi mente como un tumor. Estaba
claro que él tampoco decidió el uso de su libre albedrío y
marcharse, por la misma razón que no lo hizo Rafael: porque no hubiera dejado ningún dinero tras de sí. Si la intuición de Antonio era correcta, ¿quién le secuestró de su casa
y lo mató, con la misma eficacia que en el supuesto caso de
Rafael? ¿Qué Hércules podía haber obligado a ese coloso en
plenitud de sus fuerzas, y por qué razón? Noté que la claridad se abría paso. Los misterios de los destinos de Mateo y
Rafael estaban relacionados con los del 46. Eso lo explicaría
todo. Pero ¿tan terribles fueron que tantos pagaron por ello?
¿Y *quién* movió las piezas finales? Un momento. ¿Y ese
amigo misterioso, el que se iba a Venezuela con él? Insistía
en aparecer en esas fechas cruciales. Tenía su nombre y su
fotografía. ¿Y qué? ¿De qué valía eso? ¿Quién más lo vio?
Lo que Antonio intentó en el Consulado venezolano para
localizar a su hermano no serviría ahora, cuarenta años des-

pués. Todos los registros de entradas estarían destruidos, porque no eran asuntos judiciales. Tampoco en el Gobierno Militar encontraría nada, suponiendo que guardaran datos tan antiguos, salvo su paso por el Ejército. Miré la lista. Quedaba el A. Y ahora, después de la reflexión, también el F. Eran las 10.50. Salí del despacho.

—¿Has elegido sitio? —sonreí a Sara.

—¿Te parece el Parrondo?

—Me vale. Nos vemos allí.

Era temprano, hacía frío y el cielo estaba cubierto por nubes sin agua. De vez en cuando un rayo de sol penetraba como un obús y pintaba de oro una porción de gris. En una rama de un pino vi, a contraluz, un gorrión desperezándose en un dardo solar, que había conquistado una zona intocada. El rocío se evaporaba y el ave estaba envuelta en una neblina dorada. Era como una jaula sin paredes, ajena a tanto estropicio; una muestra del edén soñado. Pensé en Rosa, y un tumulto de añoranzas buscó disociarme de la realidad. Miré la rama. El gorrión se había ido pero el espacio seguía allí, como la entrada a una dimensión invitadora. Me moví. La perspectiva cambió y el estrépito recuperó el lugar. Pero no pudo raptarme a Rosa ni a la esperanza de los colores blancos.*

Busqué el número treinta y cuatro de la calle de Raimundo Fernández Villaverde. Es un bello edificio retranqueado y con un jardín en la parte delantera, llamado Géminis I, que ocupa toda una manzana. Su fachada es de aglomerado gris y las ventanas están llenas de plantas. En el amplio portal, único acceso a las seis fincas que componen el inmueble, un portero tras un largo mostrador de mármol. Le di el nombre de Juan Barón Díaz. Salí a un sorprendente jardín con una fuente en cascada en su parte central. Palmeras, rosales, cipreses y otros árboles sirven de refugio a bandas de pájaros. Los ventanales rodean el inmenso patio

* Véase *El tiempo escondido*, del mismo autor y en la misma editorial.

semejando un claustro moderno. Otro portero uniformado me recibió. Llamó por el interfono.

—¿Sí?

—Señor Barón, un señor llamado Corazón Rodríguez desea hablar con usted.

—¿Corazón, dice? Pregúntele qué es lo que quiere.

—Está relacionado con el comisario Ocaña —dije, acercando mi voz al micrófono.

Se hizo un largo silencio.

—¿Es usted policía?

—No, detective; pero me envía él.

Subí hasta el sexto piso. El ascensor encaró un descansillo con dos puertas. Una estaba abierta y un hombre de baja estatura y buen aspecto, ligeramente entrado en carnes, me miraba desde el umbral con cara de sospecha. Nos dimos la mano y me hizo pasar a un amplio salón con vitrinas llenas de figuritas y una librería corrida plagada de libros. Una mujer de baja estatura, algo gruesa, se asomó a una puerta. Él dijo:

—Es un detective. Quédate. —Se volvió a mí mientras ella se sentaba sin quitarme ojo—. El comisario debe de estar muy mayor.

—No vive ya. He sido contratado por su hija.

—Es extraño.

—¿Se refiere a mi nombre?

—Bueno, sí. Pero más que, al cabo de tantos años, aparezca la sombra de ese comisario. ¿Cómo ha dado conmigo?

—Es mi trabajo, aunque no fue fácil. Parece como si usted quisiera borrar todas sus huellas.

—¿Por qué lo dice?

—Nada hay a su nombre. A veces creí que buscaba a un fantasma.

—No me persigue nadie, ni acreedores, ni Hacienda, ni policía, ni jueces. No hay nada punible en mi vida. Puedo actuar como me plazca mientras no atente contra derechos de otros.

—Es cierto. Lo creo, pero es muy extraño que alguien tome tanto cuidado en no dejar pistas.

—Explíquese.

—Su vida fue muy importante para el comisario Ocaña. Le puso un guardaespaldas cuando era niño. Le siguió la pista durante su adolescencia. Yo la completé en parte, a pesar de las trabas que usted puso. Porque creo que es importante para resolver el caso.

—Déjese de rodeos. ¿Qué sabe de mí para afirmar eso?

—Usted resultó excedente de cupo en la mili. Cumplió con el Ejército tres meses en un Cuartel de Infantería en Cuatro Vientos. De su antigua casa en la calle de Jaime el Conquistador pasaron a un piso en propiedad en la urbanización Ciudad de los Ángeles, bloque 31, en Villaverde, a la salida de Madrid por la antigua carretera de Andalucía. De allí desaparecieron en 1961. El comisario tenía su DNI pero no pudo seguir su pista porque constaba su domicilio de la Ciudad de los Ángeles y siguió constando cuando lo renovó.

»El comisario siguió pulsando otras posibilidades; pocas, en realidad, salvo que hubiera habido denuncia y orden de búsqueda por un juez, que no era el caso. Entonces no se hacía declaración de la renta y la Seguridad Social distaba de ser un organismo administrativamente eficiente. Por otro lado, el Ministerio del Ejército le informó de que Eliseo, Gerardo y los hermanos Montero... —me interrumpí; él permaneció sin inmutarse— no se presentaron a filas al ser llamados y, como no había constancia fehaciente de su muerte, fueron declarados prófugos. Del único que hay constancia, además de usted, es de Mateo Morante, ¿le recuerda? Él hizo la mili en Marruecos y se licenció en 1959. ¿Sigo?

Él me miraba muy serio, y no contestó.

—He seguido la pista de Mateo, que se disuelve en el misterio, como esos amigos de usted desaparecidos siendo niños. Así que no me quedó otra fuente testifical que usted; por eso le busqué. Su nombre no está en la guía telefónica. Lo intenté con su DNI. Ahora, y desde hace años, consta en la calle de Gainza, en el barrio de Orcasitas. Pero no vive allí, obviamente. Hay una familia. No soltaron prenda. Sólo que llevan viviendo en esa casa veinte años y que no le conocen.

Intenté averiguar si vivía. Por si no lo sabe le diré que no existe un registro unificado de defunciones. En los registros civiles de los partidos judiciales, dependientes del Ministerio de Justicia, sólo constan los que nacen y mueren en su jurisdicción. Hay que conocer previamente en qué lugar exacto, pueblo o ciudad, murió el que se busca, que era lo que el comisario y yo ignorábamos de usted. Por ese lado, imposible. Así que fui a la Agencia Tributaria. Un funcionario se ganó una buena propina al darme sus datos fiscales y asegurarme que había hecho la declaración de la renta el año pasado. Pero no hace declaración de patrimonio, lo que significa que este piso no está a su nombre. Eso sí, estaba vivo, pero el domicilio es el de la calle Gainza. Por ese lado encontraba otro muro. Me dirigí al Instituto Nacional de la Seguridad Social. No dan datos si no es al titular o familiar autorizado. Pero conseguí de una encantadora señorita saber que está usted cobrando una pensión, que se abona en el Banco de Santander. Llamé al director de mi agencia. Localizó la cuenta y el domicilio: calle Gainza. —Intenté que viera en mi mirada no una acusación sino una complicidad—. Ninguna otra cuenta en ningún banco ni cajas principales. ¿Tarjetas de compra, VISA y demás? No. Fui a El Corte Inglés y pedí una factura a su nombre. En su base de datos usted no consta. Muro. ¿Comprende que en sí mismo, su caso incitaba a la averiguación?

Siguió mirándome sin decir nada y acentuando su gesto hosco.

—Por tanto, volví al expediente del comisario. Decía que usted había trabajado en los laboratorios de una empresa química, llamada ENCASO, del INI, pero que se había cambiado al MOP, de topógrafo. Así que fui a los Nuevos Ministerios. Averigüé que había dejado de vagar por el campo y había pasado a las oficinas de Administración general, en la escala de auxiliar administrativo. ¿Sigo?

—Estoy fascinado. Se ha tomado más trabajo que Menéndez de Avilés cuando buscaba la fuente de la eterna juventud. Habrá que ver si ha merecido la pena.

—Puede que dependa de usted. —Nos miramos y convinimos una pausa—. Continúo, si quiere; pero antes, una pregunta: ¿cómo ese cambio de respirar como los pájaros a encerrarse en una oficina cuando, según dice su informe, salió del laboratorio porque no aguantaba el estar encerrado entre paredes?

Se tomó un buen tiempo antes de decidirse a contestar. Y luego habló, como si hubiera estado deseando contar su experiencia.

—El tiempo nos hace variar. Y como está claro que me ha encontrado, satisfaré su curiosidad. Es cierto que vivía al aire libre, lo que no significa vivir en un edén. Había días de lluvia, frío, calor… Eso sí, estaba sano como Tarzán. Me recorrí España tomando nota de los accidentes y estado general que presentaban las carreteras, la mayoría sin arcén y con bordillos. Fíjese qué gasto inútil. ¡Bordillos en las carreteras! Entonces no había más autopista que la de Villacastín. Viajábamos el ayudante de Obras Públicas, el chófer y yo, que era el ayudante del ayudante. Ahora no se llaman así: son ingenieros, como los otros. Aprendí a usar la mira y cosas como luz, gálibo, zona de servidumbre, guardacantón, releje, etcétera, ya que tomábamos nota y medidas de mojones, registros de aguas, acequias, puentes, desvíos y demás. Un mapa completo de las carreteras desde su inicio.

—Celebro que le guste hablar de ello.

—¡Oh, sí! Recuerdo muy bien aquella época. Además ganaba mucho dinero. Aparte del sueldo teníamos extras. ¿Por qué no decirlo? Había un presupuesto para daños temporales: riadas, corrimientos y cosas así, que rara vez se cubría y había que gastarlo en el mismo ejercicio. Así que los ingenieros jefes lo repartían entre sus equipos, según los cargos, justificándolo como dietas de viajes no hechos. Por ejemplo: un recorrido hasta Santander, que no se hacía pero que se rellenaba en el informe como realizado al hacer la liquidación. A mí me caían a veces cien mil pesetas, en negro, pues no se reflejaba en nómina. Puede calcular lo que se embolsaban los ingenieros jefes.

—Me deja boquiabierto. Era una buena cantidad de dinero. Sigo sorprendiéndome de que lo abandonara.

—No es difícil de entender. El empleo se basaba en contratos de obra. En cualquier momento podía ser cesado, ya que no estaba en nómina fija en el Ministerio. Ésa fue la razón. Necesitaba una seguridad. Un día, en el tablón de anuncios, vi las convocatorias al Cuerpo de Auxiliares. Me presenté, aprobé y ya entré como fijo.

—Somos unos groseros —dijo la señora—. ¿Quiere beber algo?

—Agua, por favor. —Le sonreí y miré a Juan—. O sea, que pasó usted de andar por el campo al departamento de Hacienda.

—No. Lo de Hacienda vino más tarde, cuando oposité al Cuerpo de Gestión, el máximo, pues había obtenido la certificación de estudios de Acceso a la Universidad. Clavé los codos y aprobé la convocatoria. Tenía ya mi propio despacho, un buen sueldo, y una secretaria.

—Eso de la secretaria es lo que más le gustaba a este mujeriego —dijo la mujer al acercarse con el agua.

—Mujer… —Me miró—. La verdad es que el haber estado por esas carreteras era un relajo, aunque no sirvió para nada cuando llegaron las autovías y luego las autopistas. Todo aquel trabajo no tuvo consecuencias prácticas, tal y como ha cambiado todo.

—Espero que haya sido para bien —acoté, dándole cuerda.

—¡Qué decirle! Tenemos mayores comodidades en casa: calefacción, televisión, nevera y todas esas cosas; pero ¿y el trabajo? En mi tiempo todo el que quería trabajar estaba empleado. Había continuas ofertas y empresas con mucho personal. ¿Oyó hablar de Standard Eléctrica? Fabricaba teléfonos y centralitas. Unos treinta mil empleados en las plantas de Madrid, Toledo, Villaverde y Maliaño. Pleno empleo ¿Puede imaginar una empresa así? La población de muchas capitales de provincia no alcanza ese número. Los trabajadores tenían distintos horarios porque los talleres no paraban. Veinticuatro horas de actividad ininterrumpida. Sólo en la central de Madrid, en el hermoso edificio principal de la calle de Ramírez de Prado, que milagrosamente se conserva y que construyó en 1928 el arquitecto Álvarez Naya, eran más de veinte mil empleados. Había economato, centro deportivo, jardines para el relajo, consultorio médico infantil y para adultos... Eso hacía que todo el barrio estuviera siempre inundado de gente caminando y atiborrando los comercios, de los turnos que entraban y salían. Vea usted ahora el paseo de las Delicias. Atestado de coches en tapón y con escasos viandantes. El mismo escenario y otro mundo. ¿Y El Corte Inglés? Fabricaba ropas con el nombre de INDUYCO, Industrias y Confecciones, en la calle de Tomás Bretón. Miles de chicas haciendo camisas y demás, que también se desparramaban por el paseo de las Delicias con sus risas contagiosas y sus anhelos gritados. Usted mencionó la Empresa Nacional Calvo Sotelo, donde yo trabajé. Ese inmenso recinto ya no existe. Todo ese tinglado desapareció para hacer viviendas. ¿Sigo? Se ha cambiado la industria por el ladrillo. ¿De qué vamos a vivir cuando la construcción llegue a su techo? Jubilaron a la gente anticipadamente. Menos mal que yo me salí y busqué mi horizonte. Me encuentro, en ocasiones, con antiguos compañeros que se dedicaron a dejar pasar la vida, con cincuenta y tantos años. Sombras de los hombres que fueron. Recuerdo aquellas instalaciones, el bello edificio central de laboratorios y oficinas que en 1949 hizo el arquitecto Moreno Barberá, la preciosa librería con miles de volúmenes portadores de conocimiento técnico... Todo se lo llevó el viento como en la película de Clark Gable. ¿Sigo? Manufacturas Metálicas Madrileñas, un centro productor de aluminio para usos industriales y caseros. Al estar subvencionado, el producto salía a precios muy bajos. ¿Qué ocurrió para que lo cerraran y, con él, cientos de trabajadores a la calle? Nunca se supo lo que esos gerifaltes hicieron. Justificaron con que era más barato traer el tocho de aluminio de Canadá, la telefonía de Suecia y Francia, y las ropas de Asia. El despido de tantos miles de personas fue una diáspora interna, algo que incidió dolorosamente en la sociedad y que sólo gracias a la emigración pudo atemperarse. —Movió la cabeza como si algo suyo se hubiera ido en aquellos despidos que mencionaba—. ¡Bah!, se me fue la bola.

Le vi feliz contando sus andanzas y cuitas. Se había olvidado de que mi presencia era para otro fin. Comprobé una vez más que no hay nada mejor que dejar hablar a la gente para que se relaje.

—Es sorprendente que hable con tanto detalle de aquel Madrid.

—He sido geómetra y estudiante de Químicas. Usted lo sabe. Aprendí a utilizar la precisión en los datos. Además, contribuí a la modernización de esta ciudad, con mi trabajo, como tantos miles. He sido actor y testigo de todo aquello. Ella también —señaló a su mujer—. Trabajó en Standard, en Administración. Sabemos más que muchos cronistas oficiales porque vivimos aquellos años desde el fin de la guerra hasta hoy. Pero dígame: ¿cómo consiguió dar conmigo?

—Encontré su pista en la Consejería de Hacienda de la Comunidad, en la plaza de Chamberí, no en el MOP. Ahí me dieron esta dirección.

—Donde menos se espera… Sí, tras el triunfo socialista, como sabe, se llevó a cabo este rollo de las Comunidades Autónomas que la Constitución del 78 establece. Me ofrecieron cambiar a la Comunidad de Madrid, que Joaquín Leguina había metido con calcetín a los madrileños aprovechando las elecciones municipales del 83. Mejor sueldo y respetando la antigüedad. No lo pensé.

—¿No olvidas algo, viejo réprobo? —terció la mujer—. Otra secretaria para ti solo.

—Y ahora, dígame —dijo, tras mirarla y mover la cabeza—, ¿por qué me busca?

—Ese comisario se portó magníficamente con usted. Le protegió en momentos de peligro.

—Sí, y sentía por él un gran cariño. Estuvimos conectados durante mucho tiempo hasta que los años se impusieron.

—Él nunca dejó el caso de los niños desaparecidos aunque no pudo averiguar qué ocurrió con ellos. Dejó un encargo a la hija, como una promesa jurada: seguir la investigación. Ella me contrató hace unos días.

—¿Qué interés hay en resolver algo tan lejano? Ni siquiera los padres de esos chicos vivirán ya.

—Me extraña que haga esa pregunta. ¿A usted no le gustaría saber lo que ocurrió y qué fue de sus amigos?

—Qué quiere que le diga. No estoy obsesionado.

—En 1959 hay una denuncia del hermano de Mateo porque desapareció sin dejar rastro. Como los niños. Y en las mismas fechas también desapareció un hombre que había trabajado en el Matadero, un tal Rafael Alcázar. Hay motivos para sospechar que ambos casos podrían estar relacionados. ¿Qué opina? ¿Qué sabe de estas desapariciones?

—No tengo idea de lo que me dice. No volví a ver a Mateo desde mucho antes de irme del barrio. No me interesaba. No era amigo ni formaba parte de mi vida.

—Parece que usted hizo tabla rasa con el pasado, definitivamente.

—Así es; con esa parte del pasado.

—Le ruego que escuche esta cinta.

La puse en la grabadora portátil que llevaba, y no perdí detalle de su rostro. Cuando terminó, tenía los ojos gachos.

—Es un mensaje emocionante. Y ¿qué?

—¿No le dice nada que el hombre haya muerto con ese peso, algo que no le afectaba familiarmente? Es sorprendente si lo comparamos con el distanciamiento que usted expresa de sí mismo, cuando usted sí estuvo en peligro.

Se levantó y se aproximó al amplio ventanal, ofreciéndome su espalda. No dudé de que la grabación le había conmovido. La mujer me hizo un gesto. Me acerqué a él y miré. Enfrente, el edificio Windsor y, más atrás, la Torre Picasso, destacaban en una calle taponada de tráfico. Supe que él estaba ganando tiempo para disolver sus emociones.

—He trabajado toda mi vida desde los trece años. No he sido infeliz. Y usted viene ahora a poner todo patas arriba.

—¿Eso cree? Sólo pretendo cumplir con la voluntad de un buen hombre.

—Usted trabaja por dinero, déjese de gaitas. Es como los abogados, los policías o ciertos periodistas. Incordian, crean incertidumbre y preocupación; no ayudan porque dejan una huella de angustia que, en muchos casos, nunca se olvida.

—Simplifica demasiado. No todo es como dice. Pero, en este caso, usted debería celebrar que esté moviendo el pasado. Esos niños merecen que alguien ponga las cosas en su sitio.

—Le diré algo. Todos estos años estuve temiendo que viniera alguien a abrir aquellas heridas, casi cicatrizadas, para hacerlas sangrar de nuevo. Al fin ocurrió.

—Temía usted algo más. Oculta algo terrible. Por eso ha envuelto su vida con tanto misterio. *Usted sabe qué pasó.* Y lo guarda como un tesoro.

—Le ruego que se marche —dijo, invitándome a salir.

Al cruzar el salón vi en una de las paredes unas fotografías en blanco y negro, grandes y enmarcadas. Parejas jóvenes, fotos de boda. Me paré y las miré. Me volví a sus ojos impacientes.

—Son magníficas —apunté.

—Haga el favor. No está usted en su casa —dijo, con ira.

Saludé a la mujer y salí. La puerta al cerrarse sonó como la acorazada de un banco. Pero no para proteger bienes, sino un mundo de emociones y temores.

Nueve

Javier es un hombre por encima de los cincuenta años, alto y delgado, de pelo escaso y mirada de inacabables paisajes. Llevaba un chaleco de muchos bolsillos e imaginé que en ellos guardaba buena parte de sí mismo, como una segunda piel. Tiene una empresa con otros amigos y se dedican a viajar haciendo reportajes de naturaleza y lugares remotos, que luego venden a las televisiones de varios países. También hacen entrevistas a personajes singulares del tercer mundo. Una barba ligera ponía el necesario aire aventurero a sus agradables facciones.

—El mundo se nos va de las manos. Cada vez quedan menos lugares vírgenes. La contaminación alcanza límites insospechados. Nada puede detener la destrucción de lo natural.

—¿Tan es así? —dije.

—Sí. Es una esperanza falsa la de que el hombre resolverá en consecuencia cuando se percate de la tragedia. Cuando en verdad se apreste a ello, no habrá nada que salvar. Cuando no existan los animales salvajes, ni las ballenas; cuando el mar esté podrido y los corales hayan muerto; cuando las selvas hayan desaparecido, cuando…

Estábamos en el restaurante asturiano situado entre la plaza de Las Descalzas y la de Callao. Buena comida aunque el servicio, quizá debido a la abundante clientela, puede mejorar.

—Estamos en el corazón de una ciudad europea, alimentándonos de peces salvajes que el hombre persiste en cazar, en vez de criarlos en grandes piscifactorías, como con respecto a la carne hace con el ganado. Nos hemos comido nuestros recursos de pesca y ahora queremos arrebatar los caladeros de los países pobres.

—Como ves —señaló Sara—, Javier es único para irradiar optimismo. A la mínima cae en esta melancolía.

Él la miró y pasó sus dedos morenos y fuertes por una mejilla de ella, en un gesto lleno de intimidad en el que había amor pero también despedida, como si viera que la vida se estaba acabando.

—Voy a espaciar mis viajes. Haré más tiempo de montaje y documentación. No quiero estar lejos de ti. Necesito nutrirme de la sencillez con que contemplas todo, esa sonrisa permanente.

—No es por mí —coqueteó ella—. Te entristece lo que ves por ahí y quieres cerrar tus ojos para que tu corazón no sufra.

—Es verdad. Por las dos cosas. Pero la principal eres tú. —Se volvió a mí—. Eres hombre de menos viajes. ¿Cómo lo ves?

—Tienes razón. Pero ninguno, en el fondo, estamos ayudando a la conservación de las especies y la naturaleza. Compramos los pisos que los especuladores del dinero construyen quitando tierras a los campos. Tus reportajes, hechos con espíritu de alarma, van a ser vistos por gente cómodamente instalada en terrenos que antes eran de los pájaros y jabalíes. Y los ven en televisores adquiridos, como el resto de los electrodomésticos, en industrias que contaminan. Y en las vacaciones se marchan a destruir Galápagos o Madagascar con su turismo agresor.

—Y no hablemos del agua —reforzó Javier—, excusa para guerras futuras por su escasez.

—Vaya par de optimistas. Sois la alegría de la huerta —dijo Sara—. Pero si nada podéis hacer, ¿por qué os atormentáis?

Javier y yo nos miramos y sonreímos como dos niños a quienes reprende la maestra.

—Bien —dijo él—. Sara dice que tienes otro caso retador.

—No es nada comparado con lo que haces. En verdad te admiro. Yo resuelvo casos, pero tú ayudas a salvar el mundo. Tienes anécdotas para llenar un libro. Sara me contó algo de aquella de los lagartos en Nigeria.

—Sí —rió—. Es una anécdota menor, sin relevancia.

—Repítela —animó ella.

—Fue en el sureste, casi en la frontera con Camerún. Había llegado desde Lagos hasta Aba en un vuelo nocturno de «válgame Dios», que es lo que dice la gente al subirse a uno de esos destartalados aviones de hélice. Tenía que entrevistar a un anciano jefe de tribu que, cuando el coronel Ojukwu secesionó Biafra de Nigeria en 1967, se unió a los separatistas. Fueron tres años de guerra. Me contó cosas terribles, pero ésa es otra historia. Desde el aeropuerto un jeep me llevó aquella noche por una carretera sajada en pleno bosque ecuatorial hasta una instalación turística moderna, de cabinas individuales en línea de tierra. Era noche cerrada y la luz eléctrica había sido cortada. El registro estaba alumbrado por faroles de queroseno. Un hombre me acompañó hasta la cabaña. «La luz vendrá enseguida», dijo. No vino en toda la noche. Me dejó un farol con el que me valí mientras me acomodaba. Como no era posible escribir, leer o ver el paisaje, decidí acostarme. Dejé la ventana abierta, protegida por una mosquitera, para aliviar el tremendo calor húmedo y apagué la llama. Me dormí. Fui despertado por cosas que se arrastraban, ruidos desconocidos, como de pelea. Prendí el farol. Las paredes y el suelo estaban llenos de enormes lagartos y arañas, como en las películas de terror. La débil iluminación alargaba sus sombras haciéndolos parecer más grandes y monstruosos. Cerca del baño otros lagartos contendían con unas serpientes, luchando por su vida. La luz espantó la escena. En un momento todos los bichos desaparecieron por la puerta del baño. Fui hacia allí. La mosquitera de la ventana estaba rota y, en el muro, en la parte del suelo, había un tremendo boquete con aspecto de haber sido ocasionado para reparar una avería en el conducto de salida de aguas. Ya no pude dormir en toda la noche. Cuando las luces del día llegaron, vi que el motel estaba instalado en plena selva profunda. Fíjate bien: hablo de bosque ecuatorial, la espesura más umbría, húmeda e impenetrable del planeta; la pura selva virgen formada durante millones de años. Una gran parte de esa espesura verde había sido talada totalmente, hacia el este. Allá abajo, en la inmensa explanada inventada a costa de vida silvestre, no muy lejos, unas máquinas movían la roja tierra para construir unas instalaciones de Mercedes Benz. No sé qué pensarían fabricar allí esos alemanes. Pero ¿sabes?, mi impresión nocturna no fue de terror en ningún momento. Todo lo contrario. De culpa y dolor por mi condición humana. Es lo que antes hablábamos. El sitio *era* natural, de los animales salvajes. Nosotros lo habíamos invadido y mis bichos nocturnos sólo buscaban los lugares donde llevaban viviendo desde los orígenes. Reclamaban su sitio. No volví. Pero me imagino que esos árboles habrán sido cortados, el lugar arrasado de construcciones y los animales exterminados con insecticidas y por la destrucción de su hábitat natural.

—Éste es el hombre que elegí —dijo Sara—. ¿Qué te parece? Sé que además de amante debo ser quien le cure sus heridas del corazón y de la mente.

—Eres una gran doctora —dijo Javier. Luego habló con voz nostálgica—. Hay un lugar recóndito en el que, algún día, si Sara me secunda, me gustaría vivir. Está en el sur de Chile. El mundo se detuvo allá cuando se creó.

Ella se inclinó y puso un beso fugaz en sus labios, de esos que permanecen en el recuerdo.

Diez

Entré en la peluquería del Tamanaco InterContinental, el renombrado y señorial hotel situado en una colina del elegante barrio de Las Mercedes, frente a las verdes montañas de El Ávila, la cordillera que separa Caracas del mar. Estaba mediada de clientes y atendida por atractivas mujeres. Me dirigí a un hombre de unos sesenta años, flamante en su bata blanca, que estaba junto a una caja registradora.

—¿Ernesto Vega?

—Sí, señor. ¿En qué puedo servirle?

—Soy escritor. Vengo de España. Trato de conectar con niños de Madrid que emigraron a este país en los años previos y posteriores a nuestra Guerra Civil.

—¿Niños?

—Sí. Es de razón pensar que pocos de los familiares que los trajeron vivirán ya.

—Tiene sentido. La mayoría perdimos a nuestros viejos. —Sus ojos parecían enormes al otro lado de las gafas—. Escritor, ¿eh? Eso está bien; que se conozcan nuestras penalidades. Es lo que deberían saber los paisanos de ahora, instalados en la bonanza.

—Allá no es oro todo lo que reluce.

—Vamos, menuda diferencia. Igualita la vida de los españoles ahora que la de antes.

Era el arrendatario del local. Me llevó a la zona de espera y nos sentamos en unos sillones. Sin apenas darme tiempo fue desgranando, a veces emocionado, sus peripecias y vicisitudes. El tiempo fue escurriéndose lentamente mientras él seguía hablando, hipotecado por sus recuerdos. Al fin calló, carraspeando, como un coche cuando se queda sin gasolina.

—Usted me buscó. ¿Quién le habló de mí?

—Vengo de Valencia.

—Creí que venía de Madrid.

—De Valencia de aquí, de Carabobo.

—Dijo que venía de España. —Me miró, algo confuso.

—Sí; pero desde Maiquetía tomé un vuelo a Valencia, sin pasar por Caracas. Llegué al hotel anoche desde allí. En Valencia me dieron sus datos.

—¿Quién se los dio?

—Un amigo suyo: Ramiro Céspedes.

—¡Ah, Ramiro! Y ¿cómo está ese gandul?

—Más o menos. Es un hombre bien conservado.

—Pues ahí donde lo ve es mayor que yo. Nunca forzó el lomo; sólo las posaderas. Puede llegar a los cien años. ¿A que estaba jugando dominó cuando lo cazó? —Me vio asentir con la cabeza y continuó—: No falla. ¿Dónde lo encontró?

—En el café Sucre, en la plaza del mismo nombre. En el Liceo me sugirieron que podría estar allí.

—Seguro. Nunca fue un luchador. Buscó el lado tranquilo de la vida. No consiguió sacar adelante sus estudios. Encontró un puesto de bedel en el Liceo. Allí se jubiló y cambió de hamaca. Bueno, como que yo tampoco soy un ejemplo de luchador. ¿Por qué lo envió a mí?

—De los cientos de alumnos que conoció, tiene muy presentes a quienes estudiaron con él, usted entre ellos.

—¿Por qué fue usted al Liceo?

—Es obvio que los niños se escolarizan. Era el mejor sitio donde indagar.

—Y ¿por qué fue a Valencia?

—¿No cree que estamos invirtiendo los términos? Soy yo quien viene a preguntar.

—Tiene usted razón —rió—. Es deformación profesional. Los peluqueros somos unos cotillas. Oquei. ¿De qué se trata eso, señor?

—La idea de escribir sobre los niños emigrantes me la dio esta vieja foto. —Le enseñé una del colegio Cervantes de Madrid, de las encontradas en la documentación del comisario Ocaña—. Supe que algunos de estos niños vinieron acá con sus padres y que se instalaron en Valencia. Esos niños son los que están en círculos rojos. Llegaron en el 46.

El hombre miró la foto con atención y luego dijo:

—Como que conozco a éste, pero no sé; aquí dice Luis y el que yo digo se llama Chus, bueno, Jesús. ¿No le dijo Ramiro?

—Sí, pero necesitaba comprobarlo. ¿Seguro que se llama Chus?

—Bueno, si no es él, se le parece mucho; pero si es él, su nombre es Jesús Manzano Cuevas. Estaba un curso por delante del mío.

—¿No recuerda a nadie más de la foto?

—No. No conozco a ningún otro.

—¿Ni siquiera a éste? —dije, señalando a Julián.

—No. No lo vi nunca. Y a los otros del círculo, tampoco.

—Ramiro me dijo que usted tuvo buena relación con este chico, Chus. Que ambos estuvieron en la universidad de aquí.

—Sí, durante unos tiempos, pero luego la vida se impuso y nos disolvimos. Tampoco llegamos a ser grandes amigos. Yo no completé mis estudios de Ingeniería y con los años perdí de vista a casi todos aquellos compañeros. Ya sabe. Hubo que luchar mucho. Cada uno buscó su camino. Como que no fue el sueño deseado que esperaban nuestros padres. ¿Sabe que la mayor parte de nuestros viejos, de los que insisten en vivir, están arrepentidos de su aventura migratoria? La mayoría, los pocos que van quedando, arrastran su vejez sin haber encontrado El Dorado que buscaban. ¿Y nosotros, los hijos, sin parte alguna en su trascendental decisión de cambiar de país? Salvo excepciones, tampoco hemos visto la luz que cegaba a nuestros padres. Peor, porque tenemos la sensación frustrante de que nuestras vidas fueron cambiadas, de que no sabemos quiénes somos realmente. Ya vio usted a Ramiro. Y ya me ve a mí. ¿Para esto es que nos trajeron? Muchos ahogan su decepción, que no es la suya sino la heredada, por esos casinos, dándose ánimos unos a otros antes de que, como a nuestros viejos, se nos olvide el respirar.

—Aparte de sus emociones, no parece que a usted le haya ido muy mal.

—No me malinterprete. Hemos trabajado y salido adelante. Nos hemos ganado bien la vida, con el lógico esfuerzo pero sin trabas sociales, porque los venezolanos son buena gente y nos recibieron con los brazos abiertos. Pero yo hablaba de algo más: el triunfo, volver a casa rico en unos años, que es lo que pensaban casi todos los que emigraron acá. Yo, bueno, me he defendido. Tengo sesenta y un años. Debería jubilarme, pero no he conseguido reunir lo suficiente para dejar la tarea. Debe usted saber que acá las pensiones no son como las de allá, ni mucho menos. Además, así me entretengo y el trabajo es agradecido. A Chus le fue muy bonito. Su familia tenía varias empresas de mantenimiento industrial, especializadas en refinerías. Estaban bien instalados e hicieron realera. No sé si seguirán con ello porque ahora, con Chávez, lo tendrán jodido. ¿Está al tanto de lo que ocurre en Venezuela?

—No mucho.

—Con solamente dos años al mando Chávez ha puesto patas arriba el país, enfrentando a la gente. El año pasado, nada más llegar al poder, suspendió el Congreso y el Senado, votó una nueva Asamblea Constituyente y consiguió que se aprobara una nueva Constitución, la sexta desde la Independencia, que le permite una concentración de poderes cercana a la de una dictadura. Igual que hizo el general Juan Vicente Gómez, el dictador que tiranizó el país durante veintisiete años, sólo que él lo estuvo haciendo durante tiempo y Chávez lo ha hecho en su primer año. A eso se llama no perder el tiempo. —Giró la cabeza y pareció mirar el movimiento de sus empleadas—. Lo de Gómez fue un verdadero atraco pues se convirtió en el propietario efectivo de Venezuela y de todas sus riquezas, como si de una finca se tratara. Dicen que tenía el setenta por ciento del ganado nacional, que era la riqueza que movía la economía en el país antes del petróleo. Tenía acciones de todas las empresas importantes y cuando llegó el *boom* del petróleo, lo capitalizó para sí y para su familia y amigos. Cuando murió era el hombre más rico de una Venezuela amordazada.

—¿Cree que Chávez querría ser otro Gómez?

—Hombre, no en cuanto a la eliminación física de sus adversarios políticos, que Gómez convirtió casi en una industria. No tengo a Chávez por un asesino ni creo que quiera almacenar riquezas. Pero en cuanto a lo demás, ganas no le faltan. Su intención es manejar todos los resortes del poder. Ya hizo una intentona golpista en 1992. Aunque pueda haber diferencias en las formas, la gobernabilidad es la misma. Gómez acaparó todos los poderes, y eso es por lo que suspira Chávez. Y en lo económico, no puede haber más paralelismo. Cuando Gómez, el país vivía únicamente de las rentas del petróleo, que, aunque míseras porque el Gobierno sólo recibió el cinco por ciento de los beneficios que generaban los hidrocarburos, fueron suficientes para que el tirano, sus amigos y el Ejército vivieran esplendorosamente. En aquellos años no hubo una sola industria manufacturera. Todo se importaba. Se llegó al absurdo de importar hasta los alimentos más simples, como las habichuelas, porque se abandonó la agricultura. Las gentes venían a vivir del oro negro que fulguraba en las cambiantes ciudades. Los míseros ranchitos que rodean Caracas datan de esa época, hace más de ochenta años, cuando la gente huyó de los campos en una migración interior nunca repetida. Y ahora, con Chávez, lo mismo. Se vive del petróleo, del gas y del hierro; es decir, de las materias primas. La gran industria desapareció y la media está en camino de quebrar. Y, como antaño, todo se importa. A pesar de eso, en junio de este año Chávez volvió a ganar las elecciones por un gran margen sobre el otro candidato, lo que le permite insistir en su populismo.

—Según eso, está gobernando democráticamente. Me imagino que ello será bueno para la mayoría de los ciudadanos, si le votaron tantos. Las reglas del juego democrático obligan a respetar a quien gana en las urnas.

—También Hitler salió elegido en las urnas.

—Es una comparación desacertada. Nadie puede creer que Chávez sea un peligro para la paz mundial.

—¿Sabe? El año pasado lo votaron muchos adecos y copeyanos desencantados de sus partidos, los hegemónicos acá. Buscaban una tercera vía. Se arrepintieron y este año no lo hicieron, pero él ya no necesitó sus votos. Le valen los de sus amigos y los de los marginados, ambos con argumentos distintos. Los amigos están recibiendo el pago de sus favores con la obtención de contratos y puestos importantes. A los de abajo, los que nunca tuvieron nada salvo esperanzas, ¿cómo les paga? Dando una mayor participación popular en el Gobierno a través de los ayuntamientos y grupos sociales, mejorando la sanidad y la educación, subvencionando los productos básicos a los de las clases más desfavorecidas... Todo muy lindo. Pero ¿cómo lograrlo? Subiendo los sueldos y aumentando la carga impositiva a las empresas; una forma de frenar la desigualdad que hace temblar al empresariado. En tan poco tiempo muchos de ellos, foráneos o venezolanos, han venido a quebrar forzada o conscientemente.

—¿No sería mejor esperar a ver el resultado? Usted dice que esto está empezando.

—¡Qué esperanza! Ya sabemos cómo va a ser. La gente dividida, como si viviéramos en dos países diferentes. Todo está radicalizado. Unos matarían a este nuevo caudillo y otros matarían por él. ¿Conoce un caso igual, cuando, como usted dice, recién está empezando su mandato? Todo ha subido escandalosamente, salvo la gasolina. Ahí no se atreve porque se le echarían todos encima. ¿Y la delincuencia? Está en cotas insufribles porque la calle es de los que le votaron. Atracos, secuestros... Hay determinadas zonas de la ciudad donde a partir de cierta hora se establece un toque de queda tácito, como si estuviéramos en guerra. Desde ese momento los turistas y gente normal no deben circular por ellas porque son terreno de los delincuentes. El país se va al carajo, créame. No hay estímulo para la iniciativa privada y la clase media se desintegra. Ha hecho más vagos a los vagos, pues ahora viven del Gobierno, a cambio del voto. En el fondo, todos esos que enarbolan la nueva bandera son unos ignorantes. Seguirán malviviendo en los ranchitos porque eso no se remedia con la demagogia y el populismo.

—Según parece tampoco se remedió con los gobiernos anteriores.

—Puede que nunca se arregle y que esos ranchitos sean como los chamizos de Calcuta o las favelas de Río; algo eterno y que no se quiere eliminar porque sirve de excusa para los programas electorales. —Se tomó un tiempo antes de proseguir—. El estrangular los beneficios de las empresas es lo más negativo para una economía de mercado, porque, sin beneficios, el empresario no arriesga y cierra. Y más gente a la calle, chupando de los subsidios y de la delincuencia. Esto supongo es lo que puede que ocurra, si no ha ocurrido ya, con la familia de Chus, por el que se interesa. Su tipo de empresa requiere de gente especializada y doctorada, con salarios altos. Tendrán que aumentarlos, además de soportar mayores impuestos. ¿Cómo resistir? No es un panorama para envidiar.

—Le noto con cierto resentimiento. Algo que sorprende porque usted no vive de esa industria agredida que dice.

—¿Sabe?, amo a este país. Soy tan venezolano como el Chávez porque he vivido aquí toda mi vida. Y quiero que sea una nación próspera, civilizada y respetada. Y por eso se me sube la tequila cuando veo que camina a la ruina por culpa de dirigentes que sólo saben llenarse los bolsillos.

—Repasé brevemente la historia de este país. Veo que ha habido muchos presidentes. ¿Hubo alguno que tuviera los bolsillos cerrados?

—Ninguno, ¡qué esperanza! Cabe decir, sin embargo, que al menos uno creó algo. Fue Pérez Jiménez, otro dictador que sólo duró seis años. Pero, con todo lo que dicen sobre la corrupción de su Gobierno y las concesiones a compañías gringas que exprimieron al país, y no es mentira, lo cierto es que nunca se creó tanta riqueza para todos, cada uno a su nivel. Hospitales, escuelas, obras públicas, las primeras autopistas, de hasta seis carriles, que conectaron todos los puntos del país; rascacielos, hoteles y una clase media rica como nunca la hubo antes ni la ha habido después. Dio estabilidad al país, lo situó en el mapa del mundo. Fue, después de Estados Unidos, el país más desarrollado y rico de América, con una moneda fuerte y sólida a nivel internacional. ¿Sabe que el sencillo, las monedas en circulación, eran de plata? Los venezolanos iban pisando fuerte por el mundo. Miraban a los vecinos por encima del hombro. ¡Qué decirle! Aquí emigraban cubanos, colombianos, europeos, gringos... Todo el mundo quería venir. Era el país latinoamericano con más canales de televisión en color, con más teléfonos, el primer consumidor de güisqui en el mundo. Se traían los últimos modelos de carros salidos de la industria americana. Ya sé que hoy día el concepto de nivel de vida descansa en otros valores, pero entonces eran ésos. No existían limitaciones para el envío de divisas. ¡Cuántos pisos se compraron en España con la moneda venezolana...! Entonces por un bolo daban veinticinco pesetas. Era tremendo. La gente viajaba fuera, especialmente a Miami, y compraba de todo, la mayoría innecesario. De entonces viene la famosa frase: «Ta barato, deme dos.»

Hizo uso de una pausa llena de regocijo.

—Circuló el chiste del que fue al dentista a sacarse una muela picada. «Ta barato, me saque dos.» Y se quitó otra muela, aunque sana. —Se echó a reír—. Por acá corrió otro chiste respecto a la abundancia contada de esos años. Ese gallego (aquí llaman así a todos los españoles menos a los canarios, que son «isleños»); ese gallego, como digo, recibe carta de un paisano. «Vente para acá. Aquí todo el mundo se hace rico. La plata, como esta moneda que te envío, está en el suelo. Sólo tienes que agacharte a recogerla.» El gallego se deja tentar y viene. Al desembarcar en La Guaira, ve, en el suelo, dos monedas como las que le envió su amigo. Tantea con el pie y aprecia que no es un espejismo. Se queda pensativo y luego echa a caminar, dejando las monedas y diciéndose: «Bah, no voy a empezar a trabajar ya desde el primer día.»

Se reía como si le hubieran contado a él los chistes. Le acompañé en el humor.

—Y en cuanto a seguridad, con Pérez Jiménez podías dejar el carro abierto y la vivienda sin trancar. No había robos. Paseabas a cualquier hora y nadie te agredía. ¿Y ahora? Las puertas con rejas, las noches acechadas... Por una peseta dan dieciocho bolos ahora. Y ya no hay monedas porque nada puede comprarse con ellas. Lo más barato está a nivel de billetes. ¡Tanto ha cambiado el país...! Pero no hay nada que hacer. Seguiremos jodidos porque tenemos Chávez para rato, protegido como está por María Lionza.

Le miré con extrañeza.

—¿No sabe lo de María Lionza? —Me miró sorprendido.

—No recuerdo haber hablado con nadie llamado así.

Rió con ganas.

—¿Se hospeda en el hotel? —A mi afirmación, continuó—: Si le provoca, le invito a cenar esta noche, aquí, en el restaurante. Le hablaré de ello.

La vi entrar y me estremecí. Noté el estupor que producía en la gente que ocupaba el hall del hotel. Alta, sobre la treintena, pelo dorado natural. Mi tipo de mujer. Caminó cadenciosamente sobre sus tacones altos portando un maletín y se dirigió a recepción. Luego se desplazó hacia los ascensores seguida por un mozo con una maleta y se llevó todas las miradas. Nada había más bello en todo el espacio. El luminoso se fijó en la planta donde estaba mi habitación. Me levanté y subí. Anduve por el largo pasillo y abrí mi puerta. La mujer estaba dentro y se volvió.

—¿Señor? —Tenía acento argentino.

—Creo que se ha equivocado de habitación. Ésta es la mía.

—La tengo reservada. El error es suyo.

La puerta se cerró sola tras de mí. La mujer llevaba una blusa abierta y un botón impertinente impedía que la contemplación de sus senos fuera más allá de lo sugerido. Tenía la esclerótica de color azul pálido, cuando lo normal es tenerla blanca, lo que prestaba un aire mágico a su mirada. Un aroma a lavanda evocaba espacios yerbosos.

—Bueno —dijo—, decídase. Se va o llamo a recepción.

—¿No podríamos compartirla? La cama es grande.

—¿Qué dice? Si no sale inmediatamente, llamaré.

Me acerqué a ella con lentitud, la cogí por la cintura y la besé con la mezcla de agradecimiento, amor y desesperación de siempre. Ella cerró sus brazos en torno a mi cuello y se entregó a la caricia. Cuando abrió los párpados las luces se pusieron a bailar en sus verdes pupilas.

—Amor… No podía aguantar las ganas de verte.

—Rosa…

—Permítame una ducha —dijo, despojándose de la ropa. Miré su cuerpo desnudo con avidez, nunca saciada la mirada, con la angustia insoslayable de que algo me hiciera perderla.

Más tarde, bajamos al restaurante.

—¿Cómo quedan las cosas por allá? —pregunté.

—Bien. El Centro como siempre y también la familia. Miguelín entiende que su madre se reúna con su héroe.

—No quiero ocupar el lugar de su padre. Quiero sólo que me vea como un amigo, a pesar de la diferencia de edad.

—Eso es lo que realmente convenció a mi padre y a mi tío. Tu discreción y comportamiento son ejemplares. Eres un regalo. —Me cogió la mano y me inundó de miradas—. Gracias.

—Te necesité siempre, sin saberlo. Soy yo el afortunado.

El restaurante del hotel es de una elegancia diferenciada. Los cubiertos son de plata. Por eso, hay camareros que discretamente vigilan para evitar las malas tentaciones de los coleccionistas de recuerdos. En cada mesa hay una lámpara con el foco discreto. No hay más luces, por lo que el conjunto parece un lujoso campamento nocturno con fuegos de grupo.

Ernesto Vega vino con su mujer, Acracia, bien puesta de aspecto, no muy devorada de carnes. A lo largo de la reunión, ella se mantuvo comedida de palabras y juicios, lógico contrapeso para tan locuaz compañero. Cabe decir que, inevitablemente, quedaron arrobados con Rosa, haciendo más expresivo al hombre.

—Le contaba lo de María Lionza —dijo Ernesto, tras los postres—. Es una leyenda. No existió, aunque sus fieles seguidores, a los que se llama *marilionceros*, llevan tratando de identificarla con la hija de un cacique del pasado para darle una personalidad histórica. El mito se crea, ya ven ustedes, durante la Colonia. Nunca antes habló nadie de esta deidad. Y desde hace tiempo, afamados antropólogos del país intentan corroborar su existencia en un deseo por exaltar la raza autóctona, sugiriendo unas raíces propias venezolanas. Una absurda exaltación del indigenismo, como en Méjico, cuando existe un mestizaje fructífero e integrador, una realidad plural en toda Iberoamérica.

—¿Cómo es esa María Lionza?

—María Lionza, *la Reina*, es una joven muy bella, de grandes ojos verdes, negra cabellera hasta la cintura y eterna sonrisa. Es la reina de las flores y reparte su aroma a los necesitados. También es la reina de las aguas, de la naturaleza y de la fauna y flora silvestres. Y, además, la diosa de la fecundidad, de la madre tierra, del amor y de la paz. ¿Qué les parece? Tiene dos santuarios en una montaña del Macizo de Nirgua, al sur de Chivacoa, en Yaracuy, un estado pegado a occidente de Carabobo. A esa montaña le llaman el cerro de María Lionza, fíjense adónde llegó el culto. Esos dos santuarios, el de Sorte y el de Quibayo, son visitados por cientos de miles de fieles que depositan flores y ofrendas y le hacen sus peticiones, que van desde la sanación de enfermedades hasta sus deseos de amor y riqueza. Por cierto, no son bien recibidos los no creyentes ni los mirones.

Miré a Rosa y dije:

—Una *Xana*.*

—Nada que ver. Existen notables diferencias. Su *Xana* no ha concitado estos rituales de religiosidad y fanatismo. Su hada asturiana es sólo un mito, y hay varias.

—Usted parece una de ellas —aseguró Acracia, mirando a Rosa.

—Lo es —afirmé, con la autoridad que da el creer en lo que se dice. Y estuve seguro de que las sonrisas que siguieron no llevaban ironía sino constatación de un hecho.

—María Lionza es también un ser fabuloso, pero místico —continuó Ernesto—. La gente va en peregrinación a rezarle y pedirle favores, como a Fátima. La *Xana* no tiene santuario porque no es una santa, sino un hada. Uno se puede enamorar de una *Xana*, pero nunca de María Lionza. Porque nadie se enamora de la Virgen; se le rinde adoración, algo que no es exactamente el tipo de amor que todos entendemos.

—Estoy totalmente de acuerdo con usted —dije, mirando a Rosa. Añadí—: ¿Qué tiene que ver María Lionza con Hugo Chávez?

—Hace años, un antropólogo llamado Gustavo Martín escribió un libro que tuvo gran repercusión, fundamentalmente entre las masas. Venía a decir que detrás de estos rituales populistas existe un verdadero deseo y creencia, a la vez. La idea de que para el año 2000, en respuesta a sus anhelos de especificidad americana indigenista y a los seculares sufrimientos del pueblo, surgiría un Mesías que conduciría al país por la senda de la justicia, la igualdad y la prosperidad, siguiendo el mensaje de Simón Bolívar.

Nos miró y sus ojos se regocijaron al ver nuestra incredulidad.

—¿Lo ven? Estamos en el 2000. Los deseos y las predicciones se han cumplido. Aquí tenemos al redentor Chávez tras la estela del Libertador. Él se lo creyó porque en su in-

* Véase *El tiempo escondido*, del mismo autor y en la misma editorial.

terior hay lugar para el misticismo. Por eso, y cumpliendo el guión, le ha cambiado el nombre al país, que ahora se llama República Bolivariana de Venezuela, ni más ni menos, y ese nombre debe ser escrito y pronunciado en todos los actos y documentos oficiales. Sus partidarios, en los que cabe incluir a todos los marilionceros, rezan para que Chávez permanezca en el poder durante años y cumpla el resto del programa mesiánico. Aquí, en Caracas, la base de la estatua de María Lionza está siempre llena de flores. ¿No vio el monumento? —Me miró—. ¡Ah, la controvertida estatua!

Dejó que una pausa volara entre nosotros como una mariposa.

—Es una estatua rara, singular, voluptuosa y con formas agresivas. Mide unos siete metros y muestra una joven desnuda, con los brazos en alto, montada sobre un danta o tapir, animal que habita en las selvas venezolanas, si bien deformado. Tiene unas tetas de gran impacto visual, grandes, firmes, como un tributo a la fertilidad. El material utilizado no es bueno, por eso está muy deteriorada. Fue erigida en 1953 por encargo de Pérez Jiménez, un gran devoto de la diosa, aunque el propietario de la escultura es la Universidad Central de Venezuela. El escultor fue Alejandro Colina, un caraqueño, ya fallecido. El audaz, más bien sexual diseño de la estatua, le planteó problemas con el estamento conservador de la universidad y por eso se ubicó fuera de los terrenos del campus. En su momento la obra escultórica fue tachada de fea y provocativa. Vean ustedes: una mujer desnuda con unos pechos enormes.

Nueva pausa para que sus palabras causaran la sensación debida.

—Respecto al busto, les contaré que un día, hace años ya, creo que por el 57, la estatua apareció con un sostén de colores. Alguien había tenido la idea de fabricar la pieza y luego, en la nocturnidad, se la colocaron. Era una pieza bien trabajada y moldeada a los senos de la diosa, lo que indica que estuvieron antes a tomarle las medidas exactas. La hazaña fue épica, imagínense, porque la estatua estaba entonces en una rotondita, apenas una islita, de la autopista del Este, cerca del predio de la universidad, rodeada de varias vías de tráfico intenso día y noche. Chocante que en tantos años ningún carro la haya embestido. El cruzar hasta ella furtivamente era jugarse la vida. ¡Ah, fue chévere! ¡Las tetas de la Lionza tapadas! ¡Sacrilegio para sus fieles! Menudo revuelo se organizó. Salió en periódicos, radio y televisión. Las multitudes se arracimaron para ver el espectáculo. Para que calibren el hecho piensen en la estatua que tienen del general Espartero, en la calle de Alcalá de Madrid. ¿Se imaginan que una mañana aparecieran los testículos del famoso caballo cubiertos por un suspensorio rosa? —Rió con total desinhibición—. No había dudas de que la autoría correspondía a los estudiantes. Pero ¿quiénes? Nunca se supo. Bueno; sí se supo pero sin pruebas la cosa no prosperó. Los que colocaron el sujetador a María Lionza fueron, ¿se lo imaginan?: Chus y un amigo inseparable suyo. Toda una hazaña, créanlo. Ahí tienen una muestra del carácter de ese Chus.

La conversación derivó a otros temas. Era muy agradable escucharle sus anécdotas, con la suave música de fondo. Luego Ernesto cambió de paisaje y regresó a la tierra reclamada. El tema le dejó atascado un rato, sin mirarnos. Estaba viendo demasiadas cosas en su interior y todas se le atropellaban deseosas de salir.

—¡Ah, España! He ahí un ejemplo de cómo hacer bien las cosas. En cierto modo es un espejo para el mundo. Sin riquezas naturales, sin recursos energéticos. Y viven en una asentada democracia y a un nivel como jamás tuvieron, a pesar de esa gentuza terrorista. Pero no hace mucho tiempo que todo era diferente. Recuerdo…

Enmudeció y al poco siguió extrayendo imágenes de su memoria.

—Siempre soñábamos con volver al pueblo, ricos, y deslumbrar a los paisanos. ¡Ah! Caí en esa tentación, ¿saben? En 1967 se casaba en Madrid una sobrina. Aproveché para comprarme un haiga y llevármelo. Era un Ford LTD, último modelo. Incluso aquí era un carrazo. Cuando mi padre decidió emigrar acá, vivíamos en Luarca. Y allí aparecimos, ¿recuerdas, mi linda? —dijo, mirando a su mujer—. ¡Díganme cómo quedaron esos paisanos cuando vieron aparecer el Ford…! Fue la sensación del concejo. El carro era sensacional, color caoba. Casi no cabía por las calles. ¡Díganme esos guardias civiles cabrones, que nos habían molido a palos años antes, haciéndonos ahora reverencias y saludos! ¡Esos fachosos ricachones, que tanto despreciaron a mi familia por rojos, ahora inclinando la testuz ante el increíble carro, que parecía venido del futuro…! ¡Qué tanto gocé, gua! Todos creyendo que estaba rico, deshaciéndose en zalemas. A partir de ahí la familia fue muy respetada. Hacían méritos para que cuando volviera al pueblo el paisano rico, o sea, yo, les tuviera en cuenta. Ya ve, nunca regresamos. Luego hicimos el viaje hacia la Corte por esas carreteras de Dios, estrechas, llenas de baches y curvas. Apenas un trozo de autopista llegando a Madrid. Sólo se veían carritos. Allá por donde pasábamos la gente se quedaba con la boca abierta y permanecía mirándonos hasta que desaparecíamos en la distancia. Recuerdo el paso por el puerto de Pajares, que tanto hizo llorar a tantos asturianos porque los que lo cruzaron iban a morir a África o a trabajar de serenos. Pero yo iba como uno de esos sultanes de Arabia. Nosotros nunca habíamos estado en Madrid. Nos sorprendió negativamente. Aparte de la Telefónica, había dos rascacielos nada más, en la plaza de España. La mayoría de las casas, feísimas, de ladrillo rojo. Sólo en el centro, el cruce del Prado con Alcalá en Cibeles, era bello. El atraso era enorme con respecto a Caracas. La boda de la sobrina se celebró en el hotel Eurobuilding, ¿sigue ahí? —Asentí con la cabeza—. ¡Díganme esos guardias urbanos abriéndonos paso…! ¡Díganme esas gentes asombradas mirando el carro…! Pero a los pocos días ya estábamos deseando volver. ¡Ah, cómo extrañábamos Caracas, rutilante, moderna, llena de vitalidad, al lado de la adormecida España…! Y volvimos, claro. Pero aquellos momentos ya nadie nos los ha podido quitar.

No abandonó su mente del pasado. Sus recuerdos estaban ahí, haciéndole gozar y torturándole a la vez.

—Mi padre, ya mayor, se lamentó de no haber vuelto en su momento, cuando murió Franco. Tenía sesenta y tres años y algún dinero ahorrado para haber puesto algún comercio. Pero nosotros, los hijos, no le secundamos y ellos, mis viejos, no quisieron irse dejándonos aquí. Luego el tiempo pasó. Cuando mamá murió, él dijo: «Debí haberme ido a casa, con tu madre, cuando pude. No quisimos dejaros.» Vivió con Acracia y conmigo hasta su muerte. Cuando ocurrió, nos reunimos para repartir la herencia. Mis hermanos creyeron que tenía un tesoro guardado. Fuimos al banco a sacar sus ahorros. La inflación se los había comido. La moneda fuerte era un sueño del pasado…

Hizo una pausa prolongada, con los ojos cerrados. Tardó tanto en hablar que creí que estaba echando un sueñecito.

—Recuerdo mucho a mi padre, cada vez más. Era asturiano de raza, nacido en 1904 en un pueblo más arriba de Pola de Allande, en la Sierra de Ablanedo, por las inmensas montañas del occidente astur donde el lobo rondaba y en los inviernos los árboles estaban siempre escarchados. Cuando se hizo muy mayor, no hace tanto tiempo, yo le llevaba todas las tardes a la plaza de La Candelaria, tradicional lugar de encuentro aquí de los españoles. Allí hablan y juegan a cartas, dominó y ajedrez en los bancos, al aire libre. Y también lloran porque, en el fondo, todos ellos son unos abusados. Si ustedes se acercan podrán comprobarlo. Cuando alguno tarda en ir los demás saben por qué. Yo le dejaba en uno de esos bancos y siempre, al marchar, me decía: «¿Volverás por mí?» Un día le pregunté qué significaba esa reiterada pregunta cuando estaba claro que tanto le quería y que regresaría para llevarle a casa. Él me hizo sentar a su lado y me pidió parte de un tiempo que pocas veces le dedicaba. Me dijo: «Te contaré algo terrible. ¿Recuerdas cuando con tu madre volví a casa, a Allande, a mis paisajes de Asturias? Seguían las montañas y los robles, aunque habían plantado muchos eucaliptos, árboles ajenos a la tierra. Algunas casas habían desaparecido y también tus abuelos, familiares, vecinos y amigos que allá quedaron cuando nos trasladamos a Luarca, antes de venirnos a esta tierra, con vosotros tan pequeños. El pueblo agonizaba. Pero ¿sabes?, la piedra seguía allí, en lo más alto y solitario del monte.» «¿Qué piedra, padre?» «La de la soledad y la muerte.» Algo sobrecogido insistí: «¿Qué pasa con esa piedra, padre?» «Éramos todos tan probes en el pueblo, tantos los guajes y tanta la miseria que cuando un mayor se hacía muy viejo y no podía ayudar a las tareas ni valerse, se le llevaba a esa piedra y se le dejaba morir. Una boca y una responsabilidad menos.» Le miré asombrado. «No me lo creo, padre.» «Puedes creerlo; es la verdad. Era costumbre que venía de generaciones, en todas las familias de esos pueblos. Por eso, a veces, coincidían varios ancianos en el abandono. Pero la piedra era grande y había sitio de sobra. Mi abuelo lo hizo con su padre. Cuando lo llevó, la nieve cubría el verdor y el viento arremolinaba los copos. Al dejarle sobre la piedra, mi bisabuelo habló a su hijo: "Aquí mismo, hace años, yo dejé a mi padre como él dejó al suyo y como tú estás haciendo ahora conmigo. No te entristezcas, es la ley de estas tierras míseras. Y a ti te traerá en su día uno de tus hijos." Eso me lo confesó mi padre, tu abuelo, tiempo antes de que viniéramos a Venezuela. Contemplé entonces a mi abuelo de manera diferente y me pareció más extraño que de costumbre. Era un hombre duro, siempre trabajando, de pocas palabras y ninguna risa; frugal, ahorrativo. Siempre con las mismas ropas y la boina cosida a la cabeza. No lo podía imaginar dejando a su padre que muriera de frío en el monte o comido por los lobos. Pero entonces entendí su gesto habitual entre estoico y fatalista: estaría convencido de que él iría también a la piedra de la soledad y de la muerte porque él había cumplido con ese rito. Me estremecí. No me imaginaba a mi padre y a mis tíos haciendo eso con él. En un aparte dije a mi padre, tu abuelo, que esa tradición tan bárbara debía ser interrumpida. Y él me prometió que mi abuelo moriría en la cama. Y eso es como sucedió según me contaron mis tíos en aquella visita que hice con tu madre.»

Ernesto dejó que el relato inundara nuestras mentes. Miré a Rosa y vi el horror en sus ojos.

—¿Eso ocurría en Asturias, de verdad? ¿En mi Asturias?

—Sí, en nuestra Asturias. Es verdad. Créale —dijo Acracia, sosteniendo la mirada de Rosa.

—Puede comprender cómo me dejó la confidencia —continuó Ernesto—. Miré el rostro hundido de mi padre, su cuerpo apesadumbrado. Estábamos rodeados de gente charlando, de puestos de helados, de niños jugando y del inacabable trinar de los pájaros. Pero era como si él estuviera en soledad, vencida la fortaleza que siempre tuvo. Me miró, los ojos húmedos: «¿Ves ahora por qué te hago esa pregunta, hijo? Pienso que un día puede volver la tradición y me dejes en este banco como mi abuelo hizo con su padre en aquella piedra, hace tantos años.»

Ernesto Vega cayó de nuevo en la melancolía y Acracia se solidarizó con él. Respetamos su silencio hasta que el tiempo se hizo sólido, lo que me permitió acomodar la tremenda historia en los archivos de mi mente. Luego hablé despacio, buscando traerle sin estridencias a la actualidad.

—¿Qué me dice de Chus? ¿Cómo era cuando lo trató?

Esperé el tiempo necesario para que la terrible historia volviera a arrinconarse en el desván de su memoria.

—Era muy inteligente, de los más listos. Se hizo notar desde el primer momento. Salió de ingeniero. No todos pudimos decir lo mismo. Las muchachas perdían las pantaletas por él. Estuvo recorriendo el país durante dos años, solo, perdido en las selvas de oriente como aquellos conquistadores nuestros.

—¿Por qué se hizo notar?

—Lo querían descalificar, al principio, en la niñez, lo que dio lugar a broncas entre los matones de siempre y sus defensores. Luego el tiempo puso las cosas en su sitio.

—¿Por qué se metían con él?

—Cuando llegó era un muchacho tímido y asustadizo, largo y desgarbado. Y, además, mudo.

—¿Mudo? ¿Sordomudo?

—No, sólo mudo. Era normal en todo pero no podía hablar.

—Tenía entendido que los mudos al final se vuelven sordos.

—Si eso es así, no fue el caso de Chus. Oía como un topo.

—¿Nunca habló?

—Tengo como diez años que no le veo. Pero seguía igual la última vez que nos encontramos. Espero que todo le esté sonando normalmente.

—¿Sabe dónde vive?

—Él iba por Isla Margarita, como que tenía algo por allí. No sé más. Pero no será difícil para usted dar con él. ¿No me encontró a mí?

—¿Le suena Daniel Molero Pérez?

—Claro, como que era inseparable de Chus; cuerpo y sombra. Un tipo armado y también agobiado de muchachas. Es el que ayudó a Chus a ponerle el sujetador a María Lionza. Se hizo ingeniero. Y es de los pocos de nosotros que marcharon a España a hacer la mili; a África, en realidad, lo que nos sorprendió porque rompió con la vida feliz que llevaba sin que nadie le obligara a ello. Aunque lo que más nos extrañó fue que su inseparable Chus no marchara con él sino a las selvas, como antes le dije. Pero él no está en esa foto de usted.

—¿Y en esta otra? —dije, enseñándole la que me dio Antonio Morante. Miró la imagen. Luego levantó la cabeza y me contempló.

Once

«Los secuestros en este país son cosa antigua, traídos por la guerrilla colombiana para financiar sus actividades. Son secuestros de familiares de grandes empresarios: hijos, nietos… Sus peticiones de rescate son millonarias. A ese tipo de extorsión, que siempre existirá, le ha salido competencia: los secuestros rápidos, por poco dinero: los secuestros exprés. Dicen que es un método importado de Méjico. Vigilan durante un tiempo a gente de apariencia media, que pueda disponer de inmediato de cantidades no disparatadas: quinientos, mil, dos mil bolos. También a turistas descuidados. Cuando estiman condiciones favorables los abordan en plena calle, saliendo de uno o varios carros, tanto si la víctima va caminando o en carro. Lo agarran. Prefieren que haya dos víctimas en vez de una. Así mantienen una de rehén, en un carro o en la casa, mientras un bandido acompaña a la otra al banco a sacar la plata. Se conectan con celulares. Cuando el asunto resulta oquei, sueltan al rehén y fin. Si pelan, lo intentan de nuevo con las mismas personas hasta conseguir, un día u otro, sus fines. Hay diferentes tipos en esas bandas. Algunos no son asesinos y no ejercen violencia innecesaria. El temor que inspiran es suficiente en la mayoría de los casos. Y los hay que golpean a sus víctimas, se resistan o no, o los matan, sin más. Es un comercio lucrativo en el que no solamente hay delincuentes habituales, sino jóvenes de clase media que vienen del aburrimiento y del desafío. Ya sabe: "¿Qué tanto arrecho tú eres, ah? ¿Cargas pelotas?" Y así cubren sus vicios y afirman su valentía. Estos grupos chocan, a veces, con las verdaderas bandas forajidas. Y entonces sí hay heridos y muertos. Y ni pensar en la policía. Hay agentes conchabados y otros que incluso practican abiertamente la extorsión, abusando del uniforme. En la noche, con ellos se hace como con los semáforos en rojo: no respetarlos. Nadie para ante un semáforo rojo de noche y todos rehúyen a la policía. Ya ve a qué extremos hemos llegado. La Policía Técnica Judicial sostiene, como antes dije, que pocos raptores son asesinos y que el elevado número de muertes que hay al día es por ajustes de cuentas entre bandas, mafias difíciles de controlar, y si hay alguna muerte de ciudadanos normales o turistas es por casualidad o porque al ser atracados se resisten y recurren a la heroica. Y que, en cualquier caso, el nivel de muertes violentas no es mayor que el de cualquier otra gran ciudad del mundo. Ya ven qué teorías tan estúpidas. Lo cierto es que la PTJ está desbordada. Si ustedes piensan caminar, háganlo de día y en zonas pobladas. Aun así, las posibilidades de que algo les ocurra son altas, sobre todo si pasean largo rato. Ellos siguen a sus presas sin que ellas se den cuenta. Y de pronto irrumpen. Usted parece muy confiado en sí mismo y de los dispuestos a jugársela. No lo haga. No olvide que los que atacan no están solos normalmente. Puede verse rodeado por otros que salen de improviso.»

En uno de los coches del hotel nos desplazamos a la plaza de Chacaíto, donde termina el bulevar de Sabana Grande, de dos kilómetros de longitud y sin coches. Gran avenida arbolada que es una ciudad en sí misma, con todo tipo de tiendas, cafés al aire libre, hoteles, restaurantes, librerías y un mercado longitudinal de puestos de venta de toda clase de objetos. Según parece esta arteria nunca duerme, aunque entre las recomendaciones que nos hicieron estaba la de no visitarla de noche. Ahora estaba llena de familias paseando, niños jugando, hombres de negocios y desocupados llenando los bancos y las terrazas, y un sinnúmero de buhoneros ensartados de baratijas. Hacía muy buena temperatura y el paseo hasta la plaza de Venezuela, comienzo del bulevar, fue muy agradable. Entramos en el metro. Tenía interés en comprobar si era el mejor del mundo después del de Moscú, como pretenden los caraqueños. No nos decepcionó. Salimos en Capitolio, en la avenida Universidad, zona repleta de vendedores en comercios y puestos callejeros. Caminamos hacia el Centro Simón Bolívar, donde las dos torres gemelas de El Silencio señalaban lo más moderno de la ciudad en los años sesenta. Es de lamentar que ahora se haya convertido en una zona decadente, lo que parece ser el destino común del centro de las grandes ciudades. Pero quería ver esas torres. Desde el piso treinta y seis de una de ellas se abarca la ciudad como desde un helicóptero. Al pie, ahí mismo, una iglesia colonial desafía el modernismo. Y allá, protegido por el parque ajardinado de Los Caobos, el Parque Central, una miniciudad con once rascacielos conectados entre sí por pasarelas y túneles, y donde residen y trabajan, según dicen, más de treinta mil personas. En la distancia, al final de la avenida Bolívar, destacan como jirafas gigantescas esas dos torres de vidrio reflectante de cincuenta y seis pisos cada una. Después fuimos paseando por el centro histórico de la ciudad, apreciando el Capitolio, la plaza Bolívar, la Catedral y otros lugares. Íbamos por la avenida Este hacia La Candelaria cuando ocurrió lo que nos habían advertido. Un coche se detuvo bruscamente junto a nosotros, chirriantes los frenos, y de él salieron con rapidez dos hombres de poco peso y mediana estatura. Uno enarbolaba una automática y el otro, un revólver, un 38 me pareció. Este último agarró a Rosa de un brazo y tiró de ella para introducirla en el coche. El asunto parecía irreal. Los coches circulando, las aceras llenas de gente, en pleno día. Y estaban raptando a Rosa. No parecían jóvenes en busca de emociones. Eran patibularios y se movían urgenciados. Sin duda peligrosos. Pero no podía dejar que la raptaran. Cualquier cosa menos eso. Y como no soy alguien a quien haya que recomendar dos veces las cosas, estábamos preparados para situaciones como ésa, dentro de lo que cabe.

—¡Malaria, fiebre! —grité—. Está enferma. Vamos al hospital.

La gente se espantó dejando un claro. El tipo soltó instantáneamente a Rosa, quien se tiró al suelo dejando el campo libre. La actitud del del treinta y ocho era de preocupar. Desconcertado, se movía convulsamente, como si tuviera lombrices.

—¡Venga, carajo! —La voz salió del coche en marcha. Los ojos enfebrecidos del pistolero se fijaron en mí.

—¡Esperad! Tengo plata. Dólares.

Yo iba sin chaqueta, en camisa de manga corta, sin reloj ni bolso, y mis pantalones no mostraban bultos. Era claro que no portaba armas. Sin embargo introduje con mucho cuidado los dedos en el bolsillo delantero.

—¡Alerta, gringo, o te balaseo! —dijo el del revólver.

Saqué los dos billetes de cien dólares que llevaba preparados para tal ocasión. Los mostré.

—No es suficiente, gringo —dijo, mirando el dinero.

¡Joder! Era más de medio millón de bolívares. ¿Cuánto quería?

—No hay más.

—Pues como que usté se nos viene con nosotros, la pestosa no, ¡orita!

—¡Ya, carajo! —gritó el del coche.

Los autos pasaban raudos. Un gran círculo distanciado se había hecho a nuestro alrededor. Éramos el centro de un espectáculo. Vi el brillo de los estimulantes en los ojos del secuestrador. Al avanzar la mano izquierda para coger el dinero, ladeó el cuerpo. Qué demonios. No teníamos casi oportunidad. «Cuentan con el terror que provocan y con la mínima e ineficaz resistencia», recordé. Y también a Ishimi, mi profesor de Marciales durante años, aconsejando: «Cuando la situación se vuelve imposible, actúa como el rayo.» Solté los billetes, agarré su mano, le retorcí el brazo y se lo partí. En una acción fulgurante le cogí la mano que portaba el arma y le quebré la muñeca. Sin soltar el cuerpo, y mientras el revólver rebotaba en el pavimento, lo utilicé como escudo y avancé hacia el compinche, que había quedado paralizado. Impacté el cuerpo del herido contra él y ambos hacia el coche. El tremendo golpe hizo bambolearse el vehículo y dejó sin resuello al de la automática. Dejé caer al de los brazos rotos, apresé la mano de la pistola e incrusté a su dueño de cabeza contra un cristal, rompiéndolo y pintándolo de sangre. La automática cayó al suelo. Miré hacia dentro. El tercer hombre tenía las manos sobre el volante y su rostro estaba lleno de alarma. Arrancó el coche de golpe, dejando el campo lleno de estupor. Consciente de que podía haber cómplices, retuve al tipo por el cuello, medio ahogado, escudándome en él y giré en redondo. Rosa se levantó y se puso a mi espalda. Le dije que cogiera los dólares y las armas. Por encima de las exclamaciones oímos el ulular de una sirena. El asunto había durado medio minuto. El coche policial se acercó y de él bajaron dos hombres uniformados de azul marino con las pistolas en las manos.

—Ahí como que se me paran quietos, ¿ah? —dijo el que parecía estar al mando, apuntándonos con su arma. Solté al magullado, que cayó al suelo junto al otro, ambos quejándose. Obedecimos. El policía se volvió al otro, joven y con una cara llena de pelos, y le señaló las armas que portaba Rosa y a los delincuentes—. Calga esos corotos y barrea a estos coño e madres. —Me miró y, sin dejar de apuntarme, indagó—: ¿Qui'ubo?

Varios testigos hablaron precipitadamente.

—¡Intentaron raptarla a ella!

—¡Él los despachó duro!

—¡Gua, fue bárbaro! ¡Los desarmó, ajuro!

Los agentes guardaron sus armas. El joven se hizo cargo de las de los asaltantes y procedió a esposarlos, inmune a sus gritos de dolor. El mandón, barrigudo, acervezado, se nos acercó cachazudamente. Miró a Rosa y demostró lo mal avenido que estaba con su cuerpo al intentar que pareciera con la marcialidad deseada. Se hinchó como un pavo real, metiendo el estómago. El pesado cinto armado se precipitó hacia el suelo, pero quedó enganchado en su prominente trasero. El agente consintió en perder la gallardía y no sus signos de identidad, pero el asunto lo dejó poco propicio al diálogo. Se acomodó el cinturón y el armamento e intentó recobrar su autoestima.

—¿Glingos? —farfulló.

—Turistas —contesté.

—Pasapoltes.

Se los mostré, los cogió y los examinó pasando las hojas, mientras el otro recogía las armas del suelo.

—Españoles —dijo, mientras anotaba en un cuadernillo—. ¿Se ubican?

—En el Tamanaco —dije, cogiéndole los pasaportes en un rápido gesto. Me habían aconsejado no perderlos. Su sorpresa fue genuina. Extendió la mano.

—Señol, devuélvame los papeles, pue.

—No. Ya tomó los datos.

Movió el bigote, soltó el aire y puso la mano en la pistolera.

—Un tipo intrépido, ¿sí? ¿Como que quiere caminal a la jefetura, pue?

—Tendrá que ser después del hospital. Mi mujer tiene malaria. Íbamos allá cuando nos asaltaron.

El policía retrocedió y mostró un gesto precavido mientras miraba a Rosa, que hacía ostensibles sus falsos sudores faciales.

—Seguramente esto se les ha debido de caer —dije, enseñándole los dólares. Los cogió de un zarpazo y miró en derredor como buscando algún opositor al acto. Luego se volvió a mí y puso gesto de concederme una oportunidad.

—¿Quiere hacel denuncia, señol?

—No. Actúen ustedes como deban. Tenemos prisa.

Mientras entrábamos en un taxi capté las miradas del agente y de uno de los heridos. No supe discernir en cuáles había más resentimiento.

Doce

Los veintiséis kilómetros que hay de Catia a Maiquetía, cuesta abajo, los hicimos en un santiamén por la renovada autopista, con Hugo Blanco y sus arpas atronando desde la radio en una versión recuperada. El conductor del taxi pasó como una exhalación por el túnel de El Boquerón y nos dejó en el aeropuerto en menos de media hora.

—¿Nos perseguía alguien o así se excita? —dije.

—Lo dice por la prisa, ¿ah? Como que se cagó, pue —rió, haciendo bailar unos dientes descontrolados.

El avión de la línea Aserca nos dejó, dos horas después, en el aeropuerto Santiago Mariño, en la punta sur de Isla Margarita. Al ir a tomar tierra vimos, a la izquierda, sobresaliendo, dos montañas gemelas de cumbres redondeadas situadas a unos veinte kilómetros de la pista. Oímos a la gente reír. Las Tetas de María Guevara. Parece que es la referencia de la isla. Un taxi nos llevó a la ruidosa Porlamar, el puerto más importante de la isla y, en la práctica, la capital. Atravesamos por la calle Igualdad, vislumbrando la plaza Bolívar y la iglesia de San Nicolás antes de pasar a la avenida Santiago Mariño y escapar hacia la costa oriental. Todo ello nos lo iba ilustrando nuestro taxista parlanchín, con pelos y señales. El mar color turquesa y las playas de arenas blancas subyugaron a Rosa. No hay nada parecido en Europa. Hasta el sol es diferente. El coche corría por una carretera bien asfaltada. Pasamos Pampatar, con su amplia bahía, de la que destaca el gigantesco castillo de San Carlos Borromeo, un fuerte construido por los españoles en el siglo XVII para defensa contra los piratas ingleses. Más al norte llegamos a Puerto Fermín, llamado El Tirano, en recuerdo de Lope de Aguirre, el sanguinario dictadorzuelo que en el siglo XVI mató al gobernador, a su propia hija y aterrorizó a la población. Sus casas pintadas de colores chillones hacían juego con los rojos, verdes y ocres de las barcas de los pescadores. El viaje era cautivador, con la sensación de haber entrado en un mundo diferente donde el Edén podía ser encontrado de un momento a otro. Salimos de la autopista de la costa hacia el este por una carretera bien pavimentada, buscando Playa Cardón. Vimos una gran hacienda de animales, y construcciones espaciadas de una sola planta, con jardines a pie de playa, y encontramos Puerto Caribe, una residencia hotelera donde habíamos hecho reserva desde Caracas. El complejo tiene varios tipos de alojamiento, todo a buen nivel. Nos instalamos en la planta baja, en una de las quince chozas individuales de madera con techo de paja, copia de las auténticas de los indios de la extensa zona de la Orinoquia.

Más tarde, duchados y con ropas adecuadas, volvimos al coche. El taxista nos llevó por la ruta Cuatro a Playa del Agua, en la punta norte de la isla. Frente al chalé buscado, espacioso y pintado de azul claro, de nuevo dijimos a nuestro chófer que nos esperara. Nos calamos las gafas y fuimos a la entrada. La construcción se asoma al mar tras la intensa grama del cuidado jardín y la escoltan una docena de cocoteros. De las limpias arenas un pequeño atracadero se adentra en las suaves olas. Era una mañana sin viento y el sol despejado teñía de blanco el cielo, como si lo hubieran nevado. Nos recibió una mujer de unos sesenta años, alta, bella y con formas acusadas. Debió de haber sido explosiva en su juventud. Otra mujer de edad similar, delgada, de pequeña estatura y aspecto aniñado, se colocó a su lado. Guardaba juventud todavía en su refrescante gesto. Al fondo, una tercera mujer de más edad y rasgos indígenas levantó una mirada enigmática del seto florido donde trabajaba.

—Soy Corazón Rodríguez. Aquí, Rosa, mi mujer.

La de aspecto rutilante, sin corresponder al saludo, dijo:

—Transmití a mi marido lo que usted me dijo ayer y le anuncié su visita. —Su voz tenía el temblor del arpa de los Andes—. No va a ser posible que le vea. No desea salir en ningún libro. Le llamé a usted al hotel para decírselo y que no se diera el viaje en balde. Pero ya no estaba.

—Venimos de muy lejos. No nos iremos sin verle.

Dudó, sin dejar de mirarme. Sonreí hacia ella. Las otras mujeres no nos quitaban ojo.

—Entiéndalo. Nos quedaremos aquí todo el tiempo que haga falta, días o semanas.

—¿Por qué la insistencia? —dijo la aniñada, el acento dulce y suave como el de una madre arrullando a su bebé—. Él no quiere ver a nadie ni salir en ninguna historia de emigrantes. No tienen ninguna autoridad para obligarle a hacer lo que no quiera.

—Si me escucha creo que se prestará al dialogo. Es muy importante para una persona. —La miré.

—¿Qué persona?

—Una mujer de su edad, más o menos, que sólo vive para cumplir el juramento que hizo a su padre. Jesús forma parte de esa promesa.

—¿Mi marido? ¿Qué dice usted? —terció la glamurosa.

—Lo comprenderán si me escuchan.

—Mi marido es mudo. No puede hablar.

—Creo que podremos comunicarnos bien.

Las mujeres se miraron dubitativamente, conscientes de mi determinación, y se apartaron a dialogar, mirándonos de vez en cuando. Nuestro aspecto debió de aportarles la necesaria garantía. Nos invitaron a sentarnos y se alejaron varios metros. Vimos a la llamativa sacar un celular y hablar por él. Al rato se acercó.

—Vendrá y le escuchará. Es todo lo que ofrece. Estará aquí en una hora. Pasen, por favor, y siéntense.

Trajeron unas ensaladas de frutas y unos zumos y pasamos el tiempo conversando sobre temas banales. Fuimos descubriendo un gran atractivo en las dos mujeres, tanto en sus rostros agradables como en su deliciosa, aunque cauta, conversación. Algo frío mantenía el distanciamiento. Más tarde vimos acercarse una lancha grande con motor fuera borda y un toldo para dar sombra. La barca, pintada totalmente de blanco, atracó en el fondeadero y dos hombres salieron mientras que un tercero quedaba a bordo. Los dos hombres exhibían la porfía vencedora contra el agobio de la edad. Sabía que tenían sesenta y dos años, pero no los aparentaban. Altos aunque algo encorvados, delgados, fibrosos, morenos de soles hasta lo inaudito, de cierto parecido aunque las similitudes desaparecían en los cráneos: abandonado de cabellos el de uno en su parte central, y abundante el del otro, si bien blanco y cortado a cepillo. Andaban calmosamente y se detuvieron a la distancia justa para no tener que estrechar mi mano, mientras miraban a Rosa embobados, lo que era inevitable. Me levanté. El calvo dijo:

—No aceptamos esa imposición de quedarse aquí hasta que hablemos. Digan lo que quieren y váyanse. O llamaremos a la policía.

—No la llamarán. No son amigos. Nosotros sí.

—¿Qué tanto amigos?

—Déjenme hablarles.

El otro ofreció los asientos y formamos un grupo distanciado, con evidente desagrado de los dos hombres. Hacia mí, claro. La mujer aniñada puso frente al hombre de pelo rapado un bloc y un bolígrafo. Él me miró y el verde de sus ojos destacó de entre una maraña de arrugas. No me anduve por las ramas.

—En 1946 desaparecieron los cuatro niños que están señalados en rojo en esta fotografía. Usted es éste y su hermano es este otro —dije, señalando a ambos con el dedo. Él tomó la fotografía en sus manos nudosas y la contempló. Vi que su cuerpo se vaciaba, que su esencia desaparecía. Había entrado en otra dimensión, en la de la foto, dentro del tiempo acabado, y lo que tenía delante era un pelele. Miré a Rosa y noté que había tenido la misma percepción. Me obligué a continuar, apreciando que poco a poco la vida le retornaba—. El comisario que llevó el caso investigó todo lo que pudo, sin resultados. Nunca los vio a ustedes y nunca supo qué les ocurrió. Antes de morir confesó a su única hija su frustración por lo que consideró su fracaso. Y le pidió que ella siguiera las investigaciones.

Silencio. El hombre seguía mirando la fotografía.

—No soy escritor sino detective privado y…

—¡Polizonte! ¡Nos mintió! —gritó el calvo, levantándose con ira. El otro escribió: «Siéntate. Deja que termine.» Me miró e invitó con la cabeza.

—Fui escogido por la hija del comisario para intentar cumplir el juramento dado a su padre. Es vital para ella. Cree que el espíritu de su progenitor jamás descansará mientras el destino de aquellos niños siga en el misterio. —Noté que las dudas invadían sus ojos—. No encuentro palabras para trasmitirle la tristeza y el desamparo que mostraba cuando me rogó que continuara la búsqueda.

—No es un trabajo habitual para él —musitó Rosa, llevándose todas las miradas—. No ha cobrado nada por este encargo.

—En lo que concierne a las autoridades, el caso lleva muchos años cerrado —añadí—. No hay ni habrá investigaciones oficiales. Me bastará conocer el desenlace, que nunca será dado a publicidad. Tiene mi palabra.

«¿Qué quiere de mí?», escribió, sin mirar el papel y sin dejar de contemplar a Rosa.

—Éstos son usted y su hermano, ¿verdad?

«Sí.» Escribía, sus ojos prisioneros de los de Rosa. ¿Qué buscaba en ellos?

—¿Dónde está su hermano?

«Si ha seguido la investigación del comisario, sabrá cuál fue su destino.»

—Puedo intuir lo que le ocurrió. Pero son suposiciones.

«Está muerto. Fue asesinado, como los otros dos niños.»

Intenté vislumbrar la escena mirando sus hombros abatidos. Al cabo de tantos años el hermano seguía dentro de él. Sentí el vacío de un desconsuelo nunca equilibrado.

—¿Cómo lo sabe?

Silencio.

—¿Quién los asesinó?

Silencio y miradas.

—Hay un chico algo mayor, Mateo Morante, que está en los informes del comisario. Parece que siempre tuvo dudas sobre él.

Quitó los ojos de Rosa y los proyectó hacia mí. Continué:

—Según los datos, además de los niños, un hombre, Andrés Pérez de Guzmán, desapareció por las mismas fechas. Entró en la jurisdicción del comisario antes de que lo relevaran. Y años más tarde, en 1959, desapareció otro hombre, Rafael Alcázar. El comisario lo consignó. ¿Qué puede decirme de ello?

Miré a todos, uno por uno, empeinados en observarme en silencio. Vi acercarse al hombre del barco, una edad perdida más allá de los setenta. Estatura mediana, broncíneo, pantalón corto. Su pecho, brazos y piernas eran un estallido de músculos, aun a su edad. Se unió al grupo de mirones.

—¿Nunca volvió usted a España?

«Voy todos los años, desde hace tiempo. Rezo por mi hermano.»

—¿En qué cementerio está enterrado?

«En ninguno.»

—¿No sabe dónde está el cadáver? —No respondió. Continué—: ¿Sabe dónde está Mateo?

«No le interesa. No es uno de los niños que usted busca.»

—A pesar de ello. ¿Dónde está?

Sin perder la calma, escribió: «¿Es usted lerdo? ¿Tengo que repetirle? Ya le contesté.»

—Seguí las pistas de usted y de su hermano y, paralelamente, la de Mateo. Y ¿sabe? Hay un hombre misterioso que deambuló con él por Madrid. Parece que se hicieron amigos en África. El comisario no logró averiguar el paradero. ¿Sabe usted algo de ese hombre?

Silencio.

—La pista de Mateo me llevó hasta su hermano, Antonio, que ahora vive en Francia. No tiene noticias de él desde hace muchos años, concretamente desde poco tiempo después de regresar del Ejército, en 1959. Cree que algo le ocurrió al licenciarse.

Silencio.

—Antonio me habló de ese amigo desconocido de su hermano; «alto y delgado como un junco», dijo. Cuando se alistó en la Legión, Mateo fue a verle desde Tetuán y se hizo acompañar por él. Nunca volvió a verles. Puede que murieran juntos, ¿qué opina? —Miré al calvo—. Y usted, ¿qué opinión tiene?

—¿Yo? ¿Qué me cuenta? ¿Qué tengo que ver en esa vaina? —dijo, cruzando la mirada con su amigo.

«Hace preguntas absurdas —escribió Chus—. Lo que dice no es de nuestra incumbencia.»

—¿Lo dice en serio? Creí que Mateo estaría también en su recuerdo.

—¿Por qué insiste? —interrumpió la mujer bella, con gesto crispado—. ¿Por qué le mortifica? Perdió la voz.

«Dígame exactamente adónde quiere ir a parar.»

—A la verdad. ¿No es casualidad que en 1959, y en octubre, desaparecieran Rafael Alcázar, Mateo y su amigo misterioso?

«No estoy para acertijos.»

—Un hombre y cuatro niños desaparecen en 1946. Tres hombres se eclipsan en 1959. Hay un vínculo indudable: Mateo. Y también que los dos hombres mayores trabajaron en el Matadero Municipal. Está claro que todo es parte del mismo asunto.

Silencio.

—Y fíjese: desde 1959 no hubo más desapariciones. Han pasado cincuenta y cuatro años desde las primeras ausencias y la losa del misterio sigue sin ser levantada. Es como si los hechos del 59 cerraran los hechos abiertos en el 46.

Silencio. Parecía que nada podría perturbar su actitud.

—La pista de usted la inicié buscando a Juan Barón. Sabe de quién hablo, ¿verdad?

Silencio.

—No fue fácil encontrarle. Pero no soltó prenda. ¿Por qué ese misterio? ¿Qué hay que ocultar?

Silencio.

—Usted no es buscado por ninguna policía del mundo. Y su historia no es vergonzante, sino conmovedora. ¿Por qué se empeña en no hablar? —Vi al cobrizo coger un palo disimuladamente. Añadí—: Usted sabía que yo iba a venir. Se lo dijo Juan Barón. Pero me esperaba desde antes, desde hace muchos años. Me teme. Y no tiene por qué.

Dejé que una pausa sosegara la tensión. Oí ruido de pasos y vi sorpresa en los ojos de Rosa. Me volví. Cinco hombres, de mi edad y más jóvenes, diversa contextura pero todos altos, con gestos diferentes pero las mismas miradas voluntariosas. Sus rasgos afirmaban ser hijos de los dos amigos. Fueron moviéndose lentamente rodeando el espacio y tapando los escapes.

—¿Creen que ésa es la solución? —pregunté a los dos anfitriones—. ¿Es lo único que se les ocurre?

Se miraron y luego lo hicieron con los jóvenes. Eran miradas convenidas pero estaban llenas de dudas, como si lo ensayado no les pareciera tan claro a la hora de su ejecución. Quizá porque no es lo mismo rezar que dar trigo, o porque no eran gente de violencia. O acaso por la presencia de Rosa. Quién sabe. Me levanté y hubo un movimiento nervioso en las actitudes. Rosa se instaló a mi lado. Miré al silencioso.

—Bien. Le diré cómo están las cosas. Usted no es mudo. Habla. Está fingiendo todo el tiempo.

Se acabó la flema. Pareció que el mundo se detenía. Todos mirándome.

—¿Cómo lo he sabido? Fácil. Porque el misterioso amigo de Mateo en África, Daniel Molero Pérez, es usted, el Luis niño y el Chus adulto.

El hombre se levantó y el calvo le secundó. La conmoción era auténtica en todo el grupo.

—Más cosas. Daniel, es decir, usted, con el nombre de Daniel, que en realidad es éste —señalé al calvo—, no entró en Venezuela oficialmente después de la mili. Pero entró, está claro. ¿Cómo lo hizo? Me gustaría saberlo. Ignoro otras muchas cosas: los motivos de tantos crímenes, qué ocurrió con Rafael Alcázar, cómo logró usted ir a África con el nombre de su amigo, dónde están enterrados los cadáveres. Pero tengo clara una cosa: usted mató a Mateo y lo hizo desaparecer, porque seguramente él fue el asesino de su hermano Julián. Y otra cosa. —Miré a la mujer menuda—. Usted es su esposa y no ella —señalé a su atractiva amiga.

Eran demasiadas la tensión y el silencio. Sólo se oía el atronar de las fragatas. Jugué mi baza.

—Antes de irnos quiero que oigan algo. —Saqué la grabadora y la conecté. Se oyó una voz arrastrada y profunda, algo jadeante, como si saliera de ultratumba.

«Para ti, hija, a quien tanto amo. Me queda poca vida. La he llevado feliz con mi familia, a la que quise por encima de todo. Después de los desastres de la guerra y las dificultades de la posguerra, no fue un camino fácil. Pero me siento orgulloso de lo que he creado. Pienso que he sido un hombre cumplidor y respetuoso con Dios pero creo, del mismo modo, que Dios no me acogerá en su seno porque no he sido un buen policía. No he sabido desentrañar un caso que tanto me ha conmovido y que siempre me ha concernido, aunque hace años que me apartaron de él. Hoy veo a mis nietos crecer, como te vi crecer a ti. Pero esos cuatro niños que desaparecieron quizá nunca llegaron a crecer. ¿Qué fue de ellos? ¿Qué les ocurrió? ¿Vivirá alguien que pueda contarlo? ¿Quién fue el culpable o los culpables? Año tras año los fantasmas de esos niños me persiguen. Mucho he llorado por ellos y también lloro ahora porque sé que soy quizá la única persona en este mundo que les recuerda y sé que, cuando yo me haya ido, quedará sobre ellos la losa del olvido. Hija mía, ninguna risa te faltó mientras reías. Pero, sin que lo apreciaras, siempre veía detrás de tu alegría la sombra de esos niños, sombras sin risas, con el espanto de pensar que tú podrías haber sido uno de ellos. ¡Qué hubiera sido de mí! Creo que mi alma vagará sin descanso hasta que alguien descubra lo que yo no pude. Por eso te hago el encargo de que busques un buen detective, algo en lo que también fallé. Muéstrale esta cinta y tu corazón. Que indague y que aclare qué les ocurrió a esos niños, dónde están los razonamientos para ese misterio. Todos los documentos del caso están en este maletín. También una cartilla de ahorro. Emplea ese dinero, que no es mucho, para este asunto. Tendrás que usar algo más que el mero interés económico. Deberás llegar a sus sentimientos, a su corazón; seducirle, cautivarle. Que él se llene de la emoción del caso. Y si finalmente ambos conseguís el éxito, tendré el descanso eterno. Adiós, mi pequeña.»

Al levantar la vista aprecié la emoción en los rostros de las mujeres. Dejé que el silencio magnificara las palabras del comisario. Recogí el aparato.

—¿Me devuelve la fotografía?

Negó con la cabeza y leí sus labios: «Ya es mía.»

—Bueno, se hace tarde. Debemos irnos. —Miré a Chus, que hizo un gesto a los jóvenes. Ellos se apartaron y dejaron caer sus brazos y sus planes—. Quizás usted podría habernos dejado escuchar su voz, siquiera para esta despedida. Quizá podría haber dejado descansar el alma del comisario.

La mujer menuda dejó oír su voz arrulladora.

—Díselo, mi amor. Esta gente parece chévere. Desahógate, suelta las ataduras de una vez por todas.

Chus se alejó hacia la playa con ella detrás. Los vimos difuminarse en la intensa luz. Le di la mano a Rosa y nos fuimos, dejando al grupo lleno de miradas y de silencios.

Más tarde buscamos una mesa en el restaurante de la urbanización hotelera. El lugar es de esos en los que uno residiría para siempre. Rosa miró hacia el mar y me mostró su perfil mientras un ligero viento desordenaba sus cabellos. Era demasiado tiempo en esa postura.

—Eh —dije.

Tardó un rato en volver el rostro hacia mí. Sus ojos tenían raciones contenidas de agua.

—Dímelo —invité.

—Es tremendo el mensaje del comisario. Me partió el corazón. Esos niños… ¿Sabes? —su voz tembló—. Mi padre y mis tíos pudieron haber sido ellos. Jugaron en los mismos sitios y en los mismos años. Gracias a mi abuela y a sus extraordinarios amigos su futuro fue diferente. Y el mío.*

Le cogí una mano y dejé que mis ojos hablaran. Más calmada, continuó:

—Fue una bomba cuando desenmascaraste a Chus. Quedó muy vulnerado.

—Todos sus años de ocultación de pruebas y nombres quedaron descubiertos de golpe. Pero busco la verdad, no su daño. Quizás él pueda a partir de ahora dejar sus temores y vivir con esa verdad.

—Tu habilidad consigue que las investigaciones parezcan sencillas.

—Es una suma de hallazgos. Antonio Morante me dio la foto que hizo a su hermano y a Daniel cuando lo visitaron en el poblado legionario de Dar Riffien. El peluquero del Tamanaco, al mostrársela, garantizó que Daniel no era Daniel sino Chus. Eres testigo.

—¿Y por qué iniciaste la investigación en Valencia?

—Cuando visité a Juan Barón, después de estar con Antonio, en el salón de su casa vi unos retratos. El hombre de la fotografía era el mismo que estuvo con Mateo en África. Le di vueltas a lo de Venezuela, pero ¿en qué lugar? Recordé haber visto dos sobres de avión en la documentación del comisario. En ellos él había anotado: «Sin interés. Interceptadas durante la protección a Juan Barón.» Supongo que, por su contenido, creyó que eran cartas de un amigo para el padre de Juan. Las releí. Descubrí que decían cosas demasiado pueriles para adultos. Estaban en clave. Los sellos eran de Venezuela. No había remite. Miré los matasellos, muy borrados. Pude adivinar que procedían de Valencia. Y allí, ¿en qué

---

* Véase *El tiempo escondido*, del mismo autor y en la misma editorial.

lugar mejor que el Liceo para averiguar el paso de los niños?

—¿Quiénes eran los que hemos visto con Luis-Chus?

—El hombre es el Daniel verdadero. La esplendorosa, su mujer, sin duda. La angelical es Pilar, la hermana de Juan Barón. Estaba en las fotografías de boda de su casa. Con Luis. Recién casados. No están ahora muy diferentes, salvando el puente de los años. En cuanto al matrimonio cobrizo, no sé, parecen más que sirvientes. Y los jóvenes serán hijos de los dos amigos.

—¿Cómo pudieron llegar tan oportunamente?

—Estaban todos advertidos, esperándome. Juan Barón les apercibió, sin duda, de mi posible visita.

—¿Cómo podía saber él que vendrías aquí?

—Cuando me vio mirar las fotos de boda de su hermana, supo que había cometido un error. Yo acababa de ver a Luis, uno de los niños perdidos que estaba buscando, aunque entonces no imaginara que el atractivo novio de la foto era ese niño.

—Tuvimos una situación difícil. Esos hombres mostraban actitudes amenazadoras.

—Sí, sus propósitos estaban claros: iban a zurrarme. Seguramente no lo hicieron por ti.

—¿Crees que tengo tanto poder?

—Tienes todo el poder del mundo, como en su día lo tuvo tu abuela.

Ella se inclinó y me besó intensamente en los labios. Como siempre que lo hace, su magia me hace considerar que acaso la Creación tuvo algún sentido. Luego dijo:

—¿Qué haremos ahora?

—Esperar. Ellos vendrán.

—¿Cómo lo sabes?

En ese momento aparecieron las dos mujeres, con gestos distendidos. Rosa me miró, admirada. Nos levantamos.

—Disculpen —dijo la mujer menuda—. Lo hemos hablado. Ha sido una gran grosería la nuestra. Lo sentimos de veras. No somos así pero mi marido ha protegido siempre esa parte de su vida. Me llamo Pilar Barón y ésta es Catia

Pertierra. —Nos dieron los besos correspondientes, negados en la entrevista anterior—. Deseamos que vengan a cenar con nosotros esta tarde. No digan no, por favor. Luis está dispuesto a resolver sus dudas. Vendremos a buscarles a las seis pe eme.

Trece

La recepción vespertina fue muy diferente. Dardos rojos hendían el crepúsculo como si quisieran herir las sombras invasoras. Luis tenía una voz rara, bien modulada, sin acento definido, como si fuera de un país desconocido.

—Soy, en efecto, Jesús Manzano Cuevas. Muy pocos saben que en realidad soy Luis Montero Álvarez. Éste es Daniel Molero Pérez, mi camarada. Y éste —señaló al cobrizo— es Fernando Boves, más que un amigo. Ella es su mujer, Esmeralda; viven con nosotros. Daniel y Catia tienen su chalé al lado. Los jóvenes que vieron aparecer de repente son hijos nuestros y de Daniel y Catia. Ya marcharon en vista de que no eran necesarios —Hizo un gesto que quiso ser exculpatorio.

Nos prepararon una cena a base de pescados locales asados, pargo y carite, tras una sopa de almejas chipichipi y langostinos. La conversación era informal: los hijos viviendo en otras partes del país, la sociedad cambiante, las formas de vida diferentes, el amor a España, que ellos visitaban regularmente. La simpatía natural de esas gentes rompió el siempre reservado carácter de Rosa, por quien los hombres se mostraban embelesados. Como fondo de la velada una música orquestada nos acompañaba en tono suave. Cuando la luna salió a bañarse en las quietas aguas, tras la cena y en una pausa de las conversaciones, Rosa se apoyó en mí y noté su emoción, tanta era la belleza del momento.

—Gracias —dijo.

Más tarde, y tras un corto paseo por la playa, volvimos a la gran mesa circular para tomar unas bebidas. En ese ambiente intimista, Luis comenzó a desgranar sus primeras confesiones. Lo hizo con tono aún sufriente, inseguro, lento, como al que obligan a decir dónde esconde sus riquezas.

—¿Imagina lo que es vivir sin vivir, sin conciencia de lo que es la vida, sólo con el espanto primario de escapar, de no ser encontrado, como hace el tigre de las nieves; y cuando esa urgencia se calma sólo queda la nada absoluta? —Movió la cabeza—. No lo sabe. Ojalá no lo sepa nunca. No es fácil superarlo. —Hizo una pausa y soltó de repente—: Mateo mató a mi hermano ante mis ojos. Le partió el cuello.

La frase sonó excesivamente cruda en aquel paradisíaco lugar. Demasiado brutal para ser asumida de inmediato. Los ojos de Rosa me miraron y vi sus destellos a través de las sombras.

—Ello alteró mi mente. No podía ser. No era cierto. Un momento antes Julián estaba vivo, capaz, conductor. Y luego, en un instante, toda esa energía había sido destruida para siempre. Él era mi luz. De golpe quedé fuera del mundo pensante. El terror animal que se apoderó de mí hizo que me repusiera cuando ya Mateo se me abalanzaba. Pude escapar, milagrosamente; pero ¿por qué escapaba, en realidad, si era una criatura vulnerable, inútil, necesitada de un guía y éste ya no estaba? Fue el instinto quien actuó y quien me hizo huir y buscar el amparo de una familia amiga de mis padres, que, a la postre, fue la mía. Ellos me trajeron a Venezuela y me dieron el lugar y el nombre de su hijo, muerto por accidente unos meses antes.

»El proceso de adaptación de mi mente a las circunstancias que me rodeaban fue lento. Seguí huyendo mentalmente durante semanas, simultaneando el temblor y la angustia de ser encontrado por el asesino con el deseo de acabar. No tenía a nadie en el mundo, ¿para qué vivir? Poco a poco la realidad fue imponiéndose. No estaba solo. Esa familia me quería como a un hijo, me prohijó, se desvivía por mí. Y Mateo, mejor dicho, el terror que me producía, fue quedando lejos.

Él no podría llegar hasta mí. Encontré entonces la necesaria paz y supe lo que era tener padres, si no como los biológicos rememorados, sí como magníficos adoptivos, a quienes llegué a querer con verdadero amor y permanente agradecimiento.

Se llenó de recuerdos y su voz se detuvo.

—¿Cómo fue el camino que le llevó de ser esa criatura temerosa a vengador? —dije, echándole una mano.

—Fue mágico e inconsciente. En los momentos más comprometidos, se me aparecía una imagen casi física. Un hombre joven, sonriente, que me miraba en silencio. Era como una proyección holográfica, brotaba de la nada. Luego se desvanecía pero me dejaba lleno de paz y me mostraba el camino que debía seguir. Creo que ese hombre evanescente era mi hermano, en la juventud plena que no pudo tener, que volvía para protegerme en situaciones vitales. —Nueva parada, impregnada de sensaciones—. Había dos asuntos que descifrar: *dónde estaban los cadáveres de mi hermano y amigos*, y *por qué esos crímenes*. El único que podía decirlo era Mateo, al que ya no temía y quien debía pagar por lo hecho. Por tanto, debería encontrarme con él en un futuro. Pero ¿cómo hacerlo? Tendría que lograr dos cosas: una, seguir su pista; dos, formarme mental y físicamente. Lo primero no era difícil. Conecté con el hermano de Pili, que, a través de una amiga común de su madre y de la tía del asesino por reuniones catequistas, me fue informando de su caminar. Lo segundo era más difícil. Nunca podría vencerle para obligarle a hablar, por más que yo me desarrollara. No solamente por su fuerza sino por su ferocidad e impiedad. Así que mis armas contra él en esa deseada cita futura, además de que no debería reconocerme, tendrían que ser el desarrollo de la inteligencia y el adiestramiento en situaciones límite, de aguante y supervivencia. Mi mudez, causa de problemas iniciales, fue mi mejor ayuda porque me permitió navegar en la introspección y en la soledad que necesitaba. Y conseguí ambas cosas.

—Sacaba las mejores notas de clase y nadie podía con él en pruebas de resistencia y aguante —apuntó Daniel.

—Salvo tú —dijo Catia, cantando las palabras.

—Fui sólo la sombra del guerrero.

—No —dijo Luis—. Tanto me ayudaste. Sin ti no hubiera salido del pozo del Kinder y del Liceo. Y de los otros pozos. —Miró a su amigo y vi en los dos algo como las señales luminosas que emiten los barcos para ser detectados en la niebla. Ello me hizo recordar la amistad inquebrantable de aquellos asturianos, Manín y Pedrín, nunca desvanecidos. Luis continuó:

—Y cuando llegó el momento fui en busca del asesino, en el mejor sitio: el Ejército, donde lo tendría controlado. Debía ir de voluntario para poder elegir exactamente el lugar donde estaba mi objetivo. Y allí, tratar de buscar su amistad sin dar esa sensación, y aguantar todo lo posible para lograr que confesara las dos obsesionantes preguntas; labor que no resultó sencilla pues el criminal era astuto y desconfiado en extremo, muy difícil de engañar o sorprender. A partir de ahí podría cerrar ya ese capítulo de mi vida y buscar el futuro anhelado. —Miró a Pili y notamos el mismo temblor que cuando Rosa y yo nos miramos. Era una mirada cómplice, llena de expectante silencio, como cuando se ve el relámpago en una tormenta y tarda en llegar el sonido del trueno. Nadie intentó romper ese hechizo mágico que significaba un dolor aún no extinguido. De repente dijo—: ¿Qué tal si nos acompañan mañana a recorrer la isla, en la barca? Seguro que disfrutarán.

—Aceptamos felices —se alborozó Rosa, riendo y llenándolo todo de colores blancos.

—Dígame, ¿qué sintió cuando volvió a tener a Mateo frente a usted? —dije.

Todos le miramos pero él se refugió en los ojos de Rosa, buscando el más bello paisaje donde entregar sus recuerdos.

—Por un lado, temor, pero no físico; temor a que me reconociera. Aunque él había subido en altura y se proyectaba más hercúleo, era perfectamente reconocible. Además tenía fotos suyas, conseguidas por el sinuoso camino de la tía. Yo estaba totalmente cambiado. Había crecido más de treinta centímetros y, aunque delgado, mi complexión era adulta, distante de la infantil que él podía recordar. Por otro lado, y como usted puede ver, el clima de aquí cambia el color. A todos en Venezuela, con el tiempo, se nos pone un ligero barniz café con leche. Mateo tenía la visión de un niño escuálido, blancuzco y temeroso y vio ante sí a un tipo seguro, fuerte, y con rostro tostado. Y mi voz, que de haber podido hablar en mi adolescencia tendría entonación caribeña, tampoco le provocó curiosidad.

—¿Cuándo se decidió a hablar?

—Nunca pude hacerlo por más que lo intenté. Pero aquel médico tenía razón. El momento llegó al viajar a España. Tenía el pasaporte y el billete de avión en la mano. Estaba con Daniel, en nuestro cuarto de la universidad. Cerré los ojos y hablé. ¿Recuerdas?

—Como que fue mágico —corroboró el amigo—. Increíble.

—Le pedí que fuéramos al parque Los Caobos. Y allí practiqué con torpeza, como en trabalenguas. Y luego grité, sacando el aire guardado en años de impotencia. Y gritamos los dos a pleno pulmón, mientras saltábamos y rodábamos por la grama.

—Hasta vinieron gentes a ver qué acontecía —dijo Daniel. Se miraron y luego se echaron a reír—. ¡Qué momento, gua!

—¿Quién más sabía que usted hablaba?

—Sólo nuestros padres, que también sabían todo el plan del cambio de identidades. Decidimos no hacer partícipes de nada a nuestros íntimos amigos, a la vez que hermanos, no por desconfianza de ellos sino para mayor seguridad de todos. Un secreto entre muchos deja de serlo. Lo supieron después, aunque no lo que ocurrió en España. Eso no lo sabrán nunca —dijo, buscando el consenso con los amigos oyentes. Fue una afirmación tan rotunda que sugería acciones poco satisfactorias. Se miró unos momentos con Pili. Luego, de forma más distendida, añadió—: Buena sorpresa se llevó Catia cuando en el Auyantepuy se encontró con Daniel, ¿ah?

Todos, salvo Rosa y yo, cruzaron unas sonrisas cómplices. No sabíamos de qué iba la cosa. Chus continuó:

—Mi mayor temor para cuando tuviera delante a Mateo, contestando a su pregunta, era cómo reaccionaría yo. En teoría estaba preparado mentalmente. Pero ¿qué pasaría en vivo? Ver al que asesinó a mi hermano y me persiguió con esos ojos de loco para hacer lo mismo conmigo podría ser insoportable. —Movió la cabeza y se reservó una pausa—. Pero lo ensayado durante años funcionó. El contacto inicial fue como casual, sin denotar ningún interés especial por mi parte; interpretando en los encuentros siguientes la misma calculada indiferencia. Salvé mi propio examen.

—Una pregunta. ¿Cómo consiguió manejar su entrada y salida de España, sin rastros, y su ingreso en la mili?

—Entré de turista con mi pasaporte venezolano y el nombre de Jesús Manzano Cuevas. El verdadero no existía en España, porque había muerto de niño. Y nadie podría relacionar el nombre de ese niño con el de un ciudadano venezolano. En Madrid, fui a Vallecas, en cuyo ayuntamiento solicité un certificado de nacimiento a nombre de Daniel Molero Pérez —miró a su amigo—, nacido allí y cuyos datos auténticos llevaba conmigo. Con ese certificado saqué el DNI, poniendo el antiguo domicilio de Daniel, en el Puente de Vallecas, y con él fui al Gobierno Militar. Allí solicité ingresar de voluntario y cumplir en África. No me pusieron ningún impedimento. Daniel existía para el Ejército y estaba en situación de reemplazo para dos años más tarde. Modificaron la fecha de ingreso y me dieron la cartilla militar. A la vuelta, dos años más tarde, en el control de pasaportes del aeropuerto presenté de nuevo el de Jesús Manzano Cuevas, ciudadano venezolano, sin necesidad de visado. —Mantuvo un pulso con mi mirada y añadió—: Quedó una pista, la de las impresiones digitales: una en el DNI y cinco en la cartilla militar. Pero como no fuimos delincuentes ni buscados, aquellas huellas no fueron cruzadas y han quedado enterradas, como el sueño de España en Marruecos.

—Usted estuvo dos años en la mili. Tenía entendido que el voluntariado conllevaba una duración de tres años.

—Así era, en condiciones normales, cuando se elegía destino y arma cerca de casa. Pero yo iba a una teórica unidad de combate, al puro Ejército, en la frontera. Cuando la quinta se licenció yo era uno más. Había cumplido. —Me miró de lleno—. ¿Le quedó claro lo de esa vaina de la mili?

—Perfectamente. No podía ingresar a filas con el nombre de Jesús Manzano Cuevas porque no constaba en las filiaciones para los reclutamientos. Tampoco podía hacerlo a nombre de Luis Montero Álvarez porque en la policía constaba denuncia por desaparición y porque, suponiendo que la policía no identificara el nombre, sí lo haría Mateo cuando se presentara ante él. Está claro que a Daniel no le importó la suplantación. —Le saludé con la cabeza—. Supongo que él permanecería oculto en lejanos paisajes durante el tiempo de su mili para evitar que, por cualquier circunstancia, su nombre saliera a la luz y alguien, en algún sitio, viera que había dos Daniel Molero. Ambos lo hicieron de forma impecable. Les felicito. Nadie llamado Daniel Molero Pérez entró ni salió de España en esas fechas. Nadie llamado Luis Montero Álvarez ni Jesús Manzano Cuevas hizo la mili. Y nadie podría relacionarlos a pesar de que los tres eran la misma persona.

Catorce

El día amaneció igual, como si el mundo se acabara de estrenar y todo fuera nuevo y el tiempo se hubiera detenido. Un sol desmesurado se personó con la intención de acompañarnos. La barca era espaciosa y viajamos todos excepto Esmeralda, que prefirió quedarse para tener organizada la comida a nuestra vuelta. Salimos hacia el norte y bordeamos Manzanillo, derrotando hacia el oeste hasta el Parque Nacional de Restinga, con su playa blanca de veinte kilómetros, parece que la mejor de toda la isla: una manga de tierra que limita una laguna alargada donde los espesos manglares dan cobijo a flamencos, garzas, pelícanos y fragatas. Los vimos picar como *Stukas*, incansables en la pesca del abundante alimento marino. En lugar de arena, el suelo está cubierto de polvo de conchas marinas, donde el sol se refugia para pintarlo de una luz mágica. Anclamos la lancha y nos bañamos un rato. Luego navegamos por los laberínticos canales abiertos entre los manglares. Ver las familias de ostras aferradas a las raíces de los mangles fue una experiencia inédita. Contorneamos la península de Macanao, «la otra isla», una gran superficie árida, casi despoblada y plagada de cactus, con pequeños asentamientos de pescadores donde el tiempo parece no existir. Llegamos hasta Punta Arenas y dimos la vuelta para evitar el tránsito marítimo proveniente de la Venezuela continental. Cuando volvimos a la casa, horas después, la larga compañía había rejuvenecido el gesto de los hombres, encandilados todo el tiempo con Rosa. Para cuando nos pusimos a comer en el sombreado porche parecía haber entre nosotros una larga amistad, tan distendidos y alegres se mostraban ellos. Un cambio tan profundo en menos de veinticuatro horas sugería algo milagroso. No se había vuelto a mencionar el tema que nos había llevado hasta allí. Pero en la sobremesa, Luis habló, como si acabara de interrumpir la narración de la noche anterior.

—Para poder entender lo que ocurrió hay que analizar el contexto en que se hallaba España en los primeros cuarenta. Un país devastado, empobrecido tras treinta y tres meses de guerra, sin recursos para neutralizar en poco tiempo tal calamidad. Una sociedad fracturada, polarizada en vencedores y vencidos; escasez de viviendas, que devino en chabolismo; población desnutrida y mal atendida sanitariamente, con más de dos mil muertos al año por tuberculosis en Madrid… La economía caída a límites de vergüenza. Si durante el reinado de Alfonso XIII y la Segunda República la hambruna era algo secular por las estructuras sociales casi medievales, con la guerra esa hambruna se incrementó. El hambre era real, sobre todo para los que perdieron la guerra y, en gran medida, para los que vivían en las ciudades. En los pueblos la gente se defendía mejor. El único afán, lo primero, era comer; el escaso dinero era para la manduca. Y esa demanda motivó que sólo hubiera un negocio real: el de la alimentación. Todo lo demás era secundario. Por otro lado, la escolarización era escasa. Las plazas de colegios públicos estaban limitadas y la mayoría de los padres carecían de medios económicos para llevar a sus hijos a los privados. Eso, sin contar con los huérfanos. Así que multitud de niños vagaban por las destrozadas calles sin árboles, uniéndose a los indigentes y mendigos que pululaban por doquier. Todos buscando comida. Por tanto, alrededor de los mercados de abastecimiento era donde más gente se concentraba y donde la labor era plena. Hay que destacar que las tres lonjas por las que Madrid era abastecida, las de pescados, carnes y frutas-verduras, estaban en el barrio de la Arganzuela, muy cercanas unas de otras. Y, como consecuencia de esa concentración, estaba también la estación ferroviaria de Peñuelas, dentro del mismo triángulo, y por la que entraban prácticamente todas las mercancías alimenticias. Y allí, más que en cualquier otro lugar de Madrid, se vivieron hechos despiadados. Naturalmente, a mayor concentración de negocio, mayor oportunidad para la corrupción y el robo. Los menos listos constituían la gran masa y ellos depredaban a su pobre nivel. Pero estaban los ingeniosos o los instalados en órganos de poder, que se apañaron no para sobrevivir sino para hacer grandes negocios e hincharse los bolsillos. Todo esto lo he aprendido después pero lo expongo como prólogo necesario para explicar lo que le ha traído hasta aquí. Debo señalar que el desabastecimiento en aquellos años dio lugar al mercado negro. Se crearon la Comisaría de Abastecimientos y Transportes, para administrar los alimentos, y la Fiscalía de Tasas, como control de precios. De nada sirvió, porque los funcionarios e inspectores que habían de aplicar esas normas habían caído en la corrupción y eran los primeros en incumplirlas. ¿Oyó hablar del estraperlo? Era la forma de conseguir alimentos sin control de las autoridades. Estaban los que iban por los pueblos a buscar harinas, legumbres, gallinas, corderos y cerdos que mataban para su consumo. Pero había quienes de esto hacían una industria y revendían a altos precios, sobornando a los de Arbitrios y atesorando montones de cartillas de racionamiento que compraban, falsificaban o usaban de los fallecidos, además de controlar mataderos clandestinos, almacenes y líneas de distribución.

»En el caso concreto que nos ocupa, los cuatro puntos distribuidores de alimentos que he citado dieron mucho de sí. De la estación de Peñuelas se robaban las mercancías depositadas en los almacenes y durante la descarga de los vagones; se robaba el carbón y el aceite hidráulico de las máquinas, y los encargados, vigilantes y administradores eran los primeros en hacerlo, falsificando las existencias y los despachos. Del mercado de frutas, la mercancía era robada por bandas de descuideros, golfillos y todo el personal de servicio y contratado. En cuanto al pescado, más de lo mismo.

Quien podía llevaba a su casa a diario todo tipo de pescados. Y en todos los casos, siempre, los primeros en afanar eran las autoridades, los inspectores, los guardias municipales de la zona y los guardas jurados.

»Pero donde realmente se concentraba la mayor actividad arrambladora era en el Matadero Municipal, con lógica porque de allí salía la carne, el alimento más deseado aparte del pan, por ser el único antídoto real contra la desnutrición, que provocaba las terribles enfermedades infecciosas: tisis, meningitis, tifus… En el Matadero, por tanto, el robo estaba institucionalizado. Se hacía a diario, desde el delegado de Abastos, que sólo tenía allí despacho, hasta el último peón, con robos directos, robos con imposición, robos por soborno…, todos los tipos de robo posibles. No había control. Pero el tinglado que montaron aquellos asesinos fue descomunal. Y, lo peor, nunca salió a la luz.

—¿Qué tipo de organización política subversiva crearon?

—¿Dice? ¿Organización política? —Me miró con estupefacción—. No hubo tal cosa. Nada más lejos de eso. ¿Por qué pensó en algo así?

Debí de poner la misma cara que un candidato a presidente al enterarse de que ha perdido las elecciones.

—Supongo que nunca oyó hablar usted de un puesto de trabajo llamado «liquidador» —prosiguió Luis—. Eran quienes controlaban el peso del ganado matado, el que llegaba listo para ser entregado a las carnecerías después de haberle quitado la piel, las vísceras y las patas; lo que se llama «carne en canal». Los liquidadores eran la máxima autoridad en cuanto al control de la carne para expender. Lo que ellos apuntaban en sus planillas era lo que el Ayuntamiento pagaba a los distintos ganaderos y lo que el municipio cobraba a los de las carnecerías. Eran gente joven, medianamente instruida. Para lograr esos puestos tenían que pasar unos exámenes aunque algunos, sobre todo si eran de Falange, eran designados a dedo. Gozaban de un buen sueldo, iban con batas blancas y encorbatados, y su nivel en el Matadero tenía gran altura. Miraban a los demás despectivamente. Era una época en que la gente se pirraba por la «categoría». Como los viejos hidalgos del Renacimiento que ocultaban sus harapos bajo una capa y presumían de estar en la holganza. Los modos del Gobierno habían traído la diferencia de clases. Todos buscaban situarse con los de arriba, darse importancia, procurando distanciarse de lo obrero. Presumir de lo que no se tenía era una forma de vida. Los liquidadores se situaban en una caseta acristalada, frente a las básculas, en las naves de romaneo. Todo se hacía a gran velocidad porque las filas de cuerpos para ser pesados eran largas, interminables, y el tiempo se echaba encima.

»Parece que el asunto lo inició Rafael Alcázar. Se le ocurrió que podían modificar el peso, poner otro distinto en sus estadillos. Era tan sencillo como imposible de detectar, a no ser que hubiera un chivatazo. Pero él no podía hacerlo solo. Se lo dijo a Roberto Fernández, de su total confianza. Lo estudiaron. Convinieron que debían crear una organización para que tuviera éxito. Necesitaban tener el control de al menos dos de los camiones oficiales de distribución; es decir, dos jefes de reparto y seis repartidores. Y de otros puestos, algunos claves y otros necesarios, como el de enlace; este último para que transmitiera las órdenes y avisos, evitando que los otros abandonaran sus tareas. En realidad, eran pocos pero de probada confianza y fiabilidad. Por supuesto, debían contar con la connivencia de una determinada red de carnecerías, porque, obligatoriamente, con la carne se entregaba una factura, que los carniceros debían pagar a fecha determinada al Ayuntamiento. Por tanto, esas entregas secretas, «negras», habían de ser pagadas sin factura, al contado. La carne la venderían a menos precio del oficial y todos saldrían ganando. ¡Y vaya si ganaron! Entonces no se llevaba la compra de pisos, pero sí chalés en la sierra. Todos los de la banda compraron propiedades. Faltaría más. No era necesario entonces poner los bienes a nombre de un familiar. Siempre podrían aducir que el dinero provenía de herencias, en caso improbable de investigación. Preocupación innecesaria porque en aquella época no se indagaba sobre el patrimonio, aparte de que la censura se encargaba de silenciarlo.

—¿Tanto fue lo que defraudaron?

—Calcule usted mismo. En aquellos tiempos se producían más de ciento cincuenta mil kilos diarios de carne diversa. En primavera-verano se mataban unos diez mil corderos al día, pongamos unos cincuenta mil kilos de esta res. En cuatro meses, un millón de estos animales; cinco millones de kilos. La unidad de cálculo era el kilo, no la pieza. Se les ocurrió actuar sólo con las ovejas, anotando un kilo de más en cada pieza, según el cordero. De forma global podríamos decir que por día habían anotado unos diez mil kilos de más. Esos kilos son los que vendían secretamente. ¿Cuánto ganaron? Si el precio de venta al público estaba entre siete y nueve pesetas el kilo, y los carniceros lo pagaban oficialmente entre 4,50 y 6,50, la banda lo vendía a 3,50 pesetas el kilo, que era una considerable rebaja. Tenemos, por tanto, que esos diez mil kilos suponían treinta y cinco mil pesetas diarias, que mensualmente (se trabajaban veinticinco días al mes) eran unas ochocientas setenta y cinco mil pesetas. Fijémoslo, para su comprensión, al cambio medio de ahora, entre cuatrocientas y quinientas veces más. Serían unos cuatrocientos treinta y siete millones cada mes; globalmente entre cuatro mil doscientos y cinco mil doscientos millones de pesetas por año. ¿Se dan cuenta del negocio?

Nos miramos unos a otros admirados.

—Pero aun suponiendo que robaran menos peso por cordero o que el precio de venta al comerciante fuera menor de 3,50 pesetas, y que por lógica la producción no fuera tan intensa en otros meses del año, podría estimarse grosso modo que lo defraudado por año no bajaría en valores de hoy de los diecisiete millones de dólares, más o menos tres mil millones de sus pesetas; entre diez y quince mil millones en cinco años, que es el tiempo que parece les duró el negocio. Todo es estimativo, claro. Obviamente, nunca llevaron libros. Apuntaban en notas, que destruían cada día.

El silencio fue tan profundo que el leve agitar de la marea atronó en el grupo. Miré el cielo, que se iba oscureciendo aprisa por una esquina.

—Hay algo que por su magnitud me asombra —dije.

—Expóngalo.

—¿Cuánto pesaba un cordero?

—Entre cinco y ocho kilos en canal.

—Diez mil kilos supondrían —hice un cálculo— entre mil doscientos cincuenta y dos mil piezas robadas por día. ¿Cómo se podían repartir, enmascarándolas en las entregas oficiales? Parece una misión llena de riesgos.

—Usted lo analiza desde la lógica de ahora. Pero tenga por cierto que lo hicieron. Fue real. Entonces era fácil. Los repartidores trabajaban toda la noche haciendo continuos viajes porque, aunque la flota de camiones era grande, repartir esas toneladas de carne variada suponía ardua labor. Nadie contaba las piezas. ¿Por qué hacerlo, con tanto trabajo, si sólo los kilos habían de cuadrar? Y cuadraban. Por supuesto que la cifra de diez mil kilos robados es sólo para fijar la idea. En la realidad dependía del peso de las piezas, que buscarían que estuvieran cercanas a esa cifra, por debajo siempre, nunca por encima.

—¿Quién mandaba en el Matadero? ¿Es que no existían inspecciones? ¿Nadie vigilaba para evitar ese tipo de cosas?

—Aparte del delegado de Abastos, que no estaba adscrito a nómina porque su cometido era verificar todos los mercados de Madrid y su puesto estaba en el Ayuntamiento, la máxima autoridad en el Matadero era el director y, en su caso, el subdirector. Había también un conserje. Y a partir de ahí, en el asunto específico del cuidado de la carne, en teoría había varios controles, según el Reglamento de los Mercados de Abastos, establecido cuando la anterior monarquía y que estuvo muchos años vigente. Supongo que sigue siendo la base del que pueda haber ahora. El primer control era la Bolsa de Contratación, donde los propietarios de las reses y los agentes de contratación, a sueldo del Ayuntamiento y nombrados por concurso, formalizaban las transacciones. Esos agentes debían encargarse de la adquisición del ganado; rellenar los contratos de compraventa y firmarlos, consignando en la pizarra todos los extremos relativos a la compra, que luego se registraban en la Oficina de Registro. Además, deberían estar presentes en las naves de romaneo para vigilar y anotar los pesos de las carnes en los propios contratos. Teoría perfecta, ¿no? El segundo control, derivado del primero, venía por parte de los ganaderos, que, personalmente o por medio de representantes, debían permanecer en las dependencias del Matadero para verificar todo lo relacionado con las operaciones. Y el tercer control era el ejercido por los carniceros. Ellos tenían apoderados que actuaban en su nombre en las compras de carne. No podían estar en las naves de romaneo pero sí en las de oreo, donde hacían las adquisiciones. Bien. Ya tiene usted la letra de los controles. En la práctica, no había escrupulosidad ninguna en las funciones, la congénita desidia laboral; pero sí existía la corrupción, también congénita. Alguno de los agentes de Contratación estaba en la banda. Por parte de los ganaderos no había corruptos en este asunto concreto porque no era necesario: les salían las cuentas. Por eso, el asunto era perfecto. El añadir peso era genial porque los ganaderos no eran tontos. Calculaban con mucha aproximación el peso que quedaría a cada pieza una vez puesta en canal, y sabían con aproximación lo que debían cobrar, una vez deducidas las cuotas de gastos de matadero y arbitrios. Si en vez de añadir peso lo hubieran restado, se habría desbaratado el negocio al cabo de cierto tiempo.

Hizo una pausa y todos la aprovechamos para beber. La tarde quería languidecer pero el sol se agarraba desesperadamente, aunque sus rayos habían envejecido.

—Sin la amenaza de los ganaderos —continuó Luis—, el verdadero obstáculo podría estar en los carniceros normales, los que no estaban en la trama, que en algún momento podrían ver que el conjunto de piezas que les entregaban pesaba menos que lo oficializado por los liquidadores. Los carniceros, para que sus derechos estuvieran garantizados, podían tener representantes que vigilaran las pesadas en las naves de romaneo. Puro papel. Costaban un buen dinero, por lo que era una figura prácticamente inexistente. Y si alguno había, se le compraba y en paz. Además de que el albarán de entrega venía con las firmas de los agentes de contratación y de los liquidadores, y con los sellos del Ayuntamiento. Era un documento inapelable. En aquella época pocos carniceros tenían básculas para recepción de grandes pesos, que tampoco eran de precisión. Se aceptaba por los tenderos que los víveres llegaran pesados en origen. Aun así, eran conscientes de la corriente de corrupción que existía. Los que detectaban errores en el peso no rechistaban. ¡Estaban buenos los tiempos para eso! ¿Qué podían hacer? Nada. No importaba. Sus ingresos no se resintieron en absoluto. Ellos empleaban, para servir a la clientela, balanzas de doble plato. En uno ponían las pesas y en el otro la mercancía. No hay que tener mucha imaginación para entender los muchos gramos que robaban en cada pesada, enjugando con creces el peso escamoteado. Al final, quien pagaba era el cliente último, el ama de casa. —Nueva pausa para aquilatar la estupefacción—. Impensable que algo así pudiera fallar. Nadie imaginaba que el desastre les iba a llegar de la mano de otro liquidador, Andrés Pérez de Guzmán, un hombre honrado, que apreció la desmedida forma de vida que llevaban sus colegas, por más que intentaron disimularla. Vigiló y echó sus cálculos. No se le ocurrió otra cosa que emplazarles no sólo a interrumpir el negocio sino a restituir todo lo defraudado. Calculó mal. ¿Cómo iban a devolver esos millones de pesetas y ser arrastrados en la ignominia? Fue un órdago que no pudo manejar. Y en una noche de ira, tras anteriores discusiones, uno de los dos compinches lo mató a cuchilladas. Lo trágico, no tanto para ellos como para nosotros, es que vimos el asesinato.

—¿Así de fácil era matar, incluso a niños?

—¿Que si era fácil? Eran hombres que habían hecho la guerra, sabían lo que era matar. Todavía se estaban cobrando venganzas sobre los vencidos. ¿Qué problema había en aplicar a su antiguo camarada la calificación de enemigo? Mirándolo fríamente, no tenían otro camino. Y en cuanto a los niños, ¿qué especie era ésa? Para muchos, algo sucio, material eliminable: rateros, pedigüeños, especies no recuperables. ¿Oyó lo que pasa en Brasil con los niños mendigos, que aparecen muertos constantemente? España no fue pionera en esa actividad, ni mucho menos. Los niños fueron un subproducto en Europa a través de la historia, especialmente en Inglaterra. Charles Dickens escribió algo sobre ello pero de forma romántica, sin entrar en la cruda tragedia estadística de muertes por malos tratos, epidemias y hambre. Algunos de los vencedores del 39 aplicaron bien la vía rápida al problema. Porque, en la práctica, los hijos de matrimonios fusilados quedaban condenados a la peor de las suertes, ya que muchos carecían de familiares a quienes acudir. Era otra forma de matarlos. Pero ¿creen que los otros eran más compasivos? Les diré algo. Hubo una acción tan cruel como la represión física por parte de los vencedores: la invalidación de la moneda legal republicana. Sólo valía la suya. ¿Tienen idea de lo que supuso esa medida tan vil, el daño que causó? De golpe, media España quedaba sin medios para vivir. Lo que se dice sin blanca. Fue condenar al hambre a millones de familias. No lo consideren a la ligera. —Nos miró con intensidad—. Entren en el problema. Imaginen que el dinero que llevan en el bolsillo, el que tienen en el banco, sus tarjetas de crédito, sus planes de ahorros…, de golpe, ahora, no sirve. No es sólo la ruina, sino que, en este momento, no tendrían ni para comprar una arepa ni para el taxi al aeropuerto. Nada. No podrían volver a España. Tendrían que empezar pidiendo prestado, y luego empeñar sus bienes. Eso es lo que tuvo que hacer la mayoría de aquella gente. Los que algo tenían, ropas, objetos de valor, escasas joyas, acudieron a las casas de empeño hasta quedarse sin nada, porque nunca recuperaron sus objetos. ¿Entienden lo que es nada? Es la pura angustia. Esas mujeres con maridos fusilados ¿cómo iban a sacar a sus hijos adelante? Infinidad de familias cayeron en la absoluta miseria. Hubo muchos precavidos, los avispados de siempre, que supieron cubrirse adquiriendo moneda franquista. Parece que hubo unas series de antiguos billetes de la monarquía de Alfonso XIII que valieron. Pero ¿quién los tenía? El pueblo llano, la inmensa mayoría de los republicanos, nunca pudo hacer otra cosa que verlas venir, además de que jamás pensaron que el dinero podría ser invalidado. Y la conjunción de la represión con la incapacidad económica provocó una conmoción en los vencidos y los llenó de desesperación. ¿Saben la de suicidios que hubo? En las ciudades se produjo insensibilidad general. Aquellas gentes de vidas truncadas mantenían una lucha despiadada por sobrevivir en un mundo donde el horizonte siempre estaba pintado de gris. Y ese trauma lo pagaron la mayoría de los niños, el eslabón más fácil donde descargar las iras. Los que nos apaleaban y pateaban en los mercados, en los mercadillos, en las atracciones de las verbenas y en los cines cuando nos colábamos; los que de una patada nos lanzaban de los tranvías en marcha; los que se cebaban con nosotros por cualquier cosa en las calles; los maestros de taller que zurraban a los aprendices como parte de una «educación heredada», eran gente obrera. Usted seguramente nunca vio al grupo formado por el fontanero y su aprendiz. Iban caminando, el maestro delante con las manos vacías y el aprendiz, de poco más de diez años y escuálido, doblado como un burro por la pesada carga de la caja de herramientas. Era una costumbre que se transmitía y constataba la insensibilidad del mundo obrero hacia el niño ajeno. —Se refugió en una pausa—. Sí; los niños ajenos a nadie interesaban en aquel sombrío periodo. El mismo Mateo es un ejemplo de indiferencia hacia lo débil. —Movió la cabeza y nos brindó un silencio. Al cabo siguió—: No, el Gobierno nada tuvo que ver con el asesinato de mi hermano y mis amigos. Pero la situación de miseria y corrupción generalizada fue el caldo de cultivo para esa y otras tragedias similares. Y la sensación deplorable que emana de ese hecho es que lo esencial para aquella policía fue la salvaguardia del Régimen, la desintegración de células, que las hubo. La tragedia de los niños era asunto secundario. No les quitó el sueño. Sólo a ese comisario…

Lo vi mirar alrededor en la noche calmada, agotado de

recuerdos, e intenté seguir su mirada: los amigos, el jardín, la casa, allá las olas rindiéndose en la playa capturada de estrellas… Estaba haciendo balance, no por primera vez, sin duda; pero estuve seguro de que nunca antes lo había concretado en voz alta, y ante testigos, cuando se volvió a Pili para acunar en los ojos de ella la común memoria.

—¿Qué hubiera sido de mi hermano y de mí, descartando la terrible experiencia criminal? Allá ¿hubiéramos sobrevivido? Suponiendo que sí, nunca hubiéramos podido tener estudios, acaso un oficio aprendido a golpes. Por eso he de amar no sólo a mis padres adoptivos sino a esta tierra generosa y hermosa donde nacieron mis hijos y donde he conocido la felicidad. —Sacó la fotografía del colegio Cervantes y pasó una mano por ella—. Usted puso rostro de nuevo a estos chicos siempre recordados pero cuyas facciones se me habían borrado. ¿En qué parte del remolino de la vida estarán? ¿Qué fue no sólo de ellos sino también de los que aquí no están, porque no iban al colegio? ¿Cuál fue el destino de todos aquellos niños marginados de todos los barrios pobres?

La pregunta se sostuvo en el aire como el águila cuando escudriña presas entre las fragosidades. Pili tocó su mano y susurró:

> *Otearé los silencios,*
> *escucharé las sombras,*
> *abrazaré los vientos.*
> *Y algún día, juntos, en algún lugar…*

Había un montón de emociones sueltas, dando vueltas por ahí, yendo y viniendo como golondrinas en los atardeceres. Congelamos un silencio tácito, destellado de naufragios de niños que un día fueron. Hubiera sido un atentado quebrar tantas sensaciones. Así que concedí un tiempo antes de obligarme a preguntar:

—¿Dónde entra Mateo?

—Él era un matón de barrio, ya desde temprana edad. Se

desarrolló precozmente y a los nueve años era un bigardo. De pequeño merodeaba y hurtaba en el mercado de frutas. Más listo que inteligente, y muy activo, no recuerdo haberle visto jugar como los otros críos. Luego entró en el mundo del Matadero, más áspero y sucio. Fue mezclándose con los matarifes, los ayudantes de ganaderos, los mayorales. Tenía mucha cara y personalidad. Adquirió el suficiente conocimiento para saber dónde hincar el diente. Formó un pequeño grupo de chavales para efectuar robos nocturnos de lechales, lechones y lana. Para entonces, tres años después de su comienzo, el negocio de los liquidadores se había hecho muy grande. Podemos adivinar que Rafael Alcázar encontró en el precoz y frío Mateo a la persona capaz de ocupar el puesto de transmisor, sustituyendo al enlace que tenían, un tal Facundo. ¿Quién iba a sospechar de un niño, por grande que fuera, incontrolable al no pertenecer a la nómina del Ayuntamiento? El nuevo cometido, secreto para nosotros, los demás chicos, le hizo abandonar el grupo que él había creado, prohibiéndonos, además, que siguiéramos con la actividad. Mi hermano y mis amigos nunca llegaron a saber el tinglado que tenían montado. Yo lo supe años después por boca de Mateo.

—¿Qué fue del anterior enlace?

—Mateo dijo que lo mató Rafael. Lo enterraron donde los niños.

Hizo una pausa para beber. Aprecié que todos, como yo mismo, estaban absorbidos por el relato. Por su expresión entendí que era un secreto que se desvelaba en ese momento para ellos.

—Vimos cómo Mateo cambiaba de aspecto, llevaba zapatos, chaquetas y renovaba camisas. Mi hermano imaginó que se habría metido en algo fructífero, sin sospechar qué. En cuanto a nosotros, no podíamos obedecerle. Necesitábamos seguir con nuestros pequeños hurtos por imposición de nuestros mayores.

—¿Quién más de esa organización era sabedor de los asesinatos?

—Sólo ellos, Rafael, Roberto y Mateo. Nadie más. Los otros vieron que se interrumpía el negocio de repente. Preguntaron y la respuesta fue que se acabó porque había vigilancia. No podían seguir arriesgándose. Habían ganado mucho dinero todos y, aunque es condición del ser humano querer más y más, lo cierto es que tuvieron que conformarse, porque los motores de la cadena se habían parado y no había posibilidades de poner otros. Así que dieron por bueno el final de un negocio que fue como si nunca hubiera existido. Los tres implicados mantuvieron el secreto. Cuando Roberto se desmoronó, Rafael lo hizo matar. Lo intentó con Mateo pero fracasó en sus intentonas, antes de caer él mismo. Y sin cadáveres, ni testigos oculares, ni nombres, ni datos escritos en papeles, tampoco existieron para la policía causas criminales. Sólo aquella denuncia de un niño, que nunca pudo comprobarse.

—Supongo que durante la mili viviría momentos relevantes con Mateo. ¿Cómo resultó? Y ¿qué ocurrió con Rafael Alcázar?

Durante un largo tiempo, mientras el cielo se aprovisionaba de más y más estrellas, él fue desgranando pasajes de su aventura militar. No le interrumpimos. Al llegar a lo de Alcázar, y ante una concurrencia sobrecogida pero leal y comprensiva, su voz renqueó y se volvió insegura. Pero no omitió datos, y se vació, con evidenciada renuncia, en la confesión tantos años demorada. Cuando terminó, en el cielo no cabían más estrellas. Miré al grupo hechizado y luego a Boves. Y de él sentí la fascinación del estoicismo más puro. Me recordó a César, en el caso de Prados, dos años antes. La misma ausencia de emociones, la misma fidelidad sin condiciones.

—¿Qué pasó con Mateo?

Me miró y luego cruzó los ojos con su mujer durante momentos llenos de intensidad. Luis Montero Álvarez se levantó y se alejó hacia la playa.

—Gracias por venir —dijo Pili, mirándome—. Ojalá lo hubiera hecho antes. Ahora vaya con él y termine su labor. Ayúdele a ser libre.

Me levanté y fui hasta Luis. Tanta era la calma y tantas las estrellas que parecía que estábamos en una nave sideral. Vi llegar a Boves y colocarse al lado de Luis, como si fuera una sombra en la noche sin sombras.

—La venganza es un sentimiento poderoso, absorbente, más que cualquier otro —habló Luis—. Pero cuando se ha consumado, ¿qué queda? Felicidad inmediata, sentimiento de culpa después. ¿Quiénes somos para quitar la vida? Si el malvado lo hizo, y ahí reside su maldad, ¿por qué ser como ellos?

Dejé correr la pregunta. Se volvió y me miró.

—Mi deseo, al principio, no estaba en la venganza, sino en averiguar dónde estaban los cuerpos, ya antes le dije. La venganza, que vino después, no consistía en matar, sólo en conseguir pruebas para que se hiciera justicia con los culpables. Créame. Fue cuando Mateo quebró el cuello de Rafael que empecé a vislumbrar la posibilidad de castigar yo mismo al malvado. En ese momento sentí que no era el único testigo. A través de mis ojos miraban los niños y el hombre bueno que mataron. Vieron que uno de los culpables pagaba al fin. Y era de justicia que el otro pagara también, con lo que sus espíritus, como el de su comisario, tendrían paz eterna.

Entendí que necesitaba un alivio para tan pesada carga. Dije:

—Hay algo que se llama justicia. Está la de los hombres y la divina, que, para los que creen, es más terrible. En cualquier caso, el malo debe pagar. Y no olvide: la venganza es consustancial en el hombre. Existe desde que el ser humano fue creado. Podría decirse que Dios creó al hombre para vengarse de sí mismo por su soberbia.

—Mateo mató a mi hermano, por dinero. Apagó su vida, sus sueños y lo que hubiera podido llegar a ser. ¡A él, el chico más noble que jamás hubo! ¡Mi hermano!... —sollozó quedamente, la enorme herida incurable. La quietud fue mitigando su queja. Más calmado, siguió—: Pero ello, como lo que usted dice, no me consuela porque hice una cosa terrible. He tratado de vivir con ello. Ojalá que desde ahora, como dijo Pili, y después que haya sacado ante usted todo lo guardado en mi equipaje emocional, pueda vivir sin pesadillas el resto de mis días.

Puso una mano en el hombro desnudo de Boves, sin mirarle, y me pareció que ambos se fundían en un solo cuerpo.

PARTE QUINTA

Octubre 1959
Agosto 1959
Abril 1960

Uno

Octubre 1959

Daniel se zambulló de cabeza. Profundizó más en el pozo, se revolvió y modificó la postura, colocándose cabeza arriba mientras se desabrochaba el mono y sacaba la navaja de un bolsillo del pantalón. Ajeno al dolor producido por los golpes con los salientes durante la caída, palpó la pared sin revestimiento, los ladrillos colocados de forma desigual, y eligió un lugar. Clavó una porción de hoja y se aferró a ella, procurando no moverse y notando el resplandor de la linterna de Mateo más allá de la superficie.

Nunca hubiera sospechado que los cadáveres estaban en las cloacas donde él tanto jugó. Al entrar en la cueva ya sabía, como desde el momento en que aceptó el secundar sus planes, que Mateo intentaría matarle. No era de los que dejan testigos tras de sí y aquel sitio en concreto ofrecía condiciones idóneas para su realización. Pero no tuvo elección. Fue un riesgo calculado. Si no hubiera entrado allí con el asesino, nunca habría sabido el lugar donde estaban los restos de su hermano, tantos años secreto. El plan A, consistente en que Boves les siguiera para una intervención rápida en caso necesario, hubo de ser abortado porque Mateo vigiló la ruta y él hubo de hacerle señas a su hombre con los intermitentes. Ahora, con el plan B, él estaba solo frente a su destino. Contra la potencia y ferocidad de Mateo él podría oponer agilidad y habilidad, armas que manejaba con solvencia. Pero no era la única.

Se preparaba para la acción inevitable, palpando cautelosamente la navaja ocultada, cuando oyó su llamada para que viera el pozo. Al mirar las aguas vislumbró no el oro tentador de Mateo sino su oportunidad. Ahí estaba su salvación. Presintió lo que iba a seguir y facilitó la tarea haciéndose el descuidado. El golpe esperado no lo recibió de pleno. En la breve caída llenó sus pulmones de aire. Conocía su aguante, más de cuatrocientos segundos. Sólo debía estarse quieto y contar. La luz siguió arriba. A los cuatro minutos, desapareció. Siguió contando. A los doscientos ochenta segundos volvió a notar la luz. Muy precavido el mamón. Había vuelto para comprobar. A los trescientos quince segundos desapareció de nuevo. A los cuatrocientos doce, con las sienes latiendo y helado de frío, subió con suavidad y sacó la cara a la superficie. Respiró cautamente. La oscuridad era absoluta. Amplificado por el eco de la cueva se oían débiles ruidos. Mateo en el respiradero. Permaneció sin salir hasta que todo quedó en silencio. Sacó de un calcetín la linterna de pluma y miró las paredes del pozo, procurando que el haz incidiera horizontalmente. Los ladrillos estaban con poca argamasa y había huecos suficientes para escalar. La boca estaba a unos tres metros. Apagó la linterna y la sujetó entre sus dientes, trepando con habilidad por la descarnada superficie hasta remontar el borde. Cientos de ojillos le observaban y oyó siseos y restregar de patas. Ratas. Conectó de nuevo la luz, proyectándola hacia abajo. Los roedores salieron huyendo. Estaba aterido. Se quitó las ropas y practicó unos ejercicios. Se acercó a los nichos y los palpó con suavidad. Volvería. Pero tendría que actuar rápido. Se vistió y entró en el respiradero, de cabeza. Cuando topó con la pared levantada por Mateo, apretó con cuidado. La masa estaba tierna. Sacó una rasilla y luego las demás. Descendió al conducto y amontonó el material junto a la bolsita de cemento que Mateo dejó u olvidó. La cerró y la colocó en un sitio seco porque la iba a necesitar. Caminó luego hacia donde entrara, proyectando siempre la luz hacia el piso. La boca de la alcantarilla estaba tapada. Movió la pesada piedra a un lado y millones de estrellas le dieron la bienvenida. Cogió la palanqueta que Mateo debió de haber olvidado, salió y volvió a poner la tapa en su sitio. Miró el reloj de la torre. Las 2.35 de la madrugada. No se veía un alma en todo el largo descampado situado entre las traseras de la calle de Antonio López, el río y los puentes. Caminó hacia el coche, abrió el portaequipajes y sacó otro mono. Estaba sucio de grasa pero seco. Se desnudó y se lo puso. Condujo luego por la calle de Antonio López a la plaza de Legazpi, pasando por el puente de la Princesa. En el Mercado aún no había actividad. Demasiado temprano, pero tendría que actuar sin dilación. Llegó al hostal Legazpi y golpeó la puerta. El portero tardó en abrir. Dijo que llamara a un huésped, José Vergara. Apenas un momento después apareció Boves portando una maleta. Estaba preparado y tenía la cuenta pagada. Sin decir nada, entraron en el coche y se desplazaron a la calle de Jaime el Conquistador. En ese barrio no había serenos y el portal estaba abierto. Ni un alma por las calles. Subieron sigilosamente por la escalera, sin dar la luz. Llegaron a la puerta de la vivienda. Boves sacó una ganzúa y tras un forcejeo cuidadoso abrió la cerradura. Daniel buscó el dormitorio de Mateo, que conocía por haber estado allí. La tía dormía al fondo del pasillo. En la penumbra y con cautela Boves abrió la puerta, para echarse atrás con presteza al atisbar el palo esgrimido por el alerta Mateo. El garrote trazó un círculo. La fuerza que llevaba, al no encontrar el objeto, hizo que el agresor perdiera el equilibrio. Boves se abalanzó sobre él y le sujetó en un fuerte abrazo mientras Daniel ponía en la cara del atacado un pañuelo impregnado de cloroformo. Mateo hizo fuerza y Boves apreció que quizá no resistiría la tremenda presión del antagonista. Daniel se colocó delante de él, sujetándole la cabeza por detrás con la mano izquierda mientras que con la derecha hacía fuerza con el pañuelo anestesiante. A la luz lunar que entraba por la abierta ventana vio destellar sus ojos desmesurados. Le había reconocido, sin duda, lo que era parte del plan: que supiera quién lo atacaba. Pero era necesario también que le oyera. Tenía poco tiempo porque el somnífero haría efecto rápido. Mientras el enorme cuerpo cedía en la resistencia a la acción conjunta del anestésico y de la presión de Boves, Daniel acercó su boca a uno de los oídos de Mateo y le dijo algo. Luego volvió a mirarle segundos antes de que sus párpados se abatieran y apagaran el brillo enloquecido. Boves lo dejó caer sobre la cama y tomó un respiro, mientras Daniel, tras guardar el pañuelo en una cajita, miraba en torno. Vio una maleta y un bolso preparados. Habían llegado a tiempo. Un día después y el pájaro habría volado. Sobre la mesita había un reloj despertador, un sobre y una cartera. Daniel miró en el sobre. Estaba lleno de dinero en pesetas y dólares. En la cartera estaba la documentación y un sobre de una agencia. Lo abrió. Los billetes de tren y de barco. Cogió todo, inclusive el despertador, pero dejó el sobre con el dinero dentro del cajón de la mesita.

Vistieron al inconsciente y Boves le ató las manos a la espalda y los pies. Luego, y con gran esfuerzo, se lo cargó sobre un hombro mientras Daniel se hacía con el equipaje. Desde la puerta, miró. Todo estaba en su sitio. Bajaron a oscuras hasta el portal y se asomaron con precaución. Nadie en las cercanías. Daniel fue al coche y metió los bultos en el maletero. Luego ayudó a Boves a colocar a su prisionero en el asiento trasero. Condujo hasta la plaza de los Bebederos, bajó por el paseo del Canal, cruzó el puente de Praga y giró a la calle de Antonio López para estacionar el coche cerca del Instituto Ibys, en una callejuela cercana a la que había aparcado anteriormente. Sacaron a Mateo y lo llevaron a la misma boca de alcantarilla. Boves aplicó la palanqueta a la tapa de piedra y la sacó de su sitio. Antes de descender por el hueco, Daniel miró la hora en el reloj de la torre. Las 3.15. Boves iluminó con una linterna de amplio haz y repitieron el camino que Daniel había realizado. Más tarde, ya en la cueva, y mientras Boves maniataba y amordazaba a Mateo, Daniel fue descubriendo los nichos con la palanqueta. Había cuatro. Quitó los pedruscos con cuidado hasta que los huecos quedaron al descubierto. La luz de la potente linterna mostró huesos humanos en tres de ellos. Se asomó y luego se aupó, introduciendo sus manos. De dos de los nichos extrajo sendos esqueletos. Eran de adultos. Uno sería el del falangista honrado, Andrés, por cuyo asesinato murieron su hermano y amigos. Pero ¿y el otro? Debía de ser el del segundo hombre asesinado por Rafael, el llamado Facundo, que Mateo mencionó en el barco cuando tornaban de África. Del tercer hueco sacó tres esqueletos de menor talla: los niños. No podía distinguir a quiénes correspondían. Daniel cogió los tres cráneos menores, miró las cuencas donde habían brillado los ojos y acarició las peladas superficies, sintiéndose desfallecer. Luego guardaron todos los huesos en dos bolsas que llevaban. En uno de los nichos metieron el equipaje y bultos de Mateo, y luego lo introdujeron a él boca arriba con los pies por delante. Boves fue tapando el hueco con gran precisión, ajustando las piedras unas con otras hasta lograr un espesor de unos treinta centímetros. Finalmente rellenó las junturas con tierra húmeda y piedrecillas hasta formar una pared sólida. Sin perder tiempo subieron al respiradero y salieron al conducto lateral. Boves colocó las rasillas, ayudado por el cemento de la bolsita, hasta dejar la superficie relativamente plana. Luego salieron por la boca de alcantarilla y la cerraron, eliminando las huellas en lo posible. Cuando se introdujeron en el coche, el reloj de la torre señalaba las 4.10. A partir de ahí tendrían muchas cosas que hacer. La más importante: elegir un sitio especial para depositar los entrañables huesos; un lugar donde se fundieran con la perennidad. Y más tarde, por fin, él podría caminar hacia...

Dos

Octubre 1959

Allí estaban, sin otros testigos que sus emociones. Durante años hubo un inmenso espacio vaciándose de todo en cada noche de soledades gritadas de silencios, vacíos llenados en los amaneceres con esperanzas de algo que se hacía más difuso. Y ahora, como si hubiera acaecido un milagro, ambos se estudiaban intentando componer gestos compatibles con el momento soñado, movimientos mil veces ensayados. Pero no estaban solos. Las noches enmudecidas campaban por ahí en medio interponiéndose en sus acciones, agudizando sus estupores, haciéndoles inseguros, torpes y lejanos. Horas antes él había llamado para decir que estaba llegando, y había sembrado de tumulto los sentimientos difícilmente dominados. Y luego, la alegría, los abrazos con Juan y su madre, con ella misma, forcejeando con la distancia del tiempo secuestrado. Más tarde habían almorzado, intentando establecer el ambiente adecuado tras los años de lejanía y desconocimiento. Después, las anécdotas, los parabienes, las risas. Pero sus ojos no se encontraban con el brillo deseado, hurtándose mientras se acopiaban de las energías necesarias. Y había llegado el momento inevitable de compartir sus soledades, de desnudar sus anhelos, solos, en el parque situado frente a la casa. Ahora se miraban, el pulso acongojado, viendo cada uno a un extraño frente a sí, paralizados los gritos de amor necesitados. ¿Cómo empezar? ¿Sería como imaginaron en los años desmesurados o la realidad mostraría que habían estado aferrados a una pasión engañada, a algo inexistente porque el viento de los años habría disuelto los cimientos de sus sueños, sin ellos saberlo? ¿Acaso ya era demasiado tarde? Luego, cuando el alma se partía de temores, él dejó que su mano rozara apenas su mejilla temerosa, cual la mirada de un niño castigado. Como si el tiempo no existiera, tomaron asiento en un banco viendo a los críos jugar y a la gente conversar. Lentamente, él tocó su mano y ella buscó refugiarla en la de él como si fuera un gorrión herido, dejando que les fuera llegando sin prisa ese amor tanto tiempo sollozado.

Tres

Agosto 1959

Daniel tomó la cafetera del fuego instalado en el fondo del recodo, alrededor del cual los pemones cambiaban impresiones, y pasó a la tienda, arrodillando su alta figura. Una potente linterna iluminaba el espacio. Catia lo vio llenar dos cazos metálicos y tenderle uno. Al sentarse puso los ojos a la altura de los de ella y ambos notaron que el tiempo se ausentaba. Al fin había capturado al hombre esquivo. Pero no era Chus sino su inseparable amigo, el despreocupado de las mil novias, el líder de las huelgas estudiantiles. ¿Qué hacía allí, en las selvas, durante diecinueve meses? Y ¿por qué el engaño del cambio de papeles con Chus?

—Algún día sabrás los motivos, cuando estés preparada.

—Me asombras. Nunca hubiera imaginado encontrarte aquí. Creí que no eras hombre de soledades.

—Tu concepto de mí era superficial; equivocado, por tanto.

—Debo admitirlo. El hombre al que he seguido durante meses es al que seguiría el resto de mi vida.

Hubo un duelo de miradas. ¿Era una declaración de intenciones o un reto de su conocida naturaleza caprichosa?

—No entiendo qué quieres decir. Todavía estoy impresionado al verte. Tampoco yo imaginé que la Reina del Mundo aparecería ante mí vestida de fatigas y habiendo pasado por las aventuras que me has contado. —Intensificó su mirada—. ¡Condenado Chus! Qué suerte tiene de que le siga una chica como tú.

Ella bajó los ojos y sorbió lentamente su bebida, ambas manos sujetando el bote. Mantuvo la distancia de un silencio. Luego giró la cabeza en torno. El suelo estaba alfombrado con una gruesa manta y ella tenía la mitad de su cuerpo metido en su saco de dormir, otro invento gringo recién importado. La tienda era de doble tela y el frío estaba dominado. Seguía lloviendo, pero el agua caía fuera de la gruta y su sonido resultaba tranquilizador, como la presencia del hombre.

—¡Qué bien se está aquí! —dijo. Levantó la cabeza y dejó que Daniel se perdiera en sus ojos—. No sólo buscaba a Chus sino al hombre mágico que me precedía. Siguiéndote he visto y aprendido cosas que nunca hubiera descubierto. Y lo más importante: me he descubierto a mí misma. Perseguía un sueño y he encontrado al guía que necesitaba, sin saberlo.

Más tarde, cuando el tiempo retornó, en el mismo saco compartido y rodeada por los nudosos brazos de él, ella dijo:

—¿Qué hará Chus en este momento?

—No sé, pero estará bien. Sabe cuidarse. Lo veremos pronto.

Cuatro

Abril 1960

El hombre, en la cincuentena, alto, de buen porte, llevaba un batín sobre su cuerpo desnudo y esperaba con la excitación contenida el encuentro inminente y deseado. Con un vaso de güisqui en la mano, bebida que iba teniendo predicamento entre la gente *in*, aunque a él no le gustaba especialmente por su sabor a chinches, reflexionaba sobre su vida. Todo le sonreía, no había nubarrones en su horizonte, aunque no entendía qué les había pasado a sus compinches. Desaparecieron ambos sin dejar rastros. Mateo estaría en Francia, pero ¿y Rafael? ¿Qué misterio era ése? Bueno; había pasado tiempo y no iba a dejar que eso le preocupara. Convino consigo mismo que era feliz. Y tenía a Olga. Joder, qué mujer. Le costaba un buen dinero pero lo merecía. Con ella había recobrado la juventud y la virilidad adormecida. Las demás que tuvo antes no consiguieron obtener de él esas vibraciones. Con Olga todo era un goce continuo. Oyó el timbre de la puerta, lo que le extrañó. Miró la hora. No era Olga, que tenía llave. Además era pronto aún para su llegada ¿Quién podría llamar a un piso sin habitar, utilizado ocasionalmente, y a esas horas de la tarde? Miró por la mirilla. Un joven de buena presencia, distanciado lo suficiente para que se apreciara su aspecto. Abrió y otro joven, armado con una pistola, surgió por una de las jambas, encañonándole. Entraron rápidamente y lo empujaron hacia el fondo. Sintió la puerta cerrarse.

—Pase al dormitorio, siéntese en la cama y relájese. Nada de heroicidades.

El hombre hizo lo ordenado.

—Un nido de amor. ¿No le da vergüenza, un hombre tan respetable y de su posición? ¿Qué dirían su mujer e hijos? Tch, tch.

—Entran en mi casa con violencia. ¿Qué quieren?

—No es su casa. Sabemos que es un apartamento alquilado para sus encuentros amorosos con su amante de turno, que llegará —miró la hora— en media hora más o menos. Así que debemos ir rápido.

—¿Qué buscan? ¿Saben con quién están tratando?

—Sí lo sabemos, señor subdirector del Matadero.

—Director —dijo el otro—. Recuerda que lo ascendieron.

—¿Cómo saben eso?

—Llevamos varios meses siguiendo sus movimientos.

—¿Siguiéndome desde hace meses? ¿Por qué?

—Porque es usted muy importante para nosotros. En realidad, en estos momentos, lo más importante de nuestras vidas.

El hombre tomó conciencia de que la situación era inquietante. Contempló a los jóvenes. De gran parecido, quizá mellizos, de estatura aventajada y aspecto atlético, cabello negro y ojos del mismo color que lo miraban con fijeza.

—¿Tienen que seguir apuntándome con eso?

—Sí.

—Si es cuestión de dinero, yo puedo…

—No va por ahí.

—Díganos dónde podemos encontrar a Rafael Alcázar y a Mateo Morante.

—¿Qué? —El hombre se revolvió—. ¿Quiénes son ésos?

—Venga, no perdamos tiempo.

—«El tiempo es el mayor tirano del mundo» —dijo el otro.

—Sí, y «la medida del tiempo está en nosotros» —apostilló el primero, sin dejar de mirar al hombre, que había quedado en silencio—. Sabemos que esos dos desaparecieron hace un año. Hemos estado buscándolos, sin resultados.

—¿Llevan un año buscándolos?

—No sea pesado. Conteste a las preguntas en vez de repetirlas.

—El tesón, señor —añadió el otro—. ¿Sabe quién fue Diego de Ordaz?

—No, ¿quién fue?

—¿No sabe lo que hizo?

—No.

—Sigamos con lo nuestro —terció el otro—. Hable.

—Bueno, me suenan de que trabajaron en el Matadero hace tiempo.

—Muy bien. Ya ve que la verdad mejora el entendimiento. Siga.

—Sé lo mismo que ustedes.

—¿Qué sabe?

—Eso, que desaparecieron sin dejar rastro. Oigan —dijo, quitándose de la frente un inexistente sudor—, podemos arreglar esto…

—¿Le suena Roberto Fernández? —preguntó uno de los visitantes, notando que el hombre se ponía tenso—. En 1956 entregó una declaración detallada de una trama, con fechas, cifras y nombres, a un arquitecto llamado Fernando León de Tejada.

El hombre se agitó, inquieto.

—No tenía idea de ese hecho, ¿verdad? —siguió el joven.

—Ambos hombres murieron de forma trágica —añadió el otro—, al igual que años antes unos niños y dos hombres más: Andrés Pérez de Guzmán y un tal Facundo Morales. Todos de forma violenta. Lo sabe, ¿verdad?

—¿Qué…, qué tengo yo que ver con eso?

—Fernando León de Tejada era un hombre bueno. Estaba trabajando en su estudio y lo asesinaron. El que lo hizo, el hombre que usted mandó, buscó la declaración de Roberto Fernández. No la encontró aunque lo revolvió todo.

—No sé de qué me hablan —dijo el hombre, incorporándose con el miedo en el rostro. El otro joven lo inmovilizó con su peso.

—Terminemos —habló el joven anterior, mirando la hora—. ¿Dónde están Rafael y Mateo?

—¡Les juro que no lo sé! No miento.

—«La verdad es una mentira que aún no ha sido descubierta» —dijo uno.

—¿Podemos creerle?

—Qué más da. En todo caso, el tiempo se acabó. —Cruzó una señal con el otro y ambos se abalanzaron sobre el hombre, abrumándole con su peso. Mientras uno le sujetaba las manos el otro le puso una almohada en la cara. Aguantaron el pataleo y los gritos ahogados hasta que la víctima quedó quieta. Levantaron la almohada. El hombre tenía los ojos desbocados. Uno sacó un estetoscopio y lo aplicó en el pecho inmóvil.

—Está muerto —dijo.

—Bien. Rápido. Arreglémoslo de forma que a la mujer, cuando llegue, le parezca que le ha dado un ataque.

Procedieron y luego salieron con sigilo. La casa tenía portero automático, un sistema nuevo que se iba imponiendo en sustitución de los tradicionales celadores de carne y hueso. Salieron a la calle por separado, evitando encuentros con la gente. Más tarde, en su habitación, uno dijo:

—Parece que todos los asesinos recibieron su merecido.

—A no ser que algún día aparezcan Mateo y el otro.

—No aparecerán. Están muertos. La verdad del tipo era una mentira. Él los mandó matar.

—¿Tú crees?

—Es lo más probable. ¿Quién podría ser, si no?

—¿Y los cadáveres de los desaparecidos?

—Ya lo hemos hablado. Roberto sólo dice que están en las cloacas, pero no el lugar. Eso, además, no es de nuestra incumbencia. Lo que nos concernía lo hemos resuelto.

—¿Y toda la red de ladrones?

—Lo mismo. No nos interesa. No somos justicieros,

sólo vengadores. Y hemos cumplido nuestra venganza. Ya somos libres.

—¿Hicimos lo correcto, hermano?

—Claro. Teníamos que matar a tres hombres. Sólo matamos a uno, al cerebro. Si hemos pecado, «Dios nos perdonará; es su oficio».

—¿Qué hacemos con la documentación de Roberto?

—Destruirla. El conservarla sólo puede traernos problemas después de lo de esta tarde. Y ahora, a lo nuestro. «La vida es una tarea a desarrollar.» Desarrollemos las nuestras a partir de aquí.

EPÍLOGO

Diciembre 2000
Octubre 1959

Uno

Diciembre 2000

Aparqué el coche en Mataelpino, el bello y tranquilo pueblo situado al pie de la sierra madrileña de Guadarrama, en el término de Navacerrada, dentro de la Cuenca Alta del Manzanares. Hacía frío y todo estaba cubierto de nieve, como en las postales de los paisajes del norte. Salimos Rosa, Clara Ocaña y yo, y echamos a caminar por el campo virgen entre matojos encharcados y peñas cubiertas de musgo. No había olvidado la piqueta. Nevaba abundantemente desdibujando el paisaje, pero los copos, gruesos como cerezas, caían con una extraña lentitud, como si no quisieran incomodarnos. Seguí lo indicado en el plano que me había hecho Luis Montero, hasta llegar al espacio marcado con una cruz. Miré una fotografía que mostraba el lugar, elegí la posición y cotejé ambos documentos. Ése era el punto, una zona de tierra entre afiladas peñas, como dientes de un monstruo enterrado boca arriba. Busqué los ojos de Clara.

—¿Es aquí? —dijo.

—Sí. Están ahí.

El emplazamiento no tenía ningún signo diferenciador del entorno, ninguna señal. «Un sitio en plena sierra, como otro cualquiera, donde nunca puedan hallarlos y donde no pueda construirse.» Hasta allí no llegarían las urbanizaciones que ya se habían comido casi todo el campo, quitando de los pueblos el sabor de tales. Clara se quitó la bufanda, la puso en la nieve, se arrodilló sobre ella y comenzó a orar en silencio mientras las motas blancas puntuaban de plata sus cabellos. Rosa se colocó a su lado, de pie, como para no dejarla sola; pero, al cabo, se arrodilló también. Yo me retiré a un lado y miré en torno. Los abetos, cedros, pinos, enebros y arces se perseguían hasta camuflarse en la atmósfera húmeda. No se oían los pájaros pero sí el rumor de los riachuelos que descendían de la montaña. Estábamos solos. De repente cesó de nevar y oí voces cantarinas. Miré. Vi un pasillo en el tiempo, como cuando se abre una herida en la niebla para mostrar el paisaje ocultado.

—Yo quiero ser albañil, como mi padre —decía Eliseo.

—Y yo aviador, como el mío. Pilotaba un caza en la guerra —aseguró Gerardo.

—Eh, Julián —llamó Eliseo—. ¿Y tú?

El interpelado miraba algo invisible, un borrón en la nada.

—Seré carpintero y construiré un barco grande.

—¿Para qué?

—Iré a Venezuela y estaré con Luis para protegerle siempre.

Y luego empezaron a jugar, tirándose bolas de nieve y rodando por el blancor. Reían, ya niños por toda la eternidad, las risas que no pudieron tener en su niñez interrumpida, con sus rostros detenidos en las fotografías que el tiempo no borró. Y siguieron riendo y jugando hasta que poco a poco sus voces fueron apagándose. Parpadeé. De nuevo comenzó a nevar. ¿Lo imaginé o los había visto, realmente? Miré al suelo y percibí claramente huellas de pisadas en la nieve removida, desvaneciéndose lentamente bajo los copos que descendían. Momentos después la alfombra blanca quedó incólume y nunca podría comprobar si esas huellas existieron.

Clara se levantó y me invitó con los ojos. Fui al sitio y cavé un hoyo de unos cincuenta centímetros de profundidad. Ella se acercó y colocó en el fondo una cruz de oro de unos dos centímetros. La miramos un rato viendo que los copos que entraban se deshacían al tocar el metal, como si fuera de fuego. Luego cubrí el agujero, apisonando por capas con una piedra. Al final nivelé el suelo y lo igualé con nieve recogida del entorno. En poco tiempo la huella quedaría inadvertida bajo el mismo manto albo. Clara miró hacia las montañas que se emboscaban en las nubes bajas como queriendo enganchar el cielo.

—Aquí están bien —dijo—. Éste es un buen lugar. Cerca de Dios.

Pronto sería Navidad, acabaría el segundo siglo de nuestro calendario y las pesetas serían desterradas para dar paso a los euros. Bajamos chapoteando en la yerba cogidos de la mano. Parecía que el mundo empezaba de nuevo.

Dos

Octubre 1959

Mateo recobró lentamente la conciencia, pero no la visión. Estaba en la más completa oscuridad, tumbado boca arriba sobre suelo de piedra desigual, con las manos bajo su cuerpo. Todavía mareado, tardó en darse cuenta de su situación. Recordó vagamente haber luchado con algunos que entraron en su habitación. No sabía quiénes eran pero lo averiguaría. Intentó mover las manos y notó que las tenía atadas, al igual que los pies. ¿Qué era eso? ¿Él trabado? Tenía un sabor dulzón en la boca. Intentó abrirla y no pudo. Una mordaza que definió como un esparadrapo se lo impedía. Joder, ¿qué estaba pasando? Forcejeó bravamente, los músculos hinchados de rabia. Pero las ligaduras eran alambres de acero y no cedieron. Notó rajarse su carne en el empeño furioso. Por primera vez sintió que no dominaba la situación. Empezó a comprender lo que era la angustia, esa sensación desconocida contemplada en los ojos de sus víctimas. Quiso gritar a través de la mordaza. El ruido sonó sólo en su interior. No se iba a dejar vencer. Intentó levantar las rodillas. Lo consiguió a medias porque el conducto era estrecho. Reptó, boca arriba, apoyándose en los talones. Sus enlazados pies tocaron un objeto. Palpó con las suelas de los zapatos. Parecía una maleta. ¿Una maleta? Golpeó con fuerza sin que nada cediera por esa parte. Se arrastró hacia la parte contraria notando el sufrimiento de sus manos. Su cabeza golpeó con una pared desigual. Apreció, restregando, que era un taponamiento de cascotes. Estaba en un nicho. No podía ser. ¿Uno de los nichos de las cloacas? ¿Sus nichos? Pero ¿cómo era posible? Nadie más que él tenía conocimiento de ese lugar porque al último testigo, el Daniel, lo había… Algo frío entró en su cuerpo y la mente se le despejó de golpe. ¡El Daniel era uno de los que le asaltaron en su casa! Lo vio antes de perder el conocimiento. ¡No había muerto, el mariconazo! ¿Cómo era posible si él estuvo mirando el pozo durante más de seis minutos? No sabía cómo, pero salió del agujero por sí solo. Era la única explicación, porque nadie pudo haberlo rescatado ya que se lo hubiera topado. Bien. De él nadie iba a reírse y menos el maricón. Saldría de allí y esta vez no fallaría. Él tenía la cabeza dura. Apretó una y otra vez hasta notar que se hacía sangre. El aire empezó a faltarle. Se dio la vuelta con esfuerzo y, arañando, se quitó la mordaza, a costa de herirse la cara. Gritó fuertemente pidiendo ayuda. Poco a poco la idea de que podría no salir de esa situación le atenazó. Sintió que el miedo le penetraba. Imposible. Él no. Volvió a gritar y le salió un gorjeo como el ruido del aire en una cañería. Un momento. El Daniel le había dicho algo al oído. ¿Qué fue lo que le dijo? Un chispazo llenó su mente de luz como si el sol hubiera estallado en su cabeza. No, no. «¿Recuerdas al Patas?» Eso era lo que le había dicho. Retornó vertiginosamente al pasado y lo vio escapar escalera arriba en la nave de las vacas del Matadero después de que él estrangulara a su hermano; lo veía saltar hasta el tejadillo del muro y correr delante de él hasta desaparecer. La verdad increíble le cortó la respiración. *El Daniel era el Patas*. Eso explicaba su comportamiento pegajoso durante la mili. La ira le dominó. Cabrón. Volvió al forcejeo rabioso hasta que su impulso se deshizo. Desmesuró la mirada cuando vio el rostro sereno del Daniel mirándole, como cuando mató al Rafael. ¿Cómo no lo reconoció entonces? El rostro cambió al del Patas, y se simultanearon. Sabía que no eran de verdad, que estaban en su mente. Pero parecía tan real… Espera, había alguien más. De repente los vio desfilando ante sus ojos.

Se estremeció. Estaban allí, realmente: el Piojo, el Gege, el Largo, los hombres, todos los que había matado, contemplándole sin pestañear. Cerró los ojos pero siguió viéndolos. Había más. No. Los otros eran corderos, cientos, miles, mirándole. Lleno de horror gritó y gritó, consciente de que el aire se acababa y de que sus posibilidades languidecían, como su vida. El tiempo fue pasando y no supo cuándo empezó a llorar y tampoco cuándo las sombras entraron en él.

Índice

PARTE TERCERA
(Febrero 1957 – Octubre 1959)

PARTE CUARTA
(Septiembre – Octubre 2000)

PARTE QUINTA
(Octubre 1959 – Abril 1960)

EPÍLOGO
(Diciembre 2000 – Octubre 1959)